시리즈

금평아 놀자!

중학 **사회** ① 평가문제집

금성출판사

이 책의 구성과 활용법

**중학교 사회 ①
평가 문제집은**　2015 개정 중학교 사회 ① 교과서에 따른 학습 보조 교재로 학교 시험 대비는 물론 교과 역량 향상과 자기 주도적 학습이 가능하도록 하였습니다.

❶ 나의 학습 계획표

단원 시작 전에 스스로 학습을 계획하고, 학습이 끝날 때마다 목표를 달성하였는지 확인하며 자기 주도적 학습 능력을 키울 수 있어요.

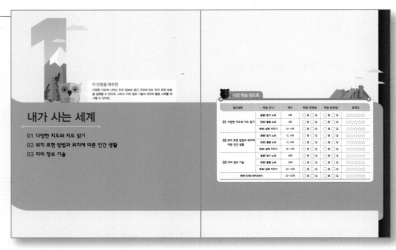

❷ 꼼꼼! 필기 노트

교과서의 흐름대로 핵심 내용을 구조화하였어요. 꼭 알아야 할 개념이나 원리를 확인하며 기초를 다질 수 있어요.

> **이것이 포인트!**
> 핵심 내용 미리 확인하기

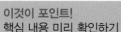
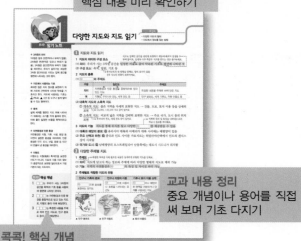

> **교과 내용 정리**
> 중요 개념이나 용어를 직접 써 보며 기초 다지기

> **콕콕! 핵심 개념**
> 핵심 개념 확인하기

❸ 탄탄! 활동 노트

개념 이해나 적용에 필요한 활동형 문제를 푸는 과정에서 스스로 원리를 파악할 수 있어요.

> **다양한 자료**
> 지도, 사진, 그림, 도표, 그래프 등 다양한 자료 분석하기

> **활동 문제**
> 직접 쓰고 그려 보며 스스로 알아가기

쑥쑥! 실력 키우기

단계별 문제를 풀며 학교 시험에 대비할 수 있어요.

·1 STEP 개념을 되짚는 확인 문제

빈칸 채우기, OX 문제, 선 잇기 등 간단한 문제로 중요 개념 확인하기

:2 STEP 기초를 다지는 기본 문제

시험에 자주 출제되는 선다형 문제로 기초 다지기

:3 STEP 실력을 완성하는 주관식·서술형 문제

주관식 서술형 문제로 교과 역량과 사고력 키우기

뚝딱! 단원 마무리하기

단원 내용을 종합적으로 점검하고 강화된 서술형 문제로 창의·융합적 사고력을 키우도록 하였어요.

정답과 해설

정답과 오답에 대한 친절한 설명을 통해 자기 주도 학습이 가능하도록 하고, 문제 해결력을 높여 유사 문제 및 응용 문제에도 대비할 수 있도록 하였어요.

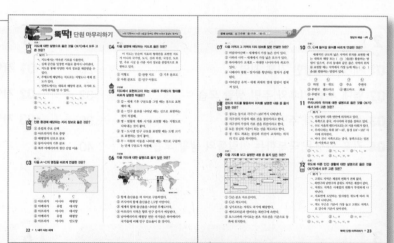

차례

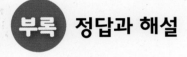

부록 정답과 해설

이 단원을 배우면
다양한 지도에 나타난 위치 정보와 공간 규모에 맞는 위치 표현 방법을 설명할 수 있어요. 그리고 지리 정보 기술의 의미와 활용 사례를 제시할 수 있어요.

내가 사는 세계

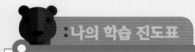

중단원명	학습 코너	쪽수	학습 예정일	학습 완료일	달성도
01 다양한 지도와 지도 읽기	꼼꼼! 필기 노트	8쪽	◯월 ◯일	◯월 ◯일	☆☆☆☆☆
	탄탄! 활동 노트	9쪽	◯월 ◯일	◯월 ◯일	☆☆☆☆☆
	쑥쑥! 실력 키우기	10~11쪽	◯월 ◯일	◯월 ◯일	☆☆☆☆☆
02 위치 표현 방법과 위치에 따른 인간 생활	꼼꼼! 필기 노트	12, 14쪽	◯월 ◯일	◯월 ◯일	☆☆☆☆☆
	탄탄! 활동 노트	13, 15쪽	◯월 ◯일	◯월 ◯일	☆☆☆☆☆
	쑥쑥! 실력 키우기	16~17쪽	◯월 ◯일	◯월 ◯일	☆☆☆☆☆
03 지리 정보 기술	꼼꼼! 필기 노트	18쪽	◯월 ◯일	◯월 ◯일	☆☆☆☆☆
	탄탄! 활동 노트	19쪽	◯월 ◯일	◯월 ◯일	☆☆☆☆☆
	쑥쑥! 실력 키우기	20~21쪽	◯월 ◯일	◯월 ◯일	☆☆☆☆☆
뚝딱! 단원 마무리하기		22~25쪽	◯월 ◯일	◯월 ◯일	☆☆☆☆☆

01 다양한 지도와 지도 읽기

꼼꼼! 필기 노트

이것이 포인트!
- 다양한 지도의 형태
- 지도에서 정보를 읽는 방법

✚ 3차원의 의미
1차원은 점과 선(면적이나 부피가 없음), 2차원은 면(면적은 있으나 부피가 없음), 3차원은 공간(면적과 부피가 있음)을 의미한다. 우리가 살아가는 세상은 3차원 공간이므로 지도는 입체 공간을 평면에 나타내는 것이 된다.

✚ 지도에서 사용되는 기호
최대한 많은 지리 정보를 표현하기 위해 지도에 간략하게 나타낸 약속을 기호라고 한다. 지도에 사용되는 기호는 ⛫ (학교), ▲ (산) 등 누구나 쉽게 알아볼 수 있는 형태이다.

✚ 축척
실제 세계를 평면인 지도 위에 나타내기 위해서는 크기를 작게 줄여야 한다. 이때 줄인 일정한 비율을 축척이라고 한다.

✚ 자연환경과 인문 환경
자연환경은 지형, 기후, 식생, 토양 등 자연이 결정한 환경을 의미하며, 인문 환경은 인구, 도시, 산업, 문화 등 인간이 만들어 낸 환경을 의미한다.

✚ 지형도
지형도는 지형(地形) 특색만을 표현한 지도가 아니라, 지표의 각종 지리 정보가 종합적으로 표현된 일반도로서 가장 기본이 되는 지도이다.

콕콕! 핵심 개념

1 □□는 우리가 사는 3차원의 공간을 축척과 기호 등을 사용하여 평면에 나타낸 것이다.

2 □□□는 자연환경과 인문 환경을 종합적으로 담고 있는 지도로, 지형도 등이 이에 해당한다.

3 □□□는 특정한 내용을 주제로 하여 만든 지도로, 인구 분포도 등이 이에 해당한다.

---

1 지도와 지도 읽기

1 지도의 의미와 구성 요소

지도는 입체인 공간을 평면에 표현하기 때문에 왜곡이 발생할 수밖에 없어요. 실제와 아주 똑같은 지도를 만드는 것은 불가능해요.

(1) **의미**: 우리가 사는 3차원✚ 공간을 일정한 비율로 줄여 약속된 기호로✚ 평면에 나타낸 것

(2) **구성 요소**: 축척,✚ 방위, 기호 등
→ 동서남북의 네 방향을 말해요. 방위 표시가 없을 경우 지도의 위쪽이 북쪽이에요.

2 지도의 종류

(1) ❶ [____]와 주제도

구분	일반도	주제도
의미	자연환경과 인문 환경을 종합적으로 담고 있는 지도	특정한 내용을 주제로 하여 만든 지도
예	지형도, 우리나라 전도, 세계 전도 등	인구 분포도, 세계 기후도, 자원 이동도 등

(2) **대축척 지도와 소축척 지도**

① **대축척 지도**: 좁은 지역을 자세히 표현한 지도 → 건물, 도로, 토지 이용 등을 상세히 표현
→ 1:5,000, 1:25,000 지도 등이 있어요.

② **소축척 지도**: 비교적 넓은 지역을 간략히 표현한 지도 → 주요 국가, 도시 등의 위치 표현
→ 우리나라 전도, 세계 전도 등이 있어요.

3 지도의 기능 지도를 통해 위치를 찾고 다양한 ❷ [____]를 제공받을 수 있음
→ 지역의 위치 및 특성을 나타내는 모든 자료나 정보를 의미해요.

(1) **대륙과 해양의 분포**: 📄 유라시아 대륙과 아메리카 대륙 사이에는 태평양이 있음

(2) **주요 산맥과 하천**: 📄 중국과 인도 사이를 가로지르는 히말라야산맥에서 인도의 갠지스강이 시작됨

(3) **국가와 도시**: 📄 남태평양의 오스트레일리아 남동쪽에는 대도시 시드니가 위치함

2 다양한 주제별 지도

1 주제도 → 특별한 목적을 위해 필요한 내용만 상세하게 표현한 지도를 말해요.

(1) **의미**: 지도에 담고자 하는 정보와 주제에 따라 다양한 형태의 지도로 제작 가능

(2) **기능**: 지역의 자연환경과 ❸ [____]의 특징 및 차이점 파악 가능

2 주제별로 적합한 지도의 유형

인구나 가축의 분포	인구나 자원의 이동	기후나 토지 이용 상태	도시별 인구나 경제 규모
❹ [____]으로 분포를 표현하는 점지도	❺ [____]으로 이동이나 흐름을 나타내는 유선도	❻ [____]이나 패턴으로 영역을 구분하거나 단계를 구분하는 지도	도형의 크기 등을 이용하여 표현하는 도형 표현도

▲ 인구 분포도

▲ 인구 이동도

▲ 토지 이용도

▲ 인구 규모도

활동 ① 다음은 여러 대륙의 경관과 일반도인 세계 전도이다. 물음에 답해 보자.

 가
 나
 다
 라
 마
 바

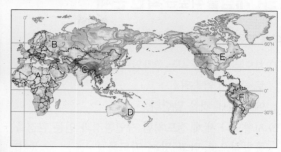

1 다음 글을 읽고 빈칸에 들어갈 알맞은 말을 써 보자.

세계 여행을 떠난 산들이네 가족은 태평양 남쪽에 위치한 [❶   ]의 시드니에 도착하였다. 시드니에서 코알라와 캥거루를 구경한 다음 세계에서 가장 높은 산이 있는 [❷   ]산맥을 등반하였다. 그 후 아프리카로 건너가 세계에서 가장 넓은 사막인 [❸   ]사막에서 낙타를 타고 이동하였다. …〈중략〉… [❹   ]의 수도 모스크바에서 시베리아 횡단 열차를 타고 러시아 극동의 블라디보스토크에 도착한 산들이네 가족은 다시 태평양을 건넜다. 북아메리카의 오대호에 있는 [❺   ] 폭포를 구경한 후 남아메리카로 이동하였으며, 마침내 여행의 종착지인 [❻   ]강 유역에서 세계 최대의 열대 밀림을 탐험하였다.

2 산들이네 가족이 방문한 각 장소에 해당하는 사진과 위치를 찾아 기호로 써 보자.

❶ – (,   )   ❷ – (,   )   ❸ – (,   )
❹ – (,   )   ❺ – (,   )   ❻ – (,   )

활동 ② 다음은 벚꽃의 개화 시기를 주제로 표현한 지도이다. 물음에 답해 보자.

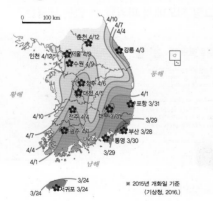

※ 2015년 개화일 기준
(기상청, 2016.)

1 다음 글을 읽고 빈칸에 들어갈 알맞은 말을 써 보자.

왼쪽 지도는 벚꽃의 개화 시기가 동일한 위치를 [❶   ](으)로 이어서 표현한 주제도이다. 지도를 살펴보면 우리나라의 벚꽃 개화는 대체로 [❷   ]부터 시작되고, 서해안보다 동해안에서 먼저 시작됨을 알 수 있다.

2 다음 도시들을 찾아 벚꽃이 먼저 피는 순서대로 배열해 보자.

포항, 청주, 서귀포, 광주, 서울, 춘천, 강릉

3 위 지도에서 색상이 진하고 연한 것은 어떤 의미가 있는지 추론해 보자.

쑥쑥! 실력 키우기

단계별 문제를 풀면서 실력을 쑥쑥 키워 보세요.

• 1 STEP 개념을 되짚는 확인 문제

01 다음 빈칸에 들어갈 알맞은 말을 써 보자.

(1) 지도는 우리가 사는 3차원의 공간을 일정한 비율로 줄여서 약속된 (　　　　)(으)로 (　　　　)에 나타낸 것을 말한다.

(2) 지형도나 세계 전도처럼 자연환경과 인문 환경을 종합적으로 담고 있는 지도를 (　　　　)(이)라고 한다.

(3) 지역의 위치 및 특성을 나타내는 모든 자료 정보를 (　　　　)(이)라고 한다.

(4) 특정한 내용을 주제로 필요한 내용만 상세히 표현한 지도를 (　　　　)(이)라고 한다.

02 다음에서 설명하는 지도는 무엇인지 써 보자.

(1) 지형을 비롯한 각종 지리 정보가 종합된 일반도로, 가장 기본이 되는 지도이다. (　　　　)

(2) 세계의 다양한 자연환경과 인문 환경을 종합적으로 알 수 있는 지도로 대륙과 하천, 국가 등이 표시된 지도이다. (　　　　)

03 다음 설명이 옳으면 ○, 틀리면 ×에 표시해 보자.

(1) 지도를 통해 위치를 찾고 지역의 다양한 지리 정보를 파악할 수 있다. (○ | ×)

(2) 지도에서 동서남북의 방향을 표시한 것을 방위라고 한다. (○ | ×)

(3) 대축척 지도는 넓은 범위의 지역을 간략하게 표현한 지도이다. (○ | ×)

04 각 주제와 어울리는 형태의 주제도를 연결해 보자.

(1) 중국의 인구 분포　•　　•㉠ 단계별로 색으로 구분한 지도

(2) 아프리카의 토지 이용　•　　•㉡ 점으로 분포를 표현한 지도

(3) 세계 인구의 이동　•　　•㉢ 이동이나 흐름을 선으로 나타낸 지도

: 2 STEP 기초를 다지는 기본 문제

01 지도에 대한 설명으로 옳지 않은 것은?

① 평면에 나타낸다.
② 약속된 기호를 사용한다.
③ 지리 정보를 파악할 수 있다.
④ 일반도와 주제도로 나눌 수 있다.
⑤ 실제 세계를 왜곡 없이 나타낼 수 있다.

02 자연환경과 관련이 있는 지리 정보로 옳은 것을 〈보기〉에서 모두 고른 것은?

보기
ㄱ. 아프리카는 출산율이 높은 대륙이다.
ㄴ. 인도 북부에는 히말라야산맥이 있다.
ㄷ. 벚꽃의 개화 시기는 남쪽이 북쪽보다 빠르다.
ㄹ. 미국과 영국은 세계적으로 경제 규모가 큰 국가들이다.
ㅁ. 아시아에서 인구가 가장 많이 분포하는 나라는 중국이다.

① ㄱ, ㄷ　　② ㄴ, ㄷ　　③ ㄹ, ㅁ
④ ㄱ, ㄴ, ㄷ　　⑤ ㄱ, ㄴ, ㄷ, ㄹ, ㅁ

03 다음 그림 지도에서 파악할 수 없는 내용은?

① 지도상의 거리
② 지도상의 방향
③ 지도상의 산의 높이
④ 지도상에서의 강의 흐름
⑤ 지도상에 나타난 보물의 위치

04 일반도를 통해 파악할 수 있는 지리 정보로 옳은 것을 〈보기〉에서 모두 고른 것은?

보기
ㄱ. 지역별 강수량 분포
ㄴ. 국가와 도시의 위치
ㄷ. 주요 대륙과 해양의 분포
ㄹ. 주요 산맥과 하천의 위치

① ㄱ, ㄴ 　② ㄱ, ㄹ 　③ ㄴ, ㄷ
④ ㄱ, ㄴ, ㄷ 　⑤ ㄴ, ㄷ, ㄹ

05 수업 시간에 학생들이 각자 주제를 선택하여 지도로 그려 보기로 하였다. 주제도를 그리지 <u>않은</u> 학생은?

① 갑 – 각 국가의 수도를 표시한 지도를 그렸어.
② 을 – 미국 주요 도시의 인구를 지도로 그렸어.
③ 병 – 우리나라의 개나리 개화 시기를 선으로 이은 지도를 그렸어.
④ 정 – 우리나라의 소가 어디서 사육되는지 소의 분포 지도를 그렸어.
⑤ 무 – 세계의 이주 노동자들이 자신들의 모국으로 송금하는 흐름을 지도로 그렸어.

06 다음은 아프리카인과 유럽인의 이동을 나타낸 지도이다. 이에 대한 설명으로 옳은 것은?

① 일반도에 해당한다.
② 네덜란드인들은 북아메리카로 진출하였다.
③ 아프리카인들은 주로 유럽으로 이동하였다.
④ 남아메리카는 인도양과 대서양 사이에 위치한다.
⑤ 북아메리카로 진출한 유럽인들은 주로 프랑스인과 영국인들이다.

07 지도가 갖추어야 하는 조건들을 바탕으로 지도의 의미를 서술하시오.

08 다음 지도에 표시된 A 지역을 방문했을 때, 그곳에서 파악할 수 있는 지리 정보를 위치와 특성으로 나누어 서술하시오.

09 다음은 세계의 합계 출산율을 나타낸 지도이다. 지도를 보고 물음에 답하시오.

(1) 지도에 나타난 합계 출산율이란 무엇인지 서술하시오.

(2) 위 지도에서 합계 출산율이 가장 높게 나타나는 대륙은 어디인지 쓰시오.

(3) 대륙별 합계 출산율을 바탕으로 향후 아프리카와 러시아의 인구가 어떻게 변화할지 추론하여 서술하시오.

02 위치 표현 방법과 위치에 따른 인간 생활

이것이 포인트!
· 공간 규모별 적절한 위치 표현 방법
· 경도와 경선, 위도와 위선의 의미

꼼꼼! 필기 노트

+ 위도와 경도 읽는 법
시간을 시, 분, 초로 읽듯이 위도와 경도는 도(°)분(')초(")로 읽는다. 60"(초)가 모이면 1'(분)이 되며, 60'(분)이 모이면 1°(도)가 된다.

+ 랜드마크
어떤 지역을 상징적으로 대표하는 눈에 띄는 지형, 건축물 등으로, 서울의 N 서울 타워나 파리의 에펠탑 등이 대표적인 랜드마크에 해당한다.

+ 도로명 주소
2014년부터 우리나라는 기존의 지번 주소(○○번지) 대신 도로명을 기준으로 건물에 고유 번호를 붙인 도로명 주소(○○로 △△)를 공식적으로 사용하고 있다.

+ 적도
위도의 기준이 되는 선을 적도라고 한다. 적도의 적은 '붉을 적(赤)'자로 과거부터 위도 0°선을 붉은색으로 표현한 데서 유래하였다.

+ 본초 자오선
본초는 모든 자오선의 기초가 된다는 의미로, 본초 자오선은 영국의 그리니치 천문대를 지나는 경선이다.

콕콕! 핵심 개념

1 지표상의 사물이 존재하는 절대적 또는 상대적 지점을 □□라고 한다.

2 □□는 적도를 기준으로 북쪽 또는 남쪽으로 얼마나 떨어져 있는지를 각도로 나타낸 것이다.

3 □□는 본초 자오선을 기준으로 동쪽 또는 서쪽으로 얼마나 떨어져 있는지를 각도로 나타낸 것이다.

1 공간 규모에 따른 위치 표현

1 ①[   ]
(1) **의미**: 지표상의 사물이 존재하는 절대적 또는 상대적 지점
(2) **특징**: 공간 규모에 따른 적절한 위치 표현 방법이 존재함

> 대륙은 아시아, 아프리카, 아메리카처럼 큰 규모의 육지를 의미하며 해양은 태평양, 대서양처럼 큰 바다를 의미해요.

2 공간 규모별 위치 표현

구분	작은 규모의 위치 표현	큰 규모의 위치 표현
방법	주소, ②[ ], 약도 등을 사용하여 위치를 표현함	대륙과 해양, 위도와 경도+, 주변국을 활용하여 위치를 표현함
예	약속 장소는 ○○초등학교(랜드마크+) 앞 문구점이다.	대한민국은 유라시아 대륙과 태평양 사이에 위치해 있으며, 북쪽으로는 중국과 러시아, 바다 건너 동쪽으로 일본과 이웃하고 있다.

3 정확한 위치를 표현하는 방법 → 행정 기관의 권한이 미치는 일정한 범위의 지역을 말해요.

구분	행정 구역상 정확한 위치 표현	지구상에서의 정확한 위치 표현
위치 표현	각 국가별, 지역별로 부여된 행정상의 주소를 활용함	지구상에서 정확한 위치를 표현하기 위해서는 ③[ ]를 활용함
예	경복궁의 도로명 주소는 서울특별시 종로구 사직로 161이다.	독도는 동경 131°52', 북위 37°14'에 위치한다.

2 위도와 경도

> 위도와 경도는 직물을 가로세로로 짜는 씨줄과 날줄에서 따온 말이에요. 위도의 위는 직물의 가로선을 의미하는 씨줄 '위(緯)'에서, 경도의 경은 직물의 세로선을 의미하는 날줄 '경(經)'에서 유래했어요.

1 ④[   ]와 위선
(1) **위도**: 지구상에서 적도+를 기준으로 북쪽 또는 남쪽으로 얼마나 떨어져 있는지를 각도 값으로 나타낸 것 → 북위(North)와 남위(South)로 구분
(2) **위선**: 동일한 위도를 가진 위치를 연결한 가상의 가로 선
→ 같은 위선상의 위치는 위도 값이 동일함

2 ⑤[   ]와 경선
(1) **경도**: 지구상에서 본초 자오선을 기준으로 동쪽 또는 서쪽으로 얼마나 떨어져 있는지를 각도 값으로 나타낸 것 → 동경(East)과 서경(West)으로 구분
(2) **경선**: 동일한 경도를 가진 위치를 연결한 가상의 세로 선
→ 같은 경선상의 위치는 경도 값이 동일함

3 경·위도 좌표 경선과 위선이 서로 교차하는 지점의 좌표를 말함 → 경·위도 좌표를 통해 지구상에서의 정확한 위치 표현이 가능

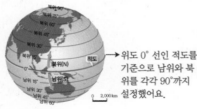

→ 위도 0° 선인 적도를 기준으로 남위와 북위를 각각 90°까지 설정했어요.

▲ 위도와 위선

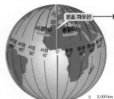

→ 경도 0° 선인 본초 자오선을 기준으로 동경과 서경을 각각 180°까지 설정했어요.

▲ 경도와 경선

탄탄! 활동 노트

활동 ① 다음 자료에 나타난 지리 정보를 이용하여 영국과 수도 런던, 그리고 런던의 시계탑인 빅벤의 위치를 각 공간 규모마다 적절한 방법을 사용하여 표현해 보자.

대륙 규모

국가 규모

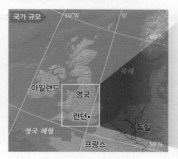

랜드마크

1 영국의 위치를 대륙과 해양을 이용하여 설명해 보자.

2 영국의 수도인 런던의 위치를 경 · 위도 좌표를 활용하여 표현하려고 한다. 빈칸에 들어갈 알맞은 말을 골라 보자.

> 영국의 수도 런던은 (동경 | 서경) 0°7′, (남위 | 북위) 51°30′에 위치한다.

3 시계탑 빅벤의 위치를 주변 랜드마크를 활용하여 표현해 보자.

활동 ② 다음은 세계 여러 지역의 위치를 표현한 지도이다. 물음에 답해 보자.

▲ 세계 여러 지역의 위치

1 지도의 ㉠과 ㉡에 들어갈 용어를 각각 쓰고, ㉠ 선의 경도 값과 ㉡ 선의 위도 값을 써 보자.

㉠ – (   )

㉡ – (   )

2 다음 경 · 위도를 지나는 도시를 써 보자.

경 · 위도	도시명	경 · 위도	도시명
서경 77° 위도 0°	❶	동경 37° 북위 57°	❸
동경 76° 북위 29°	❷	동경 105° 위도 0°	❹

3 다음 편지 내용을 읽고 외삼촌이 여행 중인 나라는 어디인지 쓰고, 그렇게 추론한 이유를 서술해 보자.

> 외삼촌은 지난 주에 인천 국제공항을 출발해서 태평양을 건너 이곳에 왔단다. 이곳은 서쪽으로 태평양과 접하고, 남쪽으로는 바다 건너 남극 대륙과 마주하고 있단다. 특히, 국토가 세로로 매우 긴 나라로 남위 19°~55°까지 펼쳐져 있단다.

(1) 외삼촌이 여행 중인 나라: _____

(2) 추론 이유: _____

02 위치 표현 방법과 위치에 따른 인간 생활

꼼꼼! **필기 노트**

이것이 **포인트!**
- 위도가 인간 생활에 미치는 영향
- 경도가 인간 생활에 미치는 영향

＋ 저위도와 고위도
일반적으로 저위도는 위도 0°~30°, 중위도는 위도 30°~60°, 고위도는 위도 60°~90° 지역을 말한다.

＋ 일사량
햇볕을 받는 양을 말한다. 1cm² 넓이에 1분간 받는 햇볕의 양으로 측정한다.

＋ 북반구와 남반구
공처럼 둥근 지구를 '구'라고 하며 구를 반으로 나눈 것을 '반구'라고 한다. 따라서 적도를 기준으로 지구를 남북으로 나누어 북쪽을 '북반구', 남쪽을 '남반구'라고 한다.

＋ 지구의 자전과 시간 차이
지구가 한 바퀴(360°)를 자전하는 데 하루(24시간)가 걸리기 때문에 15°당 1시간의 시차가 발생한다.

＋ 날짜 변경선
본초 자오선의 정반대편으로 동·서경 180° 선에 해당하며 태평양을 지난다. 주민 생활의 혼란을 피하기 위해 섬을 비켜 실제 경선과 달리 구부러진 형태로 나타나기도 한다.

콕콕! 핵심 개념

4 ☐☐☐이란 지표에 도달하는 태양 에너지의 양을 말한다.

5 ☐☐ ☐☐☐은 영국의 그리니치 천문대를 지나는 세계 시간의 기준선이다.

6 ☐☐☐☐☐는 태양시와 달리 생활의 편의를 위해 본초 자오선을 기준으로 임의로 정한 시간이다.

7 24시간의 시차가 발생하여 날짜가 달라지는 경선을 ☐☐ ☐☐☐이라고 한다.

---

3 위도와 인간 생활

1 ☐⑥ 에 따른 기온 차이

(1) **특징**: 저위도에서 고위도＋ 지역으로 갈수록 기온이 낮아짐, 이에 따라 위도별로 기후가 서로 다름

(2) **기온 차의 원인**: 지구는 둥근 형태이므로 지표면에 도달하는 일사량이 위도마다 다름, 저위도의 경우 일사량이 많이 도달하고 고위도는 적게 도달함

→ 지역의 기온, 강수량, 바람 등을 장기간(30년) 평균 낸 종합적인 상태를 기후라고 해요.

▲ 위도별 일사량의 차이

2 위도에 따른 기온 분포

→ 많은 태양 에너지가 집중돼요.

저위도	태양 에너지를 거의 수직으로 받음 → 연중 기온이 높음, 적도 부근
중위도	태양 에너지를 약간 비스듬히 받음 → 비교적 온화한 기후가 나타남
고위도	태양 에너지를 비스듬히 받음 → 연중 기온이 낮음, 극지방

→ 태양 에너지가 분산돼요.

3 위도에 따른 계절 차이

(1) **특징**: 북반구와 남반구＋의 중위도 지역에서 계절이 반대로 나타남

(2) **계절 차이의 원인**: 지구의 자전축이 ⑦☐☐ 기울어진 채로 태양 주위를 공전하기 때문

(3) **주민 생활에 미치는 영향**: 북반구와 남반구의 중위도 지역의 계절 차이를 이용한 관광 상품이 개발되거나 농산물 무역이 증가함

4 경도와 인간 생활

1 경도에 따른 시간 차이 → 줄여서 시차라고 해요.

(1) **특징**: 경도에 따라 경도 15°당 ⑧☐☐ 시간의 시차＋가 발생함, 경도가 180° 차이 나는 지역 간에는 낮과 밤이 서로 반대가 됨

(2) **시간 차이의 원인**: 지구가 하루에 한 바퀴 서에서 동으로 자전하기 때문에 태양 에너지의 도달 여부에 의해 시간의 차이가 발생함

▲ 지구의 자전과 시간의 변화

2 세계 표준시와 날짜 변경선

경도에 따라 자연 상태의 시간을 태양시라고 하는데, 태양시를 일상생활에서 사용하면 동일 국가·지역 내에서 시간 차이가 너무 크기 때문에 임의로 정한 표준시를 사용해요.

⑨	세계 표준시	날짜 변경선
영국의 그리니치 천문대를 지나는 경선을 임의로 정하여 세계 시간의 기준으로 삼음	본초 자오선을 기준으로 경도의 차이에 따라 세계인이 함께 공유하는 세계 표준시를 정함	동경 180° 선과 서경 180° 선은 24시간의 시차가 발생하여 날짜가 바뀌기 때문에 이를 날짜 변경선이라고 함

본초 자오선을 기준으로 동쪽으로 갈수록 시간이 빨라지고, 서쪽으로 갈수록 시간이 늦어져요.

3 우리나라의 표준시 동경 ⑩☐☐ 선을 표준 경선으로 사용 → 본초 자오선(영국)보다 9시간 빠름

→ 국토가 동서로 긴 미국, 러시아 등은 여러 개의 표준시를 사용하고, 중국은 영토가 넓지만 한 개의 표준시를 사용해요.

4 시차가 인간 생활에 미치는 영향 해외여행이나 국제 스포츠 경기에서 시차 적응 필요, 시차를 이용한 미국 실리콘 밸리와 인도 벵갈루루 지역의 업무 연계, 키리바시는 전 세계에서 가장 빠른 일출을 볼 수 있는 관광 명소

활동 ③ 다음은 지구의 공전을 나타낸 그림이다. 물음에 답해 보자.

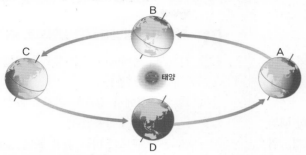
▲ 지구의 공전에 따른 계절 변화

1 북반구 기준으로 A~D에 해당하는 계절을 각각 써 보자.

2 A 위치에 있을 때 계절이 겨울인 중위도 국가를 세 곳 이상 써 보자.

3 적도 부근 지역이 항상 여름과 같이 기온이 높은 까닭을 서술해 보자.

4 다음 사진과 같이 북반구와 남반구에 위치한 지역의 크리스마스 경관이 다른 이유를 서술해 보자.

▲ 북반구의 크리스마스(핀란드)

▲ 남반구의 크리스마스(오스트레일리아)

활동 ④ 다음은 세계 표준시를 나타낸 지도이다. 물음에 답해 보자.

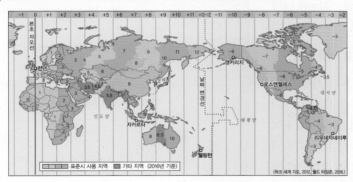

1 위 지도와 사회과 부도를 참고로 가장 많은 표준 시간대를 사용하는 국가는 어디인지 써 보자.

2 국토 면적이 넓어 여러 경도대에 걸쳐 있지만 하나의 표준시를 사용하는 국가를 찾아 써 보자.

3 위의 세계 표준시 지도를 참고하여 영희가 거주 중인 곳으로 추론 가능한 국가를 모두 쓰고, 그 이유를 서술해 보자.

> 초등학교 때 유럽으로 이민을 간 영희는 한국 친구들과 함께했던 방학이 생각나 오랜만에 친구들에게 전화를 하였다. 저녁 6시에 전화를 했지만, 아무도 전화를 받지 않아 서운한 마음이 들었다. 그런데 알고 보니 영희가 전화한 시각은 한국 시간 새벽 3시로, 친구들이 모두 잠든 시간이었다.

·1 STEP 개념을 되짚는 확인 문제

01 다음 빈칸에 들어갈 알맞은 말을 써 보자.

(1) 작은 공간 규모에서는 주소, 약도, 그 지역을 대표하는 (   ) 등을 이용하여 위치를 설명할 수 있다.

(2) 국가와 같이 큰 공간 규모의 위치를 설명할 때는 (   )(이)나 (   ), 경·위도 또는 주변국을 활용할 수 있다.

(3) 행정 구역상의 정확한 위치를 표현하기 위해서는 도로 이름과 건물 번호를 조합한 (   ) 주소가 적절하다.

02 다음에서 설명하는 용어는 무엇인지 써 보자.

(1) 지구상에서 적도를 기준으로 북쪽 또는 남쪽으로 얼마나 떨어져 있는가를 각도로 나타낸 것이다.
(   )

(2) 지구상에서 본초 자오선을 기준으로 동쪽 또는 서쪽으로 얼마나 떨어져 있는가를 각도로 나타낸 것이다. (   )

03 다음 설명이 옳으면 ○, 틀리면 ×에 표시해 보자.

(1) 지구는 둥근 형태이므로 고위도는 일사량이 많고, 저위도는 일사량이 적다. (○ | ×)

(2) 북반구와 남반구의 중위도 지역에서는 계절이 서로 반대로 나타난다. (○ | ×)

(3) 지구가 한 바퀴 자전하는 데 24시간이 걸리므로 경도 15° 마다 1시간의 시차가 발생한다. (○ | ×)

(4) 우리나라는 일본과 동일한 표준시를 사용하며 영국보다 9시간이 느리다. (○ | ×)

04 서로 관련 있는 것끼리 연결해 보자.

(1) 본초 ·
자오선

(2) 세계 ·
표준시

(3) 날짜 ·
변경선

· ㉠ 영국의 그리니치 천문대를 지나는 경선의 기준선

· ㉡ 동경 및 서경 180° 선에 해당하는 선

· ㉢ 인류의 일상생활을 위해 임의로 정한 시간대

:2 STEP 기초를 다지는 기본 문제

01 위치 표현 방법에 대한 설명으로 옳은 것은?

① 우리 동네에서 약속 장소를 정할 때는 주변 대륙을 이용한다.

② 지구상에서 정확한 위치를 표현할 때는 경·위도 좌표가 사용된다.

③ 공간 규모에 따른 위치 표현 방법은 한 가지 방법으로 통일되어 있다.

④ 세계적 규모에서는 랜드마크를 활용하여 위치를 표현하는 것이 가장 적절하다.

⑤ 우리나라는 행정 구역상 위치를 표현하기 위해 2014년부터 지번 체계가 사용되고 있다.

02 위도와 경도에 대한 설명으로 옳은 것을 〈보기〉에서 모두 고른 것은?

> **보기**
> ㄱ. 위도는 적도(0°)를 기준으로 북위 90°, 남위 90°로 나뉜다.
> ㄴ. 경도는 본초 자오선을 기준으로 동경 180°, 서경 180°로 나뉜다.
> ㄷ. 동일한 위도에 해당하는 지점을 연결한 가상의 선을 위선이라고 한다.
> ㄹ. 경도에 따라 계절의 차이가 나타나고, 위도에 따라 시간의 차이가 나타난다.

① ㄱ, ㄴ   ② ㄱ, ㄷ   ③ ㄱ, ㄴ, ㄷ
④ ㄴ, ㄷ, ㄹ   ⑤ ㄱ, ㄴ, ㄷ, ㄹ

03 지도의 ㉠~㉤에 해당하는 용어를 잘못 연결한 것은?

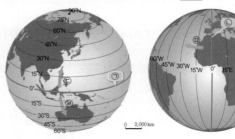

① ㉠ – 적도   ② ㉡ – 본초 자오선
③ ㉢ – 북위   ④ ㉣ – 남위
⑤ ㉤ – 동경

:3 STEP 실력을 완성하는 **주관식·서술형 문제**

04 위도에 따른 주민 생활에 대한 설명으로 옳지 <u>않은</u> 것은?

① 위도에 따라 일사량의 차이가 나타난다.

② 고위도 지역으로 갈수록 기온이 높아진다.

③ 중위도 지역에서는 지구의 공전 위치에 따라 계절이 변화한다.

④ 북반구와 남반구의 계절 차이를 이용한 농산물 무역이 활발하다.

⑤ 북반구의 중위도 지역이 여름일 때, 남반구의 중위도 지역은 겨울이다.

05 다음과 같은 현상이 나타나는 국가를 고르면?

> 매년 12월 25일에 찾아오는 크리스마스는 두꺼운 외투를 걸쳐야 하는 추운 겨울을 떠올리게 한다. 그러나 지구촌의 여러 국가 중에는 반팔, 반바지 같은 짧은 옷차림으로 한여름에 크리스마스를 맞이하는 곳도 있다.

① 미국　　② 프랑스　　③ 핀란드
④ 노르웨이　　⑤ 오스트레일리아

06 다음 그림과 같은 지구의 자전과 관련하여 발생하는 현상과 거리가 <u>먼</u> 것은?

① 경도 15° 마다 1시간의 시차가 발생한다.

② 우리나라가 밤일 때 영국은 낮이 되기도 한다.

③ 태평양 일부 지역에서는 동서로 이동함에 따라 날짜가 바뀌기도 한다.

④ 대체로 저위도 지역에서는 열대 기후, 고위도 지역에서는 한대 기후가 나타난다.

⑤ 본초 자오선을 기준으로 동쪽으로 갈수록 시간이 빠르고, 서쪽으로 갈수록 시간이 느리다.

07 다음 그림 지도를 보고 산들이네 집의 위치를 적절하게 설명하시오.

[08~09] 다음 지도를 보고 물음에 답하시오.

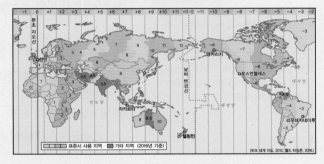

08 위의 세계 표준시 지도와 아래의 글을 바탕으로 인도와 미국의 IT 기업이 서로 협업하는 이유를 두 가지 서술하시오.

> 인도는 19~20세기에 걸쳐 90여 년 동안 영국의 식민 통치를 받았다. 이러한 영향으로 인도인들은 고유 지역 언어 외에도 영국의 언어인 영어를 받아들이게 되었고, 오늘날까지도 공용어로 영어를 사용하고 있다.

09 위 지도상에 나타난 날짜 변경선의 특징을 쓰고, 그와 같은 특징이 나타나게 된 이유를 서술하시오.

지리 정보 기술

1 지리 정보와 지리 정보 기술

1 ❶ [　　]

(1) **의미:** 인간의 거주 공간 및 지역과 관련한 모든 지식과 정보

(2) **지리 정보의 수집**
① 과거: 직접 답사를 통해 지리 정보 수집 → 지리 정보를 수집하기 어려움
② 현재: 정보 통신 기술의 발달, 인공위성, 항공기 활용, 빅데이터 분석 등 → 지리 정보를 쉽게 수집할 수 있음

> 디지털 환경에서 생성되는 거대하고 생성 주기가 짧은 데이터로, 지하철 9호선 승객이 매일 가장 많이 타고 내리는 역이 어디인지 승객 수를 매시간 파악하여 추출한 것도 빅데이터예요.

> 학교를 어디에 세울 것인가? 목적지까지 어떻게 갈 것인가? 주변의 맛집은 어디인가? 등 공간상에서 일어나는 모든 선택 행위를 의미해요.

2 지리 정보 기술 수집한 지리 정보를 활용하는 기술 → 효율적인 공간적 의사 결정 가능

(1) **❷ [　　] (GIS):** 다양한 지리 정보를 컴퓨터에 입력·저장하고 관리·분석하여 사용자의 요구에 따라 제공하는 종합 시스템

(2) **원격 탐사:** 인공위성, 항공기 등을 이용하여 관측 대상으로부터 멀리 떨어져서 정보를 수집·분석하는 기술

(3) **위성 위치 확인 시스템(GPS):** 인공위성을 활용해 사용자의 위치를 알려 주는 시스템

2 지리 정보 기술의 활용

1 편리한 일상의 지리 정보 기술

(1) **특징:** 스마트 기기의 대중화에 따라 일상생활 속에서 지리 정보의 활용이 증가함

(2) **일상생활에서의 활용** → 스마트폰이나 태블릿 PC처럼 휴대 가능하며 인터넷 접근이 상시 가능한 기기를 의미해요.

길 찾기(내비게이션)	생활 정보 찾기	각종 지리 정보 수집
인공위성을 이용한 ❸ [　　] 기술을 통해 현재 위치와 목적지의 위치를 파악하여 목적지까지 찾아가는 경로를 안내해 줌	주변 맛집의 위치, 맛집에 대한 후기, 주변 병원 및 약국의 위치 검색, 주변 시설 안내 등 정보를 쉽게 찾아내고 활용함	가상 지도와 로드뷰를 통해 해당 장소에 직접 가지 않고도 방문한 것처럼 지리 정보를 수집할 수 있음

2 공공 서비스의 지리 정보 기술
→ 지리 정보 기술은 국토 교통·환경 관리, 자연재해·재난 관리, 공공 기관 입지 선정 등 다양한 분야에서 활용되고 있어요.

(1) **특징:** 국가나 공공 기관이 제공하는 공공 서비스에도 ❹ [　　] 이 활용되고 있음

(2) **공공 서비스에서의 활용:** 버스 및 지하철 도착 시간 안내, 심야 버스 노선 결정, CCTV 확대 등을 통한 범죄 예방 치안 서비스 등

3 커뮤니티 매핑(Community mapping)
→ 커뮤니티 매핑으로 제작되는 지도는 주로 인터넷상에서 쉽게 접근해서 만들 수 있는 인터넷 지도가 대부분이에요.

(1) **의미:** 과거처럼 지도 제작자나 국가 기관이 지도를 제작하고 보급하는 것이 아니라 지역 주민 또는 사용자가 직접 지도 제작에 참여하는 행위

(2) **커뮤니티 매핑의 사례**

재난 대처 지도	공공 시설물 관리 지도	지역 자산 지도
폭설, 허리케인 등이 발생했을 때 지역 주민들이 자신이 알고 있는 대피소, 안전 통행로 등의 위치를 공유한 재난 대처 지도를 제작함	잘못된 지역 안내 표지판, 파손된 쓰레기통, 고장 난 음수대 등을 주민이 지도로 제작·제보하고 국가 기관이 보수함	지역이 갖고 있는 역사 유산, 문화재, 명승지 등에 대한 정보를 주민 간에 지도로 공유하여 지역의 자산 활용 기회를 확대함

왼쪽 여백

✚ 공간적 의사 결정
정부는 지리 정보 기술을 활용하여 쓰레기 매립지의 선정, 산사태 예방, 버스 노선 개선 등 각종 공간적 의사 결정에 활용해 왔다.

✚ GIS(Geography Information System; 지리 정보 체계)
지리 정보 기술이 수집된 지리 정보를 활용한 모든 기술을 의미한다면, 지리 정보 체계는 지리 정보를 수집하고 이를 데이터화하여 분석하는 일련의 과정을 의미한다. 이러한 지리 정보 체계를 바탕으로 지리 정보 기술을 구현할 수 있다.

✚ GPS(Global Positioning System; 위성 위치 확인 시스템)
미국이 군사 목적으로 쏘아올린 인공위성에 대한 신호 활용을 개방함으로써 지구상 어디에서나 인공위성을 활용한 위치 확인이 가능해졌다.

✚ 로드뷰 기술
미국 구글사의 스트리트뷰에서부터 국내 다음의 로드뷰, 네이버의 거리뷰 등은 실제 거리 사진을 모아 지도상에서 실제 지역의 거리를 직접 가서 보는 것과 같은 정보를 제공해 주는 기술이다.

콕콕! 핵심 개념

1 □□ □□란 인간의 거주 공간 및 지역과 관련한 모든 지식과 정보를 말한다.

2 지리 정보 활용을 통해 공공시설물의 입지, 도로의 방향 등을 결정하는 행위를 □□□ □□ □□이라고 한다.

3 □□□는 인공위성을 활용하여 지구상의 사용자 위치를 실시간으로 확인할 수 있는 기술이다.

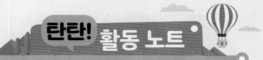

활동 ① 다음 자료를 보고 물음에 답해 보자.

1854년 8월 영국 런던의 소호 지역에서는 전염병인 콜레라가 대유행하여 열흘 만에 600명 이상의 주민이 숨지는 사태가 발생하였다. 당시 이 사건에 관심을 가진 의사 존 스노는 사망자의 주소를 조사하여 오른쪽과 같이 지도에 표시해 보았다.

▲ 의사 스노가 그린 콜레라 사망자 분포 지도

▲ 물 펌프 부근의 확대 지도

1 위 지도를 바탕으로 콜레라 사망자의 분포 특징을 서술해 보자.

2 1번에서 서술한 특징을 바탕으로 볼 때 콜레라의 원인으로 추정되는 것은 무엇인지 서술해 보자.

3 2번의 원인을 바탕으로 콜레라의 확산을 막기 위한 의사 결정에는 어떤 것이 있을지 추론해 보자.

활동 ② 다음 자료를 보고 물음에 답해 보자.

"업무 특성상 야근하는 날이 많은데, 그런 날에는 버스가 끊긴 늦은 시간이라 집에 가는 길이 막막합니다." – A 씨
"야근을 하고 나면 대중교통이 끊긴 심야에 집으로 돌아가야 하는데, 택시비는 비싸고 관련 범죄가 많다 보니 불안해요." – B 씨
위와 같은 시민들의 불편에 서울시는 심야 시간에 시민들이 이용할 수 있는 올빼미 버스를 운영하기로 하였다. 그러나 심야 버스를 운용하는 데에는 심야 시간 가장 많은 승객들이 이용할 수 있는 노선을 개발하는 것이 관건이었다. 이에 ㉠ 서울시는 심야 시간의 전화 발신과 수신이 가장 빈번한 승강장 일대를 중심으로 오른쪽과 같은 버스 노선을 확정하게 되었다.

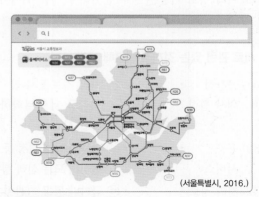
(서울특별시, 2016.)
▲ 서울시 심야 버스 노선

1 밑줄 친 ㉠과 같은 지리 정보 획득 방식을 무엇이라고 하는지 써 보자.

2 서울시가 심야 버스 노선으로 심야 시간의 전화 발신과 수신이 빈번한 승강장을 정한 이유가 무엇인지 추론해 보자.

3 이와 같이 국가나 공공 기관이 지리 정보 기술을 활용하여 주민들의 편의를 도모하는 서비스를 무엇이라고 하는지 써 보자.

•1 STEP 개념을 되짚는 확인 문제

01 다음 빈칸에 들어갈 알맞은 말을 써 보자.

(1) 인간의 거주 공간 및 지역과 관련한 모든 지식과 정보를 (　　　　　)(이)라고 한다.

(2) 인공위성을 이용한 GPS 기술을 통해 목적지까지 찾아가는 경로를 안내해 주는 장치나 프로그램을 (　　　　　)(이)라고 한다.

(3) (　　　　　)의 대중화에 따라 일반인들의 생활 속 지리 정보 활용이 증가하고 있다.

02 다음 설명이 옳으면 ○, 틀리면 ×에 표시해 보자.

(1) 정보 통신 기술의 발달로 과거에 비해 지리 정보를 수집하는 일이 쉬워졌다. (○ | ×)

(2) 최근 인터넷 지도들은 지도의 정확성과 신뢰도를 위해 사용자의 제작 참여를 제한하고 국가가 직접 제작하여 공급하고 있다. (○ | ×)

(3) 지리 정보 기술은 일부 군사적 목적을 위해서만 사용되고 있다. (○ | ×)

03 서로 관련 있는 것끼리 연결해 보자.

(1) 공간적　　　・
　　의사 결정

(2) 공공　　　　・
　　서비스

(3) 지리 정보・
　　체계

・㉠ 지리 정보를 수집·분석하고 데이터화하는 종합 시스템

・㉡ 건물의 입지 결정 등 공간상의 모든 선택 행위

・㉢ 국가나 공공 기관이 시민의 편의를 위해 제공하는 서비스

04 다음 설명에 해당하는 용어를 써 보자.

(1) 인공위성이나 항공기 등을 이용하여 관측 대상으로부터 멀리 떨어져서 정보를 수집·분석하는 기술이다. (　　　　　)

(2) 지리 정보 기술을 활용하여 지역 주민 또는 사용자가 직접 참여하여 지도를 제작하는 행위를 말한다. (　　　　　)

:2 STEP 기초를 다지는 기본 문제

01 지리 정보 및 지리 정보 기술에 대한 설명으로 옳지 않은 것은?

① 지리 정보 기술은 지리 정보를 활용하는 기술이다.

② 지리 정보 기술은 효율적인 공간적 의사 결정을 가능하게 한다.

③ 정보 통신 기술의 발달은 지리 정보 수집을 더욱 어렵게 만든다.

④ 공간 및 지역과 관련한 모든 지식과 정보를 지리 정보라고 한다.

⑤ 과거에는 지리 정보를 수집하여 지도로 제작하는 방식이 쉽지 않았다.

02 다음 설명에 해당하는 지리 정보 활용 모습은?

> 인공위성을 이용하여 자신의 위치를 중심으로 목적지까지의 최단 경로를 찾거나 실시간 교통 정보를 바탕으로 소요 시간을 파악할 수 있다. 최근 자동차에는 대부분 이 장치가 설치되어 있으며, 스마트폰으로도 손쉽게 활용할 수 있게 되었다.

① 내비게이션　　　　② 커뮤니티 매핑
③ 지하철 노선 안내　　④ 버스 정보 시스템
⑤ 심야 버스 노선 시스템

03 지리 정보 기술의 활용 사례로 옳은 것을 〈보기〉에서 모두 고른 것은?

보기

ㄱ. 가족들과 떠난 여행지에서 스마트폰으로 주변 맛집의 위치를 확인하고 찾아갔다.

ㄴ. 내비게이션으로 가장 한적한 도로를 안내받아 목적지에 빨리 도착할 수 있었다.

ㄷ. 버스 정류장의 버스 도착 안내 시각을 확인하고 약속 시간에 늦지 않게 버스를 탈 수 있었다.

ㄹ. 인터넷 지도로 휴일에도 운영하는 병원의 위치를 알아보고 방문하여 치료를 받을 수 있었다.

① ㄱ, ㄴ　　② ㄱ, ㄷ　　③ ㄱ, ㄴ, ㄷ
④ ㄴ, ㄷ, ㄹ　　⑤ ㄱ, ㄴ, ㄷ, ㄹ

04 ㄱ, ㄴ에 들어갈 용어를 바르게 연결한 것은?

> (ㄱ)은(는) 지역에 관한 다양한 정보를 수집하고 활용하여 의사 결정을 내리는 기술을 의미한다. 특히, 이 중 내비게이션은 (ㄴ)을(를) 이용하여 길 안내 정보를 제공하고 있다.

	ㄱ	ㄴ
①	GPS	지리 정보 기술
②	GIS	버스 정보 시스템
③	지리 정보	GIS
④	지리 정보 기술	GPS
⑤	버스 정보 시스템	지리 정보

05 다음 설명에 해당하는 용어는?

> 지역에 관한 다양한 자료들을 입력 · 저장하고 처리 · 분석하여 지리 정보 기술 활용에 도움을 주는 일련의 과정이다.

① 빅데이터
② 지리 정보
③ 내비게이션
④ 지리 정보 체계
⑤ 위성 위치 확인 시스템

06 다음 자료에 대한 설명으로 옳지 <u>않은</u> 것은?

(서울특별시, 2016.)

① 지리 정보 기술을 활용한 사례이다.
② 서울시의 심야 시간 버스 노선 지도이다.
③ 주민들의 편의를 위해 제공되는 공공 서비스이다.
④ 통화량 빅데이터를 분석하여 정류장 입지를 선정하였다.
⑤ 위성 위치 확인 시스템(GPS)을 활용하는 지리 정보 기술이다.

: 3 STEP **실력을 완성하는 주관식·서술형 문제**

07 다음 사진을 보고 물음에 답하시오.

(1) 위 사진에 나타난 지리 정보 기술에서 버스의 현재 위치를 확인하기 위해 활용된 기술은 무엇인지 쓰시오.

(2) 위 사진의 지리 정보 기술은 주민 생활에 어떤 편의를 제공하는지 서술하시오.

08 다음 사례와 같이 활용된 지리 정보 기술을 무엇이라고 하는지 쓰고, 이와 유사한 사례를 <u>한 가지 이상</u> 서술하시오.

> 민준이는 가족과 시내로 외식을 하러 나왔다. 시내의 식당을 찾아가던 민준이는 거리의 이정표가 실제와 달리 잘못 표시되어 있음을 알게 되었고, 이를 ○○시 공공 지도 제작 서비스에 제보하였다.

09 (가)와 같은 지리 정보 기술의 활용과 (나)와 같은 지리 정보 기술 활용의 차이점은 무엇인지 서술하시오.

> (가) 심야 시간에 휴대 전화 발신량을 파악하여 가장 많은 승객이 탑승할 정류장 위주로 심야 버스 노선을 재편성한다. 또 범죄가 자주 발생하는 지역의 CCTV 확대와 치안 인력 증원을 통해 범죄를 예방한다.
>
> (나) 여행지 주변의 맛집을 검색하여 맛집 후기와 함께 위치를 알려 준다. 또 전자 지도상의 현재의 위치와 목적지의 위치를 파악하여 최적의 경로를 알려 준다.

01 지도에 대한 설명으로 옳은 것을 〈보기〉에서 모두 고른 것은?

> **보기**
> ㄱ. 지도에서는 약속된 기호를 사용한다.
> ㄴ. 실제 공간을 일정한 비율로 줄여서 나타낸다.
> ㄷ. 지도를 통해 다양한 지리 정보를 제공받을 수 있다.
> ㄹ. 주제도에 해당하는 지도로는 지형도나 세계 전도가 있다.
> ㅁ. 일반도에서는 대륙과 해양의 분포, 국가와 도시의 위치를 알 수 있다.

① ㄱ, ㄴ
② ㄱ, ㄴ, ㄷ
③ ㄱ, ㄷ, ㄹ
④ ㄱ, ㄴ, ㄷ, ㅁ
⑤ ㄱ, ㄴ, ㄷ, ㄹ, ㅁ

02 인문 환경에 해당하는 지리 정보로 옳은 것은?

① 유럽의 주요 산맥
② 아프리카의 주요 풍향
③ 태평양의 산호초 분포
④ 동아시아의 기후 분포
⑤ 북부 아메리카의 첨단 산업 비율

03 다음 A~C의 명칭을 바르게 연결한 것은?

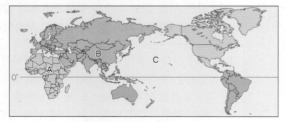

	A	B	C
①	아프리카	아시아	태평양
②	아메리카	유럽	대서양
③	아프리카	아시아	대서양
④	아메리카	유럽	태평양
⑤	아프리카	아시아	인도양

04 다음 설명에 해당하는 지도로 옳은 것은?

> 이 지도는 단순히 지표의 형태만을 표현한 지도가 아니라 국가명, 도시, 산과 하천, 국경선, 도로망, 주요 시설 등 각종 지리 정보를 종합적으로 표현하고 있다.

① 지형도
② 관광 지도
③ 기후 분포도
④ 자원 분포도
⑤ 인구 이동도

05 지도에서 표현하고자 하는 내용과 주제도의 형태를 바르게 설명한 학생은?

① 갑 – 세계 기후 구분도를 그릴 때는 점으로 표현해야 해.
② 을 – 인구 분포를 나타낼 때는 선으로 표현하는 것이 적절해.
③ 병 – 벚꽃의 개화 시기를 표현할 때는 지형도로 나타내는 것이 좋아.
④ 정 – 도시별 인구 규모를 표현할 때는 도형 크기로 표현하는 것이 좋아.
⑤ 무 – 자원의 이동을 나타낼 때는 색으로 구분하는 단계 구분도가 적절해.

06 다음 지도에 대한 설명으로 옳지 <u>않은</u> 것은?

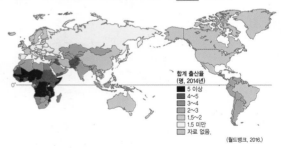

① 합계 출산율을 색 차이로 구분하였다.
② 러시아의 합계 출산율은 1.5명 미만이다.
③ 세계의 합계 출산율을 나타낸 주제도이다.
④ 아프리카 지역은 향후 인구 증가가 예상된다.
⑤ 남아메리카의 태평양 연안 국가들은 북아메리카 국가들에 비해 인구 감소율이 클 것이다.

07 다음 지역과 그 지역의 지리 정보를 <u>잘못</u> 연결한 것은?

① 히말라야산맥 – 세계에서 가장 높은 산이 있다.
② 사하라 사막 – 세계에서 가장 넓은 호수가 있다.
③ 북아메리카 오대호 – 거대한 나이아가라 폭포가 있다.
④ 시베리아 평원 – 장거리를 횡단하는 열차가 운행된다.
⑤ 아마존강 유역 – 세계 최대의 열대 밀림이 펼쳐져 있다.

08 경도와 위도를 활용하여 위치를 설명한 내용 중 옳지 <u>않은</u> 것은?

① 경도는 동서로 각각 0°~180°까지 나타낸다.
② 지구상의 가상의 세로 선을 경선이라고 한다.
③ 지구상의 가상의 가로 선을 위선이라고 한다.
④ 모든 경선의 기준이 되는 선을 적도라고 한다.
⑤ 경·위도 좌표는 경선과 위선이 교차하는 위치의 각도 값을 의미한다.

09 다음 지도를 보고 설명한 내용 중 옳지 <u>않은</u> 것은?

① ㉠은 본초 자오선이다.
② ㉡은 적도이다.
③ 싱가포르는 저위도 국가에 해당한다.
④ 케이프타운과 캔버라는 북반구에 속한다.
⑤ 모스크바와 카이로는 본초 자오선을 기준으로 동쪽에 위치한다.

10 ㉠, ㉡에 들어갈 용어를 바르게 연결한 것은?

세계적인 규모의 넓은 지역의 위치를 표현할 때는 대륙과 해양 또는 (㉠)을(를) 활용하는 방법이 있으며, 우리 동네와 같은 좁은 지역의 위치를 표현할 때는 지역에서 가장 눈에 띄는 (㉡)을(를) 활용하는 방법이 있다.

	㉠	㉡		㉠	㉡
①	하천	경·위도	②	주소	주변국
③	주변국	랜드마크	④	랜드마크	좌표
⑤	주변국	경·위도			

11 우리나라의 위치에 대한 설명으로 옳은 것을 〈보기〉에서 모두 고른 것은?

보기
ㄱ. 인도양의 서쪽 연안에 위치하고 있다.
ㄴ. 북쪽으로 중국, 러시아와 국경을 접하고 있다.
ㄷ. 수도 서울의 랜드마크로는 N 서울 타워가 있다.
ㄹ. 우리나라는 북위 33°~43°, 동경 124°~132° 사이에 위치한다.
ㅁ. 바다 건너 서쪽으로는 중국, 동쪽으로는 일본과 이웃하고 있다.

① ㄱ, ㄴ   ② ㄱ, ㄴ, ㄷ   ③ ㄱ, ㄴ, ㄹ
④ ㄱ, ㄷ, ㄹ   ⑤ ㄴ, ㄷ, ㄹ, ㅁ

12 위도에 따른 인간 생활에 대한 설명으로 옳은 것을 〈보기〉에서 모두 고른 것은?

보기
ㄱ. 고위도 지역은 계절의 변화가 전혀 없다.
ㄴ. 북반구와 남반구의 중위도 지역은 계절이 같다.
ㄷ. 저위도 지역은 사계절의 변화가 뚜렷하게 나타난다.
ㄹ. 지표면에 도달하는 일사량은 위도에 따라 차이가 나타난다.
ㅁ. 적도 부근은 기온이 가장 높고 고위도 지역으로 갈수록 기온이 낮아진다.

① ㄱ, ㄴ   ② ㄴ, ㄹ   ③ ㄹ, ㅁ
④ ㄴ, ㄷ, ㄹ   ⑤ ㄱ, ㄴ, ㄷ, ㅁ

13 다음 설명에 해당하는 용어로 옳은 것은?

> 영국 런던의 그리니치 천문대를 지나는 이것은 지구상 모든 경선의 기준이자 시간을 나누는 중심이 된다.

① 위선   ② 적도   ③ 북회귀선
④ 남회귀선   ⑤ 본초 자오선

[14~15] 다음 세계 표준시 지도를 보고 물음에 답하시오.

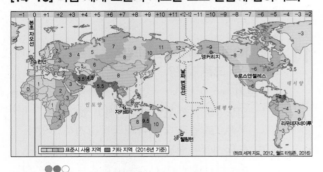

14 다음은 뉴질랜드로 이민 간 산들이가 한국의 친구에게 보낸 편지이다. ㉠~㉤ 중 옳지 않은 것은?

> 보고 싶은 친구야! 내가 살고 있는 뉴질랜드는 ㉠ 남태평양에 위치한 섬나라야. 빙하와 화산을 함께 경험할 수 있는 신기한 곳이지. 우리나라보다 ㉡ 3시간이나 빠른 이곳은 계절이 우리나라와 정반대야. ㉢ 우리나라가 여름일 때, 이곳은 겨울이지. 또 날짜 변경선 가까이에 있어서 ㉣ 우리나라보다 새해를 더 빨리 맞이해. 이웃하고 있는 ㉤ 오스트레일리아와 표준시를 함께 사용하는 뉴질랜드는 참 아름다운 곳이란다.

① ㉠   ② ㉡   ③ ㉢   ④ ㉣   ⑤ ㉤

15 위 지도에서 우리나라와 시간 차이가 가장 많이 나는 지역을 찾으면?

① 런던   ② 웰링턴   ③ 자카르타
④ 앵커리지   ⑤ 로스앤젤레스

16 다음 글에서 설명하고 있는 지역의 경·위도 좌표로 옳은 것은?

> 산들이가 거주 중인 이 지역은 사계절이 뚜렷한 곳으로 봄, 여름, 가을, 겨울의 경관이 매우 다채롭게 나타나는 것이 특징이다. 특히, 주목할 만한 점은 이곳의 크리스마스는 사람들이 모두 짧은 옷을 입고 연휴를 즐긴다는 것이다.

① 동경 129°, 북위 37°   ② 서경 90°, 북위 45°
③ 동경 110°, 남위 85°   ④ 서경 60°, 남위 2°
⑤ 동경 150°, 남위 33°

17 다음 내용이 설명하는 지리 정보 기술은?

> 접근이 곤란한 지역 및 대상물에 대한 정보를 주로 인공위성과 항공기 등을 이용하여 수집하는 기술이다.

① GPS   ② GIS   ③ BIS
④ 원격 탐사   ⑤ 내비게이션

18 커뮤니티 매핑에 해당하는 사례로 옳은 것을 〈보기〉에서 모두 고른 것은?

> **보기**
> ㄱ. 도로에 파손된 쓰레기통의 위치를 공공 시설물 수리 지도에 제보하였다.
> ㄴ. 내가 알고 있는 우리 마을의 문화유산을 마을 문화유산 인터넷 지도에 표시하였다.
> ㄷ. 심야 시간 버스 운행을 위한 노선을 개발하기 위해 휴대 전화의 통화량을 지역별로 분석하였다.
> ㄹ. 폭설로 교통이 마비되었을 때, 지역 주민들이 각자 알고 있는 통행 가능한 도로의 위치를 재난 대비 지도에 표시하였다.

① ㄱ, ㄴ   ② ㄴ, ㄷ
③ ㄱ, ㄴ, ㄹ   ④ ㄴ, ㄷ, ㄹ
⑤ ㄱ, ㄴ, ㄷ, ㄹ

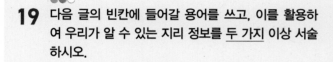

19 다음 글의 빈칸에 들어갈 용어를 쓰고, 이를 활용하여 우리가 알 수 있는 지리 정보를 <u>두 가지</u> 이상 서술하시오.

> 지도는 우리가 사는 3차원의 공간을 일정한 비율로 줄여서 약속된 기호로 평면에 나타낸 것이다. 그중 지형도나 세계 전도처럼 우리가 사는 공간의 자연환경과 인문 환경 정보를 종합적으로 담고 있는 지도를 (   )(이)라고 한다.

20 다음 지도에 나타난 대륙이 어디인지 쓰고, 이 대륙을 대표하는 기후를 <u>두 가지</u>만 쓰시오.

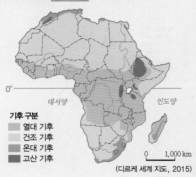

(디르케 세계 지도, 2015)

21 다음 (가)와 (나)의 북반구 중위도 지역의 계절을 각각 쓰고, 이와 같은 현상이 나타나는 근본적인 이유를 서술하시오.

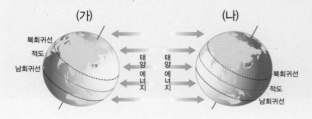

22 다음 글의 밑줄 친 '이것'이 무엇인지 쓰고, 이로 인해 발생한 현상에 대해 서술하시오.

> 태평양의 미크로네시아에 위치한 섬나라 키리바시는 1995년 이전까지 한 국가 내에서 날짜가 서로 달랐다. 서로 다른 날짜 때문에 불편을 느낀 키리바시는 이것을 조정해 달라고 국제기구에 요청하였고, 결국 전 국토가 같은 날짜를 사용하게 되었다.

23 다음 글과 지도를 참고하여 밑줄 친 ㉠과 같은 현상이 나타나게 된 이유를 서술하시오.

> • 중국 서쪽 끝에 위치한 ㉠ 우루무치 지역은 밤 9시에도 환하다.
> • 중국은 동쪽에 위치한 수도 베이징의 시간을 표준시로 사용한다.

24 다음과 같은 지리 정보 기술을 활용한 장치를 무엇이라고 하는지 쓰고, 그 원리를 구체적으로 서술하시오.

이 단원을 배우면
위치에 따라 다양한 기후 지역이 나타남을 이해하고 세계 기후 지역을 구분할 수 있어요. 또 우리나라와 기후가 다른 지역의 주민 생활 모습을 알 수 있어요.

우리와 다른 기후, 다른 생활

중단원명	학습 코너	쪽수	학습 예정일	학습 완료일	달성도
01 세계의 다양한 기후 지역	꼼꼼! 필기 노트	28쪽	◯월 ◯일	◯월 ◯일	☆☆☆☆☆
	탄탄! 활동 노트	29쪽	◯월 ◯일	◯월 ◯일	☆☆☆☆☆
	쑥쑥! 실력 키우기	30~31쪽	◯월 ◯일	◯월 ◯일	☆☆☆☆☆
02 열대 우림 기후와 주민 생활 모습	꼼꼼! 필기 노트	32쪽	◯월 ◯일	◯월 ◯일	☆☆☆☆☆
	탄탄! 활동 노트	33쪽	◯월 ◯일	◯월 ◯일	☆☆☆☆☆
	쑥쑥! 실력 키우기	34~35쪽	◯월 ◯일	◯월 ◯일	☆☆☆☆☆
03 온대 기후와 주민 생활 모습	꼼꼼! 필기 노트	36쪽	◯월 ◯일	◯월 ◯일	☆☆☆☆☆
	탄탄! 활동 노트	37쪽	◯월 ◯일	◯월 ◯일	☆☆☆☆☆
	쑥쑥! 실력 키우기	38~39쪽	◯월 ◯일	◯월 ◯일	☆☆☆☆☆
04 기후 환경을 극복하는 사람들의 생활 모습	꼼꼼! 필기 노트	40, 42쪽	◯월 ◯일	◯월 ◯일	☆☆☆☆☆
	탄탄! 활동 노트	41, 43쪽	◯월 ◯일	◯월 ◯일	☆☆☆☆☆
	쑥쑥! 실력 키우기	44~45쪽	◯월 ◯일	◯월 ◯일	☆☆☆☆☆
뚝딱! 단원 마무리하기		46~49쪽	◯월 ◯일	◯월 ◯일	☆☆☆☆☆

세계의 다양한 기후 지역

1 세계의 다양한 기후 지역

1 [①＿＿＿＿] 일정한 지역에서 매년 비슷한 시기에 나타나는 기온, 강수량, 바람 등의 종합적이고 평균적인 상태
→ 일반적으로 과거 30년간의 대기 상태를 평균하여 지역의 기후를 나타내요.

2 기후 요소별 특징

(1) **기온**: 적도에 가까울수록 기온이 높고, 고위도로 갈수록 기온이 낮아짐

(2) **강수량**: 위도, 대륙과 해양의 분포 등에 따라 다르게 나타남
→ 대기 대순환에 따라 적도 부근은 강수량이 많고

3 세계의 다양한 기후 지역
남·북회귀선 부근, 내륙 지역 등은 강수량이 적어요.

구분	특징	분포 지역	식생
열대 기후	• 연중 기온이 높고, 강수량이 많음 • 거의 매일 스콜이 내림	[②＿＿] 부근	울창한 열대 밀림
건조 기후	• 연 강수량이 500mm 미만 • 강수량보다 증발량이 많음	남·북회귀선 부근, 대륙 내부	[③＿＿], 초원
온대 기후	• 뚜렷한 [④＿＿＿]의 변화 • 온화한 기후와 적당한 강수량	중위도 지역 → 남북위 30°~60° 부근	다양한 종류의 혼합림 분포
냉대 기후	길고 추운 겨울 → 기온의 연교차가 큼	고위도 지역	타이가 지대 → 대규모 침엽수림 발달
한대 기후	일 년 내내 춥고, 가장 따뜻한 달의 평균 기온이 10℃ 미만	극지방과 그 주변 지역	짧은 여름 동안 풀과 이끼가 자람, 툰드라

→ 일 년 중 가장 더운 달의 평균 기온과 가장 추운 달의 평균 기온의 차이를 말해요.
→ 연중 눈과 얼음으로 덮여 있고 여름 동안만 기온이 0℃로 올라가요.

4 기후 그래프

(1) **특징**: 각 기후 지역의 기온(꺾은선 그래프)과 강수량([⑤＿＿] 그래프)을 표현한 자료 → 해당 지역의 대략적인 기후 특징을 파악할 수 있음

(2) **기후 그래프 분석** → 기후 그래프를 분석하면 기후를 구분할 수 있고 식생, 농업 활동 등을 유추할 수도 있어요.

① 꺾은선 그래프는 월평균 기온을 나타내고, 막대그래프는 월 강수량을 나타낸다.

② 꺾은선 그래프를 보면 일 년 내내 평균 기온이 25℃ 정도이다.

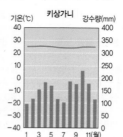
키상가니

③ 막대그래프를 보면 강수량이 가장 적은 1월도 많은 비가 내리는 다우 지역이다.

④ 높은 평균 기온과 풍부한 강수량 조건으로 볼 때, 이 지역은 열대 기후 지역이다.

2 인간 거주와 기후 조건
→ 주로 중위도 지역에 밀집해 있어요.

구분	인간 거주에 유리한 기후 지역	인간 거주에 불리한 기후 지역
특징	연중 기온이 온화하고, 강수량이 적당함 → 다양한 농업 활동이 가능함 → 인구 밀집	기온이 너무 높거나 낮은 지역, 강수량이 적어 식물이 자라기 어려운 지역 → 농업 등 다양한 산업 활동에 불리함
기후 지역	[⑥＿＿] 기후 지역, 냉대 기후 지역	열대 기후 지역, 건조 기후 지역, 한대 기후 지역

열대 기후 지역의 해발 고도가 높은 고산 지대에서는 연중 온화한 고산 기후가 나타나 고산 도시가 발달하였어요.

＋ 기후 요소
기후를 구성하는 기온이나 강수량 같은 요소들을 기후 요소라고 한다. 기후 요소에는 기온, 강수량 외에도 바람, 습도, 구름량, 기압, 일사량 등이 있다.

＋ 스콜
강한 햇빛으로 데워진 공기가 상승하여 형성된 비구름에서 내리는 대류성 소나기를 말한다.

＋ 열대 밀림
일 년 내내 기온이 높고 비가 많이 내리는 적도 부근의 열대 기후 지역에서 발달하는 울창하고 빽빽한 삼림을 말한다.

＋ 남·북회귀선
남·북위 23°27′의 위선으로, 동지와 하지 때 태양의 고도가 가장 높게 나타나는 위도의 한계선이다.

＋ 타이가
유라시아 대륙에서 북아메리카 대륙까지 동서 방향의 띠 모양으로 펼쳐진 침엽수림 지대를 총칭한다.

＋ 툰드라
짧은 여름 동안만 기온이 0℃ 이상으로 올라가 풀과 이끼류가 자라는 기후 지역을 말한다.

콕콕! 핵심 개념

1 일정한 지역에서 나타나는 대기의 종합적이고 평균적인 상태를 □□라고 한다.

2 □□□□ 지역은 온화한 기후와 적당한 강수량으로 인간 거주에 유리하다.

3 □□ □□ 지역은 일 년 내내 춥고 대부분 눈과 얼음으로 덮여 있다.

활동 ① 다음은 세계의 기후 지역 분포를 나타낸 것이다. 물음에 답해 보자.

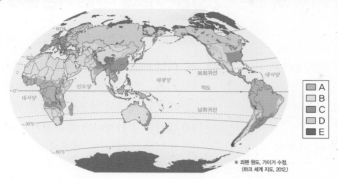

□	A
□	B
□	C
□	D
■	E

※ 쾨펜 원도, 가이거 수정.
(하크 세계 지도, 2012)

1 다음은 수업 시간에 각 기후 지역별 특징을 정리한 표이다. 각 특징에 해당하는 기후 지역의 기호를 지도에서 찾아 써 보자.

연중 높은 기온, 많은 강수량, 열대 우림	증발량> 강수량, 남·북회귀선 부근	타이가, 큰 기온의 연교차	극지방과 그 주변 지역, 툰드라	온화한 기온, 적당한 강수량, 중위도 지역
❶	❷	❸	❹	❺

2 지도의 A~E 기후 지역에서 나타나는 대표적인 식생 경관을 ㉠~㉤ 사진에서 골라 바르게 연결해 보자.

활동 ② 다음은 세계 다양한 지역의 기후 그래프를 나타낸 것이다. 물음에 답해 보자.

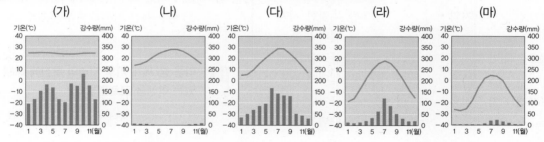

1 (가)~(마)는 어떤 기후 지역의 기후 그래프인지 각각 써 보자.

2 다음은 (가)~(마) 기후의 기온과 강수량 특징을 나타낸 표이다. 기후 그래프를 참고로 표를 완성해 보자.

구분	(가) 기후	(나) 기후	(다) 기후	(라) 기후	(마) 기후
기온	❶	비교적 높다.	비교적 온화하다.	❹	❺
강수량	연중 풍부하다.	❷	❸	비교적 적으며 계절 차가 크다.	연중 강수량이 적다.

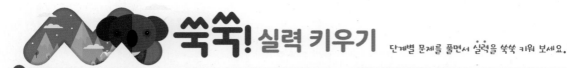

쑥쑥! 실력 키우기

단계별 문제를 풀면서 실력을 쑥쑥 키워 보세요.

1 STEP 개념을 되짚는 확인 문제

01 다음 빈칸에 들어갈 알맞은 말을 써 보자.

(1) (   )은(는) 일정한 지역에서 나타나는 대기의 종합적이고 평균적인 상태이다.

(2) 열대 기후 지역에는 식생이 풍부하고 삼림이 빽빽한 (   )이(가) 발달해 있다.

(3) (   ) 지역은 겨울이 길고 추우며 기온의 연교차가 매우 크다.

(4) 기온이 온화하고 강수량이 적당한 (   ) 지역은 인간 거주에 유리하다.

02 다음 설명이 옳으면 ○, 틀리면 ×에 표시해 보자.

(1) 기온과 강수량을 나타낸 그래프를 분석하면 해당 지역의 기후 특색을 알 수 있다. (○ | ×)

(2) 건조 기후 지역은 증발량보다 강수량이 더 많은 기후 지역이다. (○ | ×)

(3) 일 년 중 가장 더운 달과 가장 추운 달의 평균 기온 차이를 기온의 연교차라고 한다. (○ | ×)

03 각 기후 지역의 특징을 바르게 연결해 보자.

(1) 건조 기후 지역 •   • ㉠ 뚜렷한 사계절의 변화

(2) 온대 기후 지역 •   • ㉡ 남·북회귀선 일대에 분포

(3) 한대 기후 지역 •   • ㉢ 극지방과 그 주변에 분포

04 다음 설명에 해당하는 용어를 써 보자.

(1) 시베리아부터 북아메리카까지 길게 뻗어 있는 냉대 기후 지역의 침엽수림 지대이다.

(   )

(2) 한대 기후 지역 중 짧은 여름 동안 기온이 영상으로 올라가 풀과 이끼류가 자라는 지역이다.

(   )

2 STEP 기초를 다지는 기본 문제

01 기후에 대한 설명으로 옳지 <u>않은</u> 것은?

① 매년 새롭게 기후가 바뀌기도 한다.

② 기온, 강수량, 바람 등으로 구성된다.

③ 대륙과 해양의 분포에 영향을 받기도 한다.

④ 대기의 종합적이고 평균적인 상태를 의미한다.

⑤ 위도에 따라 기후 지역이 어느 정도 구분되는 양상을 보인다.

02 다음 사진과 같은 경관이 나타나는 기후 지역의 특징으로 옳은 것은?

① 기온의 연교차가 매우 크다.

② 증발량이 강수량보다 더 많다.

③ 북반구 기준으로 고위도 지역에 분포한다.

④ 온화한 기후가 나타나 인간 거주에 유리하다.

⑤ 연중 높은 기온과 풍부한 강수량이 특징이다.

03 다음 중 세계 기후 지역의 특징에 대해 <u>잘못</u> 이해하고 있는 학생을 고르면?

① 갑 – 저위도에서 고위도 지역으로 갈수록 기온이 낮아져.

② 을 – 냉대 기후 지역에는 활엽수림이 넓게 분포해 있어.

③ 병 – 온대 기후 지역에서는 사계절의 변화를 뚜렷하게 느낄 수 있어.

④ 정 – 열대 우림 기후 지역은 연중 기온이 높고 강수량이 풍부해 밀림이 발달해 있어.

⑤ 무 – 바다에서 멀리 떨어진 내륙 지역은 강수량이 적어서 사막이 분포하기도 해.

04 (가), (나)와 같은 경관이 나타나는 기후를 바르게 연결한 것은?

| (가) | (나) |

(가)	(나)
① 온대 기후	건조 기후
② 온대 기후	냉대 기후
③ 열대 기후	한대 기후
④ 냉대 기후	열대 기후
⑤ 한대 기후	건조 기후

05 기후 그래프에 대한 설명으로 옳은 것을 〈보기〉에서 모두 고른 것은?

보기

ㄱ. 기온의 일교차를 알 수 있다.
ㄴ. 막대그래프는 강수량을 나타낸다.
ㄷ. 꺾은선 그래프는 기온을 나타낸다.
ㄹ. 매월의 평균 기온과 월별 강수량을 나타낸다.

① ㄱ, ㄴ　　② ㄴ, ㄹ　　③ ㄱ, ㄴ, ㄷ
④ ㄴ, ㄷ, ㄹ　　⑤ ㄱ, ㄴ, ㄷ, ㄹ

06 기후 조건과 인간 거주에 관한 설명으로 옳지 <u>않은</u> 것은?

① 기후는 농업 활동에 큰 영향을 끼친다.
② 기온이 매우 높은 지역은 인간 거주에 유리하다.
③ 온대 기후 지역은 인간 거주에 유리한 기후 지역이다.
④ 건조 기후 지역은 강수량이 매우 적어 농업에 불리하다.
⑤ 한대 기후 지역은 기온이 매우 낮아 인간 거주에 불리하다.

:3 STEP 실력을 완성하는 주관식·서술형 문제

07 다음 사진과 같은 경관이 나타나는 기후 지역을 쓰고, 이 지역의 기후 특징을 기온과 식생 측면에서 서술하시오.

08 지도의 A 지역으로 여행을 갈 경우 반드시 준비해야 할 물건을 한 가지 쓰고, 그 이유를 A 지역의 기후 특징과 연결시켜 서술하시오.

※ 쾨펜 원도, 가이거 수정.
(하크 세계 지도, 2012.)

09 다음 자료들을 바탕으로 서울은 어느 기후에 해당하는지 쓰고, 그 이유를 서술하시오.

(기상청, 2016.)

서울	1월	2월	3월	4월	5월	6월
월평균 기온(℃)	−2.4	0.4	5.7	12.5	17.8	22.2
월 강수량(mm)	20.8	25.0	47.2	64.5	105.9	133.2

서울	7월	8월	9월	10월	11월	12월
월평균 기온(℃)	24.9	25.7	21.2	14.8	7.2	0.4
월 강수량(mm)	394.7	364.2	169.3	51.8	52.5	21.5

독일의 기후학자 쾨펜은 1년 중 가장 추운 달의 평균 기온이 −3℃ 이상 18℃ 이하일 경우 온대 기후이며, 1년 중 가장 추운 달의 평균 기온이 −3℃ 미만이고 가장 따뜻한 달의 평균 기온이 10℃ 이상일 경우 냉대 기후로 정의하였다.

열대 우림 기후와 주민 생활 모습

+ **열대 우림**
열대 기후 지역 중에서 비가 많이 내려 다양한 종류의 나무가 우거진 밀림 지역을 말한다.

+ **이동식 화전 농업**
열대 우림 기후 지역은 숲이 울창하여 농경지 조성이 어렵고 많은 비로 흙속의 양분이 빠져 나가기 때문에 토양이 비옥하지 않다. 이로 인해 숲에 불을 놓아 그 재를 거름으로 삼는 이동식 화전 농업이 발달하였다.

+ **플랜테이션 작물**
플랜테이션 작물로는 커피, 카카오, 천연고무, 사탕수수, 바나나 등 열대 기후에 적합하며 시장에서 많이 팔리는 상품 작물들이 있다.

+ **중계 무역**
외국에서 수입한 상품을 그대로 타국으로 재수출하는 무역 형태로, 싱가포르나 홍콩 등 해상 무역이 활발한 곳에서 발달하였다.

1 열대 우림 지역의 기후 특징

1 열대 우림 기후의 특징
(1) 덥고 강수량이 많은 기후
① 기온: 가장 추운 달의 평균 기온이 18℃ 이상으로 1년 내내 매우 덥고, 기온의 연교차가 작음
② 강수: 월별로 일정하게 강수량이 풍부하며, 거의 매일 열대성 소나기인 **❶**　　　 이 내림
(2) 분포: **❷**　　　와 그 주변에 분포 예 아프리카 콩고 분지, 동남아시아 일대, 남아메리카의 **❸**　　　 분지 등 → 열대 우림(밀림)이 발달해 있음

2 열대 우림 기후의 식생
(1) **열대 밀림**: 상록 활엽수림으로 수종이 다양하고 키가 큰 나무와 작은 나무가 복잡한 층을 이루어 자람
(2) **기능**: 다양한 동식물의 서식지, 지구 산소 공급의 약 40% 담당 → 지구 온난화 방지 등
　　　　　　　　울창한 열대 밀림은 지구 온난화의 원인이 되는 이산화 탄소를 흡수하는 역할을 해요.

2 열대 우림 기후 지역의 주민 생활

1 의식주 생활
후추나 겨자 등의 향이 강한 향신료 자체에 포함된 여러 화학 물질이 음식물의 부패를 막아 줘요.
(1) **의복**: 얇고 통풍이 잘 되는 형태의 옷 → 덥고 습한 기후의 영향
(2) **음식**: 기름에 튀기거나 향신료를 많이 사용 → 음식물의 부패 방지
(3) **주거**: 단순하고 개방적인 가옥 구조, 창문이 크고 지붕의 경사가 급함, 바닥에서 떨어뜨려 지은 **❹**　　　 가옥 발달 → 지면으로부터 올라오는 열기와 습기를 피하고, 해충과 뱀 등의 침입을 방지할 수 있어요.

2 원시적 생활　아마존 지역의 수렵과 채집 생활, 현대화된 삶과는 다른 원시 부족 거주
→ 원시적으로 살아가는 이들의 삶을 체험하려는 관광객이 증가하고 있어요.

3 농업 활동
(1) **이동식 화전 농업**: 주기적으로 이동하며 숲을 태워 만든 농경지에서 이루어지는 전통적인 자급적 농업 → 얌, 카사바 등 재배
(2) **플랜테이션**: **❺**　　　 기후 + 선진국의 자본과 기술 + 원주민의 노동력 → 커피, 카카오, 바나나 등의 상품 작물을 대량으로 재배

(구드 세계 지도, 2015.)

4 현대화된 도시　교통이 편리한 곳에 위치한 지역은 무역과 금융 산업 발달 예 싱가포르 (중계 무역 발달, 금융의 세계적 도시로 성장)
→ 말레이시아 쿠알라룸푸르, 브라질 마나우스 등도 열대 우림 지역에 발달한 세계적인 도시들이에요.

콕콕! 핵심 개념

1 □□□□□□ 지역은 일년 내내 기온이 높으며 강수량이 많아 덥고 습한 날씨가 되풀이된다.

2 □□□은 브라질에 위치한 열대 밀림 지역으로 수렵과 채집 생활을 하는 원시 부족이 있다.

3 열대 기후 지역에 적합한 상품 작물을 선진국의 자본과 원주민의 노동력으로 재배하는 농업을 □□□□□이라고 한다.

탄탄! 활동 노트

활동 ① 다음은 어느 기후 지역의 분포와 기후 그래프를 나타낸 것이다. 물음에 답해 보자.

1 위 지도에 표시된 지역과 기후 그래프에 해당하는 지역의 기후를 써 보자.

2 다음은 위 기후 지역에 거주하는 주민 생활 모습을 나타낸 표이다. 표를 완성해 보자.

구분	특징	발달 배경
의생활	❶	덥고 습한 기후 때문
식생활	기름에 튀기거나 향신료를 많이 사용한 음식이 발달함	❷
주생활	(❸)의 경사가 급함	(❹)가 많이 오기 때문
	창문이 큰 개방적인 구조	통풍을 위해
	지면으로부터 높이 띄워서 지은 고상 가옥 발달	지면으로부터 올라오는 열기와 (❺)를 피하고 (❻ .) 등의 침입을 막기 위해

활동 ② 다음은 열대 우림 기후 지역에서 볼 수 있는 경관이다. 물음에 답해 보자.

(가)	(나)	(다)	(라)

1 열대 우림 기후 지역의 다양한 특징과 관련이 있는 경관을 (가)~(라) 중에서 골라 써 보자.

(1) 밀림을 태워 카사바, 얌 등을 재배하는 이동식 화전 농업을 한다. (   )
(2) 편리한 교통 조건을 바탕으로 중계 무역이 발달하였다. (   )
(3) 수렵, 채집 등 원시적 생활을 하는 부족들이 거주하기도 한다. (   )
(4) 상품 작물을 대규모로 재배하는 상업적 플랜테이션 농업이 발달하였다. (   )

2 (다) 사진처럼 열대 우림 기후 지역임에도 도시와 경제가 발달한 지역은 어디인지 써 보자.

쑥쑥! 실력 키우기

단계별 문제를 풀면서 실력을 쑥쑥 키워 보세요.

·1 STEP 개념을 되짚는 확인 문제

01 다음 빈칸에 들어갈 알맞은 말을 써 보자.

(1) ( ) 지역은 일 년 내내 기온이 높고 강수량이 풍부하다.

(2) 열대 기후는 연중 일사량이 풍부한 적도 부근의 ( ) 지역에서 나타난다.

(3) 열대 우림 기후는 아프리카 콩고 분지, 동남아시아 일대, ( ) 분지 등에서 나타난다.

(4) 열대 우림 기후 지역에서는 지면으로부터 높이 띄워서 지은 ( ) 가옥이 발달하였다.

02 서로 관련 있는 것끼리 연결해 보자.

(1) 플랜테이션 ·

(2) 이동식 화전 농업 ·

· ㉠ 주기적으로 이동하며 숲에 불을 질러 만든 밭에서 이루어지는 농업

· ㉡ 열대 기후 지역에서 바나나, 카카오 등의 상품 작물을 대규모로 재배하는 농업

03 다음에서 설명하는 용어를 써 보자.

(1) 열대 우림 기후 지역에서 한낮에 거의 매일 일정하게 내리는 대류성 소나기이다. ( )

(2) 후추, 커리, 겨자 등 음식의 부패를 막고 맛을 좋게 하기 위해 사용하는 양념 ( )

04 다음 설명이 옳으면 ○, 틀리면 ×에 표시해 보자.

(1) 열대 우림 기후 지역에서는 밀과 쌀 등을 주로 재배한다. (○ | ×)

(2) 열대 우림 기후 지역의 가옥은 지붕의 경사가 급하고 창문이 크다. (○ | ×)

(3) 열대 우림 기후 지역에서는 전통적으로 이동식 화전 농업이 행해졌다. (○ | ×)

:2 STEP 기초를 다지는 기본 문제

01 중요 열대 우림 기후에 대한 설명으로 옳지 <u>않은</u> 것은?

① 기온의 연교차가 매우 크다.

② 거의 매일 오후에 스콜이 내린다.

③ 적도와 그 부근에서 나타나는 기후이다.

④ 일 년 내내 무덥고 습한 날씨가 나타난다.

⑤ 키가 큰 나무와 풀이 우거져 빽빽한 숲을 이루는 열대 밀림이 발달하였다.

02 다음과 같은 특징이 나타나는 기후의 분포 지역으로 옳은 것을 〈보기〉에서 모두 고른 것은?

- 가장 추운 달의 평균 기온이 18℃ 이상
- 월별로 일정하게 강수량이 풍부함

보기
ㄱ. 콩고 분지　　　　ㄴ. 몽골 초원
ㄷ. 싱가포르　　　　ㄹ. 아마존 분지
ㅁ. 인도네시아 보르네오섬

① ㄱ, ㄴ　　② ㄱ, ㅁ　　③ ㄱ, ㄴ, ㄹ
④ ㄴ, ㄷ, ㄹ　　⑤ ㄱ, ㄷ, ㄹ, ㅁ

03 중요 열대 우림 기후 지역에서 사진과 같이 기름에 튀기거나 향신료를 사용한 음식을 주로 먹는 이유로 가장 적절한 것은?

① 음식이 쉽게 상하는 것을 막기 위해서이다.

② 주변에서 구하기 쉬운 재료를 이용하기 때문이다.

③ 이동식 가옥에서 주로 생활하기 때문이다.

④ 사냥이 쉽지 않아 채소 위주로 섭취하기 때문이다.

⑤ 땀을 많이 흘리기 때문에 저열량 음식을 먹어야 하기 때문이다.

04 다음 그래프와 같은 기후가 나타나는 지역을 여행할 때 볼 수 <u>없는</u> 경관은?

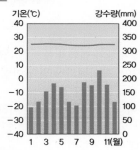

① 넓게 펼쳐진 밀밭
② 울창한 밀림이 펼쳐진 숲
③ 고층 빌딩이 모여 있는 도시
④ 한낮에 일정하게 내리는 소나기
⑤ 얇고 통풍이 잘 되는 옷을 입고 있는 주민들

05 사진과 같은 농업 방식의 특징으로 옳은 것은?

① 선진국의 노동력을 이용한다.
② 카사바, 옥수수 등을 주로 재배한다.
③ 강수량이 적은 지역에서 이루어진다.
④ 나무를 태운 후 재를 이용해 농사를 짓는다.
⑤ 열대 상품 작물을 대규모로 재배하는 농업이다.

06 열대 우림 기후 지역의 가옥 특징으로 옳은 것은?

① 작은 창문
② 평평한 지붕
③ 지면으로부터 띄워서 지음
④ 벽이 두껍고 다닥다닥 붙여 지음
⑤ 주변에서 구하기 쉬운 흙과 돌로 만든 벽

:3 STEP **실력을 완성하는 주관식·서술형 문제**

07 지도에 표시된 지역의 기후를 쓰고, 이 기후의 분포가 지도와 같이 나타나는 이유를 서술하시오.

08 고난도 다음 자료를 바탕으로 여행지 A는 어디인지 쓰고, ㉠과 같은 현상을 무엇이라고 하는지 쓰시오. 또 ㉡의 이유를 지도를 참고하여 서술하시오.

　오늘은 어제에 이어 ㉠ 오후 2시쯤 약속한 듯 한 차례 소나기가 쏟아졌다. 고층 빌딩 사이를 지나 항구로 가니 ㉡ 대형 화물선들이 분주하게 입항하고, 많은 물건을 싣거나 내리고 있었다.

09 신유형 다음은 인도네시아의 화폐 사진이다. 화폐에서 볼 수 있는 열대 우림 기후 지역의 가옥 특징 두 가지를 쓰고, 그러한 특징이 나타나게 된 이유를 서술하시오.

03 온대 기후와 주민 생활 모습

이것이 포인트!
• 온대 기후의 분포와 특색
• 온대 기후 지역의 주민 생활 모습

꼼꼼! 필기 노트

+ 대륙의 서안과 동안
대륙의 서쪽 해안을 대륙 서안이라고 하며, 반대로 대륙의 동쪽 해안을 대륙 동안이라고 한다.

+ 지중해
유럽과 아프리카, 그리고 동쪽으로 아시아 대륙 사이에 위치한다. 땅 가운데의 바다라는 의미로 지중해라는 이름이 붙었다.

+ 난류
바람에 의해 일정하게 흐르는 바닷물의 흐름을 해류라고 하는데, 이 중 저위도에서 올라오는 따뜻한 해류를 난류라고 한다.

+ 수목 농업
지중해 연안 지역에서는 덥고 건조한 여름철 기후에 잘 견디는 뿌리가 깊은 나무를 주로 재배하는데, 이를 수목 농업이라고 한다.

1 온대 기후의 분포와 특색

1 온대 기후

(1) **의미**: 기온이 온화하며 강수량이 적당하고 계절의 변화가 뚜렷한 기후
(2) **분포**: [①] 지역 → 유럽, 동부 아시아, 북아메리카 및 남아메리카 남동부 등
(3) **특징**
  ① 기온: 연중 가장 추운 달의 평균 기온이 −3℃ 이상 ~ 18℃ 이하인 기후 → 대체로 [②] 기후가 나타남 → 독일의 기후학자 쾨펜이 분류한 세계 기후 구분 중 온대 기후의 분류 기준이에요.
  ② 강수: 계절별·지역별 차이는 있으나 대체로 적당하게 내림
  ③ 계절 변화: 중위도 지역에 분포하여 계절 변화가 뚜렷함
  ④ 인간 거주에 유리: 적당한 기온과 강수량 덕분에 인간 생활과 농업 활동에 유리 → 가장 많은 인구가 거주하는 기후 지역 → 지구의 자전축이 23.5° 기울어진 채로 공전하기 때문에 중위도 지역에서 계절 차가 나타나요.

2 다양한 온대 기후   계절별 강수량과 기온의 차이에 따라 구분

구분	서안 해양성 기후	지중해성 기후	온대 계절풍 기후
기온과 강수 특징	• [③] 과 난류(북대서양 해류)의 영향으로 여름이 서늘하고 겨울이 온화함 • 연중 고른 강수량	• 여름이 덥고 건조하며 겨울이 온난하고 습윤함 • 여름철보다 겨울철 강수량이 많음	• [④] 의 영향으로 여름은 무덥고 비가 많이 오며 겨울은 춥고 건조함 • 대륙 동안에서 주로 나타남
분포 지역	영국, 독일 등 북서 유럽, 북아메리카 동부 등	이탈리아, 그리스 등 지중해 연안, 미국 캘리포니아 연안 등	우리나라를 비롯한 동부 아시아 지역

중위도(30°~60°) 지역에서 연중 일정하게 서쪽에서 동쪽으로 부는 바람을 말해요.

여름은 덥고 습한 바람, 겨울은 춥고 건조한 바람이 불어와 우리나라에 영향을 끼쳐요.

2 온대 기후 지역의 주민 생활

1 온대 기후 지역 주민 생활의 공통점

(1) **활발한 농업 활동**: 적당한 기온과 강수량으로 농업 활동에 유리함 → 세계적인 인구 조밀 지역
(2) **뚜렷한 계절 변화**: 계절 변화가 뚜렷하므로 계절별 의복이나 음식 등이 다양하게 발달함

2 온대 기후 지역 주민 생활의 차이점

서안 해양성 기후	• 곡물 재배와 가축 사육을 함께하는 [⑤] 발달 • 낙농업과 원예 농업: 젖소를 사육하여 우유와 유제품 생산, 대도시 부근에서 채소와 과일 재배 • 곡물로 만든 빵, 육류 섭취, 치즈 등의 유제품 발달
지중해성 기후	• 여름: 포도, 올리브, 오렌지 등을 재배하는 수목 농업 발달 • 겨울: 곡물 농업 → 밀 등 재배 → 여름철의 고온 건조한 기후에 잘 견디는 작물들이에요. • 토마토와 올리브를 활용한 피자와 파스타 발달, 포도를 활용한 와인 문화 발달 • 고대 문화 유적, 맑고 쾌청한 여름 날씨, 아름다운 자연환경 → 관광 산업 발달
온대 계절풍 기후	• 여름철의 고온 다습한 기후 조건을 이용한 [⑥] 발달 • 쌀로 만든 밥을 주식으로 하며 반찬이나 요리를 곁들여 먹음 • 우리나라의 김장: 겨울에 채소를 먹기 위해 배추를 소금에 절여 발효시켜 먹는 문화

→ 쌀은 다른 작물에 비해 높은 기온과 풍부한 물이 필요해요.

콕콕! 핵심 개념

1 여름이 서늘하고 겨울이 온화하며 연중 고른 강수량을 보이는 기후는 □□□ □□□ 기후이다.

2 □□□□ 기후는 여름이 덥고 건조하며 겨울은 온화하고 습윤하다.

3 온대 □□□ 기후 지역에서는 주로 벼농사가 발달하였다.

활동 1 다음은 온대 기후 지역의 분포와 기후 그래프를 나타낸 것이다. 물음에 답해 보자.

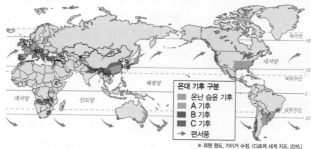

▲ 온대 기후 지역의 분포

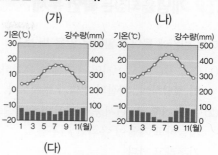

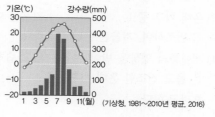

1 지도에 표시된 A~C 기후의 명칭을 각각 써 보자.

A – (　　　　　) 　B – (　　　　　) 　C – (　　　　　)

2 지도의 A~C 기후에 해당하는 기후 그래프를 (가)~(다) 에서 골라 연결해 보자.

A – (　　　　　) 　B – (　　　　　) 　C – (　　　　　)

3 위 지도와 기후 그래프를 바탕으로 표의 빈칸을 채워 보자.

구분	기온 특징	강수 특징
A 기후	❶	연중 강수량이 고른 편이다.
B 기후	여름은 덥고 겨울은 온화하다.	❷
C 기후	여름은 덥고 겨울은 춥다.	❸

활동 2 다음은 온대 기후 지역에서 볼 수 있는 경관이다. 물음에 답해 보자.

(가)　　　　　　　　　(나)　　　　　　　　　(다)

1 (가)~(다) 지역에서 발달한 농업을 각각 써 보자.

(1) (가) – (　　　　　) 　(2) (나) – (　　　　　) 　(3) (다) – (　　　　　)

2 (가)~(다) 농업 경관을 바탕으로 각 지역 주민들의 식생활을 추론하여 서술해 보자.

(가) 지역	(나) 지역	(다) 지역
❶	❷	❸

쑥쑥! 실력 키우기

단계별 문제를 풀면서 실력을 쑥쑥 키워 보세요.

• 1 STEP 개념을 되짚는 확인 문제

01 다음 빈칸에 들어갈 알맞은 말을 써 보자.

(1) ( ) 지역은 기온이 온화하고 강수량이 적당하며, 계절의 변화가 뚜렷하다.

(2) 온대 기후 중 편서풍과 난류의 영향으로 여름이 서늘하고 겨울이 온화한 기후를 ( ) 기후라고 한다.

(3) 온대 기후 중 ( ) 기후는 여름은 덥고 건조하며, 겨울은 온난 습윤하다.

(4) 계절풍의 영향을 받아 여름은 덥고 습하며 겨울은 춥고 건조한 온대 기후를 ( ) 기후라고 한다.

02 다음에서 설명하는 용어를 써 보자.

(1) 중위도 지역에서 연중 일정하게 서쪽으로 부는 바람으로 서안 해양성 기후에 영향을 끼친다.
( )

(2) 바다에 일정하게 흐르는 바닷물의 흐름 중 저위도에서 고위도로 흐르는 따뜻한 해류를 말한다.
( )

03 다음 설명이 옳으면 ○, 틀리면 ×에 표시해 보자.

(1) 지중해성 기후는 지중해 연안, 캘리포니아 연안 등에서 나타난다. (○ | ×)

(2) 서안 해양성 기후는 계절풍의 영향을 많이 받는 기후이다. (○ | ×)

(3) 온대 계절풍 기후는 온난 습윤 기후와 지중해성 기후로 구분할 수 있다. (○ | ×)

04 서로 관련 있는 것끼리 바르게 연결해 보자.

(1) 서안 해양 •   • ㉠ 여름철 고온 다습한 기후를
성 기후   이용해 벼농사 발달

(2) 지중해성 •   • ㉡ 곡물 재배와 가축 사육을 함
기후   께하는 혼합 농업 발달

(3) 온대 계절 •   • ㉢ 덥고 건조한 여름 기후에 잘
풍 기후   견디는 올리브, 포도 등 재배

: 2 STEP 기초를 다지는 기본 문제

01 온대 기후에 대한 설명으로 옳은 것을 〈보기〉에서 고른 것은?

> **보기**
> ㄱ. 기후가 온화한 편이다.
> ㄴ. 사계절의 변화가 뚜렷하다.
> ㄷ. 여름과 겨울 기온의 연교차가 매우 작다.
> ㄹ. 인간 거주에 유리하여 인구가 밀집해 있다.
> ㅁ. 적도와 그 부근의 저위도 지역에 분포한다.

① ㄱ, ㄴ, ㄷ   ② ㄱ, ㄴ, ㄹ
③ ㄱ, ㄴ, ㅁ   ④ ㄴ, ㄷ, ㄹ
⑤ ㄷ, ㄹ, ㅁ

02 다음과 같은 특징이 나타나는 기후는?

• 강수량이 연중 고른 편이다.
• 편서풍과 난류의 영향을 받는다.
• 주로 대륙의 서쪽 해안에 나타난다.

① 툰드라 기후   ② 지중해성 기후
③ 열대 우림 기후   ④ 온대 계절풍 기후
⑤ 서안 해양성 기후

03 다음과 같은 기후 그래프가 나타나는 지역에 대해 **잘못** 설명하고 있는 학생은?

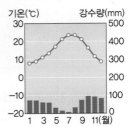

① 갑 – 여름이 덥고 건조한 기후야.
② 을 – 겨울에도 비교적 온난한 편이야.
③ 병 – 여름철보다 겨울철 강수량이 더 많아.
④ 정 – 주로 대륙의 동쪽 해안에서 나타나는 기후야.
⑤ 무 – 포도 농장이나 와인과 관련된 산업이 발달했어.

04 다음과 같은 바람의 영향을 받는 기후에 대한 설명으로 옳지 <u>않은</u> 것은?

① 여름이 덥고 습하다.
② 겨울이 춥고 건조하다.
③ 주로 대륙 동안에서 나타난다.
④ 편서풍과 북대서양 해류의 영향을 많이 받는다.
⑤ 여름에는 주로 바다에서 육지 쪽으로 바람이 분다.

05 다음 사진과 같은 경관이 나타나는 지역에서 주로 재배되는 작물로 적합하지 <u>않은</u> 것은?

① 쌀
② 포도
③ 올리브
④ 오렌지
⑤ 코르크

06 다음과 같은 기후 그래프가 나타나는 지역의 주민 생활 특징으로 가장 적절한 것은?

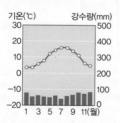

① 곡물 재배와 가축 사육을 함께한다.
② 포도를 활용한 와인 문화가 발달하였다.
③ 쌀과 관련된 음식이 다양하게 발달하였다.
④ 토마토와 올리브를 이용한 피자, 파스타 등의 음식이 발달하였다.
⑤ 여름철 높은 기온과 풍부한 강수량을 바탕으로 벼농사가 발달하였다.

:3 STEP 실력을 완성하는 주관식·서술형 문제

07 다음 지도의 A 지역에서 나타나는 기후를 쓰고, A 기후 지역이 인간 거주에 유리한 이유를 기온과 강수 측면에서 서술하시오.

■ A

※ 쾨펜 원도, 가이거 수정 (디르케 세계 지도, 2015)

08 다음 글을 바탕으로 알베르토 고향의 기후를 추론하고, 그 이유를 농업과 연관 지어 서술하시오.

> 산들이네 학교에 외국인 학생 알베르토가 전학을 왔다. 친구들과 친해지고 싶었던 알베르토는 집으로 친구들을 초대하였고 알베르토의 어머니는 고향에서 주로 먹는 음식인 올리브 파스타, 오렌지 에이드, 포도 파이 등을 대접하였다.

09 다음 사진은 무엇을 하고 있는 모습인지 쓰고, 이와 같은 문화가 발달한 이유를 우리나라 기후를 바탕으로 서술하시오.

04 기후 환경을 극복하는 사람들의 생활 모습

꼼꼼! 필기 노트

이것이 포인트!
- 건조 기후 지역의 특징
- 건조 기후 지역의 주민 생활 모습

✚ 남·북회귀선과 고기압
지구의 대기 대순환에 따라 남·북회귀선 부근(위도 20°~30°)에는 연중 고기압이 발달하게 된다. 고기압대에서는 하강 기류가 발달하여 구름이 잘 형성되지 않는다.

✚ 한류
고위도에서 저위도로 흐르는 차가운 바닷물의 흐름을 한류라고 한다. 한류가 흐르는 해안은 기온이 낮아 대류 현상이 잘 일어나지 않기 때문에 구름이 형성되지 않고 비가 잘 내리지 않는다.

✚ 오아시스
건조한 사막에도 지하수가 흐르는데, 이 지하수가 솟아올라 식생이 자연적으로 자라는 지역을 오아시스라고 한다. 오아시스 지역은 비교적 물이 풍부하여 전통적으로 사람들이 많이 거주해 왔다.

✚ 사막의 의복
사막에 사는 사람들은 낮에는 모래바람과 뜨거운 햇볕으로부터 몸을 보호하고, 기온이 낮아지는 밤에는 체온 보호를 위해 얇고 헐렁한 옷을 겹겹이 입는다.

✚ 대상
건조 기후 지역에서 낙타를 이용해 오아시스와 오아시스를 연결하며 상업 활동을 하는 무리를 말한다.

콕콕! 핵심 개념

1 ☐☐ ☐☐ 지역은 강수량보다 증발량이 많아 식생이 자라기 어렵다.

2 건조 기후 지역 중 ☐☐ 기후는 연 강수량 250mm 미만의 매우 건조한 지역이다.

3 ☐☐ 기후 지역의 유목민들은 이동식 가옥에서 생활한다.

1 건조 기후 지역의 특징

1 건조 기후
(1) **의미**: 강수량이 적어 수목이 자라기 어려운 기후
(2) **특징**
  ① 연 강수량이 500mm 미만으로 강수량보다 증발량이 많아 물이 매우 부족함
  ② 낮과 밤의 ❶ ☐☐☐ 가 매우 큼 → 한낮에는 기온이 40℃가 넘지만 밤에는 0℃ 가까이 내려가요. 이는 대기가 건조하여 구름이 없기 때문에 낮 동안 들어온 태양 에너지가 그대로 빠져나가 발생하는 현상이에요.
(3) **건조 기후 지역의 분포**

남·북회귀선✚부근	• 위도 20°~30° 부근: 하강 기류에 의해 고기압의 영향을 받음 → 연중 건조함 • 북아프리카 ❷ ☐☐☐ 사막, 오스트레일리아 서부 사막
대륙 내부 지역	• 바다로부터 멀리 떨어져 있어 수분 공급이 적음 • 고비 사막, 몽골 초원, 타클라마칸 사막
한류가 흐르는 지역	• 한류가 흐르는 지역은 대기가 안정됨 → 구름이 형성되지 않아 강수가 적음 • 아타카마 사막, 나미브 사막

→ 칠레에 있는 사막으로, 사막은 덥다는 고정 관념을 깨는 서늘한 사막이에요.

2 건조 기후의 구분

사막 기후	• 연 강수량이 250mm 미만인 지역 • 오아시스✚지역을 제외하고 식생이 자라기 어려움 • 강한 바람으로 침식 작용 활발 → 모래사막, 자갈사막, 암석사막 등
스텝(초원) 기후	• 연 강수량이 ❸ ☐☐☐ 인 지역, 사막 주변에 분포 • 짧은 풀이 자라 초원을 형성함 • 중앙아시아 지역, 사하라 사막 주변 등

2 건조 기후 지역의 주민 생활

1 건조 기후 지역의 주민 생활 모습
→ 그늘이 생기게 하기 위해서 건물과 건물 사이를 좁게 만들어요.

구분	의생활	주생활	산업
사막 기후	온몸을 가리는 헐렁한 옷을 겹겹이 입음 → 사막의 뜨거운 햇볕을 피하고 큰 일교차와 모래바람에 대비하기 위해	• 평평한 지붕(강수량이 적기 때문) • 건물 사이의 간격이 좁은 흙벽돌집 • 두꺼운 벽과 작은 창문 → 외부의 열기와 모래바람 차단	• ❹ ☐☐☐ 농업: 밀, 목화, 대추야자 등 재배 • 관개 농업: 지하에 수로를 연결하여 물을 끌어와 농작물 재배 → 예 이란의 카나트 • 낙타를 이용한 대상✚ 활동
스텝(초원) 기후	사막 기후에 비해 제한이 적은 의복	유목을 위해 이동식 가옥에 거주 → 몽골의 게르	풀을 찾아 이동하며 가축을 기르는 ❺ ☐☐☐ 발달

2 건조 기후 지역의 변화
→ 물을 인위적으로 끌어오는 시설을 관개 수로라고 하는데, 사막의 관개 수로는 증발을 막기 위해 지하화하는 경우가 많아요.
(1) **석유 자원 개발**: 석유 자원 개발로 인한 경제 성장 및 기반 시설 마련
(2) **관개 수로 건설**: 대규모 관개 수로를 설치하여 사막에 거대한 도시 건설 예 사막의 거대 도시 두바이
(3) **기업적 농업과 목축**: 상업적 목적으로 기업이 대규모로 밀을 재배하거나 소나 양 등을 사육함 예 아르헨티나 초원 지역의 기업적 농목업, 미국의 원형 농경지 등
지하수에서 끌어올린 물을 대형 스프링클러를 통해 가장 효율적으로 → 뿌릴 수 있는 형태가 원형이기 때문에 원형의 농경지가 나타나요.

40 ● 2. 우리와 다른 기후, 다른 생활

탄탄! **활동 노트**

활동 ① 다음은 건조 기후 지역의 분포와 기후 그래프를 나타낸 것이다. 물음에 답해 보자.

※ 쾨펜 원도, 가이거 수정. (디르케 세계 지도, 2015.)

1 지도의 A, B는 어떤 기후를 나타내는지 각각 써 보자.

A – (   )   B – (   )

2 지도의 A, B 기후에 해당하는 기후 그래프를 (가), (나)에서 찾아 연결해 보자.

A – (   )   B – (   )

3 위 지도와 기후 그래프를 바탕으로 A, B 지역의 강수 특징에 관한 표를 완성해 보자.

구분	공통점	차이점
A 기후	• 연 강수량이 500mm 미만	❶
B 기후	• 강수량보다 증발량이 많음	❷

활동 ② 다음 사진은 건조 기후 지역에서 볼 수 있는 경관이다. 물음에 답해 보자.

(가)	(나)	(다)	(라)	(마)	(바)

1 (가) ~ (바) 경관을 사막 기후와 스텝 기후로 분류해 보자.

(1) 사막 기후: _____

(2) 스텝 기후: _____

2 (가) ~ (바) 경관의 특징을 해당 지역의 기후와 연관지어 ⑩와 같이 서술해 보자.

(가)	⑩ 대규모 관개 시설을 설치하여 사막 한가운데 현대적 도시를 건설하였다.	(라)	⑩ 풀이 짧게 자라 가축에게 먹일 풀을 따라 이동하는 유목 생활을 한다.
(나)	❶	(마)	❸
(다)	❷	(바)	❹

04 기후 환경을 극복하는 사람들의 생활 모습

꼼꼼! 필기 노트

✚ 한대 기후
기후학자 쾨펜이 분류한 세계의 기후 중 가장 춥고 고위도에서 나타나는 기후로, 툰드라 기후와 빙설 기후로 나뉜다.

✚ 백야 현상과 극야 현상
지구의 자전축이 23.5° 기울어진 채로 공전을 하기 때문에 위도 66.5° 이상의 고위도 지역에서는 여름철 밤에도 해가 지지 않는 백야 현상이 나타난다. 반대로 겨울에는 해가 뜨지 않는 극야 현상이 나타난다.

✚ 순록과 툰드라
순록은 추운 툰드라 지역에서 매우 중요한 초식 동물로 썰매를 끄는 이동 수단이며, 털가죽은 옷과 천막집의 재료가 된다. 또한 순록 고기는 툰드라 지역의 중요한 식량 자원이다.

✚ 이글루
툰드라 지역의 이누이트들이 사냥과 어로 활동을 위해 얼음으로 만든 임시 거처이다. 오늘날 지구 온난화에 따라 사용이 많이 줄어들고 있다.

✚ 송유관과 영구 동토층
툰드라 지역의 석유와 천연가스를 운반하기 위해 만들어진 송유관은 송유관에서 발생하는 열이 영구 동토층(항상 얼어 있는 땅)을 녹여 지면이 붕괴되는 것을 막기 위해 지표면에서 띄워서 설치한다.

콕콕! 핵심 개념

4 □□□ 기후 지역은 짧은 여름 동안만 기온이 0℃ 이상으로 올라가는 매우 추운 지역이다.

5 툰드라 주민들이 유목하는 가축으로 툰드라 주민의 중요한 생활 수단이 되는 동물은 □□이다.

6 고위도 지역에서는 여름철에 밤에도 해가 지지 않는 □□ 현상이 나타난다.

---

③ 툰드라 기후 지역의 특징

→ 툰드라는 '나무가 없는 땅'이라는 뜻이에요.

1 툰드라 기후

(1) **특징**: 가장 따뜻한 달의 기온이 [⑥] 이하로 연중 기온이 낮고 강수량이 적은 편, 빙설 기후와 함께 한대 기후에 속함

(2) **분포**
① 위도 60° 이상의 [⑦] 지역에서 나타남 → 태양의 고도가 낮아 일사량이 적기 때문에 기온이 낮음
② 시베리아 북부, 알래스카, 그린란드 해안 등 북극해 연안

2 툰드라 기후와 빙설 기후

→ 짧은 여름 동안 자라는 이끼류는 순록의 먹이 외에도 툰드라 주민들의 휴지, 기저귀, 수세미 등으로 활용되고 있어요.

툰드라 기후	• 일 년 중 가장 따뜻한 달의 기온이 10℃ 이하로, 짧은 여름 동안에만 기온이 0℃ 이상으로 올라감 • 나무가 자라기 힘들지만 1년생 풀과 이끼류가 자람 • 짧은 여름 동안에는 백야 현상, 긴 겨울에는 극야 현상이 나타남
빙설 기후	• 연중 기온이 0℃ 미만인 기후 • 식생을 찾아볼 수 없으며 눈과 얼음으로 덮여 있음

④ 툰드라 기후 지역의 주민 생활

1 툰드라 기후 지역의 주민 생활 모습

(1) **특징**: 낮은 기온으로 농업이 불가능함 → 주로 고래, 바다표범 등을 사냥하거나 순록을 [⑧]하며 생활함 → 툰드라 기후 지역에서는 순록의 먹이인 이끼를 찾아 여름에는 북쪽으로, 겨울에는 남쪽으로 이동하며 유목 생활을 해요.

(2) **의생활**: 수렵한 동물이나 순록의 털과 가죽으로 만든 옷을 입음

(3) **식생활**: 육류 중심의 식생활, 날고기와 날생선, 훈제·냉동·염장·건조 등의 방식으로 저장 및 섭취 → 채소를 구하기 힘들기 때문에 비타민을 섭취하기 위해 발달한 식생활 문화예요.

(4) **주생활**
① 전통 가옥: 순록의 가죽으로 만든 이동식 천막집, 사냥을 위해 얼음으로 만든 임시 가옥인 이글루
② [⑨]: 현대적인 가옥의 경우 지면으로부터 높게 띄워서 지음 → 난방 열에 의해 얼어 있던 땅이 녹아 가옥이 붕괴되는 것을 막기 위해

2 툰드라 기후 지역의 변화

→ 기존 항로보다 운항 시간을 훨씬 단축할 수 있어서 아시아와 유럽 간 무역에 도움이 될 거예요.

자원의 개발	• 석유와 [⑩]가 개발됨 → 북극해 연안의 자원 개발 • 자원을 운반하기 위한 거대한 송유관 건설 • 지구 온난화로 북극의 빙하 감소 → 북극 항로 개척
관광 산업 발달	빙하와 백야 현상, 오로라 현상 등을 활용한 관광 상품 발달, 원주민의 독특한 생활 풍습 체험 관광
현대적 도시 발달	• 툰드라 지역 개발에 따른 인구 증가 • 툰드라 지역의 혹독한 추위 속에서도 인간 거주 공간의 확대 및 현대적 도시 발달 예 알래스카 배로

→ 툰드라 지역에는 이누이트, 라프족, 네네츠족 등 다양한 원주민들이 생활하고 있어요.

→ 태양에서 방출되는 플라즈마라는 입자가 지구의 대기와 충돌하며 빛을 내는 현상으로 극지방 부근에서 자주 관찰되곤 해요.

활동 3 다음은 어느 기후 지역의 분포와 이 기후에 속하는 도시의 기후 그래프이다. 물음에 답해 보자.

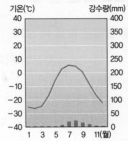

■ A 기후

※ 쾨펜 원도, 가이거 수정. (디르케 세계 지도, 2015.)

1 지도에 표시된 A 기후는 무엇인지 써 보자.

2 다음은 A 기후 지역에 위치한 어느 도시의 기온과 강수량 표이다. 이를 바탕으로 빈칸을 채워 보자.

구분	1월	2월	3월	4월	5월	6월	7월	8월	9월	10월	11월	12월
기온(℃)	−25.3	−25.8	−24.8	−16.6	−6	2.1	5	4	0.1	−8.2	−17	−22.1
강수량(mm)	3.4	3.2	3.4	3.9	5	8	24	26.6	18.8	10.9	4.9	3.8

기온 특징	강수 특징
일 년 중 기온이 가장 낮은 달은 (❶)월로 월평균 기온이 −25.8℃이며, 기온이 0℃ 이상인 달은 (❷)월이다.	연중 강수량이 가장 많은 달은 (❸)월로 월 강수량이 26.6mm며, 강수량이 가장 적은 달은 (❹)월로 월 강수량이 3.2mm이다.

활동 4 다음은 산들이가 여행을 다녀온 후 쓴 기행문이다. 물음에 답해 보자.

이번 여름 방학에는 북유럽의 노르웨이에서 출발해서 동쪽으로 북극해를 지나 극지방의 원주민인 네네츠족의 삶을 체험하였다. 특히, 하루 종일 해가 지지 않는 ❶□□□□□이나 네네츠족이 키우던 거대한 ❷□□□□ 떼 사이를 누볐던 기억은 아주 오랫동안 기억에 남을 것 같다. 알래스카에 도착했을 때는 그 곳의 풍부한 원유를 수송하기 위해 만든 긴 ❸□□□□의 규모에 놀랐고, 캐나다에서 새벽녘에 보았던 아름다운 빛깔의 ❹□□□□는 자연의 신비로움을 새삼 일깨워 주었다.

(가)	(나)	(다)	(라)

1 기행문의 ❶ ~ ❹에 들어갈 알맞은 말을 써 보자.

2 기행문의 ❶ ~ ❹에 해당하는 경관을 (가)~(라) 사진에서 골라 연결해 보자.

1 STEP 개념을 되짚는 확인 문제

01 다음 빈칸에 들어갈 알맞은 말을 써 보자.

(1) 건조 기후는 (　　　　　　) 부근인 위도 20°~30° 지역에 주로 분포한다.

(2) 건조 기후는 강수량에 따라 (　　　　　　) 기후 와 (　　　　　　) 기후로 구분할 수 있다.

(3) 연중 낮은 기온으로 나무가 자라기 어려우며 짧은 여름 동안만 1년생 풀과 이끼류가 자라는 기후를 (　　　　　　)(이)라고 한다.

(4) 툰드라 지역의 원주민들은 주로 (　　　　　) 을(를) 유목하며 생활한다.

02 다음에서 설명하는 용어를 써 보자.

(1) 건조 기후 지역에서 농사를 짓기 위해 지하에 수로를 연결하여 물을 관개하는 시설로 주로 이란에서 볼 수 있다. (　　　　　)

(2) 고위도 지역에서 여름철 밤에도 해가 지지 않는 현상을 말한다. (　　　　　)

03 다음 설명이 옳으면 ○, 틀리면 ×에 표시해 보자.

(1) 사막 기후는 연 강수량이 250~500mm로 강수량보다 증발량이 많은 기후이다. (　○　|　×　)

(2) 스텝 기후 지역에서는 대규모 밀 재배나 소·양 사육이 이루어지기도 한다. (　○　|　×　)

(3) 툰드라 기후는 연중 기온이 0℃ 이하로 어떤 식생도 자랄 수 없는 극한의 환경이다. (　○　|　×　)

(4) 툰드라 지역 주민들은 비타민을 섭취하기 힘든 환경 때문에 날고기를 먹는다. (　○　|　×　)

04 서로 관련 있는 것끼리 연결해 보자.

(1) 사막 기후 ・ 　　・㉠ 지붕이 평평한 흙벽돌집에서 생활한다.

(2) 스텝 기후 ・ 　　・㉡ 순록의 가죽으로 만든 이동식 천막집에서 생활한다.

(3) 툰드라 기후 ・ 　　・㉢ 풀을 찾아 이동하며 가축을 기르는 유목이 발달하였다.

2 STEP 기초를 다지는 기본 문제

01 건조 기후에 대한 설명으로 옳지 <u>않은</u> 것은?

① 적도와 그 부근에 분포한다.

② 강수량보다 증발량이 많은 기후이다.

③ 스텝 기후 지역에서는 짧은 풀이 자란다.

④ 사막의 경우 낮과 밤의 일교차가 매우 크다.

⑤ 강수량이 적어 식물이 자라기 어려운 기후이다.

02 다음과 같은 경관을 볼 수 있는 기후 지역의 연 강수량으로 옳은 것은?

① 250mm미만
② 250~500mm
③ 500~750mm
④ 750~1,000mm
⑤ 1,000mm이상

03 사막 기후의 가옥 구조 특색에 대한 설명으로 옳은 것을 〈보기〉에서 모두 고른 것은?

> **보기**
> ㄱ. 지붕의 경사가 급하다.
> ㄴ. 흙이나 돌로 지어졌다
> ㄷ. 창이 작고 벽이 두껍다.
> ㄹ. 지면으로부터 높게 띄워 짓는다.

① ㄱ, ㄴ　　② ㄴ, ㄷ　　③ ㄱ, ㄴ, ㄷ
④ ㄴ, ㄷ, ㄹ　　⑤ ㄱ, ㄴ, ㄷ, ㄹ

04 기술 발달에 따라 건조 기후의 불리한 환경을 변화시켜 극복한 사례에 해당하지 <u>않는</u> 것은?

① 오아시스 주변에서는 밀, 대추야자 등을 재배한다.

② 아르헨티나에서는 대규모 기업적 목축업이 이루어진다.

③ 아랍 에미리트의 두바이는 세계적으로 유명한 도시로 성장하였다.

④ 지하에 대규모 관개 수로를 설치하여 목화, 밀 등의 농작물 재배에 이용한다.

⑤ 미국 콜로라도의 건조 기후 지역에서는 지하수를 이용한 원형 농경지가 발달하였다.

05 지도에 표시된 기후 지역에 대한 설명으로 옳지 <u>않은</u> 것은?

※ 쾨펜 원도, 가이거 수정. (디르케 세계 지도, 2015.)

① 짧은 여름 동안 이끼류가 자란다.
② 위도 60° 이상의 고위도 지역에 분포한다.
③ 가장 따뜻한 달의 평균 기온이 10℃ 이하이다.
④ 원주민들은 수렵과 어로 활동을 하며 생활한다.
⑤ 키가 작은 나무들이 소규모 숲을 이루기도 한다.

06 다음과 같은 현상이 나타나는 국가를 고르면?

> 매년 여름이 되면 밤에도 해가 지지 않는 신비로운 자연 현상이 나타난다. 밤 11시가 되어도 거리는 환하고 사람들이 한낮처럼 활동하는 모습이 독특하다.

① 영국　　② 독일　　③ 프랑스
④ 노르웨이　　⑤ 오스트레일리아

07 (가), (나)와 같은 경관을 볼 수 있는 지역의 특징으로 옳은 것은?

(가) 　　(나)

① (가) 지역은 거의 매일 스콜이 내린다.
② (가)는 스텝 기후 지역의 이동식 가옥이다.
③ (나)는 건조 기후 지역에서 매우 중요한 동물이다.
④ (나) 지역에서는 관개 농업을 통해 밀을 재배한다.
⑤ (가), (나)와 같은 경관을 볼 수 있는 지역은 모두 인간 거주에 유리하다.

3 STEP 실력을 완성하는 **주관식·서술형 문제**

08 (가), (나) 기후 그래프는 각각 어느 기후에 해당하는지 쓰고, (가), (나) 기후의 구분 기준이 무엇인지 수치를 활용하여 구체적으로 서술하시오.

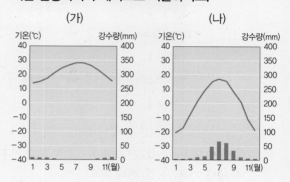

09 다음은 열대 기후와 툰드라 기후 지역에서 나타나는 가옥의 사진이다. 두 가옥 구조의 공통점을 <u>한 가지</u> 찾아 쓰고, 이러한 가옥 구조가 나타나게 된 이유를 각각 서술하시오.

▲ 열대 기후 지역의 가옥　　▲ 툰드라 기후 지역의 가옥

10 다음은 극지 탐험가의 탐험 기록지이다. 밑줄 친 ⊙의 이유를 이곳의 기후 조건과 관련시켜 서술하시오.

> 이틀 전 베링 해협을 건너 알래스카에 도착하였다. 이곳에는 이누이트라고 불리는 원주민들이 거주하고 있는데, 오늘은 이누이트 추장의 초대를 받아 함께 저녁 식사를 하게 되었다. 대접받은 음식은 일각고래라고 불리는 고래고기로 원주민들이 사냥을 통해 잡은 귀한 음식이었다. 하지만 항상 익힌 음식만 먹던 나는 이들이 고래고기를 ⊙ <u>날 것으로 먹는</u> 것에 적응하기 힘들었다.

01 다음 질문에 순서대로 답하였을 때 D 기후에 해당하는 것을 고르면?

① 열대 기후   ② 건조 기후   ③ 온대 기후
④ 냉대 기후   ⑤ 한대 기후

02 지도에 표시된 A 기후 지역의 기후 그래프를 고르면?

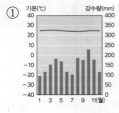
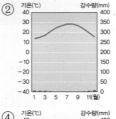
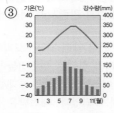
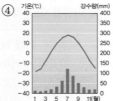
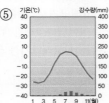

03 다음 중 인간 거주에 가장 유리한 기후를 고르면?

① 열대 기후   ② 사막 기후   ③ 온대 기후
④ 스텝 기후   ⑤ 한대 기후

04 사진에 나타난 경관과 이를 볼 수 있는 기후 지역을 바르게 연결한 것은?

① 아마존 – 냉대 기후
② 타이가 – 냉대 기후
③ 툰드라 – 한대 기후
④ 타이가 – 열대 기후
⑤ 열대 밀림 – 열대 기후

05 각 기후와 관련된 키워드를 잘못 연결한 것은?

① 열대 기후 – 적도, 밀림, 스콜, 플랜테이션
② 건조 기후 – 사막, 초원, 남·북회귀선
③ 온대 기후 – 중위도, 사계절, 편서풍, 난류
④ 냉대 기후 – 수목 농업, 계절풍, 백야 현상
⑤ 한대 기후 – 툰드라, 이끼류, 순록

06 열대 우림 기후에 대한 설명으로 옳은 것을 〈보기〉에서 모두 고른 것은?

보기
ㄱ. 적도와 그 부근의 저위도 지역에 분포한다.
ㄴ. 매일 오후 대류성 소나기인 스콜이 내린다.
ㄷ. 가장 추운 달의 평균 기온이 18℃ 이상이다.
ㄹ. 삼림의 밀도가 매우 높은 밀림이 발달하였다.
ㅁ. 높은 기온 때문에 인간 거주에 불리하여 사람이 거의 살지 않는다.

① ㄱ, ㄴ   ② ㄱ, ㄴ, ㄷ
③ ㄱ, ㄷ, ㄹ   ④ ㄱ, ㄴ, ㄷ, ㄹ
⑤ ㄱ, ㄴ, ㄷ, ㄹ, ㅁ

07 다음 글에 나타난 지역에서 발달한 가옥 구조의 특징으로 옳지 <u>않은</u> 것은?

> 가장 추운 달의 평균 기온이 18℃가 넘으며, 비가 자주 와서 가뭄 걱정이 없다. 매일 오후 2시 전후로 약속한 듯 비가 쏟아진다.

① 창문이 넓고 크다.
② 지붕의 경사가 급하다.
③ 지면에서 높게 띄워 지었다.
④ 통풍을 고려한 개방적인 구조이다.
⑤ 흙이나 돌, 모래를 재료로 집을 지었다.

08 다음 중 친구들과 <u>다른</u> 기후 지역을 여행하고 온 학생을 고르면?

① 갑 – 매일 한낮에 소나기가 내렸어.
② 을 – 튀기거나 향신료가 들어간 음식이 많았어.
③ 병 – 지붕이 가파르고 창이 큰 원주민 집에서 생활했어.
④ 정 – 넓은 초원에서 유목민들이 양과 말에게 풀을 뜯게 하는 모습이 인상적이었어.
⑤ 무 – 울창한 밀림에는 우리나라에서 볼 수 없는 다양한 동·식물들이 서식하고 있었어.

09 사진에 나타난 농업에 대한 설명으로 가장 적절한 것은?

① 주기적으로 이동하며 카사바, 얌 등을 재배한다.
② 상업적 작물의 재배가 대규모로 이루어지고 있다.
③ 아마존 밀림에서 이루어지는 수렵과 채집 활동이다.
④ 물과 풀을 찾아 이동하며 가축을 기르는 모습이다.
⑤ 열대 기후 지역에서 원주민의 노동력과 선진국의 자본이 결합되어 나타나는 농업 방식이다.

10 다음 글에서 설명하는 지역을 지도에서 고르면?

> 한여름임에도 선선한 이곳은 비가 자주 내리는 날씨 때문에 사람들이 평소에도 우산을 들고 다닌다.

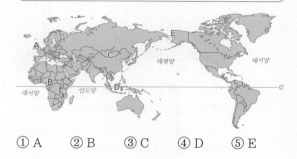

① A　② B　③ C　④ D　⑤ E

11 다음 글의 ㉠, ㉡에 들어갈 알맞은 말을 바르게 연결한 것은?

> 유럽의 서안 해양성 기후 지역은 기온이 온화하고 일 년 내내 비가 고르게 내린다. 이는 중위도 지역에서 일정하게 부는 (㉠)과(와) 저위도 지역에서 고위도로 흐르는 (㉡)의 영향 때문이다.

	㉠	㉡		㉠	㉡
①	편동풍	난류	②	편서풍	난류
③	편동풍	한류	④	편서풍	한류
⑤	무역풍	난류			

12 지도에 표시된 지역을 여행하면서 볼 수 있는 경관으로 옳은 것은?

① 넓은 초원에서 양을 키우는 유목민
② 바나나나무에서 바나나를 따는 원주민
③ 빽빽한 삼림 속에서 원시적인 생활을 하는 사람들
④ 나지막한 구릉지 농장에서 대규모로 재배되는 포도
⑤ 눈 덮인 벌판에서 개가 끄는 썰매를 타고 사냥을 떠나는 사람들

13 (가), (나) 기후 그래프를 비교하여 차이점과 공통점을 설명한 내용 중 옳은 것은?

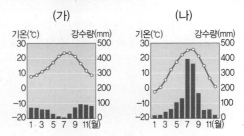

① (가), (나) 모두 냉대 기후에 속한다.
② (가)의 겨울이 (나)의 겨울보다 더 춥다.
③ (가)의 여름은 덥고 (나)의 여름은 서늘하다.
④ (가)의 여름 강수량이 (나)의 여름 강수량보다 적다.
⑤ 두 지역 모두 계절별 강수량의 차이가 거의 없다.

 14 A 기후 지역에서 발달한 농업의 특징으로 옳은 것은?

※ 쾨펜 원도, 가이거 수정 (디르케 세계 지도, 2015)

① 여름철에 대규모로 쌀을 재배한다.
② 곡물 재배와 가축 사육을 함께 한다.
③ 이동식 화전을 통해 카사바와 얌 등을 재배한다.
④ 큰 농장에서 카카오, 커피 등을 대규모로 재배한다.
⑤ 포도, 올리브 등 건조한 여름 기후에 잘 견디는 나무를 재배한다.

15 건조 기후 지역의 특징으로 옳은 것을 〈보기〉에서 고른 것은?

 보기
ㄱ. 위도 20°~30° 부근에 주로 분포한다.
ㄴ. 주민들은 순록을 유목하며 살아간다.
ㄷ. 비타민 섭취를 위해 고기를 날것으로 먹는다.
ㄹ. 오아시스 주변에서 밀, 목화, 대추야자 등을 재배한다.

① ㄱ, ㄴ ② ㄱ, ㄷ ③ ㄱ, ㄹ ④ ㄴ, ㄷ ⑤ ㄷ, ㄹ

16 다음 신문 기사와 가장 관계 깊은 내용을 고르면?

> 세계 곡물 시장의 80%는 ABCD기업(미국의 ADM사, 아르헨티나의 Bunge사, 미국의 Cargil사, 프랑스의 Dreyfus사)에 의해 지배되고 있다. 이들은 4대 곡물 메이저로 불리며 곡물의 재배부터 유통, 판매까지 세계 곡물 시장을 장악하고 있다.

① 지하자원이 대규모로 개발되는 알래스카
② 유목민들이 말과 양을 기르는 몽골 내륙 초원
③ 대규모 관개 시설로 사막 위의 도시가 된 두바이
④ 플랜테이션으로 바나나를 생산하고 있는 과테말라
⑤ 지하수를 끌어올려 대형 스프링클러로 밀 농사를 짓는 미국 콜로라도

17 사진과 같은 현상에 대한 설명으로 옳은 것은?

① 한낮에 주기적으로 소나기가 내린다.
② 영국은 우리나라보다 9시간이 느리다.
③ 하루에 두 번씩 밀물과 썰물이 반복된다.
④ 지중해 일대는 겨울에도 기후가 온화하다.
⑤ 고위도 지역에서는 여름철 밤에도 해가 지지 않는다.

18 툰드라 기후 지역의 주민 생활 모습으로 옳은 것을 〈보기〉에서 모두 고른 것은?

> 보기
> ㄱ. 기온이 매우 낮아 농업이 불가능하다.
> ㄴ. 고래나 바다표범 등을 사냥하며 살아간다.
> ㄷ. 빙하, 백야 현상, 오로라 등을 관광 자원으로 활용하고 있다.
> ㄹ. 순록을 키우며 계절에 따라 남북으로 이동하는 유목 생활을 한다.

① ㄱ, ㄴ ② ㄴ, ㄷ ③ ㄱ, ㄴ, ㄷ
④ ㄱ, ㄴ, ㄹ ⑤ ㄱ, ㄴ, ㄷ, ㄹ

19 다음 내용을 포함하여 열대 우림 지역의 가옥 특징을 서술하시오.

> • 구조   • 지붕과 벽
> • 바닥의 높이

20 다음은 과거 아프리카 가봉에서 사용한 지폐이다. 지폐의 그림에서 추론 가능한 열대 기후 지역의 농업 방식을 쓰고, 열대 기후 지역에서 이 농업이 발달한 이유를 아래의 용어를 활용하여 서술하시오.

> 상업적 작물, 열대 기후, 저렴한 노동력

21 다음은 우리나라 서울의 기후 그래프와 음식 사진이다. 우리나라에서 사진과 같이 쌀밥을 주식으로 하는 이유를 기후와 관련시켜 서술하시오.

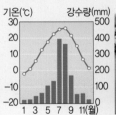

22 (가)와 (나)에 해당하는 기후를 각각 쓰고, (가), (나) 지역의 가옥 구조 특징을 한 가지씩 서술하시오.

> (가) 연 강수량이 250mm 미만인 지역
> (나) 연 강수량이 250mm∼500mm인 지역

23 다음 사진과 같은 모습이 나타나는 기후 지역을 쓰고, 이 지역 주민들의 의복 특징을 기후와 연관시켜 서술하시오.

24 다음은 알래스카에서 볼 수 있는 송유관의 모습이다. 자료를 바탕으로 송유관의 특징을 쓰고, 그러한 특징이 나타나게 된 이유를 서술하시오.

> 송유관을 흐르는 원유가 원활하게 운송되고 끈적이는 점성에 의해 막히는 것을 방지하기 위해 원유를 50℃∼70℃ 사이로 가열하여 운송한다. 이때 송유관은 엄청나게 가열되어 뜨거워진다.

3

이 단원을 배우면

세계적으로 유명한 산지 지형과 해안 지형의 특징 및 형성 과정을 설명할 수 있어요. 그리고 우리나라의 매력적인 자연 경관을 보존하려는 자세를 가질 수 있어요.

자연으로 떠나는 여행

:나의 학습 진도표

중단원명	학습 코너	쪽수	학습 예정일	학습 완료일	달성도
01 산지 지형과 독특한 생활 양식	꼼꼼! 필기 노트	52쪽	◯ 월 ◯ 일	◯ 월 ◯ 일	☆☆☆☆☆
	탄탄! 활동 노트	53쪽	◯ 월 ◯ 일	◯ 월 ◯ 일	☆☆☆☆☆
	쑥쑥! 실력 키우기	54~55쪽	◯ 월 ◯ 일	◯ 월 ◯ 일	☆☆☆☆☆
02 매력적인 해안 지형과 주민 생활	꼼꼼! 필기 노트	56쪽	◯ 월 ◯ 일	◯ 월 ◯ 일	☆☆☆☆☆
	탄탄! 활동 노트	57쪽	◯ 월 ◯ 일	◯ 월 ◯ 일	☆☆☆☆☆
	쑥쑥! 실력 키우기	58~59쪽	◯ 월 ◯ 일	◯ 월 ◯ 일	☆☆☆☆☆
03 아름다운 우리나라의 자연 경관	꼼꼼! 필기 노트	60쪽	◯ 월 ◯ 일	◯ 월 ◯ 일	☆☆☆☆☆
	탄탄! 활동 노트	61쪽	◯ 월 ◯ 일	◯ 월 ◯ 일	☆☆☆☆☆
	쑥쑥! 실력 키우기	62~63쪽	◯ 월 ◯ 일	◯ 월 ◯ 일	☆☆☆☆☆
뚝딱! 단원 마무리하기		64~67쪽	◯ 월 ◯ 일	◯ 월 ◯ 일	☆☆☆☆☆

01 산지 지형과 독특한 생활 양식

이것이 **포인트!**
• 다양한 산지 지형의 특징
• 산지 지역의 주민 생활 모습

꼼꼼! 필기 노트

+ 히말라야산맥
인도 대륙판과 유라시아 대륙판이 충돌하면서 높고 험준한 히말라야산맥이 형성되었다. 히말라야산맥에는 세계에서 가장 높은 산인 에베레스트산이 있다.

+ 풍화와 침식
암석이 쪼개지거나 성분이 변하며 부스러지는 것을 풍화라고 하고 하천, 빙하, 강수, 바람 등에 의해 깎여 나가는 것을 침식이라고 한다.

+ 1차 지형과 2차 지형
판의 충돌에 의해 습곡이나 융기 작용이 일어나거나 화산 활동에 의해 직접적으로 만들어지는 산지와 고원을 1차 지형이라고 하며, 이후 풍화와 침식에 의해 다듬어지는 산지와 고원을 2차 지형이라고 한다.

+ 고산 기후
일반적으로 높이가 100m 상승할 때마다 기온이 0.5℃~1℃가량 하강한다. 이러한 이유로 적도나 저위도 지역의 고산 지대는 평지의 높은 기온과 달리 선선하면서도 온화한 기후가 나타나는데, 이를 고산 기후라고 한다.

+ 셰르파
히말라야 산지에서 전문 산악인들의 짐을 들어주거나 길을 안내하는 역할을 하는 고산족 원주민을 칭하는 용어이다.

콕콕! 핵심 개념

1 주변 지역보다 해발 고도가 높은 지역을 ☐☐라고 한다.

2 ☐☐은 해발 고도가 높지만 비교적 평탄한 곳이다.

3 암석이 쪼개지거나 성분이 변하며 부스러지는 현상을 ☐☐라고 한다.

4 산지는 지형이 높고 험준하며 농경지가 적어 인간 거주에 ☐☐한 편이다.

---

1 산지와 고원

1 산지 주변 지역보다 해발 고도가 높은 지역 → 정상부가 뾰족하거나 평탄한 산, 용암을 내뿜는 화산 등 다양한 형태 → 형성 시기가 오래되어 비교적 완만한 고기 습곡 산지와 형성 시기가 오래되지 않아 높고 험준한 신기 습곡 산지가 있어요.

2 고원 산지처럼 해발 고도가 높지만 비교적 평탄한 곳

3 산지와 고원의 형성 → 우리가 살고 있는 지구의 지각은 여러 개의 판으로 구성되어 있는데, 그 판들이 서로 분리되거나 충돌하면서 수많은 거대 지형을 형성했어요.

구분	산지 지형		고원 지형	
형성 원인	**①** ☐☐☐ – 서로 다른 판이 충돌하면서 지층이 힘을 받아 구부러지며 솟아오름	화산 활동 – 화산의 폭발적 분화로 인해 지형이 솟아오르고 분출 물질이 쌓여 형성	지각의 **②** ☐☐ – 비교적 평평하고 거대한 땅덩어리가 힘을 받아 서서히 솟아오름	화산 활동 – 화산 활동으로 흐르던 용암이 굳어서 고원을 형성
예	히말라야산맥, 안데스산맥	우리나라의 백두산, 일본의 후지산	중국의 티베트(시짱) 고원	인도의 데칸고원

→ 대부분 지각의 융기에 의해 만들어진 기존 고원 위를 용암이 뒤덮으면서 용암 고원이 형성되는 거예요.

4 풍화와 침식에 따른 산지와 고원

(1) 특징: 지각 운동이나 화산 활동에 의해 1차적으로 만들어진 산지 지형이 **③** ☐☐ 와 **④** ☐☐ 에 의해 다듬어진 후 나타나는 2차 지형

(2) 사례와 형성 원인 → 산지 지형이 빙하에 의해 여러 방향으로 침식되다 보면 뾰족한 봉우리만 남게 되는데, 이를 호른이라고 해요.

구분	산지 지형	고원 지형
사례	알프스산맥의 마터호른	미국 콜로라도 고원의 그랜드 캐니언
형성 원인	습곡 작용에 의해 형성된 산지 지형이 빙하에 의해 침식되어 산 정상부가 뾰족해짐	1차적으로 융기한 고원을 따라 흐르는 하천에 의한 지속적인 침식 작용으로 형성

→ 하천이 아래로 계속 침식해 내려가는 작용에 의해 골짜기가 깊어질수록 그랜드 캐니언은 처음 융기했을 때보다 더욱 거대하고 높아 보이게 돼요.

2 산지 지역의 주민 생활

1 산지 지역의 거주 조건

(1) 거주에 불리한 점: 높고 험준한 지형으로 교통이 불편하고 거주에 불리함, 평지에 비해 농업 활동이 어려움

(2) 거주에 유리한 점: 아름다운 자연환경, 각종 광물 자원과 임산 자원 풍부, 적도 부근의 고산 지대는 연중 온화한 고산 기후가 나타남 → **⑤** ☐☐ 산지에 고산 도시 발달(마야, 잉카 등 고대 문명 발생)

2 산지 지역의 주민 생활 모습

관광 산업	• 알프스의 아름다운 자연 경관을 보기 위해 많은 관광객이 찾아옴 • 히말라야의 셰르파: 산악 등반가들을 도와주며 살아가는 사람들
자원 채굴	• 로키 산지나 안데스 산지의 구리, 철광석 등 광물 자원 채굴 → 미국의 빙엄 구리 광산, 칠레의 구리 광산 등 • 임산 자원: 목재, 약초 등
농업과 목축업	• **⑥** ☐☐ 산지: 계절에 따라 이동하며 가축을 사육하는 이목 발달 • 안데스 산지: 감자나 옥수수 농사, 라마와 알파카 사육

→ 더운 여름에는 알프스 산지에서, 추운 겨울에는 평지에서 가축을 길러요.
유목은 수평적 이동, 이목은 수직적으로 이동하는 목축 방식이지요.

활동 ① 다음은 세계의 주요 산지 지형을 나타낸 지도이다. 물음에 답해 보자.

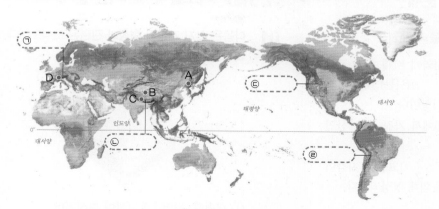

1 지도에 표시된 ㉠~㉢ 산맥의 이름을 써 보자.

(1) ㉠ – (   )산맥
(2) ㉡ – (   )산맥
(3) ㉢ – (   )산맥
(4) ㉣ – (   )산맥

2 지도에 표시된 A~D 지형을 산지와 고원으로 구분하고, 형성 원인을 나타낸 표의 빈칸을 채워 보자.

구분	A	B	C	D
지형	산지(백두산)	❶	❷	산지(마터호른)
형성 원인	❸	지각 운동에 따른 지면의 융기	판의 충돌에 따른 습곡 작용	❹

활동 ② 다음 자료를 보고 물음에 답해 보자.

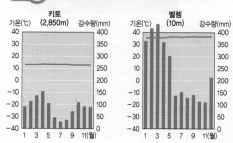

라틴 아메리카의 적도 부근에 위치한 키토와 벨렝은 비슷한 위도에 위치하지만, 기후 특징이 매우 다르다. 키토는 해발 고도가 2,850m로 매우 높은 반면, 벨렝의 해발 고도는 10m에 불과하다. ㉠ 키토가 위치한 안데스 산지의 고지대에는 키토 외에도 인구가 밀집한 대도시들이 많이 위치한다. 일반적으로 산지가 인간 거주에 불리한 조건임을 고려하면 독특한 현상이 아닐 수 없다.

1 키토와 벨렝의 기후 특징을 기온과 강수 측면에서 서술해 보자.

키토의 기후	벨렝의 기후
❶	❷

2 키토에서 나타나는 독특한 기후를 무엇이라고 하는지 써 보자.

3 밑줄 친 ㉠과 같은 현상이 나타나는 이유를 위도와 기후 조건을 근거로 서술해 보자.

1 STEP 개념을 되짚는 확인 문제

01 다음 빈칸에 들어갈 알맞은 말을 써 보자.

(1) (　　　　　)은(는) 주변 지역에 비해 해발 고도가 높은 지형이며, (　　　　　)은(는) 해발 고도가 높지만 비교적 평탄한 지형이다.

(2) (　　　　　)산맥에는 세계에서 가장 높은 산인 에베레스트산이 있다.

(3) 중국 서남쪽에 있는 (　　　　　)고원은 지각이 솟아오르는 (　　　　　)에 의해 형성되었다.

02 다음 설명이 옳으면 ○, 틀리면 ×에 표시해 보자.

(1) 우리나라의 백두산과 일본의 후지산은 화산 활동에 의해 형성된 산지 지형이다. (○ | ×)

(2) 지각 운동이나 화산 활동에 의해 형성된 산지나 고원은 풍화 및 침식 작용을 받아도 해발 고도가 변화하지 않는다. (○ | ×)

(3) 적도 부근의 고산 지역은 연중 온화한 기후가 나타나 인간 거주에 유리하다. (○ | ×)

03 다음에서 설명하는 용어를 써 보자.

(1) 유럽 중남부에 있는 산맥으로 프랑스, 스위스, 이탈리아, 오스트리아에 걸쳐 있다. (　　　　　)

(2) 히말라야 산지에서 전문 산악인들에게 길을 안내하거나 짐을 들어주는 일을 하며 살아가는 고산족 원주민을 말한다. (　　　　　)

04 서로 관련 있는 것끼리 연결해 보자.

(1) 로키　　・　　・㉠ 계절에 따라 이동하며 가
　 산맥　　　　　　　축을 사육

(2) 알프스・　　・㉡ 감자, 옥수수를 재배하고
　 산맥　　　　　　　라마, 알파카 등을 사육

(3) 안데스・　　・㉢ 구리 광산이 대규모로 발
　 산맥　　　　　　　달한 북아메리카의 산지

2 STEP 기초를 다지는 기본 문제

01 다음은 산지 지형의 형성과 관련된 모식도이다. 이러한 산지의 형성 원인으로 옳은 것은?

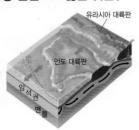

① 평평한 지반이 융기하여 형성된다.
② 판과 판이 분리되며 산지가 형성된다.
③ 용암이 흐르다가 식은 후 굳어서 형성된다.
④ 대규모 화산이 폭발한 후 솟아올라 형성된다.
⑤ 판과 판이 서로 충돌하여 습곡 작용으로 형성된다.

02 다음 사진에 나타난 산지 지형의 형성 원인으로 가장 적절한 것은?

① 하천에 의해 침식되어 형성되었다.
② 지반이 대규모로 함몰하여 형성되었다.
③ 화산 폭발 후 화산재가 쌓여서 형성되었다.
④ 거대한 산맥이 풍화 작용으로 변화하면서 형성되었다.
⑤ 빙하가 여러 방향으로 이동하면서 주변 지역을 깎아 내 형성되었다.

03 다음 내용과 관련이 있는 기후는?

> • 2,000m 이상의 높은 해발 고도
> • 봄과 같이 연중 온화한 날씨
> • 적도 부근의 저위도 지역

① 고산 기후　　② 열대 기후　　③ 건조 기후
④ 냉대 기후　　⑤ 한대 기후

[고난도]

04 (가), (나) 지형의 명칭과 형성 원인으로 옳은 것은?

(가)  (나)

① (가)는 티베트고원으로 빙하의 침식으로 형성되었다.
② (나)는 티베트고원으로 화산 활동으로 형성되었다.
③ (가)는 히말라야산맥이며 습곡 작용으로 형성되었다.
④ (나)는 데칸고원으로 지반의 융기에 의해 형성되었다.
⑤ (나)는 알프스산맥으로 세계에서 가장 높은 산이 있다.

05 산지 지역의 주민 생활에 대한 설명으로 옳은 것을 〈보기〉에서 고른 것은?

> **보기**
> ㄱ. 히말라야 산지에서는 셰르파들이 등산객들을 도우며 살아간다.
> ㄴ. 해발 고도 2,000m 이상에서는 산소가 희박하여 인간이 거의 살지 않는다.
> ㄷ. 안데스 산지에서는 온화한 기후를 이용하여 쌀이 대량으로 생산되고 있다.
> ㄹ. 알프스 산지에는 아름다운 자연 경관을 보기 위해 많은 관광객이 찾아온다.

① ㄱ, ㄴ ② ㄱ, ㄹ ③ ㄴ, ㄷ
④ ㄴ, ㄹ ⑤ ㄷ, ㄹ

06 다음 사진의 경관과 관련이 있는 산지의 주민 생활 모습은?

① 농업 ② 임업 ③ 목축업
④ 자원 채굴 ⑤ 관광 산업

:3 STEP 실력을 완성하는 **주관식·서술형 문제**

07 다음 사진에 나타난 산지의 명칭을 쓰고, 이 지형의 형성 과정을 서술하시오.

08 다음 글을 읽고 밑줄 친 ㉠과 ㉡에 대해 서술하시오.

[신유형]

1911년 미국의 대학 교수 하이램 빙엄은 페루의 안데스산맥 일대에서 사진과 같은 고대 도시를 발견하였다. 약 500년 전에 만들어진 것으로 보이는 이 도시는 해발 고도가 2,430m나 된다. ㉠이 높은 곳에 도시가 형성된 이유 중 하나는 이곳의 ㉡독특한 기후가 원인이 되지 않았을까 추측된다.

09 다음은 유럽의 알프스 산지에서 이루어지는 목축 방식을 나타낸 모식도이다. 이러한 목축 방식의 명칭을 쓰고, 그 특징을 서술하시오.

여름철 목장 — 3,000m
겨울철 목장 — 2,000m
— 1,000m

02 매력적인 해안 지형과 주민 생활

이것이 포인트!
- 다양한 해안 지형의 특징
- 해안 지역의 주민 생활 모습

＋ 해안의 퇴적 작용
바람에 의한 파도를 파랑이라고 하고, 밀물과 썰물에 따라 움직이는 바닷물의 흐름을 조류라고 한다. 바다의 모래나 진흙, 하천에서 바다로 유입되는 각종 물질이 파랑과 조류에 의해 해안의 만에 퇴적되는 현상을 해안 퇴적 작용이라고 한다.

＋ 해안 침식 지형의 발달 순서
해안 절벽의 약한 부분이 파랑에 의해 파이면 구멍 형태의 동굴이 형성되고, 동굴이 관통되면 아치 형태의 지형이 나타난다. 마지막으로 아치의 천정이 붕괴하면 촛대처럼 돌기둥만 남은 시 스택이 된다.

＋ 조류의 퇴적 작용
밀물과 썰물의 차이인 조석간만의 차가 큰 수심이 얕은 바다에서는 조류의 퇴적 작용이 활발하여 갯벌 등의 지형이 형성된다.

＋ 거초, 보초, 환초
산호초가 육지의 기슭에 형성된 것을 거초, 육지와 조금 떨어져 방파제처럼 열을 지은 것을 보초, 섬 주변을 산호초가 둘러싼 후 섬이 가라앉고 산호초만 둥글게 남은 것을 환초라고 한다.

콕콕! 핵심 개념

1 만에는 파랑과 □□의 퇴적 작용으로 형성된 모래 해안, 갯벌 등이 나타난다.

2 □□ 해안에는 파랑의 침식 작용에 의해 해안 절벽, 해안 동굴, 돌기둥 등이 나타난다.

3 □□□ 해안은 열대 기후의 해안에서 산호초의 성장과 죽음에 의해 형성된 해안이다.

4 환경 보존을 우선으로 하는 지속 가능한 관광을 □□ □□이라고 한다.

1 다양한 해안 지형

1 해안 육지와 바다가 만나는 곳

2 해안 지형의 종류와 형성 원인

> 산호초는 산호충이라는 바닷속 생물이 내뿜은 분비물과 산호충의 유해(사체)가 모여 만들어진 암석이에요.

구분	해안 퇴적＋지형	해안 침식 지형＋	산호초 해안
발달 장소	바다가 육지 쪽으로 들어간 ①	육지가 바다 쪽으로 돌출된 곳→파랑의 에너지가 집중되어 침식 작용이 활발해요.	열대 기후의 얕고 생태계 보존이 잘 되어 있는 해안
형성 원인	파랑의 퇴적 작용, 조류의 퇴적 작용＋	② 의 침식 작용	③ 의 성장과 죽음
특징	모래나 진흙으로 구성된 평탄한 지형 경관이 나타남	주로 바위와 같은 암석으로 형성된 경관이 나타남	산호초가 대규모로 발달하여 아름다운 해안 형성
해안 지형	모래 해안(모래사장), 갯벌 등	해안 절벽(해식애), 해안 동굴, 시 스택(돌기둥), 시 아치 등	거초, 보초, 환초＋해안

3 세계적인 해안 지형

> 해안의 침식 작용으로 형성된 12개의 돌기둥이 예수의 열두 제자를 닮았다고 하여 붙여진 이름인데, 지속된 침식 작용으로 현재 8개만 남아 있어요.

구분	해안 퇴적 지형	해안 침식 지형	산호초 해안
사례	• 바덴해의 갯벌(네덜란드) • 코파카바나 모래 해안(브라질) • 골드코스트 모래 해안(오스트레일리아)	• 12사도 바위 암석 해안(오스트레일리아) • 엘 아르코 암석 해안(멕시코)	• 그레이트배리어리프(대보초-오스트레일리아) • 대부분 ④ 기후 지역의 해안

> 길이 2,000km에 달하는 거대한 산호초 군락으로, 아름다움을 인정받아 유네스코 세계 자연 유산에 등재되었어요.

2 해안 지역의 주민 생활

1 해안 지형의 가치 다양한 동식물의 서식지 → 생태적 가치가 매우 높음, 볼거리 및 휴양 공간 제공, 풍부한 수산 자원 제공

2 관광지로 활용되는 해안 지역

전통적 해안 지역	관광지로 활용되는 해안 지역
• 주민들은 주로 어업 활동을 하며 생활함 • 소금을 만드는 염전 활동 • 바다를 메우는 ⑤ 사업 → 농경지로 활용 • 수·출입 등 무역을 위한 항구의 발달	• 오늘날 휴양이나 체험 등을 위한 관광지로 활용됨 ⑩ 인도양의 몰디브, 지중해의 프랑스 해변, 미국의 하와이 등 • 도로, 리조트 및 각종 편의 시설이 대규모로 개발

> 아름다운 섬나라 몰디브는 매년 전 세계에서 100만 명이 넘는 관광객이 찾고 있지만, 지구 온난화에 따른 해수면 상승으로 국토가 바다에 잠길 위기에 처해 있어요.

3 관광 산업 발달에 따른 영향

(1) 긍정적 영향
① 관광객 증가에 따른 개별 주민 소득 창출, 해안 지역 도로 및 항만 등 기반 시설 건설
② 관광지 개발에 따른 리조트 건설 등 → 일자리 증대, 지역 경제 성장

(2) 부정적 영향 → 해안 지역 개발로 인해 현지 주민의 소득이 증대되기도 하지만, 이익의 많은 부분을 리조트업체 등이 가져가서 지역 주민들은 여전히 가난한 경우도 많아요.
① 무분별한 개발로 인해 지형이 변화하고 환경 파괴 및 생태계의 붕괴가 나타남
② ⑥ : 환경 파괴를 최소화하면서 자연을 관찰하는 지속 가능한 관광

탄탄! 활동 노트

활동 ① 다음은 해안 지형 모식도와 다양한 해안 지형 경관이다. 물음에 답해 보자.

▲ 해안 지형 모식도

(가)

(나)

(다)

(라)

1 위 모식도의 A~C 해안 지형을 (가)~(라) 사진에서 찾아 연결해 보자.

A - (   ) B - (   ) C - (   )

2 (가)~(라) 지형이 무엇인지 쓰고, 형성 원인을 나타낸 표를 완성해 보자.

구분	(가)	(나)	(다)	(라)
지형	❶	❷	❸	❹
형성 원인	산호초의 성장과 죽음	❺	❻	파랑에 의한 침식 작용

활동 ② 다음 (가), (나) 자료를 보고 물음에 답해 보자.

(가)

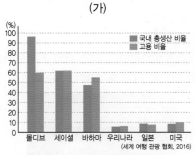

▲ 국내 총생산 대비 관광 산업의 비중

(세계 여행 관광 협회, 2016)

(나)

과거 어업이나 항구 등으로만 이용되던 해안 지역이 최근 관광지로 변모하고 있다. 대표적인 곳이 1970년대 이후 본격적으로 관광지로 개발되기 시작한 인도양의 섬나라 몰디브이다. 이후 몰디브는 국내 총생산량의 90% 이상을 관광 분야가 차지할 만큼 관광 산업이 폭발적으로 성장하였다. 그러나 ㉠ 이러한 발전의 이면에는 몰디브의 자연환경 파괴라는 어두운 그림자가 있다.

1 (가) 그래프를 바탕으로 몰디브, 세이셸, 바하마의 산업 구조상 특징을 설명하고, 사회과 부도에서 세 나라의 위치를 찾아본 후 위치상 공통점을 써 보자.

2 몰디브에 문제가 생겨 관광 산업이 쇠퇴할 경우 몰디브에는 어떤 변화가 나타날지 추론해 보자.

3 (나)의 밑줄 친 ㉠ 현상을 해결하기 위해 최근 등장한 관광의 개념이 무엇인지 써 보자.

·1 STEP 개념을 되짚는 확인 문제

01 다음 빈칸에 들어갈 알맞은 말을 써 보자.

(1) 바다가 육지 쪽으로 들어간 (　　　　　)에서 는 주로 모래 해안, 갯벌 등이 나타난다.

(2) 육지가 바다 쪽으로 돌출된 곳에서는 파랑의 (　　　　　) 작용으로 해안 절벽, 해안 동굴, 돌기둥 등이 나타난다.

(3) (　　　　　)은(는) 조류의 퇴적 작용으로 형성 된 대표적인 해안 퇴적 지형이다.

(4) 모래사장은 (　　　　　)의 퇴적 작용으로 형 성된다.

02 각 해안 지형의 형성 원인을 바르게 연결해 보자.

(1) 산호초 해안 •　　　• ㉠ 파랑의 침식 작용

(2) 해안 침식 지형 •　　　• ㉡ 파랑과 조류의 퇴적 작용

(3) 해안 퇴적 지형 •　　　• ㉢ 산호충의 분비물과 유해가 쌓여 형성

03 다음 설명이 옳으면 ○, 틀리면 ×에 표시해 보자.

(1) 해안 침식 지형에는 해안 절벽, 해안 동굴, 시 아치, 시 스택 등이 있다. (○ | ×)

(2) 파랑과 조류의 퇴적 작용은 모래 해안이나 갯벌 등을 형성한다. (○ | ×)

(3) 오스트레일리아의 그레이트배리어리프는 대표적 인 해안 침식 지형이다. (○ | ×)

04 다음에서 설명하는 용어를 써 보자.

(1) 오스트레일리아 남부 해안에 발달한 해안 침식 지형으로, 예수의 열두 제자를 닮은 지형으로 유 명하다. (　　　　　)

(2) 인도양에 위치한 아름다운 섬나라로, 관광 산업 의 비중이 높은 곳이다. 현재 지구 온난화로 수 몰 위기에 처해 있다. (　　　　　)

:2 STEP 기초를 다지는 기본 문제

01 해안 지형에 대한 설명으로 옳지 <u>않은</u> 것은?

① 육지와 바다가 만나는 곳에서 형성된다.

② 모래 해안이나 갯벌은 해안 퇴적 지형이다.

③ 해안 절벽, 해안 동굴 등은 해안 침식 지형이다.

④ 만에서는 퇴적 지형, 곶에서는 침식 지형이 발달 한다.

⑤ 한류가 흐르는 차가운 바다에는 산호초 해안이 형성된다.

02 다음 글의 ㉠, ㉡에 들어갈 용어를 바르게 연결한 것 은?

> 해안 퇴적 지형의 형성 원인으로는 (㉠) 와(과) (㉡)의 퇴적 작용이 있다. (㉠) 은(는) 바람에 의해 형성되는 파도를 말하며, (㉡)은(는) 밀물과 썰물 때문에 일어나는 바닷 물의 흐름을 말한다.

	㉠	㉡		㉠	㉡
①	파랑	해류	②	해류	조류
③	파랑	조류	④	조류	파랑
⑤	조류	해류			

03 다음은 오스트레일리아에 있는 해안 지형이다. 이 지 형의 형성 원인을 가장 잘 설명한 학생은?

① 갑 – 산호초의 성장과 죽음으로 형성된다.

② 을 – 파랑의 에너지가 분산되는 곳에 형성된다.

③ 병 – 바다가 육지 쪽으로 들어간 만에 형성된다.

④ 정 – 파랑과 조류의 퇴적 작용으로 형성된다.

⑤ 무 – 파랑에 의해 암석 해안이 침식되는 과정에 서 형성된다.

04 다음 글의 ㉠에 해당하는 해안 지형은?

> 바덴해의 (㉠)은(는) 덴마크에서 독일을 거쳐 네덜란드에 이르는 해안 생태계 보호 구역으로 세계적인 규모를 자랑한다. 과거 간척 사업으로 지형이 많이 파괴되었지만, 이후 복원 사업이 추진되면서 수많은 동식물이 서식하는 생태계의 장으로 거듭났다. 1987년에는 람사르 협약에 의하여 보호 습지로 등록되었고, 2009년에는 세계 자연 유산에 등재되었다.

① 만　　　② 곶　　　③ 갯벌
④ 모래사장　　⑤ 해안 동굴

05 다음은 해안 지형 모식도이다. A~E 지형의 명칭을 잘못 연결한 것은?

① A – 갯벌　　　② B – 모래 해안
③ C – 해안 동굴　　④ D – 산호초
⑤ E – 시 스택

06 다음 사진과 같은 해안 지역의 변화에 따라 예상되는 결과로 적절하지 <u>않은</u> 것은?

① 자연환경이 훼손된다.
② 많은 관광객이 방문한다.
③ 리조트, 도로 등이 새로 건설된다.
④ 생태계의 생물 다양성이 보존된다.
⑤ 지역 주민의 일자리와 경제적 소득이 증가한다.

:3 STEP 실력을 완성하는 **주관식·서술형 문제**

07 A~C 지형의 명칭을 쓰고, ㉠에 들어갈 A 지형의 형성 원인을 서술하시오.

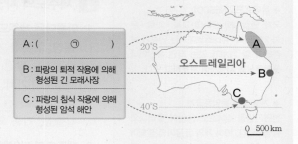

A : (㉠)
B : 파랑의 퇴적 작용에 의해 형성된 긴 모래사장
C : 파랑의 침식 작용에 의해 형성된 암석 해안

오스트레일리아

20°S
40°S

0　500 km

08 다음 자료의 ㉠ 지형을 무엇이라고 하는지 쓰고, 아래의 용어를 활용하여 빈칸을 완성하시오.

> 인간의 무리한 간척 활동에 의해 (㉠) 생태계가 파괴되고 있다. (㉠)은(는) ＿＿＿＿＿＿＿＿＿＿＿＿＿＿＿＿＿＿＿＿.

• 조류　　• 밀물　　• 썰물

09 다음 사진과 같은 현상이 발생하는 것을 방지하기 위해 새롭게 등장한 관광을 무엇이라고 하는지 쓰고, 개념을 서술하시오.

03 아름다운 우리나라의 자연 경관

이것이 **포인트!**
- 제주도의 독특한 자연환경
- 우리나라의 다양한 자연 경관

꼼꼼! 필기 노트

✚ 유네스코(UNESCO)
국제 연합(UN) 산하의 교육·과학·문화 기구이다. 유네스코에서는 인류가 보존해야 할 가치가 있는 자연 유산이나 문화유산을 지정하여 보호하고 있다.

✚ 거문 오름 용암동굴계
천연기념물 444호로 용암이 흘러나와 형성되었다. 10여 개의 동굴이 집중되어 있고 학습적·보존적 가치가 매우 높은 지역이다.

✚ 마그마와 용암
지표로 분출하지 않고 지하에서 가스와 용암이 혼재되어 있는 상태를 마그마라고 하고, 마그마가 지표로 분출하여 가스가 빠져나간 상태를 용암이라고 한다.

✚ 현무암
현무암은 용암이 냉각되는 과정에서 공기를 포획한 공기 주머니가 있어 우리 눈에 구멍이 뚫려 있는 것처럼 보인다. 제주도의 화산 지형을 구성하는 화산암은 대부분 현무암이다.

✚ 칼데라와 화구
칼데라와 화구는 모두 용암이 분출한 구멍이라는 공통점이 있지만, 분화구 주변이 붕괴하여 훨씬 더 큰 규모를 이룬 분화구를 칼데라라고 한다. 백두산의 천지는 칼데라에 물이 고인 칼데라호이다.

콕콕! 핵심 개념

1 □□□는 우리나라 남쪽에 있는 화산섬으로 독특한 기후와 지형이 나타나는 관광지이다.

2 서·남해안은 해안선의 드나듦이 복잡하고 □□가 커서 갯벌이 넓게 발달하였다.

3 석회암이 물에 녹아 생겨난 다양한 지형을 □□□□ 지형이라고 한다.

---

1 제주도의 자연 경관

1 아름다운 제주도 → 우리나라 가장 남쪽에 위치한 제주도는 기후가 따뜻하며 섬 전체가 화산 활동에 의해 만들어진 지형이에요.

(1) **특징:** 독특한 자연 경관과 섬 문화 등으로 이국적인 풍경 → 국내뿐 아니라 세계적인 관광지로 발전

(2) **제주도의 가치:** 화산 지형이 많이 분포하며 생태적·학술적 가치가 높음

(3) **우리나라의 ①[   ]:** 유네스코 세계 자연 유산으로 등재 → 한라산 일대, 성산 일출봉, 거문 오름 용암동굴계

2 제주도의 다양한 지형

(1) **독특한 화산 지형:** 여러 차례의 화산 폭발로 형성

(2) **다양한 지형과 형성 원인**
→ 제주도 말로 오름이라고도 해요.
→ 주상은 기둥 모양이라는 뜻이며 절리는 지표나 암석을 따라 생긴 일정한 균열을 의미해요.

구분	분화구	기생 화산	용암동굴	주상 절리	해안 폭포
사례	한라산의 ②[ ], 성산 일출봉	제주도 전역에 360여 개 분포(거문 오름, 산굼부리 등)	만장굴, 협재굴, 김녕사굴 등	대포동 지삿개 주상 절리(기둥 모양의 균열)	정방 폭포, 천지연 폭포 등
형성 원인	마그마의 중심 분출구(백록담), 화산의 수중 폭발로 형성(성산 일출봉)	마그마가 땅속에서 여러 갈래로 갈라져서 지표로 분출할 때 발생	마그마의 분출과 용암의 ③[ ] 속도 차이에 의해 생성	현무암질 용암이 굳으면서 만들어진 육각기둥 모양의 바위가 파도의 침식으로 형성	해안의 침식이나 해안 가까운 하천의 침식에 의해 형성

→ 용암이 흐르면서 공기와 만나는 외부가 먼저 냉각되어 굳고 내부는 계속 흐르는데, 외부가 먼저 굳은 후 내부의 용암이 흘러서 빠져나간 자리가 용암동굴이 되는 거예요.

2 매력적인 우리나라의 자연 경관

1 우리나라의 다양한 자연 경관 산지 지형부터 해안 지형까지 다양한 지형이 나타남
→ 우리나라는 국토의 70% 이상이 산지로, 동쪽이 높고 서쪽이 낮은 것(동고서저)이 특징이에요.

2 우리나라 지형의 특징

(1) **산지 지형**

① ④[   ]: 화강암의 풍화와 침식 작용으로 형성 → 험준하고 기암 괴석 발달
예 설악산, 북한산 등

② 흙산: 편마암의 풍화와 침식 작용으로 형성 → 완만하고 식생이 울창함 **예** 지리산, 덕유산 등

(2) **해안 지형** → 빙기 이후 해수면이 상승하여 원래 육지였던 곳이 물에 잠기면서 형성되었기 때문에 해안선이 복잡하고 섬이 많아요.

① 서·남해안: 해안선이 복잡하고 밀물과 썰물의 차이(조차)가 커서 ⑤[   ] 발달, 남해안의 다도해 해상 국립 공원

② 동해안: 단조로운 해안선, 파랑의 퇴적 작용으로 모래 해안(모래사장), 파랑의 침식 작용으로 암석 해안(해안 절벽, 해안 동굴, 시 스택 등) 발달

(3) **화산 지형:** 화산의 폭발과 용암의 분출에 의해 형성 → 백두산 천지(칼데라호), 한라산 백록담(화구호), 울릉도와 독도, 철원의 용암 대지 등
→ 용암이 기존의 지형을 뒤덮을 경우에 평평한 용암 대지가 형성돼요.

(4) **카르스트 지형:** ⑥[   ] 지대가 지하수에 녹는 용식 작용에 의해 석회동굴, 돌리네 등 다양한 지형 형성 → 강원도 남부와 충청북도 북동부 등에 분포
→ 동굴 천장에서 고드름처럼 내려오는 종유석, 바닥에서 올라오는 석순, 종유석과 석순이 만나 기둥을 이룬 석주 등이 있어요.

활동 ① 다음은 제주도의 관광 지도와 조천읍 일대의 지형도이다. 물음에 답해 보자.

(가)

(나)

1 ㉠~㉫ 사진에 나타난 지형의 명칭을 쓰고, 그 위치를 (가) 지도의 A~F 중에서 찾아 연결해 보자.

㉠   ㉡   ㉢   ㉣   ㉤   ㉫

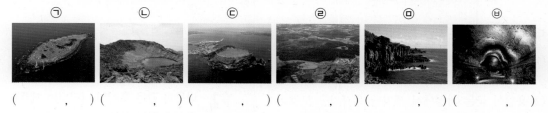

(,   ) (,   ) (,   ) (,   ) (,   ) (,   )

2 (가) 지도에 나타난 B, C, D 지형의 공통적인 형성 원인은 무엇인지 서술해 보자.

3 (나) 지형도에서 발견할 수 있는 특징과 관계 깊은 지형을 A~F 중에서 찾아 기호를 쓰고, 이와 같은 지형을 무엇이라고 하는지 써 보자.

활동 ② 다음은 우리나라에서 볼 수 있는 다양한 자연 경관이다. 물음에 답해 보자.

(가)   (나)   (다)   (라)

   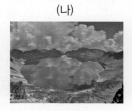   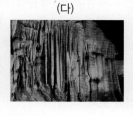   

1 (가)~(라) 지형의 형성 원인을 나타낸 표의 빈칸을 완성해 보자.

(가)	(나)	(다)	(라)
화강암을 기반으로 한 산지의 풍화와 침식 작용	❶	❷	❸

2 (나)와 같은 지형을 무엇이라고 하며, (다)와 같은 지형을 총칭하는 용어가 무엇인지 각각 써 보자.

3 (다)와 같은 동굴 내부에서 볼 수 있는 지형을 세 가지 써 보자.

1 STEP 개념을 되짚는 확인 문제

01 다음 빈칸에 들어갈 알맞은 말을 써 보자.

(1) 우리나라의 관광지 중 독특한 기후 및 지형 조건 등으로 이국적인 풍경이 나타나는 유명한 화산섬은 (   )이다.

(2) 제주도 곳곳에는 거문 오름을 비롯한 360여 개의 (   )이(가) 분포해 있다.

(3) 마그마의 분출과 용암의 차별 냉각에 의해 겉이 먼저 식고 내부는 용암이 흘러나가 생긴 지형을 (   )(이)라고 한다.

02 다음에서 설명하는 자연 경관의 명칭을 써 보자.

(1) 제주도 동부 해안에 있는 거대한 분화구로 화산의 수중 폭발로 형성되었다. (   )

(2) 용암이 굳는 과정에서 생겨난 육각기둥 모양의 바위가 파랑에 의해 침식되어 형성되었다.
(   )

03 다음 설명이 옳으면 ○, 틀리면 ×에 표시해 보자.

(1) 설악산은 화강암이 풍화·침식되어 형성된 대표적인 돌산이다. (○ | ×)

(2) 우리나라의 동해안에는 조류의 퇴적 작용에 의해 형성된 갯벌이 많이 분포한다. (○ | ×)

(3) 카르스트 지형은 석회암이 용식되어 형성된 독특한 지형이다. (○ | ×)

04 서로 관련 있는 것끼리 연결해 보자.

(1) 강원도의 석회동굴 •
(2) 철원의 용암 대지 •
(3) 남부 지방의 지리산 •

• ㉠ 용암이 분출하여 기존의 평지 위를 뒤덮은 채 냉각되어 형성

• ㉡ 석회암의 용식 작용으로 형성되며 종유석, 석순, 석주 등을 생성

• ㉢ 편마암이 오랜 풍화와 침식 작용을 받아 형성된 흙산

2 STEP 기초를 다지는 기본 문제

01 제주도에 대한 설명으로 옳은 것을 〈보기〉에서 고른 것은?

> **보기**
> ㄱ. 제주도에서 가장 높은 산은 한라산이다.
> ㄴ. 섬 전체에 다양한 화산 지형이 분포한다.
> ㄷ. 유네스코 세계 문화유산으로 등재되었다.
> ㄹ. 백록담은 분화구에 물이 고여 생긴 호수이다.
> ㅁ. 제주도에서 자주 볼 수 있는 암석은 석회암이다.

① ㄱ, ㄴ, ㄷ ② ㄱ, ㄴ, ㄹ
③ ㄱ, ㄴ, ㅁ ④ ㄴ, ㄷ, ㅁ
⑤ ㄷ, ㄹ, ㅁ

02 다음과 같은 특징이 나타나는 제주도 지형의 사례로 가장 적절한 것은?

> • 제주도 전역에 360여 개 정도가 분포함
> • 화산의 분출 과정에서 마그마가 여러 줄기로 분화하여 형성됨

① 만장굴 ② 거문 오름
③ 정방 폭포 ④ 용암 대지
⑤ 대포동 주상 절리

03 다음 모식도를 보고 바르게 설명한 학생을 고르면?

  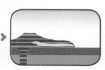

① 갑 – 한라산 백록담의 형성을 나타내고 있어.
② 을 – 기생 화산의 분화 과정을 나타내고 있어.
③ 병 – 용암동굴의 형성 과정을 보여 주고 있어.
④ 정 – 해안 지역에서 발달하는 폭포의 형성 과정을 보여 주고 있어.
⑤ 무 – 현무암의 냉각에 따른 주상 절리의 형성 과정을 보여 주고 있어.

04 현무암에 대한 설명으로 옳지 <u>않은</u> 것은?

① 제주도에서 많이 볼 수 있다.

② 용암이 냉각되어 형성된 암석이다.

③ 제주도의 돌하르방은 현무암으로 만들어졌다.

④ 주상 절리는 현무암의 냉각 과정에서 만들어졌다.

⑤ 용암이 굳는 과정에서 내부에 물이 섞여 들어가 구멍이 많은 형태가 되었다.

05 우리나라 지형의 특징에 대한 설명으로 옳은 것은?

① 국토의 반 이상이 산지이다.

② 대체로 동쪽이 낮고 서쪽이 높다.

③ 서 · 남해안은 해안선이 단조롭다.

④ 동해안에는 다도해 해상 국립 공원이 있다.

⑤ 제주도에서는 다양한 카르스트 지형을 볼 수 있다.

[06~07] 다음 지도를 보고, 물음에 답하시오.

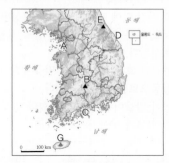

06 A~E 지역에서 발달한 지형을 바르게 연결한 것은?

① A – 갯벌　　　　② B – 칼데라호

③ C – 모래 해안　　④ D – 다도해

⑤ E – 용암동굴

07 지도의 각 지형에 대한 설명으로 옳지 <u>않은</u> 것은?

① A 지형은 조류의 퇴적 작용에 의해 형성되었다.

② D 지형은 파랑의 퇴적 작용에 의해 형성되었다.

③ E 지형은 화강암이 풍화 · 침식되어 형성되었다.

④ F 지형에서는 종유석, 석순, 석주 등 독특한 자연 경관을 볼 수 있다.

⑤ G 지형은 석회암 지대가 지하수에 서서히 녹으면서 형성되었다.

:3 STEP 실력을 완성하는 주관식 · 서술형 문제

08 다음 글의 ㉠에 들어갈 알맞은 말을 쓰고, 제주도의 지형 중 이에 해당하는 사례 세 가지를 쓰시오.

> 국제 연합(UN) 산하의 교육, 과학 및 문화 기구인 유네스코는 인류사적으로 소중히 여기고 보존할 가치가 있는 자연환경을 (㉠)(으)로 지정하여 보호하고 있다. 우리나라 제주도의 자연환경도 2007년 (㉠)(으)로 등재되었다.

09 (가), (나) 자연 경관의 차이점을 쓰고, 이러한 차이점이 나타나게 된 이유를 아래의 용어를 활용하여 서술하시오.

(가)　　　　　　　(나)

> • 화강암 　 • 편마암 　 • 풍화 　 • 침식

10 다음 글에 나타난 여행지에서 볼 수 있는 지형을 무엇이라고 하는지 쓰고, 이러한 지형이 형성되기 위해 반드시 필요한 조건 두 가지를 서술하시오.

> 지난 주말에 가족과 강원도 일대를 여행하였다. 제일 먼저 석회동굴에 해당하는 고수동굴을 찾아갔는데, 동굴 내부에는 종유석과 석순, 석주들로 가득 차 있었다. 오랜 세월 자연이 빚어 낸 장식들을 직접 보니 그 아름다움에 감탄하지 않을 수 없었다.

뚝딱! 단원 마무리하기

01 다음은 대륙별 주요 산지의 높이를 나타낸 자료이다. ㉠~㉢에 들어갈 내용을 바르게 연결한 것은?

	㉠	㉡	㉢
①	에베레스트산	탄자니아산	카프카스산맥
②	고드윈오스틴	킬리만자로산	알프스산맥
③	킬리만자로산	에베레스트산	카프카스산맥
④	에베레스트산	킬리만자로산	알프스산맥
⑤	고드윈오스틴	탄자니아산	카프카스산맥

02 다음 산지 및 고원 지형이 위치하는 대륙을 바르게 연결한 것은?

① 데칸고원 – 유럽
② 티베트고원 – 아시아
③ 히말라야산맥 – 유럽
④ 로키산맥 – 남아메리카
⑤ 안데스산맥 – 북아메리카

03 다음 사진에 나타난 경관에 대한 설명으로 옳지 <u>않은</u> 것은?

① 세계 최고봉인 에베레스트산이 있다.
② 인도판과 유라시아판의 충돌로 형성되었다.
③ 화산 활동에 의한 퇴적물이 많이 쌓여 있다.
④ 습곡 작용에 의해 만들어진 대표적인 산지 지형이다.
⑤ 등산가들을 도우며 살아가는 원주민인 셰르파들이 있다.

04 다음 질문에 순서대로 답하였을 때 D 지형에 해당하는 것을 고르면?

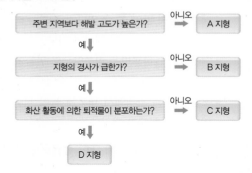

① 백두산　② 마터호른　③ 티베트고원
④ 히말라야산맥　⑤ 콜로라도고원

05 산지와 고원 지형의 형성에 관한 설명으로 옳은 것을 〈보기〉에서 모두 고른 것은?

> **보기**
> ㄱ. 몇 시간 만에 거대한 산지가 형성된다.
> ㄴ. 서로 다른 판이 충돌하여 습곡 작용이 일어나 형성된다.
> ㄷ. 용암이 흐른 후 쌓여서 만들어진 고원은 화산 활동으로만 형성된 것이다.
> ㄹ. 이미 만들어진 산지가 풍화와 침식을 받아 해발 고도가 낮아지기도 한다.

① ㄱ, ㄴ　② ㄴ, ㄹ　③ ㄱ, ㄴ, ㄷ
④ ㄴ, ㄷ, ㄹ　⑤ ㄱ, ㄴ, ㄷ, ㄹ

06 산지 지역의 주민 생활 특징을 <u>잘못</u> 연결한 것은?

① 안데스 산지 – 고산 지역에 큰 도시가 발달해 있다.
② 알프스 산지 – 계절별로 수직적 이동을 하며 가축을 사육한다.
③ 로키 산지 – 산지의 계단식 채굴장에서 구리를 채광하며 살아간다.
④ 알래스카 산지 – 감자와 옥수수를 재배하거나 알파카 등을 사육한다.
⑤ 히말라야 산지 – 산악 등반가들의 짐을 들어주거나 관광객에게 길을 안내해 주며 살아간다.

07 다음 글의 ㉠ 지형 형성 작용에 해당하지 **않는** 것을 고르면?

> 지각의 습곡, 융기, 화산 활동 등 지구 내부의 힘으로 형성된 산지 지형은 곧 ㉠ 지구 외부의 힘의 영향을 받아 날카로운 봉우리, 나지막한 구릉지 등의 다양한 모습을 갖추게 된다.

① 강한 바람
② 빙하의 이동
③ 하천의 흐름
④ 쏟아지는 폭우
⑤ 판과 판의 충돌

08 침식 작용에 의한 암석 해안에 대해 **잘못** 설명한 사람은?

① 갑 – 파랑의 침식 작용으로 형성되는 지형이야.
② 을 – 주로 파랑의 에너지가 집중되는 만에서 발달해.
③ 병 – 해안의 가파른 암석 지형을 해안 절벽이라고 해.
④ 정 – 해안 절벽의 특정 부위에 파랑 에너지가 집중되면 해안 동굴이 생겨나기도 해.
⑤ 무 – 해안 동굴에 지속적으로 파랑의 침식 작용이 집중되어 시 아치가 형성되기도 해.

09 다음 사진에 나타난 해안 지형을 주로 볼 수 있는 바다는?

① 태평양 일대의 깊은 바다
② 고위도 지역의 차가운 바다
③ 화산 활동이 활발한 섬 주변의 바다
④ 열대 기후 지역의 따뜻하고 얕은 바다
⑤ 한류와 난류가 교차하는 중위도 지역의 바다

10 다음은 국가별 국내 총생산 대비 관광 산업 비중을 나타낸 그래프이다. A, B 그룹 국가들에 대한 설명으로 옳은 것을 〈보기〉에서 모두 고른 것은?

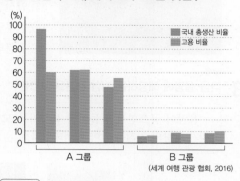

(세계 여행 관광 협회, 2016)

> **보기**
>
> ㄱ. A 그룹 국가들은 관광 산업에 의존하는 비중이 높다.
> ㄴ. A 그룹 국가들은 관광객의 방문에 따른 자연환경의 훼손 가능성이 높다.
> ㄷ. A 그룹 국가의 국민들은 B 그룹 국가의 국민들보다 소득 수준이 높다.
> ㄹ. 관광 산업 쇠퇴 시 A 그룹 국가의 국민은 B 그룹에 비해 실직의 위험이 높다.

① ㄱ, ㄴ
② ㄴ, ㄷ
③ ㄱ, ㄴ, ㄹ
④ ㄴ, ㄷ, ㄹ
⑤ ㄱ, ㄴ, ㄷ, ㄹ

11 다음과 같은 방식으로 행해지는 관광을 무엇이라고 하는가?

> 현지인이 운행하는 무동력 요트를 타고 바다로 나가 돌고래 떼를 관찰하였다. 무리지어 활동하는 돌고래 떼를 바라보며 지구 환경의 중요성을 새삼 깨달았다.

① 배낭 여행
② 자연 여행
③ 생태 관광
④ 단체 관광
⑤ 패키지 관광

12 다음 사진에 나타난 조형물을 구성하는 암석은?

① 화강암
② 편마암
③ 안산암
④ 현무암
⑤ 유문암

13 다음 설명에 해당하는 지형 경관을 고르면?

용암이 굳으면서 만들어진 육각기둥 모양의 바위가 파랑의 침식을 받아 형성되었다.

①
②
③
④
⑤

14 다음 지도에 나타난 지역을 다녀온 학생의 소감으로 가장 적절한 것은?

① 갑 – 동굴 탐험은 무섭지만 스릴 넘쳤어.
② 을 – 높은 산 정상의 분화구에 생긴 호수가 아름다웠어.
③ 병 – 수중 폭발한 분화구를 넘어 멋진 일출을 볼 수 있었어.
④ 정 – 파도가 깎아 낸 독특한 형태의 기둥들이 정말 신기했어.
⑤ 무 – 작은 규모의 화산들이 여기저기 수십 개씩 분포해 있었어.

15 우리나라 해안 지형에 대한 설명으로 옳은 것을 〈보기〉에서 모두 고른 것은?

보기
ㄱ. 서해안과 남해안은 해안선이 복잡하다.
ㄴ. 동해안에는 수 km에 걸쳐 긴 모래 사장이 나타난다.
ㄷ. 동해안은 조차가 커서 세계적인 규모의 갯벌이 발달하였다.
ㄹ. 섬이 많은 남해안에는 해상 국립 공원으로 지정된 곳이 있다.
ㅁ. 서해안에서는 조류의 퇴적 작용으로 형성된 암석 해안을 많이 볼 수 있다.

① ㄱ, ㄴ
② ㄴ, ㄷ
③ ㄱ, ㄴ, ㄹ
④ ㄴ, ㄷ, ㅁ
⑤ ㄱ, ㄴ, ㄷ, ㅁ

16 우리나라 산지 지형의 유형과 이를 구성하는 암석, 그리고 사례가 바르게 짝지어진 것은?

① 흙산 – 화강암 – 설악산
② 흙산 – 편마암 – 지리산
③ 돌산 – 화강암 – 지리산
④ 돌산 – 편마암 – 설악산
⑤ 흙산 – 현무암 – 북한산

17 다음 석회동굴 모식도에서 A~C에 해당하는 지형물을 바르게 연결한 것은?

	A	B	C
①	종유석	석주	석순
②	석주	종유석	석호
③	석순	석주	종유석
④	종유석	석순	석주
⑤	석회 동굴	석순	종유석

18 다음은 산지 지형의 형성 원리를 나타낸 모식도이다. 이를 바탕으로 습곡 산지가 형성되는 과정을 서술하고, 습곡 산지의 사례를 한 가지 쓰시오.

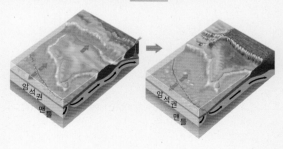

19 다음 사진은 유럽의 알프스산맥에서 볼 수 있는 경관이다. 이 지형의 명칭을 쓰고, 형성 원인을 아래 글을 참고하여 서술하시오.

> 노르웨이 최대의 협곡 해안인 송네 피오르는 오랜 시간에 걸쳐 빙하가 침식하여 만든 자연의 선물이다. 유람선을 타고 협만 곳곳을 돌아보는 재미는 노르웨이를 찾는 관광객들에게 큰 기쁨을 준다.

20 다음은 오스트레일리아 남부 해안에서 볼 수 있는 경관이다. 이 지형의 명칭과 종류를 쓰고, 형성 원인을 바탕으로 앞으로 나타날 변화를 추론하시오.

21 (가)와 (나) 지형의 공통점과 차이점을 아래 용어 설명을 바탕으로 서술하시오.

(가)   (나)

> • 퇴적: 물질이 하천이나 바닷물, 바람, 빙하 등에 의해 운반되다가 이동을 멈추고 쌓이는 것
> • 조류: 밀물과 썰물에 따른 바닷물의 흐름
> • 파랑: 바람에 의한 파도의 움직임

22 다음과 같은 원리로 형성된 지형의 명칭과 사례를 쓰고, 이 지형과 한라산 백록담의 차이점은 무엇인지 서술하시오.

23 다음은 우리나라 서·남해안을 나타낸 지도이다. 서·남해안의 해안선 특징을 두 가지 쓰고, 이러한 특징이 나타난 이유를 서술하시오.

이 단원을 배우면

지역마다 다양하게 나타나고 있는 문화의 특성과 그 원인을 설명할 수 있어요. 또한 문화 공존 지역의 긍정적 측면을 이해하고 다른 문화에 대한 개방적인 태도를 기를 수 있어요.

다양한 세계, 다양한 문화

중단원명	학습 코너	쪽수	학습 예정일	학습 완료일	달성도
01 지역마다 다양한 문화	꼼꼼! 필기 노트	70쪽	◯ 월 ◯ 일	◯ 월 ◯ 일	☆☆☆☆☆
	탄탄! 활동 노트	71쪽	◯ 월 ◯ 일	◯ 월 ◯ 일	☆☆☆☆☆
	쑥쑥! 실력 키우기	72~73쪽	◯ 월 ◯ 일	◯ 월 ◯ 일	☆☆☆☆☆
02 세계화와 문화 변용	꼼꼼! 필기 노트	74쪽	◯ 월 ◯ 일	◯ 월 ◯ 일	☆☆☆☆☆
	탄탄! 활동 노트	75쪽	◯ 월 ◯ 일	◯ 월 ◯ 일	☆☆☆☆☆
	쑥쑥! 실력 키우기	76~77쪽	◯ 월 ◯ 일	◯ 월 ◯ 일	☆☆☆☆☆
03 서로 다른 문화의 공존과 갈등	꼼꼼! 필기 노트	78쪽	◯ 월 ◯ 일	◯ 월 ◯ 일	☆☆☆☆☆
	탄탄! 활동 노트	79쪽	◯ 월 ◯ 일	◯ 월 ◯ 일	☆☆☆☆☆
	쑥쑥! 실력 키우기	80~81쪽	◯ 월 ◯ 일	◯ 월 ◯ 일	☆☆☆☆☆
뚝딱! 단원 마무리하기		82~85쪽	◯ 월 ◯ 일	◯ 월 ◯ 일	☆☆☆☆☆

지역마다 다양한 문화

+ 문화의 의미
문화란 인간이 집단 생활을 하며 만들어 낸 공통된 생활 양식으로 언어, 종교, 관습, 의식주, 음악 등을 말한다.

+ 유럽 문화 지역
유럽 문화 지역은 게르만 문화 지역과 라틴 문화 지역으로 세분화할 수 있다. 게르만 문화 지역은 북서 유럽 지역에 위치하며 게르만족이 중심이고 개신교를 신봉한다. 라틴 문화 지역은 지중해를 끼고 있으며, 라틴족이 중심이고 구교인 가톨릭교를 신봉한다.

+ 아프리카 문화 지역
과거 유럽의 식민 지배를 받은 후 국경선이 서구 열강의 임의대로 설정되면서 오늘날까지 종족·민족 간 갈등이 많이 발생하고 있다.

+ 그리스 정교
가톨릭교, 개신교와 더불어 크리스트교 3대 종파 중 하나이다. 성상 숭배를 찬성한 가톨릭교와 분리되면서 비잔틴 제국과 동유럽 문화의 중요한 바탕이 되었다.

+ 북극 문화 지역
북극해 연안의 툰드라 기후로 인하여 순록의 유목, 수렵 활동 등 매우 추운 기후에 적합한 생활 양식이 나타난다.

콕콕! 핵심 개념

1 □□란 특정 지역에서 나타나는 공통된 생활 양식을 말한다.

2 □□□□이란 비슷한 문화가 나타나는 지역을 묶은 것을 말한다.

3 크리스트교를 주로 믿으며 산업 혁명이 가장 먼저 발생한 지역은 □□□□ 지역이다.

4 문화는 □□□□과 경제·사회적 환경의 조건에 적응하면서 형성된다.

1 문화 지역의 구분

1 문화의 경향과 문화 지역의 의미

(1) **문화의 경향**: 지리적으로 가까운 지역에서는 비슷한 문화가 나타나는 경향이 있으며, 이로 인해 세계에는 다양한 문화가 나타남

(2) ❶〔   〕의 의미: 비슷한 문화가 나타나는 지역을 말함

2 문화 지역의 구분
→ 구분 기준에 따라 다양한데, 한 지역이 여러 문화 지역으로 나뉘기도 하고 여러 지역이 하나의 문화 지역으로 묶이기도 해요.

유럽 문화 지역 ✚	· 주로 크리스트교를 믿음 · 가장 먼저 산업 혁명이 발생하였으며 전 세계에 유럽 문화를 전파함
건조 문화 지역	· 사막과 초원이 많고 전통적으로 유목 생활을 하며, 돼지고기를 금기시함 · 알라를 유일신으로 하는 ❷〔 〕를 믿음
아프리카 문화 지역 ✚	원시 종교를 많이 믿고 있으며, 부족 단위의 공동체 생활을 하는 특징이 있음
슬라브 문화 지역	주로 슬라브족이 분포하고 슬라브어를 사용하며, 그리스 정교✚를 믿음
인도 문화 지역	· 여러 신을 인정하는 ❸〔 〕를 신봉하며, 소와 갠지스강을 신성시함 · 인더스 문명과 불교의 발생지이기도 함
동아시아 문화 지역	우리나라, 중국, 일본을 중심으로 한 문화 지역으로 ❹〔 〕, 불교, 유교, 벼농사 등의 문화가 공통적으로 나타남
동남아시아 문화 지역	열대 기후, 인도와 중국의 영향을 많이 받은 인도차이나반도를 중심으로 주로 ❺〔 〕를 지음 → 쌀을 주식으로 함
오세아니아 문화 지역	유럽의 백인들에 의해 산업과 문명이 전파되었으며, 원주민의 전통문화가 남아 있음
앵글로아메리카 문화 지역	· 주로 개신교를 믿으며, ❻〔 〕를 사용함 · 다양한 인종과 민족의 유입으로 주민 구성이 복잡한 편임
라틴 아메리카 문화 지역	· 주로 가톨릭교를 믿으며, 다양한 혼혈 인종 분포 · 남부 유럽의 영향으로 ❼〔 〕와 포르투갈어를 주로 사용함
그 외 문화 지역	북극 문화 지역과 태평양 문화 지역이 있음

↑ 선사 시대 인류의 종교로, 자연에 대한 공포감이나 신비감이 강한 원시 사회의 종교를 말해요.
↑ 라틴족이 주로 이주하였어요.

2 환경에 따라 달라지는 문화

1 ❽〔   〕 → 의식주 관련 문화는 자연환경의 영향을 가장 많이 받는다고 볼 수 있어요.

(1) **자연환경과 문화**: 기후, 지형, 토양 등 자연환경의 차이에 따라 다양한 생활 양식이 나타남
→ 북극 문화 지역의 이글루를 예로 들 수 있어요.

(2) **사례**: 열대 기후 지역에서는 얇고 통풍이 잘 되는 옷을 입으며, 건조 기후 지역에서는 주변에서 구하기 쉬운 흙으로 집을 지음

2 경제·사회적 환경

(1) **경제·사회적 환경과 문화**: 종교, 언어, 규범과 같은 경제·사회적 환경의 차이에 따라 다양한 생활 양식이 나타남

(2) **사례**: 종교 계율에 따라 식생활 문화가 다르게 나타남
→ 이슬람교에서는 돼지고기를 금기시하고, 힌두교에서는 소를 신성시하여 먹지 않아요.

탄탄! 활동 노트

활동 ① 다음은 세계의 다양한 문화 지역을 나타낸 지도이다. 물음에 답해 보자.

(휴먼 지오그래피, 2013.)

1 (가)~(라)와 같은 의복 문화가 나타나는 문화 지역을 위 지도에서 찾아 빈칸에 적어 보자.

(가)   (나)   (다)   (라)

(❶   )   (❷   )   (❸   )   (❹   )

2 다음 글은 지도에 표시된 A 지역에 관한 내용이다. 빈칸에 들어갈 알맞은 말을 써 보자.

아메리카 대륙을 문화 지역으로 구분할 때에는 미국과 멕시코의 경계인 [❶   ]을(를) 기준으로 ㉠ 지역을 [❷   ], ㉡ 지역을 [❸   ](으)로 나눈다. 온대 기후와 냉대 기후가 나타나는 ㉠ 지역의 해안에는 주로 영국의 앵글로·색슨족이 이주하였으며, 적도 인근의 더운 지역과 그 남쪽을 포함하는 ㉡ 지역에는 주로 에스파냐와 포르투갈의 [❹   ]이(가) 이주하였다.

활동 ② 다음 글은 지역별로 다양한 문화가 나타나는 이유에 대한 내용이다. 물음에 답해 보자.

문화 지역을 형성하는 과정에서 자연환경과 경제·사회적 환경이 많은 영향을 끼친다. ㉠ 기후, 지형, 토양 등의 차이에 따라 의식주를 비롯한 생활 양식이 다양하게 나타나기도 하고, ㉡ 종교, 언어, 정치 체제, 기술 수준, 사회 제도, 규범 등의 차이에 따라서도 다양한 문화 지역이 나타나기도 한다.

1 밑줄 친 ㉠, ㉡과 같이 문화 형성에 영향을 끼치는 요인을 무엇이라고 하는지 각각 써 보자.

(1) ㉠ – (   ) 요인   (2) ㉡ – (   ) 요인

2 밑줄 친 ㉡의 사례에는 어떤 것이 있는지 조사해 보자.

쑥쑥! 실력 키우기
단계별 문제를 풀면서 실력을 쑥쑥 키워 보세요.

·1 STEP 개념을 되짚는 확인 문제

01 다음 빈칸에 들어갈 알맞은 말을 써 보자.

(1) (　　　　)은(는) 사람들이 환경에 적응하면서 만들어 낸 공통의 생활 양식이다.

(2) 비슷한 문화가 나타나는 지역을 하나의 문화권으로 묶을 수 있는데, 이를 (　　　　)(이)라고 한다.

(3) 문화 지역은 구분하는 (　　　　)에 따라 다양하게 나타난다.

02 다음에서 설명하는 문화 지역을 써 보자.

(1) 이슬람교를 주로 믿으며 종교적 이유로 돼지고기를 금기시하고 있다. (　　　　)

(2) 지리적으로 인접한 인도와 중국의 영향을 많이 받았으며, 주로 벼농사를 지으며 쌀을 주식으로 한다. (　　　　)

03 서로 관련 있는 것끼리 바르게 연결해 보자.

(1) 인도 문화 지역 ・

(2) 동아시아 문화 지역 ・

(3) 앵글로아메리카 문화 지역 ・

・㉠ 영어, 크리스트교

・㉡ 힌두교와 불교의 발상지

・㉢ 불교, 유교, 한자, 벼농사

04 다음 설명이 옳으면 ○, 틀리면 ×에 표시해 보자.

(1) 지리적으로 가까운 지역 간에는 오랜 기간 교류를 통하여 서로 비슷한 문화가 나타나는 경향이 있다. (○ | ×)

(2) 기후, 지형, 토양 등의 차이에 따라 의식주를 비롯한 생활 양식이 다양하게 나타난다. (○ | ×)

(3) 종교, 언어, 정치 체제, 기술 수준 등은 자연환경에 해당한다. (○ | ×)

:2 STEP 기초를 다지는 기본 문제

01 동아시아 문화 지역에 대한 설명으로 옳지 <u>않은</u> 것은?

① 힌두교를 주로 믿는다.

② 한자 문화가 공통적으로 나타난다.

③ 불교 및 유교의 영향이 큰 지역이다.

④ 벼농사가 발달하였으며 쌀을 주식으로 한다.

⑤ 우리나라, 중국, 일본이 이 문화 지역에 해당한다.

02 다음과 같은 특징이 나타나는 문화 지역은?

> • 더운 날씨에 적응하기 위해 옷을 가볍게 입으며, 부족 단위의 공동체 생활을 한다.
> • 서구 열강의 식민 지배 이후 임의로 설정된 국경선으로 인하여 오늘날까지도 종족·민족 간 갈등이 발생하고 있다.

① 유럽 문화 지역　　② 북극 문화 지역

③ 슬라브 문화 지역　　④ 아프리카 문화 지역

⑤ 오세아니아 문화 지역

03 다음과 같은 특징이 나타나는 문화 지역에서 볼 수 있는 전통 의복으로 옳은 것은?

> • 주로 이슬람교를 신봉한다.
> • 건조 기후가 나타나며 유목 생활을 한다.

① 　② 　③

④ 　⑤

[04~05] 다음 지도를 보고 물음에 답하시오.

04 A 문화 지역에 대한 설명으로 옳지 <u>않은</u> 것은?

① 주로 가톨릭교가 전파되었다.
② 앵글로아메리카 문화 지역이다.
③ 유럽인의 이주 역사와 관련이 있다.
④ 주민들은 주로 개신교를 믿으며 영어를 사용한다.
⑤ 전 세계 각지에서 이주민이 유입되면서 다양한 문화가 공존하게 되었다.

05 B 문화 지역의 특징으로 옳은 것은?

① 산업 혁명의 발상지이다.
② 돼지고기를 금기시하여 먹지 않는다.
③ 주로 아프리카인이 거주하고 원시 종교가 나타난다.
④ 라틴 문화의 영향을 받았으며 다양한 혼혈족이 분포한다.
⑤ 주로 툰드라 기후가 나타나며 순록을 유목하거나 수렵 생활을 한다.

06 다음 글의 밑줄 친 부분에 해당하는 요소로 옳지 <u>않은</u> 것은?

> 전 세계 각 지역마다 문화 차이가 발생하는 이유는 자연환경과 <u>경제 · 사회적 환경</u>이 다양하게 나타나기 때문이다.

① 종교　　② 언어　　③ 기후
④ 규범　　⑤ 사회 제도

:3 STEP 실력을 완성하는 **주관식·서술형 문제**

07 다음 지도에 표시된 A 문화 지역의 명칭을 쓰고, 이 문화 지역의 특징을 <u>두 가지</u> 서술하시오.

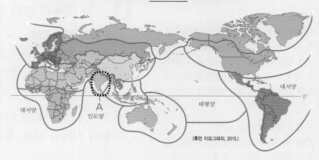

(휴먼 지오그래피, 2013.)

08 다음 글의 ㉠에 해당하는 작물을 쓰고, 이 작물을 주로 재배하게 된 이유를 기후 측면에서 서술하시오.

> 동남아시아 문화 지역은 지리적으로 인접한 인도와 중국의 영향을 많이 받았으며, (㉠) 을(를) 주식으로 한다.

09 다음은 지역의 문화 차이를 가져오는 자연환경과 경제 · 사회적 환경에 관한 표이다. ㉠에 들어갈 요인을 <u>두 가지</u> 쓰고, ㉡에 들어갈 사례를 <u>한 가지</u> 서술하시오.

구분	주요 요인	사례
자연환경	㉠	건조 기후 지역에서는 주변에서 구하기 쉬운 흙이나 돌을 이용하여 집을 짓는다.
경제 · 사회적 환경	종교, 언어, 규범, 정치 체제 등	㉡

세계화와 문화 변용

꼼꼼! 필기 노트

✚ 문화 전파
1940년경 미국에서 유행하던 청바지가 전 세계로 전해져 오늘날 많은 사람이 즐겨 입는 의복이 된 것처럼 음식, 언어 등 세계 여러 지역의 다양한 문화는 고정된 것이 아니라 계속 변화한다.

✚ 음식 문화의 변용 사례
햄버거는 우리나라의 불고기와 만나 불고기 버거가 되었고, 소를 신성시하는 인도 문화 지역에서는 닭고기 햄버거가 만들어졌다. 또 쌀을 주식으로 하는 인도네시아에서는 라이스 버거가 만들어지기도 하면서 새로운 음식 문화가 생겨나고 있다.

✚ 세계화와 한류
영화, 음악, 드라마에서부터 패션, 음식, 한글에 이르기까지 우리 문화가 전 세계로 퍼지고 있다.

✚ 발리우드(Bollywood)
인도 뭄바이의 옛 이름인 봄베이(Bombay)와 할리우드(Hollywood)의 합성어로, 인도의 영화 산업을 상징한다.

✚ 획일화
개성이 상실되고 모든 것이 단일화되어 똑같아지는 현상을 말한다.

콕콕! **핵심 개념**

1 ☐☐ ☐☐은 한 지역의 문화가 다른 지역의 문화와 만나는 현상이다.

2 ☐☐ ☐☐이란 전파된 다른 지역의 문화가 기존의 문화를 변형시키거나 새로운 문화를 만들어 내는 것을 의미한다.

3 문화의 ☐☐☐는 세계 여러 지역의 문화를 전 세계인이 공유하는 현상이다.

---

1 문화 접촉과 문화 전파✚

1 문화와 문화 접촉 → 헬레니즘 문화는 그리스 문화와 오리엔트 문화가 접촉하고 융합하여 탄생한 문화예요.
(1) **문화의 특징**: 문화는 고정된 것이 아니라 계속 변화함
(2) **문화 접촉의 의미**: 한 지역의 문화가 다른 지역의 문화와 만나는 현상

2 ❶ ☐☐☐☐ → 우리나라의 떡볶이 같은 음식이 외국으로 수출되거나, 우리나라의 태권도가 해외로 나가는 것도 문화 전파라고 할 수 있어요.
(1) **의미**: 문화 요소가 다른 지역으로 이동하여 그 사회의 문화로 정착되어 가는 과정
(2) **문화 전파의 사례**: 우리나라에서 피자와 같은 외국 음식 먹기, 팝송과 같은 외국 음악 듣기

3 문화 변용 → 멕시코 과달루페 성모상이 유럽인 형상의 유럽 성모상과 다르게 원주민의 머리카락과 피부색인 것도 문화 변용의 사례예요.
(1) **의미**: 한 지역의 문화가 다른 지역으로 ❷ ☐☐☐ 되면서 기존의 문화를 변형시키거나 새로운 문화를 만들어 내는 것
(2) **문화 변용의 사례**✚: 유목민의 주거 문화였던 이동식 가옥에 오늘날 새로운 소재 기술이 접목되어 탄생한 텐트, 우리나라의 김치 문화와 서양의 냉장고가 결합된 김치 냉장고
(3) **특징**: 문화는 고정된 것이 아니라 다른 문화와의 끊임없는 ❸ ☐☐☐을 통하여 변화함

▲ **라이스 버거** 세계로 전파된 햄버거는 각 지역 사람들의 입맛에 맞게 변형되었는데, 빵 대신 밥을 이용한 라이스 버거가 생겨났다.

2 세계화와 문화 변용

1 세계화 교통과 통신이 발달하면서 국경을 초월하여 지역 간 상호 작용이 활발해지고 세계가 하나로 통합되는 현상→ 문화의 세계화에 포함되는 개념으로 문화의 동질화가 있어요. 전 세계 어디를 가도 햄버거와 커피를 쉽게 먹고 마실 수 있고, 세계인의 대부분이 양복에 넥타이를 하는 것을 정장 차림으로 인식하는 것이 대표적인 예에요.

2 문화의 ❹ ☐☐☐
(1) **의미**: 세계화로 지역 간 교류가 활발해지면서 동일한 문화를 전 세계인이 공유하며, 문화 접촉의 기회와 문화 전파의 기회가 많아지는 현상을 말함
(2) **문화의 세계화 사례**: 세계적으로 인기를 끌고 있는 한류 문화✚ → 떡볶이와 막걸리, K-POP 등과 같이 우리나라의 문화가 전 세계에 알려짐

3 세계화가 문화 변용에 미친 영향
(1) **특징**: 문화의 세계화는 문화 변용에 많은 영향을 끼침
(2) **긍정적 영향과 부정적 영향**

긍정적 영향	· 지역 간 문화 교류가 증가하면 문화의 ❺ ☐☐☐☐을 높이고 상호 작용을 증가시키는 데 영향을 줌 · 인도 영화 산업을 뜻하는 '발리우드(Bollywood)'는 세계화로 할리우드 영화의 영향을 받았지만, 인도 특유의 춤과 음악을 장점으로 부각시켜 발리우드를 더욱 발전시키는 계기가 됨
부정적 영향	· 문화의 획일화: 전통문화의 해체를 초래하거나, 특정 문화로의 획일화가 나타나는 경향이 있음 · 세계적으로 많은 소비층을 확보하고 있는 할리우드 영화를 많이 상영하다 보면, 자국의 영화 산업이 쇠퇴하거나 고유한 성향이 사라질 수 있음

활동 ① 다음은 라틴 아메리카 문화 지역에 대한 자료이다. 물음에 답해 보자.

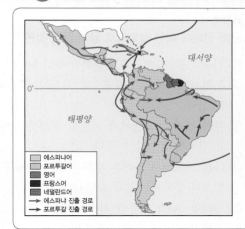

대서양

태평양

0°

☐ 에스파냐어
☐ 포르투갈어
☐ 영어
■ 프랑스어
■ 네덜란드어
→ 에스파냐 진출 경로
→ 포르투갈 진출 경로

아메리카 대륙에서 리오그란데강 이남 지역을 라틴 아메리카 문화 지역이라고 한다. 이 지역에 사는 원주민들은 수렵·채집 문화에서 마야 문명, 잉카 문명에 이르기까지 다양한 문화를 발달시켰다.

그러나 16세기 초에 주로 에스파냐와 포르투갈의 라틴족이 이 지역으로 들어오면서 유럽 문화와 ❶ [   ]을(를) 하게 되었고, 이러한 영향으로 ㉠ 라틴 아메리카의 문화는 변화하기 시작하였다. 유럽의 라틴족들은 라틴 아메리카 지역에 자신들의 종교, 언어 등의 문화를 ❷ [   ]하였다. 그 결과 라틴 아메리카 지역에서는 주로 ❸ [   ]교를 믿게 되었으며, 브라질에서는 포루투갈어를, 나머지 대부분의 지역에서는 ❹ [   ]어를 사용하게 되었다.

1 위 자료의 빈칸에 들어갈 알맞은 말을 써 보자.

2 밑줄 친 ㉠과 같은 문화 현상을 무엇이라고 하는지 쓰고, 실제 사례를 예로 들어 보자.

(1) ㉠ – (   )   (2) 사례 – (   )

활동 ② 다음은 세계화와 관련된 신문 자료이다. 물음에 답해 보자.

세계화의 희생양, '나폴리 피자'를 지켜 주오!

이탈리아 정부가 나폴리 피자 제조법을 유네스코 세계 문화유산에 등재되도록 신청하기로 하였다. 농업부 장관은 "나폴리 피자는 전 세계적으로 이탈리아를 상징하는 음식"이라며 등재 신청 제안 이유를 밝혔다. 현대 피자의 원형으로 통하는 나폴리 피자는 1715~1725년 사이에 처음 등장한 것으로 추정된다. 1984년 창립된 나폴리 피자 협회는 8가지의 엄격한 기준을 지켜서 만든 피자에 한해서만 나폴리 피자라고 인증을 해 주었다. 장작 화덕 사용, 굽는 온도 485°, 둥근 형태, 수제 크러스트 반죽, 2㎝ 이하의 크러스트 두께와 한가운데 두께는 0.3㎝ 이하, 토마토 소스와 치즈 토핑, 쫄깃한 촉감, 쉽게 접을 수 있는 두께 등이 그 기준이다. ㉠ 피자는 이탈리아 이민자들을 통해서 미국으로도 넘어갔고, 이는 피자가 세계적으로 퍼지는 계기가 되었다. 그러나 ㉡ 두껍고 여러 가지 토핑이 많이 들어간 미국식 피자가 세계적으로 널리 퍼지면서 이탈리아에서는 이에 대해 경계하고 있는데, 이번 세계 문화유산 등재 신청도 미국식 피자에 대항하겠다는 의도가 담겨 있다. 이탈리아 중소 기업 협회는 "피자는 이탈리아 요리와 문화의 상징이지만, 세계화의 부작용 때문에 보존해야 할 유산이기도 하다."라고 주장하고 있다.

－○○○신문, 2016. 3. 6.－

1 밑줄 친 ㉠, ㉡에 해당하는 용어를 각각 써 보자.

(1) ㉠ – (   )   (2) ㉡ – (   )

2 위 신문 기사를 참고하여 세계화가 문화에 미치는 부정적 영향은 무엇인지 서술해 보자.

·1 STEP 개념을 되짚는 확인 문제

01 다음 빈칸에 들어갈 알맞은 말을 써 보자.

(1) 한 지역의 문화가 다른 지역의 문화와 만나는 현상을 ( )(이)라고 한다.

(2) 문화 요소가 다른 지역으로 이동하여 그 사회의 문화로 정착되기도 하는데, 이를 ( )(이)라고 한다.

(3) ( )은(는) 다른 지역으로 전파된 문화가 기존의 문화를 변형시키거나 새로운 문화를 만들어 내는 것을 말한다.

(4) 문화는 다른 문화와의 ( )을(를) 통하여 끊임없이 변화한다.

02 다음 설명이 옳으면 ○, 틀리면 ×에 표시해 보자.

(1) 문화는 고정된 개념으로 모든 지역에서 동일하게 나타난다. (○ | ×)

(2) 햄버거가 여러 지역으로 이동하면서 변화한 사례는 문화 전파에 해당한다. (○ | ×)

(3) 아프리카의 전통 음악과 미국의 군악대 연주 기법이 결합하여 미국 남부에서 재즈가 기원된 사례는 문화 변용에 해당한다. (○ | ×)

03 다음 괄호 안에 들어갈 알맞은 말을 골라 보자.

(1) 최근 전 세계를 무대로 문화 접촉과 문화 전파의 기회가 많아지는 문화의 (정보화, 세계화) 현상이 나타나고 있다.

(2) 빠른 속도로 유입되는 외국의 문화로 인해 지역의 전통문화가 해체되고 특정 문화로 (획일화, 다원화)되는 경향이 나타나기도 한다.

04 서로 관련 있는 것끼리 바르게 연결해 보자.

(1) 문화 전파 •　　　• ㉠ 미국 광부의 작업복이던 청바지가 전 세계의 보편적 의복으로 자리 잡음

(2) 문화 변용 •　　　• ㉡ 유목민의 이동식 가옥이 여가와 야외 활동을 위한 텐트로 활용됨

:2 STEP 기초를 다지는 기본 문제

01 문화 전파에 대한 설명으로 옳지 <u>않은</u> 것은?

① 인구 이동, 경제 교류도 문화 전파의 원인이 된다.

② 문화 요소가 다른 지역으로 이동하여 정착하기도 한다.

③ 문화 전파의 과정에서 기존의 문화를 변형시키는 경우도 발생할 수 있다.

④ 다른 지역에서 들어온 문화는 잠시 확산될 수는 있으나 결국에는 모두 소멸된다.

⑤ 인터넷, 누리 소통망 서비스(SNS) 등의 발달로 문화 전파 속도가 빨라지고 있다.

02 다음 내용과 관련이 있는 용어로 옳은 것은?

> 뮤지컬 「명성황후」처럼 우리나라의 역사나 설화 관련 내용이 서양의 오페라 형식과 접목되어 공연 무대에 올려지기도 한다.

① 다문화 　② 문화 변용 　③ 문화 갈등
④ 문화 공존 　⑤ 문화의 획일화

03 다음 글을 읽고 ㉠에 들어갈 문화의 특징을 가장 잘 설명한 학생은?

> '할리우드(Hollywood)'는 미국 영화 산업을 상징한다. 세계적으로 많은 고객 소비층을 확보하고 있는 할리우드 영화를 개봉하면 전 세계의 영화 상영관은 그 할리우드 영화로 도배되다시피 하는 경우도 있다. 이러한 현상으로 인해 (㉠)

① 갑 – 문화는 변화가 없는 고정된 개념이다.

② 을 – 문화의 다양성이 점차 증가하고 있다.

③ 병 – 자국의 영화 산업이 쇠퇴할 우려가 있다.

④ 정 – 문화 전파의 속도가 점점 빨라지고 있다.

⑤ 무 – 사람들은 보다 다양한 영화를 볼 수 있게 되었다.

04 다음 글의 밑줄 친 ㉠과 같은 사례로 보기 <u>어려운</u> 것은?

> 우리 고유의 온돌 문화가 효율적인 난방 기술로 인정받으면서 세계 각국에 수출되고 있다. ㉠ 이제 겨울이 추운 몽골이나 중앙아시아의 내륙국, 아프리카에서도 한국형 주거 문화를 접할 수 있게 되었다.

① 청바지를 입는 문화
② 얼큰한 김치 스파게티
③ 우리나라의 불고기 피자
④ 우리나라의 김치 냉장고
⑤ 우리나라의 라이스 버거

05 세계화가 문화에 미치는 긍정적인 영향을 〈보기〉에서 고른 것은?

> **보기**
> ㄱ. 문화의 다양성이 증가한다.
> ㄴ. 지역의 전통문화가 해체되기도 한다.
> ㄷ. 특정 문화로 획일화되는 경향이 나타난다.
> ㄹ. 문화와 문화 간의 상호 작용을 증가시킨다.

① ㄱ, ㄴ ② ㄱ, ㄹ ③ ㄴ, ㄷ ④ ㄴ, ㄹ ⑤ ㄷ, ㄹ

06 다음 자료를 보고 가장 적절한 소감을 발표한 학생은?

 일부 지역에서만 접할 수 있었던 전통 한식을 이제 세계 곳곳에서 만날 수 있게 되었다. 특히, 비빔밥이나 김치의 우수성이 알려지면서 세계 각지에서 인기를 끌고 있다.

① 갑 – 전 세계인의 입맛은 동일해질 거야.
② 을 – 우리의 음식 문화는 정체성을 잃게 될 거야.
③ 병 – 한 지역의 고유한 전통문화가 사라질 수 있어.
④ 정 – 세계에서 각광받는 한류 문화를 더욱 발전시켜야 해.
⑤ 무 – 한국 음식과 중국 음식이 가장 잘 어울리는 걸 알 수 있어.

:3 STEP 실력을 완성하는 **주관식·서술형 문제**

07 다음과 같은 문화 현상을 무엇이라고 하는지 쓰고, 그 의미를 서술하시오.

> 동양과 서양의 음식이 만나 퓨전 요리가 생겨났다. 또 할리우드 영화의 영향력과 인도 특유의 춤과 음악이 만나 '발리우드(Bollywood)'가 탄생하였다.

08 다음 글의 ㉠에 공통으로 들어갈 용어를 쓰고, 이처럼 전통문화가 전 세계로 퍼져 나가면서 나타날 수 있는 긍정적 영향을 <u>두 가지</u> 서술하시오.

> (㉠)은(는) 전 세계로 퍼져 나가는 우리나라의 다양한 문화 요소를 말한다. 예를 들어 올림픽의 한 종목이기도 한 태권도는 한국어와 한국 문화를 알리는 문화 사절단 역할을 하며, (㉠) 현상을 더욱 가속화시키고 있다. 현재 200여 개 국가에서 약 8,000만 명에 달하는 사람들이 태권도를 수련하고 있다.

09 다음 글을 읽고 문화의 세계화 현상이 미치는 부정적인 영향에는 어떤 것들이 있는지 <u>두 가지</u> 서술하시오.

> 라다크는 히말라야산맥 북서부와 카슈미르 동부 지역의 고원 지대에 위치한다. 주민들은 눈과 얼음물을 생활용수로 사용하고 보리 등을 재배하며 어렵게 살아가지만, 자급자족의 공동체 생활을 하는 행복한 마을이다.
> 그러나 라다크도 관광과 개발이라는 이유로 서양의 문화를 받아들이게 되었는데, 이때부터 라다크의 젊은이들은 자신들의 전통문화는 미개하다는 생각에 사로잡힌다. 그러면서 전통문화를 외면하였고 서양 사람들처럼 선글라스를 쓰고 청바지를 입고 다니기 시작하였다.
> ─헬레나 노르베리 호지, 『오래된 미래』─

03 서로 다른 문화의 공존과 갈등

이것이 포인트!
- 문화가 공존하는 지역의 공통점
- 문화 갈등이 나타나는 지역의 특징

꼼꼼! 필기 노트

✚ 문화 공존
전파된 문화와 기존의 문화가 접촉하게 될 때, 두 개의 다른 문화 요소가 동시에 존재하는 현상을 의미한다.

✚ 카슈미르 지역
힌두교를 믿는 인도인과 이슬람교를 믿는 파키스탄인 간의 종교 갈등이 심각한 지역이다.

✚ 벨기에의 언어 갈등
벨기에는 프랑스어, 네덜란드어, 독일어를 공용어로 사용한다. 그러나 프랑스어를 주로 사용하는 왈롱 지역과 네덜란드어를 주로 사용하는 플랑드르 지역 간에 갈등이 발생하고 있는데, 이는 경제적 격차 문제와도 관련이 있다.

✚ 문화 상대주의
어느 문화가 더 우열한 것인지 비교하는 것 자체가 무의미한 것이며, 지역이 처한 자연환경과 경제·사회적 환경을 고려하여 상대방의 문화를 이해하는 관점을 의미한다.

✚ 자문화 중심주의
자신의 문화만 무조건 옳다고 여기고, 다른 문화를 부정적으로 평가하는 태도이다. 민족이나 인종 간 갈등을 유발할 수 있으며, 자칫하면 국제적 고립을 자초할 수도 있다.

꼭꼭! 핵심 개념

1 싱가포르, 스위스 등은 여러 문화가 ☐☐하는 지역이다.

2 종교, 언어 등의 문화가 서로 다른 사람들이 모여 살면서 문화 차이로 인한 ☐☐☐이 발생하기도 한다.

3 우리나라에서도 외국인의 거주 비율이 증가하면서 ☐☐☐를 인정하고 있다.

1 다양한 문화가 공존하는 지역

1 서로 다른 문화의 공존

(1) **세계의 다양한 문화:** 세계의 문화는 오래 전부터 서로 영향을 주고받았으며, 오늘날 서로 다른 문화를 가진 사람들이 공존하는 지역이 늘고 있음

(2) **문화 공존✚ 지역:** 서로 다른 문화를 배척하기보다는 그대로 인정하고, 공존의 방향을 모색하는 ❶ ☐☐☐☐를 보임 └→ 우리나라의 김치 문화와 서양의 냉장고가 결합된 김치 냉장고와 같은 문화 융합 현상과는 달리, 한의학과 서양 의학의 관계처럼 서로 다른 문화가 한 지역에서 같이 나타나는 현상을 문화 공존이라고 해요.

2 다양한 문화가 공존하는 지역

(1) ❷ ☐☐☐☐의 다양한 인종과 종교 사원: 정부가 이민 정책을 적극 장려함 → 중국계, 말레이계, 인도계 등의 인종과 불교, 이슬람교, 힌두교 등의 종교가 공존함

(2) ❸ ☐☐☐의 다양한 언어: 독일계, 프랑스계, 이탈리아계 등 다양한 국민으로 구성된 스위스에서는 공공 문서뿐만 아니라 학교 교육에서도 독일어, 프랑스어, 이탈리아어, 로만슈어 등의 다양한 언어를 사용하고 있음 └→ 인도의 경우에도 지폐에 15개의 언어가 적혀 있어요.

▲ 싱가포르의 다양한 종교 사원

└→ 불교 사원, 힌두교 사원, 이슬람 사원 등 다양한 종교 경관이 나타나고 있어요.

▲ 스위스의 지역별 공용어

└→ 다양한 언어를 사용하고 있지만, 언어 갈등이 발생하지 않고 평화롭게 공존하고 있어요.

2 문화 갈등이 발생하는 지역

1 ❹ ☐☐☐ 지역

(1) **특징:** 언어, 종교 등 다른 문화에 대한 불신, 사회적 차별 등으로 인해 문화 갈등이 발생함

(2) **종교 및 언어 갈등**

① 종교 갈등: 종교는 유서 깊은 역사성과 민족성 등을 내포하고 있기 때문에 종교 간 갈등이 빈번하게 나타나는 경향이 있음 예 카슈미르 지역✚(힌두교 ↔ 이슬람교), 나이지리아(이슬람교 ↔ 크리스트교) 등

② 언어 갈등: 문화의 정체성이 강한 언어가 한 지역 내에서 다양하게 사용될 경우, 갈등을 초래하기도 함 예 영어가 공용어인 캐나다에서 프랑스어를 주로 사용하는 퀘벡주가 분리 독립을 주장하며 갈등 발생

2 다양한 문화가 공존하기 위해 필요한 자세

(1) **문화 상대주의✚:** 자신의 문화가 무조건 옳다는 자문화 중심주의✚나 문화의 우열을 가리려는 태도를 버리고 ❺ ☐☐☐☐☐의 관점이 필요함

(2) **다문화:** 서로 다른 문화를 가진 사람들이 함께 모여 존재하는 문화, 우리나라도 외국인의 거주 비율이 증가하고 있음 → 다문화를 인정하고 공존하려는 노력 필요 └→ 모든 문화는 고유한 가치를 지니므로 상대방의 문화를 이해하고 존중하는 자세가 필요해요.

탄탄! 활동 노트

활동 1 다음 자료를 보고 물음에 답해 보자.

스위스 헌법에는 각 주에서 그들의 공식 언어를 지정하도록 하였으며, 정부는 소수 언어를 보호하도록 의무를 부과하였다. 공공 문서의 경우 ❶ [   ], ❷ [   ], ❸ [   ], 로만슈어의 네 가지 공용어로 동시에 발행하고 있으며, 학교에서도 의무적으로 다른 공용어를 배우도록 하였다. 스위스 국민들도 개인이 선택한 언어를 일상에서 자유롭게 쓰는 것을 권리이자 의무로 생각한다.

▲ 스위스의 지역별 공용어

1 위 자료의 빈칸에 들어갈 알맞은 말을 써 보자.

2 위와 같은 현상을 무엇이라고 하는지 쓰고, 이러한 현상이 나타나는 이유를 지도를 보고 정리해 보자.

(1) 현상	
(2) 이유	

활동 2 다음 (가), (나)는 지구촌에서 발생하는 문화 갈등의 사례이다. 물음에 답해 보자.

(가)

캐나다에서 프랑스 전통이 남아 있는 A 지역은 전체 인구의 80%가 프랑스어를 사용하고 있다. 두 차례에 걸친 주민 투표 결과 분리 독립 안건은 부

▲ 프랑스 문화가 남아 있는 A 지역

결되었지만, 캐나다 속에서 다른 문화를 가진 지역으로서의 갈등의 소지가 남아 있다.

(나)

B와 팔레스타인은 오랜 세월 동안 여러 민족과 종교가 한 지역에서 복잡하게 얽혀 있다가 갈등이 표출되면서 현재에 이르고 있다. 국제 사회

▲ B와 팔레스타인의 갈등

가 여러 차례 중재에 나서고 있지만, 잦은 테러로 항상 불안한 지역이다.

1 위 자료의 A, B에 해당하는 지역은 어디인지 써 보자.

A – (   )   B – (   )

2 (가)와 (나) 지역에서 갈등이 발생하는 원인은 무엇인지 각각 서술해 보자.

(가)	(나)
❶	❷

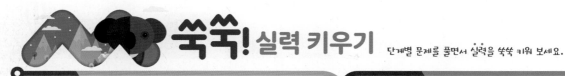

쑥쑥! 실력 키우기   단계별 문제를 풀면서 실력을 쑥쑥 키워 보세요.

1 STEP 개념을 되짚는 확인 문제

01 다음 빈칸에 들어갈 알맞은 말을 써 보자.

(1) (   )은(는) 네 개의 언어를 공용어로 사용하는 다언어 국가이지만, 이로 인한 갈등이 거의 없다.

(2) 중계 무역이 활발한 (   )은(는) 노동력 확보를 위해 정부가 이민 정책을 적극적으로 펼치면서 다양한 인종과 종교가 공존하게 되었다.

(3) 서로 다른 문화가 공존하기 위해서는 (   )의 관점에서 상대방의 문화를 존중하는 태도를 가져야 한다.

02 서로 관련 있는 것끼리 바르게 연결해 보자.

(1) 문화 공존 •
    • ㉠ 스위스에서는 네 가지의 공용어를 사용함

(2) 문화 갈등 •
    • ㉡ 에스파냐의 카탈루냐 지역에서 독립 요구가 일어남

03 다음 설명이 옳으면 ○, 틀리면 ×에 표시해 보자.

(1) 다양한 문화가 공존하기 위해서는 자신의 문화가 우월하다는 생각을 가져야 한다. (○ | ×)

(2) 문화 갈등은 서로의 문화가 다르다는 것을 인정하지 못하기 때문에 발생한다. (○ | ×)

(3) 다른 문화를 배척하기보다 공존의 방향을 모색하는 개방적 문화 태도를 가져야 한다. (○ | ×)

04 다음 괄호 안에 들어갈 알맞은 말을 골라 보자.

(1) 캐나다의 퀘벡주에서는 (영국, 프랑스)의 문화 경관을 많이 볼 수 있다.

(2) 인도의 지폐에는 (하나의 통일된 언어, 여러 개의 공용어)가 적혀 있다.

(3) 인도 북서부의 카슈미르 지역은 (종교, 언어) 갈등이 심각한 지역이다.

2 STEP 기초를 다지는 기본 문제

01 다음 중 스위스의 문화 특징으로 옳은 것은?

① 언어의 차이로 인한 갈등이 심각하다.
② 15개의 언어를 공용으로 사용하고 있다.
③ 정부가 이민 정책을 적극적으로 펼쳤다.
④ 공공 문서를 네 가지 공용어로 발행하고 있다.
⑤ 종교별로 균등하게 법정 공휴일을 지정하였다.

02 다음은 싱가포르의 다양한 종교 기념일을 나타낸 표이다. 이에 대한 해석으로 가장 적절한 것은?

날짜	명칭	특징
4월 14일	성 금요일	크리스트교의 기념일로 예수의 십자가 죽음을 기념하는 날이다.
5월 10일	베삭 데이	불교의 기념일로 부처의 탄생을 기리는 날이다.
6월 25일	하리라야푸아사	이슬람교의 기념일로 금식 기간이 끝나는 것을 축하하는 날이다.
9월 1일	하리라야하지	이슬람교의 기념일로 성지 순례를 마치고 돌아 온 것을 축하하는 날이다.
10월 18일	디파발리	힌두교 및 시크교의 최대 명절이다.
12월 25일	크리스마스	크리스트교의 기념일로 예수의 탄생을 기념하는 날이다.

① 싱가포르는 하나의 종교로 통합될 것이다.
② 불교의 영향력이 가장 크다는 것을 알 수 있다.
③ 앞으로 싱가포르의 인구 구성은 단순화될 것이다.
④ 종교 갈등이 치열하게 발생하고 있음을 알 수 있다.
⑤ 정부는 문화 공존을 위해 많은 노력을 했을 것이다.

03 다음 사례와 갈등의 원인이 유사한 문화 갈등 사례로 가장 적절한 것은?

> 이스라엘과 팔레스타인은 오랜 세월 동안 문화 갈등이 발생해 왔다. 국제 사회가 여러 차례 중재에 나서고 있지만, 잦은 테러로 항상 불안한 지역이다.

① 캐나다의 퀘벡주
② 싱가포르의 종교 사원
③ 에스파냐의 카탈루냐 지역
④ 화폐에 여러 언어를 표시한 인도
⑤ 공공 장소에서 히잡 착용을 금지한 프랑스

04 다음과 같은 문화 갈등 지역을 A~E 중에서 고르면?

> 프랑스 전통이 남아 있는 이 지역은 전체 인구의 약 80%가 프랑스어를 사용하고 있다. 두 차례에 걸친 주민 투표 결과 분리 독립 안건은 부결되었지만, 여전히 갈등의 소지가 남아 있다.

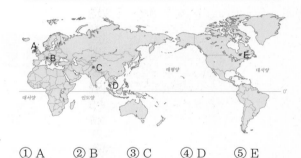

① A ② B ③ C ④ D ⑤ E

05 다음 지역에서 나타날 수 있는 문화 갈등을 해결하기 위한 방안으로 적절하지 <u>않은</u> 것은?

① 개방적인 문화 태도를 보인다.
② 하나의 언어를 공용어로 지정한다.
③ 법을 통해 종교의 다양성을 인정한다.
④ 종교 지도자들끼리 만나서 자주 대화를 나눈다.
⑤ 문화 상대주의적 관점에서 이해하려고 노력한다.

06 다음 글의 ㉠에 들어갈 내용으로 옳은 것은?

> 인종의 구성이 다양해지고 문화적 다양성이 증대되는 것을 (㉠)(이)라고 하며, 우리나라에서도 외국인의 거주 비율이 점점 증가하는 추세에 있다.

① 세계화 ② 다문화
③ 문화 갈등 ④ 문화 상대주의
⑤ 자문화 중심주의

:3 STEP 실력을 완성하는 **주관식·서술형 문제**

07 다음은 문화의 다양성이 공존하는 지역의 사례이다. ㉠, ㉡에 들어갈 용어를 쓰고, 싱가포르 정부가 실시한 정책을 서술하시오.

> 싱가포르 정부는 노동력 확보를 위해 이민 정책을 장려하였고, 그 결과 중국계, 말레이계, 인도계 등의 (㉠)와(과) 불교, 크리스트교, 힌두교 등의 (㉡)이(가) 공존하게 되었다.

08 다음 낱말 퀴즈의 세로 열쇠 ㉠에 해당하는 용어를 쓰고, 이러한 현상의 발생 원인을 서술하시오.

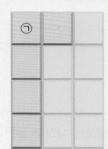

〈가로 열쇠〉
㉠ 인간이 만들어 낸 공통된 생활 양식
〈세로 열쇠〉
㉠ 언어, 종교 등 서로 다른 문화가 같이 공존하면서 발생하는 갈등

09 (가), (나) 지역에서 발생하는 문화 갈등의 원인은 무엇인지 각각 쓰고, 이들에게 필요한 자세는 무엇인지 서술하시오.

> (가) 에스파냐의 카탈루냐 지역은 독자적으로 카탈루냐어를 사용하며, 별도의 국기를 사용하고 있다. 에스파냐에서 독립하기를 원하지만, 정부는 경제력이 높은 이 지역의 독립을 반대하고 있다.
> (나) 프랑스는 공립 학교에서의 종교적 상징물 착용을 금지하였고, 공공장소에서 히잡을 착용할 경우 벌금을 부과하고 있다. 이슬람교도는 종교의 자유를 침해하는 조치라며 반발하고 있다.

뚝딱! 단원 마무리하기

[01~03] 다음 지도를 보고 물음에 답하시오.

(휴먼 지오그래피, 2013.)

01 다음 내용과 관계 깊은 문화 지역을 위 지도에서 고르면?

- 대부분이 유럽 인종이고, 크리스트교를 믿는다.
- 가장 먼저 산업 혁명이 발생하였으며, 전 세계에 유럽 문화를 전파하였다.

① A　　② B　　③ C　　④ D　　⑤ E

02 지도의 D 문화 지역에 해당하는 나라로 옳은 것을 〈보기〉에서 모두 고른 것은?

┌ 보기 ┐
ㄱ. 우리나라　　ㄴ. 중국　　ㄷ. 미국
ㄹ. 일본　　ㅁ. 영국　　ㅂ. 브라질

① ㄱ, ㄴ　　② ㄱ, ㄴ, ㄷ　　③ ㄱ, ㄴ, ㄹ
④ ㄴ, ㄷ, ㄹ　　⑤ ㄱ, ㄷ, ㅁ, ㅂ

03 지도에 표시된 ㉠ 문화 지역에 대한 설명으로 옳은 것은?

① 캐나다는 이 문화 지역에 해당한다.
② 남부 유럽의 영향이 많이 남아 있다.
③ 앵글로아메리카 문화 지역에 해당한다.
④ 이 지역 주민들은 주로 개신교를 믿는다.
⑤ 영국의 앵글로·색슨족 이주 역사와 관련이 있다.

04 다음 사진의 주민과 관계 깊은 문화 지역을 A~E 중에서 고르면?

알라를 유일신으로 하는 이슬람교를 주로 믿으며, 종교적 이유로 돼지고기를 금기하고 있어요.

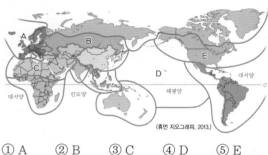

(휴먼 지오그래피, 2013.)

① A　　② B　　③ C　　④ D　　⑤ E

05 문화 차이의 원인이 되는 환경과 그 요소를 바르게 연결한 것은?

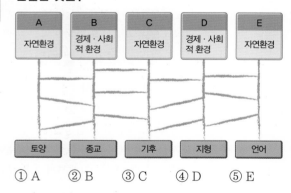

① A　　② B　　③ C　　④ D　　⑤ E

06 지역에 따라 다양한 문화가 나타나는 원인으로 가장 적절한 것은?

① 문화의 접촉　　② 문화의 전파
③ 자연환경의 차이　　④ 동일한 민족과 종교
⑤ 유사한 언어의 사용

07 다음과 같은 현상이 나타나는 이유로 가장 적절한 것은?

> 동남아시아 문화 지역에서는 인접한 인도와 중국의 영향을 많이 받아 이들 나라와 비슷한 문화 현상이 많이 나타난다. 또한 이 문화 지역 주민들은 주로 벼농사를 지으며 쌀을 주식으로 한다.

① 서양 문화를 적극적으로 수용한 결과이다.
② 하나의 종교를 믿으며 유대감이 높기 때문이다.
③ 지역 간의 교류가 감소하는 추세이기 때문이다.
④ 세계 인구 규모가 빠르게 늘어나고 있기 때문이다.
⑤ 지리적으로 가까운 지역 간에는 비슷한 문화가 나타나기 때문이다.

08 문화에 대한 설명으로 옳지 <u>않은</u> 것은?

① 문화는 고정된 것이 아니라 계속 변화한다.
② 한 지역의 문화와 다른 지역의 문화가 만나는 현상은 문화 접촉에 해당한다.
③ 최근 문화 접촉과 문화 전파의 기회가 많아지는 문화의 세계화 현상이 나타나고 있다.
④ 문화 요소가 다른 지역으로 이동하여 그 사회의 문화로 정착하는 것을 문화 갈등이라고 한다.
⑤ 한 지역의 문화가 전파되면서 기존의 문화를 변형시키거나 새로운 문화를 만들어 내는 것을 문화 변용이라고 한다.

09 문화 변용의 사례로 옳은 것을 〈보기〉에서 고른 것은?

> **보기**
> ㄱ. 전 세계인이 즐겨 마시는 음료인 커피
> ㄴ. 전 세계인이 즐겨 입는 의복으로 자리 잡은 청바지
> ㄷ. 유목민의 이동식 가옥에서 여가를 위해 재탄생한 텐트
> ㄹ. 아프리카 전통 음악과 군악대 연주 기법이 결합된 재즈

① ㄱ, ㄴ   ② ㄱ, ㄷ   ③ ㄴ, ㄷ
④ ㄴ, ㄹ   ⑤ ㄷ, ㄹ

10 다음 자료와 관련이 있는 용어로 옳은 것은?

미국 광부의 작업복으로 제작되었던 청바지는 오늘날 전 세계인이 즐겨 입는 의복으로 자리 잡았다.

① 한류
② 문화 변용
③ 문화 접촉
④ 문화 전파
⑤ 문화 갈등

11 다음 사례와 관련이 있는 용어로 옳은 것은?

> 라틴 아메리카를 침략한 에스파냐인들은 그 지역의 원주민들에게 가톨릭교를 강요하였다. 그 결과 전통 신앙과 새로운 종교가 결합되어 멕시코 과달루페 성모상과 같이 원주민의 피부색을 닮은 성모상이 탄생하게 되었다.

① 다문화   ② 문화 접촉   ③ 문화 갈등
④ 문화 변용   ⑤ 문화 전파

고난도 12 다음 내용과 유사한 사례로 옳은 것을 〈보기〉에서 모두 고른 것은?

> 남태평양의 원주민들은 자신들의 조상이 새를 통해 선물을 보내 준다는 원시 신앙을 갖고 있었다. 이후 원주민들은 서양 문화와의 접촉을 통해 새로운 운송 수단을 접하게 되면서 조상이 비행기나 배를 통해 선물을 보내 줄 것을 기원하는 의식을 행하게 되었다.

> **보기**
> ㄱ. 건조 기후 지역에서 흙벽돌집을 짓는다.
> ㄴ. 떡과 케이크가 혼합된 떡케이크가 판매된다.
> ㄷ. 우리나라 사람들도 종종 피자 같은 외국 음식을 먹는다.
> ㄹ. 우리나라의 김치 문화와 서양의 냉장고가 만나 김치 냉장고가 만들어졌다.

① ㄱ, ㄴ   ② ㄱ, ㄷ   ③ ㄴ, ㄹ
④ ㄱ, ㄴ, ㄷ   ⑤ ㄱ, ㄴ, ㄷ, ㄹ

13 세계화가 문화 변용에 미치는 영향으로 옳지 <u>않은</u> 것은?

① 활발한 문화 교류가 증가하고 있다.
② 지역의 개성이 점점 사라질 수도 있다.
③ 세계화는 우리 문화 발전의 기회가 될 수 있다.
④ 한 지역의 전통문화가 사라지는 부작용도 나타난다.
⑤ 문화 교류가 증대됨에 따라 문화 갈등은 급격히 감소하고 있다.

14 다음은 어떤 나라의 여권이다. 이 나라에 대한 설명으로 옳은 것은?

① 공공장소에서의 히잡 착용을 금지하고 있다.
② 아시아계 주민 비율이 높게 나타나는 지역이다.
③ 벼농사를 주로 지으며 쌀을 주식으로 하고 있다.
④ 학교에서 의무적으로 다른 공용어를 배우도록 하고 있다.
⑤ 해상 교통의 요지로 노동력 확보를 위해 이민 정책을 적극 장려하였다.

15 다음 지역에서 공통으로 나타나는 문화에 대한 설명으로 옳은 것은?

① 수시로 문화의 우열을 가리려고 한다.
② 자신의 문화만 무조건 옳다고 생각한다.
③ 서로 다름을 인정하고 공존하려고 한다.
④ 언어로 인한 갈등이 자주 발생하는 지역이다.
⑤ 경제적 이권 문제와 결부되면서 문화 집단 간의 갈등이 심각하다.

16 다음과 같은 사례와 관련이 있는 용어로 옳은 것은?

> 스위스 헌법에는 각 주에서 그들의 공식 언어를 지정하도록 하였으며, 정부는 소수 언어를 보호하도록 의무를 부과하였다. 공공 문서의 경우 독일어, 프랑스어, 이탈리아어, 로만슈어의 네 가지 공용어로 동시에 발행하고 있다.

① 문화 공존 ② 문화 갈등 ③ 문화 변용
④ 문화 지역 ⑤ 문화 전파

17 다음과 같이 15개의 언어가 적힌 화폐를 사용하는 나라를 지도에서 고르면?

① A ② B ③ C ④ D ⑤ E

18 다음 글의 밑줄 친 현상을 해결하기 위해 우리에게 필요한 자세로 가장 적절한 것은?

> 우리나라는 외국인의 거주 비율이 증가하면서 빠르게 다문화 사회로 변해 가고 있다. <u>우리나라에 거주하는 외국인에게 우리 문화에 적응할 것만을 강요하게 되면, 그들의 고유문화가 사라지고 위협받는 문제가 발생할 수 있다.</u>

① 외국인의 취업을 위해 일자리를 제공한다.
② 이주한 외국인들의 언어를 공용어로 지정한다.
③ 외국인들에게 우리나라 문화를 무상으로 가르친다.
④ 우리도 외국인의 문화를 인정하고 이해하기 위해 노력해야 한다.
⑤ 외국인들이 우리나라에 적응하는 데 도움이 될 수 있는 지원 센터를 운영한다.

19 지도에 표시된 A 문화 지역의 특징을 제시된 단어를 모두 포함하여 서술하시오.

- 종교   • 언어   • 인종

20 다음 사례에 해당하는 문화 지역을 아래 지도에서 찾아 쓰고, 밑줄 친 ㉠의 이유를 자연환경 측면에서 서술하시오.

> 알라를 유일신으로 하는 이슬람교를 주로 믿으며, ㉠ 돼지고기를 금기시하고 있어요.

(휴먼 지오그래피, 2013.)

21 다음 글의 ㉠에 들어갈 용어를 쓰고, 이와 같은 현상에 따라 나타날 수 있는 긍정적 영향과 부정적 영향을 서술하시오.

> 세계 어디를 가더라도 커피와 햄버거를 쉽게 먹을 수 있고, 전 세계인의 대부분이 양복에 넥타이를 하는 것을 정장 차림으로 인식하고 있다. 이처럼 세계 여러 지역의 문화를 전 세계인이 공유하는 현상을 문화의 (㉠)(이)라고 한다.

22 다음 글의 밑줄 친 ㉠과 같은 현상을 무엇이라고 하는지 쓰고, 이와 같은 문화 현상이 우리나라에 가져올 수 있는 긍정적인 영향을 서술하시오.

> ㉠ 우리 문화가 해외로 전파되어 인기리에 소비되는 현상을 말한다. 영화, 드라마, 음악에서부터 최근에는 패션, 음식, 한글에 이르기까지 우리 문화가 전 세계로 퍼지고 있다.

23 다음 글의 ㉠에 들어갈 용어를 쓰고, 그 용어에 해당하는 구체적인 사례를 두 가지 서술하시오.

> 문화가 한 지역에서 다른 지역으로 전파될 때 그 문화가 그대로 이식되는 경우도 있지만, 거부 또는 부분 수용, 재해석과 절충 등이 나타나는 것이 일반적이다. 그 결과 기존의 문화가 변형되거나 새로운 문화가 만들어지는 것을 (㉠)(이)라고 한다.

24 다음과 같은 특징이 나타나는 문화 현상을 무엇이라하는지 쓰고, 이를 해결하기 위해 가져야 할 자세를 아래에 제시된 단어를 모두 포함하여 서술하시오.

> 팔레스타인 지역은 이슬람교를 믿는 팔레스타인 사람들이 살던 지역이었으나, 제2차 세계 대전 이후 유대교를 믿는 이스라엘이 건국되면서 팔레스타인 사람들을 쫓아내어 지금까지도 갈등이 계속되고 있다.

- 차이   • 자기 문화
- 문화의 우열   • 개방적 문화 태도

5

이 단원을 배우면

자연재해의 주요 발생 지역을 알고 발생 원인을 설명할 수 있어요. 그리고 자연재해가 주민 생활에 미치는 영향과 그에 적응하거나 극복하는 주민 생활 사례를 분석할 수 있어요.

지구 곳곳에서 일어나는 자연재해

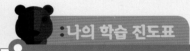 **:나의 학습 진도표**

중단원명	학습 코너	쪽수	학습 예정일	학습 완료일	달성도
01 자연재해의 발생 지역	꼼꼼! 필기 노트	88쪽	◯ 월 ◯ 일	◯ 월 ◯ 일	☆☆☆☆☆
	탄탄! 활동 노트	89쪽	◯ 월 ◯ 일	◯ 월 ◯ 일	☆☆☆☆☆
	쑥쑥! 실력 키우기	90~91쪽	◯ 월 ◯ 일	◯ 월 ◯ 일	☆☆☆☆☆
02 자연재해와 주민 생활	꼼꼼! 필기 노트	92쪽	◯ 월 ◯ 일	◯ 월 ◯ 일	☆☆☆☆☆
	탄탄! 활동 노트	93쪽	◯ 월 ◯ 일	◯ 월 ◯ 일	☆☆☆☆☆
	쑥쑥! 실력 키우기	94~95쪽	◯ 월 ◯ 일	◯ 월 ◯ 일	☆☆☆☆☆
03 자연재해에 대한 대응 방안	꼼꼼! 필기 노트	96쪽	◯ 월 ◯ 일	◯ 월 ◯ 일	☆☆☆☆☆
	탄탄! 활동 노트	97쪽	◯ 월 ◯ 일	◯ 월 ◯ 일	☆☆☆☆☆
	쑥쑥! 실력 키우기	98~99쪽	◯ 월 ◯ 일	◯ 월 ◯ 일	☆☆☆☆☆
뚝딱! 단원 마무리하기		100~103쪽	◯ 월 ◯ 일	◯ 월 ◯ 일	☆☆☆☆☆

01 자연재해의 발생 지역

이것이 포인트!
• 지형 관련 재해가 자주 발생하는 지역
• 기후 관련 재해가 자주 발생하는 지역

✚ 지진
지각 또는 맨틀 내의 암석의 파괴로 지진이 발생한다. 이러한 지진이 발생한 지점을 진원(震源)이라고 하고, 진원 바로 위 지표점을 진앙(震央)이라고 한다.

✚ 지각판(板)
플레이트(plate)라고도 하며, 지구 표면을 둘러싸고 있는 표면으로 대륙 지각판과 해양 지각판이 있다. 해양판은 대륙판보다 얇고 밀도가 높아서 해양판과 대륙판끼리 충돌하면 해양판이 대륙판의 밑으로 가라앉는다.

✚ 환태평양 조산대
태평양을 둘러싸고 있는 조산대로, 대륙 지각과 해양 지각의 충돌이 잦아 지진과 화산 활동이 자주 발생하기 때문에 '불의 고리'라고 불린다.

✚ 계절풍(Monsoon)
대륙과 해양의 온도 차로 인해 계절에 따라 방향이 바뀌는 바람이다. 여름에는 바람이 바다에서 육지 쪽으로 불고, 겨울에는 육지에서 바다 쪽으로 분다.

✚ 열대 저기압
지역에 따라 부르는 이름이 다른데, 필리핀 동쪽 해상에서 발생하는 것은 태풍, 인도양 연안에서 발생하는 것은 사이클론, 대서양 연안에서 발생하는 것은 허리케인이라고 불린다.

콕콕! 핵심 개념

1 판과 판이 만나 충돌이 발생하는 곳을 □□□라고 한다.

2 □□□□은 해저 지진으로 발생한 거대한 파도가 해안 지역을 덮치는 현상이다.

3 □□ □□□□은 열대 해상에서 발생하여 중위도 지역으로 이동한다.

1 자연재해의 의미와 구분

1 자연재해의 의미 급작스런 기상 변화나 지각 변동과 같이 기후, 지형, 토양 등의 자연환경 요소들로 인해 인간 생활에 큰 피해를 주는 자연 현상

2 자연재해의 구분 지형 관련 자연재해(지진✚, 지진 해일, 화산 활동 등), 기후 관련 자연재해(홍수, 가뭄, 태풍, 폭설 등)
→ 판끼리 만나 지각이 불안정한 경계 부분(조산대)에서 화산, 지진, 지진 해일에 의한 자연재해가 발생하고 있어요.

2 지형과 관련된 자연재해

1 지형 관련 자연재해 → 지구를 둘러싼 가장 바깥층인 지각은 여러 개의 판으로 구성되어 있어요.
(1) **발생 지역:** 지각판✚이 충돌하거나 분리되는 곳에서 발생함, 판과 판이 충돌하는 곳을 ① □□□□ 라고 함
(2) **조산대의 종류:** 환태평양 조산대와 알프스·히말라야 조산대

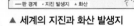
▲ 세계의 지진과 화산 발생지

2 지형 관련 자연재해의 종류
(1) ② □□□□ : 지구 내부의 힘이 작동하여 땅이 흔들리거나 갈라지는 현상 → 도로·건물 붕괴, 산사태, 각종 시설물 파괴로 화재 발생 등
(2) **지진 해일:** 해저에서 발생한 지진으로 바닷물이 요동치면서 거대한 파도가 되어 해안 지역을 덮치는 현상
→ '쓰나미(tsunami)'라고도 해요. 속도가 매우 빠르고 수천 km 떨어진 곳까지 영향을 주기 때문에 큰 피해를 발생시켜요.
(3) ③ □□□ **활동:** 지하 깊은 곳에 있던 마그마가 지각의 갈라진 틈을 뚫고 분출하는 현상으로 용암이나 화산재, 화산 가스가 분출됨 → 건물 파괴, 항공기 운항에 차질, 일사량 감소로 인한 기후 변화 등

3 기후와 관련된 자연재해의 종류

1 ④ □□ → 주로 계절풍과 열대 저기압의 영향을 받는 아시아 지역이나 해발 고도가 낮은 큰 강 하류에서 발생해요.
(1) **의미:** 많은 비로 불어난 하천이 주변 지역으로 흘러넘치는(범람) 현상을 말함 → 농경지와 가옥 침수, 산사태 등 피해 발생
(2) **발생 지역:** 열대 저기압과 계절풍✚의 영향을 받는 지역, 큰 하천 하류의 저지대 등

2 가뭄 → 피해 범위가 넓고, 오랜 시간에 걸쳐 피해를 입혀요.
(1) **의미:** 비가 적게 내리거나 내리지 않아 물이 부족해지는 현상
(2) **발생 지역:** 건조 기후 지역인 위도 10~15° 지역, 수분 공급이 원활하지 않은 내륙 지역 등

3 열대 저기압✚
(1) **의미:** 열대 지역의 따뜻한 바다에서 발생하여 ⑤ □□□□ 지역으로 이동하는 저기압 → 많은 비와 강한 바람을 동반하여 풍수해를 일으킴 → 바람과 물로 인해 발생하는 피해를 말해요.
(2) **긍정적 영향:** 물 부족 현상과 무더위 해소, 적조 현상 완화, 지구의 열적 균형 유지 등
→ 저위도 지역에 축적된 대기 중의 열에너지를 고위도 지역으로 운반하여 지구의 열적 균형을 유지시켜 주어요.

탄탄! 활동 노트

활동 ① 다음은 어떤 자연재해에 대한 자료이다. 물음에 답해 보자.

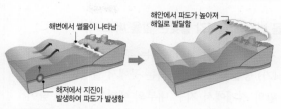

　　❶⬚⬚⬚⬚⬚⬚⬚은(는) 지진에 의해서 생기는 해일이다. 1946년 태평양 주변에서 일어난 알류산 열도 지진 해일이 당시까지 관측된 자연재해로는 사상 최대 규모의 희생자를 내자, 세계 주요 언론들은 '쓰나미(Tsunami, 津波)'라는 표현을 사용하기 시작하였다. 쓰나미는 '해안(津)'을 뜻하는 일본어 '쓰(tsu)'와 '파도(波)'의 '나미(nami)'가 합쳐진 말로, 지진 해일로 번역된다. 보통 ❷⬚⬚⬚⬚⬚⬚에서 지진이 발생하거나 화산이 폭발하면 해수면이 위아래로 급격하게 출렁거리게 된다. 이때 발생한 산더미 같은 거대한 ❸⬚⬚⬚⬚⬚⬚(이)가 해안 지역을 덮치면 무수히 많은 인명과 재산 피해를 가져오게 되는데, 이것이 바로 지형 관련 자연재해인 지진 해일이다.

▲ 지진 해일의 발생 과정

1 위 글의 빈칸에 들어갈 알맞은 말을 써 보자.

2 위 자료를 바탕으로 일본과 같이 태평양을 둘러싼 지역에 위치한 나라들에서 지진 해일이 자주 발생하는 이유를 설명해 보자.

활동 ② 다음은 열대 저기압의 어원과 우리나라를 지나간 주요 태풍의 이동 경로를 나타낸 지도이다. 물음에 답해 보자.

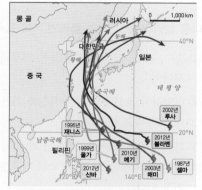

　　우리나라에서 태풍으로 잘 알려진 열대 저기압의 영어 표현은 'Typhoon'이다. 'Typhoon'이라는 말은 그리스 신화의 티폰(Typhon)에서 그 유래를 찾을 수 있다. 대지의 여신인 가이아(Gaia)와 거인족 타르타루스(Tartarus) 사이에서 태어난 티폰(Typhon)은 백 마리 뱀의 머리와 강력한 손과 발을 가진 용으로 아주 사악하고 파괴적이었는데, 제우스(Zeus)신의 공격을 받아 불을 뿜어내는 능력은 빼앗기고 폭풍우 정도만을 일으킬 수 있게 되었다. 이 '티폰(Typhon)'을 파괴적인 폭풍우와 연관시킴으로써 'taifung'을 끌어들여 'typhoon'이라는 영어 표현을 만들어 냈다. 이러한 열대 저기압은 발생하는 지역에 따라 부르는 이름이 다른데, 대서양 연안에서는 ❶⬚⬚⬚⬚⬚⬚, 인도양 연안에서는 ❷⬚⬚⬚⬚⬚⬚이라고 부른다.

▲ 우리나라를 지나간 주요 태풍의 이동 경로

1 위 글의 빈칸에 들어갈 알맞은 말을 써 보자.

2 다음 글의 괄호 안에 들어갈 알맞은 말을 골라 보자.

　　위와 같은 열대 저기압은 (냉대 | 열대) 지역의 바다 위에서 공기가 데워져 형성된 후, (저위도 | 중위도) 지역으로 이동하며 피해를 입힌다. 강한 바람과 많은 (눈 | 비)을(를) 동반하는데, 이동 경로를 정확히 예측하기가 어려워 큰 피해가 발생하기도 한다.

1 STEP 개념을 되짚는 확인 문제

01 다음 빈칸에 들어갈 알맞은 말을 써 보자.

(1) 지형과 관련된 자연재해는 주로 ( )이 (가) 충돌하거나 분리되는 곳에서 발생한다.

(2) 판의 경계에서 지구 내부의 에너지에 의해 땅이 흔들리거나 갈라지는 현상을 ( )(이)라고 한다.

(3) ( )은(는) 오랫동안 비가 내리지 않아 물이 부족해지는 현상으로 기후와 관련된 자연재해이다.

02 다음에서 설명하는 용어를 써 보자.

(1) 열대 지역의 따뜻한 바다에서 발생하여 중위도 지역으로 이동하며, 강풍과 많은 비를 동반한다.

( )

(2) 해저에서 발생한 지진으로 인해 발생한 거대한 파도가 해안 지역을 덮치는 자연재해이다.

( )

03 다음 설명이 옳으면 ○, 틀리면 ×에 표시해 보자.

(1) 홍수, 가뭄, 열대 저기압 등은 기후와 관련된 자연재해이다. (○ | ×)

(2) 히말라야 조산대는 잦은 지진과 화산 활동으로 '불의 고리'라고 불린다. (○ | ×)

(3) 화산이 폭발하면 용암, 화산 가스 등에 의해 시설물이 파괴되고 일사량 감소로 기후 변화가 나타나기도 한다. (○ | ×)

04 다음 괄호 안에 들어갈 알맞은 말을 골라 보자.

(1) 판과 판이 충돌하는 곳을 (해수면 | 조산대)(이)라고 한다.

(2) 하천이 범람하여 발생하는 (홍수 | 열대 저기압)은(는) 주로 아시아 계절풍 기후 지역이나 큰 강 하류의 저지대 등에서 발생한다.

(3) 우리나라에서 (가뭄 | 태풍)이 발생하면 더위가 해소되고 적조 현상이 완화되는 긍정적인 효과도 있다.

2 STEP 기초를 다지는 기본 문제

01 자연재해에 대한 설명으로 옳지 않은 것은?

① 천재지변이라고도 한다.
② 자연재해는 인간에게 피해만 안겨 준다.
③ 갑작스러운 지각 변동으로 피해가 발생한다.
④ 지진, 지진 해일, 화산 활동은 지형과 관련된 자연재해이다.
⑤ 다양한 자연 현상이 인간과 인간 생활에 피해를 주는 것을 말한다.

 02 다음 글의 ㉠에 해당하는 재해가 아닌 것은?

> 자연재해는 ㉠ 지형과 관련된 자연재해와 기후와 관련된 자연재해로 구분할 수 있다.

① 지진 ② 가뭄 ③ 산사태
④ 지진 해일 ⑤ 화산 활동

 03 다음 지도와 관련된 자연재해에 대한 설명으로 옳지 않은 것은?

① 환태평양 조산대는 '불의 고리'라고도 불린다.
② 지구가 하나의 판으로 구성되어 있음을 알 수 있다.
③ 건물 붕괴, 산사태 등과 같은 피해를 가져오기도 한다.
④ 판과 판의 경계 부근은 지진과 화산 활동이 많음을 알 수 있다.
⑤ 지진 발생 지역이 지도상의 조산대와 대체로 일치함을 알 수 있다.

04 다음과 같은 자연재해에 대한 설명으로 가장 적절한 것은?

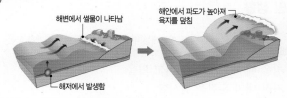

① 홍수의 발생 과정을 보여 준다.

② 가뭄과 발생 원인이 같은 자연재해이다.

③ 일본, 인도네시아 해안 등지에서 발생할 가능성이 높다.

④ 수분 공급이 원활하지 않은 내륙 지역에서 주로 발생한다.

⑤ 현재의 과학 기술로는 예측이 불가능하지만 피해는 줄어들고 있다.

05 자연재해에 해당하는 사례로 옳은 것을 〈보기〉에서 모두 고른 것은?

> **보기**
> ㄱ. 부실 공사로 댐이 무너져 내렸다.
> ㄴ. 폭우로 하천이 흘러넘쳐 가옥이 침수되었다.
> ㄷ. 몇 달째 비가 오지 않아 농작물 피해가 발생하였다.
> ㄹ. 갑자기 지진이 발생하여 주차해 둔 차량이 파손되었다.

① ㄱ, ㄴ   ② ㄱ, ㄷ   ③ ㄴ, ㄷ
④ ㄴ, ㄷ, ㄹ   ⑤ ㄱ, ㄴ, ㄷ, ㄹ

06 다음 글의 ㉠에 공통으로 들어갈 용어로 옳은 것은?

> (㉠)은(는) 대표적인 자연재해이지만, 긍정적인 영향을 주는 경우도 있다. (㉠)이(가) 지나가면 무더위와 가뭄이 해소되고, 적조 현상이 완화되기도 한다.

① 태풍   ② 가뭄   ③ 지진
④ 산사태   ⑤ 지진 해일

:3 STEP 실력을 완성하는 **주관식·서술형 문제**

07 A 조산대의 명칭을 쓰고, A 지역에서 자주 발생하는 자연재해의 종류를 세 가지 서술하시오.

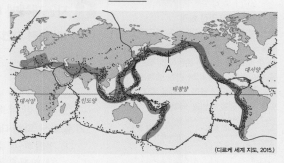

(디르케 세계 지도, 2015.)

08 다음은 어떤 자연재해에 대한 국민 행동 요령이다. ㉠에 공통으로 들어갈 자연재해를 쓰고, 발생 원인과 발생 지역을 서술하시오.

> 〈재난 대비 국민 행동 요령〉
> • (㉠) 피해가 예상되는 지역 주민들은 대피 준비를 하고, 물이 집 안으로 흘러들어가는 것을 막기 위한 모래주머니나 튜브 등을 미리 준비해 둡시다.
> • (㉠)(으)로 침수된 지역에서 자동차를 운전하지 맙시다.
> • 갑작스런 (㉠)이(가) 발생하면 높은 곳으로 빨리 대피합시다.
> • (㉠)에 의해 밀려온 물에 가까이 가지 않도록 주의합시다.

09 다음 지도와 관련이 있는 자연재해의 명칭을 쓰고, 발생과 이동의 특징을 서술하시오.

(디르케 세계 지도, 2010 / 기상 기후 백과사전, 2011)

02 자연재해와 주민 생활

1 자연재해에 대비하는 주민 생활

1 지형 관련 자연재해 대비책

(1) **❶ _____ 피해 대비책**

➡ 최근에는 내진 설계 이외에 면진 설계를 하는 건물도 점차 증가하고 있다고 해요.

① 내진 설계: 건물을 새로 지을 때 내진 설계를 하고 있음
② 지진 대피 훈련: 수시로 지진 대피 훈련을 실시함
③ 정밀한 예보 체계 및 지진 발생 시 적용할 수 있는 지진 복구 체계를 마련함

(2) **활화산 피해 대비책**
① 정확한 예측 시스템 구축: 지열 변화와 땅의 흔들림을 수시로 측정 및 분석하여 화산 활동을 예측함 → 무인 관측소, 연구소 운영 등
② 철저한 대피 훈련 실시, 대피소 마련 등

2 기후 관련 자연재해 대비책

(1) **❷ _____ 피해 대비책**

➡ 아스팔트나 콘크리트로 포장된 면적을 줄이고 녹지를 조성하거나 배수 시설 정비를 통하여 홍수의 위험을 낮추는 방법이 있어요.

① 댐과 제방 건설, 저수지 건설, 하천 정비, 배수 시설 정비 등
② 녹색 댐 역할을 하는 숲을 조성하여 하천 수량을 조절함 예 빗물 정원, 식생 도랑 등

(2) **가뭄 피해 대비책**: 삼림 녹화 사업, 토양 침식 방지, 저수지 및 다목적 댐 건설, 물과 삼림 자원의 체계적 관리 등

2 자연재해와 어울려 사는 주민 생활

1 홍수를 긍정적으로 활용하는 주민 생활 모습

(1) **비옥한 평야 형성**: 하천의 범람으로 유기물이 쌓이게 되면 토지가 비옥해져 농업 생산량이 증가함 → 고대 문명의 발생

➡ 고대 문명의 발상지는 주기적으로 범람하는 큰 강 유역에 발달해 있어요. 즉 홍수를 잘 통제하기만 하면 긍정적인 기능도 많음을 알 수 있어요.

(2) **물 부족 문제 해결**: ❸ _____를 잘 통제할 수 있다면, 농업 용수와 식수를 풍족하게 할 수 있음

2 화산 활동을 긍정적으로 활용하는 주민 생활 모습

(1) **비옥한 ❹ _____ 형성**
① 농업에 유리: 화산 분출물이 토양을 비옥하게 하여 농업에 유리한 환경을 만들어 줌
② 포도 재배: 이탈리아 시칠리아섬의 에트나 화산 지역에서 재배된 포도로 만든 와인은 품질이 좋기로 유명함

(2) **지열 발전**
① 화산 활동에 의한 지하수를 이용하여 전기를 생산하고, 난방 등에 활용함
② 대표적인 지역: 아이슬란드, 일본, 뉴질랜드 등

(3) **자원 채굴**: 인도네시아 자바섬의 카와이젠 화산에서는 품질 좋은 유황이 다량 생산됨

(4) **❺ _____으로 활용**

➡ 비금속 원소로 화약과 성냥의 원료, 약용·농약·펄프 제조 등에 사용되는데, 지역 주민들의 주요 수입원이에요.

① 화산에 의해 형성되는 독특한 화산 경관, 온천 등을 활용한 관광 산업 발달
② 환태평양 조산대에 속하여 지진과 화산 활동이 잦은 일본에는 곳곳에 온천이 발달하였으며, 이를 개발하여 관광지로 활용함

+ 내진 설계와 면진 설계
내진 설계는 지진에 견딜 수 있도록 건축물의 내구성을 높이거나 충격을 흡수할 수 있도록 건물을 튼튼하게 짓는 것을 의미한다. 그에 비해 면진 설계는 지진의 진동이 구조물에 영향을 주지 않도록 하는 건축 방법을 의미한다.

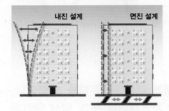

내진 설계 / 면진 설계

+ 녹색 댐
조성된 삼림 위로 비가 오면 물을 저장하였다가 서서히 흘려보내는 기능을 하는 것이 댐과 유사하다고 하여 붙여진 명칭이다. 아스팔트, 콘크리트 포장 면적을 줄이고 빗물 정원 등의 녹지를 조성하면 홍수 피해를 줄일 수 있다.

+ 고대 문명
세계 4대 문명은 이집트 문명(나일강), 메소포타미아 문명(티그리스·유프라테스강), 인더스 문명(인더스강), 황허 문명(황허강)을 말한다. 이러한 고대 문명은 모두 큰 하천 주변에서 농업 발달과 함께 성장하였다.

+ 지열 발전
환경 오염이 적고 생산 비용이 저렴하여 경제성이 높으며 지속 가능한 에너지 자원이다.

콕콕! 핵심 개념

1 지진 발생 시 피해를 줄이기 위해 건물을 지을 때 □□ □ □를 하고 있다.

2 □□를 잘 통제하면 지하수와 식수를 풍족하게 활용할 수 있다.

3 화산 활동에 의한 지하수를 이용하여 전기를 생산하는 것을 □□ □□이라고 한다.

탄탄! 활동 노트

활동 ① 다음은 지진과 관련된 글이다. 물음에 답해 보자.

> **내진 설계 건축법**
>
> 지진에 견딜 수 있도록 건축물의 내구성을 높이거나 충격을 흡수하는 설비를 설치하도록 설계하는 것을 ❶[   ]라고 한다. 지진은 상하 진동보다 ❷[   ]에 의한 피해가 더 크기 때문에 건축물을 지을 때 건축물 내부의 가로축을 튼튼하게 만들어 건축물을 강화해야 한다.
>
> 우리나라에서 전통 건축물을 지을 때 사용했던 ㉠ 결구법이나 ㉡ 그랭이 공법은 지진이 일어났을 때 견디기 위한 대표적인 건축 기법이다. 결구법은 건축물을 이루는 각 목재를 짜 맞추는 것을 말하며, 그랭이 공법은 한옥을 지을 때 기둥의 아랫면을 인위적으로 조작하는 것이 아니라 주춧돌의 생긴 모양에 맞게 파서 밀착시키는 기술이다. 이러한 기술들은 건축 자재 사이의 틈을 없애 건축물을 튼튼하게 지탱해 준다.

1 위 글의 빈칸에 들어갈 알맞은 말을 써 보자.

2 위 글을 참고하여 (가), (나) 사진은 각각 어떤 건축 기법에 해당하는지 밑줄 친 ㉠, ㉡ 중에 골라 기호를 써 보자.

(가)

(   )

(나)

(   )

활동 ② 다음은 화산 활동에 대한 자료이다. 물음에 답해 보자.

> (㉠   )
>
> 유럽에서 가장 활발한 화산으로 꼽히는 이탈리아 시칠리아섬의 에트나 화산이 분화해 용암이 분출되었다. 이탈리아 지진 화산 연구소는 에트나 화산의 남동부 분화구에서 2017년 2월 27일 밤, 남동부 분화구에서 폭발이 일어나 화산재가 치솟고 거대한 용암이 분출하는 장면이 생생하게 목격되었다고 밝혔다.
>
> 해발 고도 3,350m의 에트나 화산은 2015년 12월, 약 20년 만에 가장 큰 규모로 분화한 데 이어 지난해 5월에도 분출이 발생하였다. 2015년 말 분출 때에는 화산재가 7㎞ 상공까지 치솟고, 2년 만에 주요 분화구에서 용암이 흘러내려 시칠리아섬과 마주 보고 있는 이탈리아 본토 남단의 레지오 칼라브리아 공항이 마비되기도 하였다.

1 위 글을 읽고 ㉠에 들어갈 제목을 써 보자.

㉠ – (   )

2 위 글의 내용처럼 화산 활동은 인간 생활에 많은 피해를 주고 있지만 긍정적 기능도 있다. 화산 활동의 긍정적 기능에는 어떤 것들이 있는지 서술해 보자.

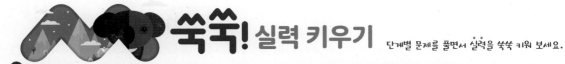

쑥쑥! 실력 키우기

단계별 문제를 풀면서 실력을 쑥쑥 키워 보세요.

·1 STEP 개념을 되짚는 확인 문제

01 다음 빈칸에 들어갈 알맞은 말을 써 보자.

(1) 지진이 자주 발생하는 지역에서는 건물을 지을 때 (　　　　　)을(를) 하여 지진에 대비하고 있다.

(2) (　　　　　)이(가) 잦은 지역에서는 댐과 제방 건설, 녹색 댐 등을 통해 하천의 수량을 조절하고 경보 시스템을 구축하여 예방에 힘써야 한다.

(3) 화산 활동이 활발한 아이슬란드는 난방열과 전력의 상당 부분을 (　　　　　)에서 얻고 있다.

(4) 지진과 화산 활동이 잦은 일본은 (　　　　　)을(를) 개발하여 관광 자원으로 활용하고 있다.

02 다음 설명이 옳으면 ○, 틀리면 ×에 표시해 보자.

(1) 화산 폭발이 일어났던 지역은 토양이 척박하여 농업이 불가능하다. 　　　　　(○ | ×)

(2) 홍수가 잦은 지역에서는 숲을 조성하여 하천의 수량을 조절할 수 있다. 　　　　　(○ | ×)

(3) 고대 문명은 큰 하천이 주기적으로 범람하는 지역에서 발생하였다. 　　　　　(○ | ×)

03 서로 관련 있는 것끼리 연결해 보자.

(1) 일본　　　•　　　• ㉠ 지진 대피 훈련을 주기적으로 실시한다.

(2) 방글라데시　•　　　• ㉡ 하천의 범람에 대비하여 제방을 설치한다.

04 다음 괄호 안에 들어갈 알맞은 말을 골라 보자.

(1) 베트남의 메콩강 하류 지역은 (가뭄 | 홍수) 피해가 빈번하게 발생하는 곳이지만, 전체 인구의 약 30%가 이곳의 비옥한 토지를 이용하여 벼농사를 짓고 있다.

(2) 인도네시아의 카와이젠 화산 지역에서는 화약과 성냥의 원료로 사용되는 (유황 | 철광석)을(를) 다량 생산하고 있다.

:2 STEP 기초를 다지는 기본 문제

01 다음 사진은 어떤 자연재해에 대비하기 위한 훈련인가?

① 가뭄　　　② 지진　　　③ 화산 활동
④ 홍수　　　⑤ 지진 해일

02 다음과 같은 시설물에 대한 설명으로 옳은 것은?

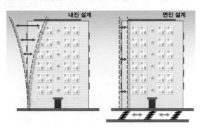

① 지열 발전 시설이다.
② 홍수 피해를 줄일 수 있다.
③ 지진 피해를 최소화할 수 있다.
④ 하천의 범람에 대비하기 위한 시설이다.
⑤ 화산 폭발 시 날아오는 화산재를 막아낼 수 있다.

03 화산 활동에 대비하기 위한 주민들의 노력에 해당하는 사진으로 가장 적절한 것은?

① 　②

③ 　④

⑤

04 홍수 피해를 줄이기 위한 대책으로 가장 적절한 것은?

① 댐과 제방을 건설한다.
② 아스팔트 도로의 설치 비율을 높인다.
③ 지진 대피 훈련을 주기적으로 실시한다.
④ 강풍에 대비하기 위한 시설물을 설치한다.
⑤ 땅의 흔들림을 시시각각 측정하고 분석하여 정확하게 예보한다.

05 다음과 같은 시설을 많이 볼 수 있는 지역은?

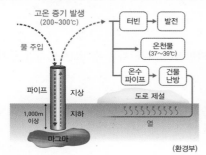

① 괌 　 ② 네덜란드 　 ③ 에스파냐
④ 아이슬란드 　 ⑤ 오스트레일리아

06 (가), (나) 자연재해에 대한 설명으로 옳은 것을 〈보기〉에서 고른 것은?

> (가) 많은 비로 불어난 하천이 주변 지역으로 흘러 넘치는 현상
> (나) 용암이나 화산재 등이 분출되어 피해를 주는 현상

┌─ 보기 ─
ㄱ. (가)로 인해 토양이 비옥해지기도 한다.
ㄴ. (가)를 활용하여 지열 발전을 할 수 있다.
ㄷ. (나)는 인간 생활에 부정적 영향만 끼친다.
ㄹ. (나)를 활용하여 관광 산업에 이용할 수 있다.
└─

① ㄱ, ㄴ 　 ② ㄱ, ㄷ 　 ③ ㄱ, ㄹ
④ ㄴ, ㄷ 　 ⑤ ㄷ, ㄹ

: 3 STEP 실력을 완성하는 주관식·서술형 문제

07 다음 글의 ㉠, ㉡에 들어갈 알맞은 용어를 쓰고, 이 자연재해에 대비하기 위해 학교에서 할 수 있는 노력을 <u>한 가지</u> 서술하시오.

> 지각 또는 맨틀 내 암석의 파괴로 (㉠)이 (가) 발생하는데, (㉠)이(가) 발생한 지점을 진원이라고 하고, 진원 바로 위 지표점을 진앙이라고 한다. (㉠)이(가) 자주 발생하는 지역에서는 건축물을 지을 때 (㉡)을(를) 하고 있다.

08 사진에 나타난 이탈리아 여행을 준비하는 학생이 여행사 직원에게 사전 준비 단계로 인터뷰를 하였다. (가)~(다) 질문에 대한 답을 서술하시오.

▲ 이탈리아의 베수비오 화산 일대

> (가) 여행지가 화산 인근에 있는데, 만약 화산 활동이 일어나면 어떤 피해가 발생하나요?
> (나) 화산이 다시 활동할 수도 있는데, 여전히 사람들이 거주하는 이유는 무엇인가요?
> (다) 혹시라도 화산 폭발 시 발생할 수 있는 피해를 줄이기 위해 어떤 노력을 하고 있나요?

09 다음 사진은 어떤 자연재해의 피해를 줄이기 위한 대책인지 쓰고, 그 외의 대비책을 <u>두 가지</u> 서술하시오.

O3 자연재해에 대한 대응 방안

이것이 포인트!
- 인간 활동에 의한 자연재해
- 자연재해의 피해를 줄일 수 있는 지속 가능한 삶터 조성

꼼꼼! 필기 노트

＋ 도시 홍수의 발생 원인

▲ 도시화에 따른 빗물 흡수 능력 비교

도시화에 따라 포장 면적이 증가하면 빗물이 토양으로 잘 흡수되지 못하고 대부분 하천으로 유입되어 홍수의 위험이 증가한다.

＋ 포장 면적
도시화로 건물, 포장도로, 제방 등이 들어서면서 수분이 통과하지 못하는 면적을 말한다.

＋ 사헬 지대
아랍어로 '변두리'라는 뜻으로 세계 최대의 사막인 사하라 사막 남쪽 가장자리에 위치한다. 사헬 지대는 지구상에서 가뭄 피해가 가장 극심한 지역이다.

＋ 사막화 방지 협약
인간의 무분별한 개발과 기후 변화로 인한 사막화 방지를 위해 체결된 협약이다. 1994년 제49차 유엔 총회에서 사막화 방지 협약(UNCCD)을 채택하고, 6월 17일을 사막화 방지의 날로 정하였다.

콕콕! 핵심 개념

1 도시화에 따른 도로 포장 면적이 확대되면 땅속으로 흡수되지 못한 물이 일시에 불어나 □□□□가 발생한다.

2 사막이 주변 지역으로 확대되어 토지가 사막처럼 변하는 현상을 □□□라고 한다.

3 도시의 물 순환을 자연 상태에 가깝게 하여 지속 가능한 □□를 만드는 것이 중요하다.

---

1 인간의 활동과 자연재해

1 도시 홍수와 가뭄

(1) **발생 원인**: 산업화 및 ⟨❶ ⟩, 인간의 무분별한 개발 행위 등으로 환경이 파괴되면서 도시 홍수와 가뭄 피해가 발생함

(2) **도시 홍수의 발생 과정** → 도시화, 산업화로 인한 환경 파괴로 홍수 발생 위험이 점점 증가하고 있어요.

| 인간의 무분별한 개발 행위로 인해 자연 상태와는 다른 물의 순환 발생 | ➡ | 포장 면적이 확대되면서 ＋ 땅속으로 흡수되는 물의 양이 감소함 | ➡ | 집중 호우가 내리면 땅속으로 흡수되지 못한 많은 양의 빗물이 도로와 하수도를 통해 곧장 강으로 흘러들어감 | ➡ | 일시에 급격히 불어난 강물은 도시 홍수가 되어 피해를 발생시킴 |

(3) **가뭄**: 도시에 저장된 물이 부족하면 토양과 하천이 수시로 메마르고 건조해지는 가뭄이 발생함

2 ⟨❷ ⟩

(1) **의미**: 사막이 주변 지역으로 확대되면서 농사를 지을 수 없는 토지가 증가하여 사막처럼 바뀌어 가는 현상

(2) **원인**
　① 인구 ⟨❸ ⟩로 더 많은 농경지와 목초지가 필요해짐에 따라 지나치게 나무를 베고 농경지를 개척하면서 삼림과 초원이 파괴됨
　② ⟨❹ ⟩에 따른 극심한 가뭄이 오래 지속되면서 사막화가 더욱 심해짐

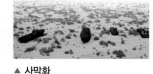
▲ 사막화

(3) **피해 지역**: 사하라 사막 남쪽의 사헬 지대, 중앙아시아 초원 아랄해 등 → 주변 농경지 확장으로 호수로 유입되는 물의 양이 줄어들어 호수 면적이 1/10로 축소되었어요.

(4) **해결을 위한 노력**: 세계 각국은 사막화 방지 협약을 체결하고 조림 사업 등과 같은 노력을 기울이고 있음, 인류 공동의 문제로 인식하고 대처하는 자세가 필요함
→ 나무를 심거나 씨를 뿌려 숲을 만드는 사업을 말해요.

2 자연재해로 인한 피해를 줄일 수 있는 지속 가능한 삶터

1 ⟨❺ ⟩ 삶터 만들기

(1) **자연과의 긍정적 상호 작용**: 무분별한 개발을 지양하고 도시 내에서도 자연과의 긍정적 상호 작용이 일어날 수 있도록 하는 개발 방식이 각광받고 있음

(2) **도시 홍수의 피해를 줄이기 위한 노력**: 도시의 물 순환 구조를 자연 상태에 가깝도록 조성함
　① ⟨❻ ⟩ 공원: 빗물을 토양으로 최대한 많이 침투시키기 위해 빗물 저장 공원 등 도시 곳곳에 빗물을 저장할 수 있는 공간 조성
　② 빌딩 옥상 정원: 빌딩의 옥상에도 정원을 만들어 빗물을 저장하고 도시의 평균 기온도 낮춤
　③ 투수성 아스팔트 설치: 기존 포장도로의 아스팔트를 물이 투과할 수 있는 소재로 교체함
　→ 땅을 오목하게 조성한 후 잔디, 나무 등을 심어 빗물이 서서히 지하로 스며들게 하는 빗물 정원 등을 많이 만들고 있어요.

2 사례 지역　우리나라의 양재천 → 직선화된 물길을 원래의 흐름으로 복구함

탄탄! 활동 노트

활동 1 다음은 사막화에 대한 자료이다. 물음에 답해 보자.

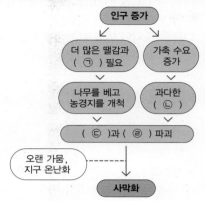

```
        [ 인구 증가 ]
         ↙      ↘
[ 더 많은 땔감과    [ 가축 수요
  ( ㉠ ) 필요 ]      증가 ]
      ↓              ↓
[ 나무를 베고      [ 과다한
  농경지를 개척 ]    ( ㉡ ) ]
         ↘      ↙
    [ ( ㉢ )과 ( ㉣ ) 파괴 ]

[ 오랜 가뭄,
  지구 온난화 ] ------↓

        [ 사막화 ]
```

▲ 사막화 과정

사막이 주변 지역으로 확대되면서 농사를 지을 수 없는 황폐화된 토지가 증가하는 현상을 사막화라고 한다. 이러한 사막화는 아프리카 사하라 사막 남쪽의 사헬 지대에서 가장 심각하게 나타나고 있다. 사막화의 발생 원인은 자연적 요인과 인위적 요인이 복합적으로 작용한다. 자연적 요인으로는 지구 온난화에 따른 극심한 가뭄 등이 있고, 인위적 요인으로는 인구 증가에 따른 과도한 경작 및 관개 시설 설치, 삼림 벌채, 과도한 방목 등을 들 수 있다. 오늘날 진행되고 있는 사막화의 경우, 특히 인위적 요인이 더 크게 작용하고 있어서 ㉤ 이를 해결하기 위해서는 전 지구적 차원의 노력이 필요하다.

1 사막화 과정을 나타낸 그림에서 ㉠~㉣에 들어갈 알맞은 말을 써 보자.

(1) ㉠ – (   )   (2) ㉡ – (   )

(3) ㉢ – (   )   (4) ㉣ – (   )

2 위 글의 밑줄 친 ㉤에 해당하는 전 지구적 차원의 노력에는 어떤 것들이 있는지 서술해 보자.

활동 2 다음은 일본의 방수로에 대한 자료이다. 물음에 답해 보자.

▲ 일본의 지하 방수로

일본 도쿄에서 동북쪽으로 40km 떨어진 사이타마현 가스카베시 외곽에는 수도권 외곽 방수로 시설 중 하나인 물 탱크와 배수 시설이 있다. 수도권 외곽 방수로는 지름 10m, 길이 6.4km의 터널(물길)과 물 저장소 5개, 축구장 2배 크기의 물 탱크와 배수 시설로 구성되어 있다.

집중 호우로 주변 하천에 물이 불어나면 이곳 저장소 5곳으로 물이 흘러들어가는데, 5개 저장소의 크기가 자유의 여신상(높이 46m)이나 우주 왕복선(높이 55m)이 통째로 들어갈 만큼 크다. 저장소의 물은 터널을 통해 축구장 2배 크기의 세계 최대 규모 물 탱크로 보내지는데, 물 탱크 수위가 10m를 넘으면 초대형 펌프 4대가 에도강으로 물을 퍼낸다. 특히, 홍수 때 불어난 물을 저장하였다가 1초 당 수영장 1개 크기의 물을 에도강으로 퍼내는 모습은 대단한 광경이 아닐 수 없다. 과거에는 이 지역이 상습 침수 지역이었는데, 이 지역 입주를 꺼려했던 기업들도 속속 들어서며 경제적 효과도 상당하다.

1 위 자료에 나타난 시설은 어떤 재해에 대비하고자 하는 것인지 쓰고, 이외에도 할 수 있는 대책을 서술해 보자.

2 위와 같은 시설이나 개발 방식이 각광받는 궁극적인 이유를 설명해 보자.

![쑥쑥! 실력 키우기](단계별 문제를 풀면서 실력을 쑥쑥 키워 보세요.)

·1 STEP 개념을 되짚는 확인 문제

01 다음 빈칸에 들어갈 알맞은 말을 써 보자.

(1) 집중 호우가 내릴 때 빗물이 포장도로와 하수도를 통해 곧장 강으로 흘러가 도시 (　　　　)이(가) 발생하기도 한다.

(2) 도시에 저장된 물이 부족하면 토양과 하천이 수시로 메마르고 건조해지는 (　　　　　)(이)가 발생하기도 한다.

(3) 세계 각국은 (　　　　　)을(를) 체결하고 조림 사업 등과 같은 사막화 방지 노력에 동참하고 있다.

02 다음 설명이 옳으면 ○, 틀리면 ×에 표시해 보자.

(1) 도시 지역은 빗물이 빠르게 하천으로 유입되어 홍수의 위험이 낮다. (　○　|　×　)

(2) 콘크리트와 아스팔트 포장도로는 빗물을 토양으로 잘 흡수시킨다. (　○　|　×　)

(3) 자연재해를 줄이기 위해서는 자연과의 긍정적 상호 작용을 하는 지속 가능한 삶터의 조성이 중요하다. (　○　|　×　)

03 다음 설명에 해당하는 용어를 써 보자.

(1) 도시화로 건물, 포장도로, 제방 등이 들어서면서 수분이 통과하지 못하는 면적을 말한다.
(　　　　　)

(2) 사막이 주변 지역으로 확대되면서 토지가 황폐화되는 현상을 말한다. (　　　　　)

(3) 사하라 사막 남쪽 지역으로 사막화가 심각하게 진행되고 있는 지역이다. (　　　　　)

04 서로 관련 있는 것끼리 연결해 보자.

(1) 빗물 저장 공원 ・　　・㉠ 포장도로에 떨어진 빗물을 토양으로 스며들게 한다.

(2) 빌딩 옥상 정원 ・　　・㉡ 빗물을 저장하고 도시의 평균 기온을 낮춘다.

(3) 투수성 아스팔트 ・　　・㉢ 빗물을 토양으로 최대한 많이 침투시키기 위해 조성한다.

:2 STEP 기초를 다지는 기본 문제

01 다음은 도시의 변화로 발생한 자연재해를 나타낸 그림이다. 이 자연재해는 무엇인가?

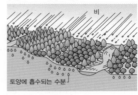 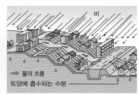

▲ 개발 전　　　　▲ 개발 후

① 가뭄　　　② 지진　　　③ 폭설
④ 사막화　　⑤ 도시 홍수

02 사막화를 가속화시키는 인위적 요인으로 옳은 것을 〈보기〉에서 모두 고른 것은?

　보기
ㄱ. 오랜 가뭄
ㄴ. 과도한 방목
ㄷ. 지나친 농경지 개간
ㄹ. 더 많은 땔감을 얻기 위한 삼림 벌채

① ㄱ　　　② ㄱ, ㄴ　　　③ ㄱ, ㄷ
④ ㄱ, ㄴ, ㄹ　　⑤ ㄴ, ㄷ, ㄹ

03 다음은 양재천의 변화 모습을 나타낸 사진이다. 이에 대한 설명으로 옳지 <u>않은</u> 것은?

▲ 복원 전　　　　▲ 복원 후

① 콘크리트 제방을 제거하였다.
② 식생이 자랄 수 있도록 하였다.
③ 복원 이후 양재천의 생태계가 되살아났다.
④ 물길의 흐름을 직선화된 형태로 바꾸었다.
⑤ 복원 이후 양재천의 홍수 피해가 줄어들었다.

04 다음은 어떤 자연재해를 방지하기 위한 국제 협약에 대한 설명이다. 이 협약은 무엇인가?

> 국제적 노력을 통한 ○○○ 방지와 심각한 가뭄 및 ○○○, 토지 황폐화 현상을 겪고 있는 개발 도상국을 재정적·기술적으로 지원하는 것을 목표로 한다. 2012년 말 기준 195개국이 가입한 상태이며, 우리나라는 1999년 8월에 가입하였다.

① 바젤 협약   ② 람사르 협약
③ 사막화 방지 협약   ④ 기후 변화 협약
⑤ 생물 다양성 보존 협약

05 다음 중 사막화를 방지하기 위한 노력으로 가장 적절한 것은?

① 내진 설계가 된 건물을 짓는다.
② 지하수를 개발하고 농경지를 확대한다.
③ 하천 주변에 콘크리트 제방을 건설한다.
④ 사헬 지대에 아스팔트 포장도로를 건설한다.
⑤ 장기적인 계획을 수립하여 조림 사업에 적극적으로 참여한다.

06 다음 사진과 같은 시설들이 설치될 경우에 나타날 수 있는 효과로 가장 적절한 것은?

① 지진 피해가 감소한다.
② 지진 해일의 정확한 예측이 가능하다.
③ 빗물 저장 능력이 떨어져 가뭄 피해가 증가한다.
④ 하천 수위가 급상승하여 도시 홍수 현상이 심화된다.
⑤ 도시의 물 순환이 자연 상태에 가까워져 지속 가능한 삶터를 만들 수 있다.

:3 STEP 실력을 완성하는 **주관식·서술형 문제**

07 신유형 다음은 수업 시간에 칠판에 제시된 자료이다. 선생님과 학생의 대화 내용을 바탕으로 ㉠에 들어갈 알맞은 용어를 쓰고, ㉡에 들어갈 대답을 서술하시오.

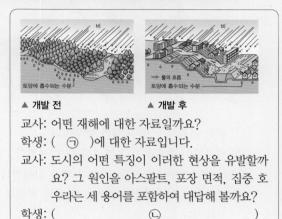

▲ 개발 전   ▲ 개발 후

교사: 어떤 재해에 대한 자료일까요?
학생: (㉠)에 대한 자료입니다.
교사: 도시의 어떤 특징이 이러한 현상을 유발할까요? 그 원인을 아스팔트, 포장 면적, 집중 호우라는 세 용어를 포함하여 대답해 볼까요?
학생: (㉡)

08 다음은 어떤 재해의 진행 과정을 나타낸 것이다. ㉠에 들어갈 용어를 쓰고, 해결 방안을 <u>두 가지</u> 서술하시오.

09 다음 제시된 사례 이외에 도시 홍수를 줄일 수 있는 방안을 <u>두 가지</u> 더 쓰고, 이와 같은 방안의 궁극적인 목적을 서술하시오.

> 도시의 불투수면(물이 통과하지 못하는 면)은 건물의 지붕과 포장도로이며, 포장도로가 50% 정도를 차지한다. 지금까지의 도로 시설은 물이 들어가면 조기에 파손되는 것으로 인식하여 가능하면 물이 들어가지 못하도록 건설해 왔다. 그런데 포장도로를 투수성으로 교체할 경우 도시 홍수에 대한 훌륭한 방재 대책이 되며, 도로에 물과 공기가 통하게 되어 도로가 자연 상태와 유사한 지속 가능한 시설이 될 것으로 보인다.

01 지도의 A, B 지역에서 자주 발생하는 자연재해에 대한 설명으로 옳지 <u>않은</u> 것은?

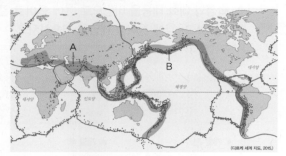

① 용암 분출로 인한 피해가 발생한다.
② 지각판이 충돌하거나 분리될 때 발생한다.
③ 하천의 범람으로 인한 피해가 자주 발생한다.
④ A는 알프스·히말라야 조산대, B는 환태평양 조산대이다.
⑤ 좌우 진동으로 인해 건물이 붕괴되면서 인명 피해가 발생하기도 한다.

02 다음에 제시된 국가에서 공통으로 발생하는 자연재해를 고르면?

> 일본, 칠레, 뉴질랜드, 인도네시아

① 가뭄   ② 폭설   ③ 냉해
④ 사막화   ⑤ 화산 활동

03 다음은 어떤 자연재해를 다룬 영화의 포스터이다. ㉠에 공통으로 들어갈 재해를 고르면?

 2004년 12월 26일 타이의 휴양 도시 푸껫에 (㉠)(이)가 덮쳤다. 이날 규모 9.1의 지진이 발생한 지 약 30분 만에 6m 높이의 (㉠)(이)가 일어나 엄청난 인명 피해가 발생하였다.

① 홍수   ② 가뭄   ③ 산사태
④ 화산 폭발   ⑤ 지진 해일

04 열대 저기압에 대한 설명으로 옳은 것은?

① 판과 판이 충돌하면서 발생한다.
② 주로 한겨울에 대륙의 한가운데에서 발생한다.
③ 강한 바람과 집중 호우를 동반하기 때문에 피해가 크다.
④ 대서양 연안에서 발생하는 열대 저기압을 태풍이라고 한다.
⑤ 고위도 해상에서 발생하여 저위도 지역으로 이동하는 거대한 이동성 저기압이다.

05 다음 지도의 ㉠~㉢에 들어갈 열대 저기압의 명칭을 바르게 연결한 것은?

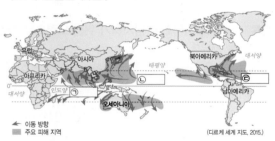

	㉠	㉡	㉢
①	사이클론	태풍	허리케인
②	사이클론	허리케인	태풍
③	태풍	허리케인	사이클론
④	태풍	사이클론	허리케인
⑤	허리케인	태풍	윌리윌리

06 다음 지도에 표시된 A 지역에서 주로 발생하는 자연재해로 옳은 것은?

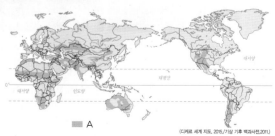

① 가뭄   ② 홍수   ③ 지진
④ 지진 해일   ⑤ 열대 저기압

07 다음 사진과 같은 자연재해 대비 훈련이 가장 절실하게 필요한 나라는?

① 일본
② 브라질
③ 스위스
④ 프랑스
⑤ 오스트레일리아

08 다음 사진에 나타난 건축 공법은 어떤 자연재해에 대비하기 위한 것인가?

① 홍수
② 가뭄
③ 지진
④ 화산 활동
⑤ 열대 저기압

09 (가), (나)에 대한 설명으로 옳은 것을 〈보기〉에서 고른 것은?

(가)   (나)

┌─ 보기 ┐
ㄱ. (가)는 화산 폭발에 대비하기 위한 시설물이다.
ㄴ. (나)는 지진과 지진 해일에 대비하기 위한 구명정이다.
ㄷ. (가)는 사헬 지대처럼 하천이 자주 범람하는 곳에서 볼 수 있다.
ㄹ. (나)는 일본과 같이 판과 판의 경계에 위치한 나라에서 인기가 많다.
└──────┘

① ㄱ, ㄴ   ② ㄱ, ㄷ   ③ ㄱ, ㄹ
④ ㄴ, ㄷ   ⑤ ㄴ, ㄹ

10 다음은 어떤 자연재해를 다룬 뉴스이다. ㉠과 같은 자연재해를 극복하기 위한 대처 방안으로 옳은 것을 〈보기〉에서 고른 것은?

┌──────────────────────┐
인도 중부와 동부 지방에 (㉠)이(가) 발생하여 최소 40명이 목숨을 잃고 수십만 명이 대피하였습니다. 인도 당국은 최근 며칠간 이어진 폭우로 갠지스강과 지천들의 수위가 위험 수위를 넘어섰으며, 익사나 감전사, 주택 붕괴 등의 사고가 잇따랐다고 밝혔습니다.
└──────────────────────┘

┌─ 보기 ┐
ㄱ. 댐과 제방을 건설한다.
ㄴ. 조림 사업 등을 통해 숲을 조성한다.
ㄷ. 무인 관측소를 설치하여 화산 활동을 감시한다.
ㄹ. 수압 변화 감지를 위한 센서를 해저에 설치한다.
└──────┘

① ㄱ, ㄴ   ② ㄱ, ㄷ   ③ ㄴ, ㄷ
④ ㄴ, ㄹ   ⑤ ㄷ, ㄹ

11 자연재해를 긍정적으로 활용하는 주민 생활 모습 중 자연재해의 종류가 다른 하나를 고르면?

① 품질 좋은 다량의 유황을 생산하게 되었다.
② 온천과 독특한 화산 경관을 관광 자원으로 활용하고 있다.
③ 자연재해를 통제하여 농업용수와 식수를 풍족하게 사용한다.
④ 뜨거운 물과 증기를 이용해 전기를 생산하고 난방 등에 활용하고 있다.
⑤ 분출물이 쌓여 토양을 비옥하게 하면서 농업에 유리한 환경이 조성되었다.

12 도시 홍수와 같은 자연재해에 대비하기 위한 방안으로 적절하지 <u>않은</u> 것은?

① 빗물 저장 공원 만들기
② 빌딩 옥상에 정원 만들기
③ 하천에 수변 공원 만들기
④ 투수성 아스팔트 설치하기
⑤ 자연 상태의 하천을 직선으로 만들기

13 다음 자료에 대해 가장 잘 이해하고 있는 학생은?

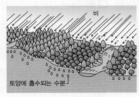 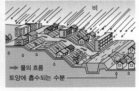

▲ 개발 전　　　　　▲ 개발 후

① 갑 – 인간의 개발 행위로 도시가 살기 좋아졌어.

② 을 – 토양에 흡수되는 수분은 개발 전과 후가 똑같아.

③ 병 – 강물이 넘쳐나는 대신 도시의 물 저장량도 많이 늘어났어.

④ 정 – 강 양쪽에 인공 제방을 설치해 놓으니 미관상으로도 보기 좋아졌어.

⑤ 무 – 넓어진 포장 면적으로 인해 집중 호우가 내리면 강물이 급격히 불어날 거야.

[14~15] 다음 사진을 보고 물음에 답하시오.

14 위 사진과 같은 자연재해가 나타나는 원인 중 성격이 다른 하나는?

① 오랜 가뭄　　　　② 농경지 확대

③ 과도한 목축　　　④ 땔감의 수요 증가

⑤ 삼림과 초원의 파괴

15 위와 같은 자연재해를 방지하기 위한 노력으로 가장 적절한 것을 〈보기〉에서 고른 것은?

보기
ㄱ. 조림 사업을 확대한다.
ㄴ. 사막화 방지 협약을 준수한다.
ㄷ. 배를 다시 운행할 수 있도록 수리한다.
ㄹ. 증가한 인구를 수용할 수 있는 주택을 건설한다.

① ㄱ, ㄴ　　② ㄱ, ㄷ　　③ ㄴ, ㄷ
④ ㄴ, ㄹ　　⑤ ㄷ, ㄹ

16 다음은 라인강의 옛 물길 복원 사업을 나타낸 자료이다. 이 사례를 통해 기대해 볼 수 있는 효과로 옳은 것을 〈보기〉에서 고른 것은?

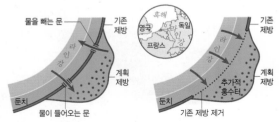

※ 둔치: 비가 많이 내리면 물에 잠기는 물가의 평평한 땅

보기
ㄱ. 생태계가 복원될 것이다.
ㄴ. 적조 현상이 완화될 것이다.
ㄷ. 홍수 피해를 줄일 수 있게 될 것이다.
ㄹ. 사막화 현상을 줄여나갈 수 있을 것이다.

① ㄱ, ㄴ　　② ㄱ, ㄷ　　③ ㄴ, ㄷ
④ ㄴ, ㄹ　　⑤ ㄷ, ㄹ

17 다음과 같은 정책을 실시하는 가장 궁극적인 목적으로 옳은 것은?

서울 시내에서 도로 포장 공사를 할 때 물이 잘 빠지는 포장재만 사용하도록 시공 전에 투수성을 검증받아야 한다. 서울시는 세계 최초로 투수성이 높은 포장재를 가려내는 기술을 개발하였으며 시공 전에 의무적으로 검증을 받아야 한다고 밝혔다.

① 빗물을 저장하기 위해서

② 건설 경기의 활성화를 위해서

③ 도시의 평균 기온을 높이기 위해서

④ 지속 가능한 삶터의 조성을 위해서

⑤ 포장도로에 떨어진 빗물의 상당량을 땅속으로 스며들지 못하게 하기 위해서

18 지도의 A, B 지역에서 특히 많이 발생하는 자연재해의 종류를 **두 가지** 쓰고, 그 이유를 '판'이라고 하는 단어를 반드시 포함하여 서술하시오.

21 다음은 인도네시아 메라피 화산 지역의 관광 안내 가이드와 관광객의 대화 내용이다. ㉠에 들어갈 화산 지대의 유리한 점을 **세 가지** 서술하시오.

> 가이드: 우리가 지금 올라가고 있는 이 산은 메라피 화산입니다. '불의 산'이라는 이름답게 화산 활동이 매우 활발하여 지구상에서 가장 위험한 화산 중 하나입니다.
> 관광객: 그런데 왜 이 지역 사람들은 이렇게 위험한 지역인 줄 알면서도 화산 폭발이 끝나면 화산 근처로 다시 돌아오는 거죠?
> 가이드: 아! 그건, (㉠).

19 지도에 표시된 A, B 열대 저기압의 명칭을 쓰고, 이와 같은 열대 저기압이 인간 생활에 미치는 부정적 영향과 긍정적 영향을 각각 **한 가지**씩 서술하시오.

22 다음 자료와 같은 현상을 무엇이라고 하는지 쓰고, 이와 같은 자연재해가 발생하는 인위적인 요인을 **두 가지** 서술하시오.

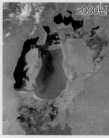

▲ 아랄해의 변화

20 다음 자료를 참고하여 일본과 같이 조산대에 위치하는 나라에서 건물을 지을 때 요구되는 설계 방식의 명칭을 쓰고, 필요한 교육은 무엇인지 서술하시오.

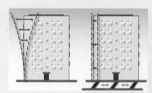

▲ 건물 설계 방식

▲ 대비책

23 도시 홍수가 발생하는 원인을 서술하고, 이러한 문제에 대한 지속 가능한 해결 방안을 **두 가지** 서술하시오.

이 단원을 배우면

자원의 편재성에 따른 국제적인 소비, 경쟁, 갈등 상황을 이해할 수 있어요. 그리고 지속 가능한 자원의 효과를 설명하고 자신의 의견을 제시할 수 있어요.

자원을 둘러싼 경쟁과 갈등

나의 학습 진도표

중단원명	학습 코너	쪽수	학습 예정일	학습 완료일	달성도
01 자원의 편재성과 자원 갈등	**꼼꼼! 필기 노트**	106쪽	◯ 월 ◯ 일	◯ 월 ◯ 일	☆☆☆☆☆
	탄탄! 활동 노트	107쪽	◯ 월 ◯ 일	◯ 월 ◯ 일	☆☆☆☆☆
	쑥쑥! 실력 키우기	108~109쪽	◯ 월 ◯ 일	◯ 월 ◯ 일	☆☆☆☆☆
02 자원 개발과 주민 생활	**꼼꼼! 필기 노트**	110쪽	◯ 월 ◯ 일	◯ 월 ◯ 일	☆☆☆☆☆
	탄탄! 활동 노트	111쪽	◯ 월 ◯ 일	◯ 월 ◯ 일	☆☆☆☆☆
	쑥쑥! 실력 키우기	112~113쪽	◯ 월 ◯ 일	◯ 월 ◯ 일	☆☆☆☆☆
03 지속 가능한 자원 개발	**꼼꼼! 필기 노트**	114쪽	◯ 월 ◯ 일	◯ 월 ◯ 일	☆☆☆☆☆
	탄탄! 활동 노트	115쪽	◯ 월 ◯ 일	◯ 월 ◯ 일	☆☆☆☆☆
	쑥쑥! 실력 키우기	116~117쪽	◯ 월 ◯ 일	◯ 월 ◯ 일	☆☆☆☆☆
뚝딱! 단원 마무리하기		118~121쪽	◯ 월 ◯ 일	◯ 월 ◯ 일	☆☆☆☆☆

01 자원의 편재성과 자원 갈등

이것이 포인트!
• 자원의 편재성과 자원의 국제적 이동
• 자원 확보 경쟁과 갈등의 원인

꼼꼼! 필기 노트

✦ 자원
인간에게 쓸모가 있고 기술적으로 개발 가능하며, 경제적 가치가 있는 모든 것을 말한다.

✦ 자원의 편재성
자원이 골고루 분포하지 않고, 특정 지역에 치우쳐 분포하는 특징을 말한다.

✦ 자원의 국제적 이동
석유는 서남아시아의 페르시아만 주변에 편재되어 있다. 석유 매장량이 많은 서남아시아와 북부 아프리카는 주로 서부 유럽이나 우리나라, 일본 등과 같이 공업이 발달하여 석유 소비량이 많은 지역으로 석유를 수출한다.

✦ 식량 자급률
국내에서 소비되는 식량을 자체적으로 생산할 수 있는 비중을 의미한다.

✦ 자원 민족주의
자원 보유국이 자원의 생산량을 조절하는 등 자국의 이익을 위해 자원을 무기화하려는 움직임을 말한다.

✦ 석유 수출국 기구(OPEC)
1960년 석유 자원의 수출을 통해 경제적 안정을 추구하기 위한 목적으로 만든 주요 석유 수출국의 모임이다. 전 세계 석유 시장의 40% 이상을 이 석유 수출국 기구가 담당하고 있다.

콕콕! 핵심 개념

1 자원의 ☐☐☐은 인간 생활에 필요한 자원이 일부 지역에만 집중되어 분포하는 현상을 말한다.

2 편재성이 가장 심한 자원 중 하나가 ☐☐이며, 이 자원의 확보를 둘러싼 경쟁과 갈등이 나타난다.

3 라인강처럼 여러 국가를 가로질러 흐르는 강을 ☐☐ ☐☐이라고 한다.

1 자원의 편재성과 자원 소비

1 자원의 편재성과 소비량의 지역적 차이

→ 석유는 전 세계에 고르게 분포하지 않고, 서남아시아의 페르시아만 주변에 집중 매장되어 있어요.

자원의 편재성	자원은 지구상에 고르게 분포하지 않고, 일부 지역에 집중되어 있음
생산지와 소비지의 불일치	지역별 자연환경, ❶ [　　　]의 차이로 인해 자원을 만들어 내는 생산지와 그 자원을 사용하는 소비지가 불일치하는 경우가 많음
자원의 국제적 이동✦	자원의 ❷ [　　　]으로 생산지와 소비지가 불일치하기 때문에 자원의 국제적 이동이 나타남 → 자원 확보를 둘러싼 국가 간, 지역 간 갈등과 경쟁 발생

2 석유 자원
→ 석유 자원은 생산지와 소비지가 불일치하여 국제적 이동이 많아요.

(1) 편재성이 뚜렷한 자원: 석유는 편재성이 가장 심한 자원으로 특정 지역에 집중적으로 매장되어 있음 → ❸ [　　　]의 페르시아만, 아메리카 대륙 등 →베네수엘라 볼리바르, 미국, 캐나다

(2) 우리나라의 노력: 석유 소비량은 많지만 생산량이 거의 없어 대부분 ❹ [　　　]에 의존 → 최근 해외 투자를 통해 생산 기지 건설이나 유전 탐사 등 안정적 석유 확보를 위해 노력하고 있음 →베트남 15-1 광구는 대한민국 기술로 석유를 생산하고 있어요.

3 물 자원 → 생존을 위해 필수적이지만 대체 불가능한 자원이에요.

(1) ❺ [　　　]을 둘러싼 갈등: 여러 국가를 가로질러 흐르는 국제 하천의 경우, 물 자원 확보를 둘러싼 갈등이 발생함 → 상류 지역의 국가는 댐을 건설하여 더 많은 물을 확보하려 하지만 하류 지역 국가는 물 부족, 수질 오염 등을 이유로 댐 건설을 반대함

(2) 물 분쟁 지역: 물 자원을 둘러싼 경쟁과 갈등 증가 예 나일강, 요르단강, 메콩강 등

4 식량 자원

(1) 특징: 자연 조건과 생산 기술의 영향을 많이 받음, 인구 밀집 지역에서 많이 소비되기 때문에 국제 이동이 활발함 →인구가 적은 신대륙의 밀이 인구가 많은 구대륙으로 이동해요.

(2) 식량 자원의 국제 이동

쌀	고온 다습한 ❻ [　　　] 계절풍 기후 지역에서 주로 생산되고 소비됨 → 국제 이동량이 적음
밀	서늘하고 건조한 지역에서도 잘 자라기 때문에 세계적으로 널리 재배됨 → 국제 이동량이 많음

(3) 안정적 식량 확보의 중요성: 식량 자급률이 낮아 수입을 많이 하는 국가는 식량 자원의 가격 상승 시 경제적 타격이 큼 → 안정적인 식량 확보가 중요해짐

2 자원을 둘러싼 갈등

1 자원 확보와 관련된 갈등의 원인 인구 증가, 산업화 등으로 자원의 소비량 급증 → 인간 생활에 꼭 필요한 자원은 그 수가 많지 않고 골고루 매장되어 있지 않음 → 자원의 편재성으로 인해 자원 분쟁이 발생함

2 자원 민족주의의 등장 주요 ❼ [　　　] 생산국들은 석유 수출국 기구(OPEC)✦를 만들어 자국의 이익을 추구하려 함

3 세계적 곡물 기업의 영향력 몇몇 국가와 세계적 곡물 기업들이 식량 공급을 통제하여 국제적 영향력을 높이려 함

활동 1 다음은 어떤 자원의 국제 이동을 나타낸 지도이다. 물음에 답하시오.

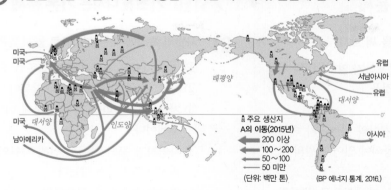

1 위와 같은 국제 이동을 보이는 A 자원의 이름을 쓰고, 지도를 참고로 주요 생산지를 써 보자.

2 A 자원에 관한 아래의 글을 읽고 괄호 안에 들어갈 알맞은 말을 골라 보자.

> A 자원은 지구상에 고르게 분포하지 않고, 일부 지역에 집중되어 분포하는 경향이 있는데, 이를 자원의 (편재성 | 가변성)이라고 한다. 이 자원은 생산지와 소비지가 달라 국제 이동이 (활발하다 | 활발하지 않다). 우리나라는 이 자원에 대한 (수입 | 수출) 의존도가 높기 때문에 해외에 직접 투자하거나 유전을 탐사하는 등 안정적인 자원 확보를 위해 노력하고 있다.

활동 2 다음은 물 자원의 분포와 물 분쟁 지역을 나타낸 지도이다. 물음에 답해 보자.

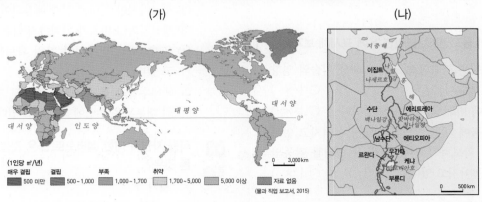

(가)

(나)

1 (가) 지도를 참고로 물 부족 문제가 심각하여 물 자원을 둘러싼 갈등이 발생할 것으로 예상되는 지역을 써 보자.

2 (나) 지도에서 청나일강의 상류 지역과 하류 지역에 해당하는 나라를 각각 하나씩 쓰고, 어떤 분쟁이 발생할 수 있는지 서술해 보자.

(1) 상류 지역의 국가: (   )

(2) 하류 지역의 국가: (   )

(3) 발생 가능한 분쟁의 특징: (   )

쑥쑥! 실력 키우기

단계별 문제를 풀면서 실력을 쑥쑥 키워 보세요.

·1 STEP 개념을 되짚는 확인 문제

01 다음 빈칸에 들어갈 알맞은 말을 써 보자.

(1) 자원이 지구상에 고르게 분포하지 않고, 일부 지역에 집중되어 분포하는 것을 (　　　　)(이)라고 한다.

(2) (　　　　)은(는) 서남아시아와 아메리카 대륙 등의 특정 지역에 주로 매장되어 있어 자원의 국제 이동이 많다.

(3) 국내에서 소비하는 식량을 자체적으로 생산할 수 있는 비중을 (　　　　)(이)라고 한다.

02 다음에서 설명하는 용어를 써 보자.

(1) 나라와 나라 사이의 국경을 이루거나 여러 나라의 영토를 거쳐 흐르는 하천이다. (　　　　)

(2) 자원 보유국이 자원을 무기화하여 자국의 이익을 취하려는 움직임이다. (　　　　)

(3) 1960년 석유 자원의 수출을 통하여 경제적인 안정을 추구하기 위한 목적으로 만든 주요 석유 수출국들의 모임이다. (　　　　)

03 다음 설명이 옳으면 ○, 틀리면 ×에 표시해 보자.

(1) 식량 자원은 자연환경 조건과 생산 기술의 영향을 많이 받는다. (○ | ×)

(2) 밀은 쌀에 비해 국제 이동량이 적다. (○ | ×)

(3) 깨끗한 물에 대한 지역적 편재성이 커지고 있어서 물을 확보하기 위한 국가 간 경쟁과 갈등의 빈도도 높아지고 있다. (○ | ×)

04 서로 관련 있는 것끼리 바르게 연결해 보자.

(1) 석유 •　　　• ㉠ 서늘하고 건조한 기후에서도 잘 자람

(2) 쌀 •　　　• ㉡ 고온 다습한 아시아 계절풍 기후 지역에서 주로 재배

(3) 밀 •　　　• ㉢ 자동차나 비행기의 연료, 합성 고무, 플라스틱의 원료

:2 STEP 기초를 다지는 기본 문제

01 자원의 특성에 대한 설명으로 옳지 <u>않은</u> 것은?

① 주요 자원은 일부 지역에 집중된 경향이 있다.

② 각국의 자원 확보 과정에서 갈등이 나타나고 있다.

③ 기술 발달에 따라 자원의 국제 이동은 감소하는 추세이다.

④ 자연환경 등의 차이로 인해 자원의 생산지와 소비지가 일치하지 않는다.

⑤ 일상생활에서 꼭 필요하며 기술적·경제적으로 개발 가능한 것을 자원이라고 한다.

02 _{중요} 지도에 표시된 A 자원의 특징으로 옳지 <u>않은</u> 것은?

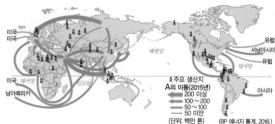

① 편재성이 심하여 국제 이동량이 많다.

② 서남아시아 일대에 집중 매장되어 있다.

③ 생산지와 소비지가 일치하지 않는 경우가 많다.

④ 우리나라도 안정적인 자원 확보를 위해 노력하고 있다.

⑤ 베네수엘라 볼리바르는 매장된 자원이 없어 거의 대부분을 수입에 의존하고 있다.

03 _{중요} 식량 자원에 대한 설명으로 옳은 것을 〈보기〉에서 고른 것은?

┌─ 보기 ┐
ㄱ. 자연 조건의 영향을 많이 받는다.
ㄴ. 안정적 식량 확보의 중요성이 증가하고 있다.
ㄷ. 구대륙에서는 넓은 토지에서 대규모로 농작물을 재배한다.
ㄹ. 식량 자원은 인구 밀집 지역에서 주로 소비되므로 국제 이동량이 매우 적다.
└─────────┘

① ㄱ, ㄴ　　② ㄱ, ㄷ　　③ ㄱ, ㄹ
④ ㄴ, ㄷ　　⑤ ㄷ, ㄹ

04 다음은 어떤 자원의 갈등 지역을 나타낸 지도이다. 이 자원에 대한 설명으로 옳은 것은?

① 우리나라는 이 자원을 대부분 수입하고 있다.
② 섬유, 플라스틱, 의약품 등의 원료로 사용된다.
③ 산업 혁명 이후 본격적으로 사용되기 시작하였다.
④ 인간 생활에 필수적이며 대체할 수 있는 자원이 많다.
⑤ 지역적 편재성이 커지면서 자원을 확보하기 위한 국가 간 경쟁과 갈등도 증가하고 있다.

05 자원 확보를 둘러싼 갈등에 대한 설명으로 옳은 것을 〈보기〉에서 고른 것은?

보기
ㄱ. 세계의 자원 분쟁은 자원의 편재성 때문이다.
ㄴ. 인간 생활에 필요한 자원은 꼭 필요한 만큼만 분포한다.
ㄷ. 세계적 곡물 기업들이 OPEC를 만들어 식량 공급을 통제하고 있다.
ㄹ. 물을 둘러싼 갈등은 주로 국제 하천의 상류 국가와 하류 국가 간의 갈등으로 나타난다.

① ㄱ, ㄴ ② ㄱ, ㄷ ③ ㄱ, ㄹ ④ ㄴ, ㄹ ⑤ ㄷ, ㄹ

06 석유 수출국 기구(OPEC)가 석유 공급량을 결정할 경우 발생할 것으로 예상되는 일로 가장 적절한 것은?

① 자원을 둘러싼 갈등이 증가할 것이다.
② 국제 유가는 앞으로 계속 하락할 것이다.
③ 더 많은 지하자원을 채굴할 수 있을 것이다.
④ 국제 하천을 둘러싼 국가 간 갈등이 심화될 것이다.
⑤ 세계적 곡물 기업들의 곡물 가격 통제력이 감소할 것이다.

:3 STEP 실력을 완성하는 주관식·서술형 문제

07 다음은 어떤 자원의 매장량 비중을 나타낸 그래프이다. 이 자원의 명칭을 쓰고, 국제 이동이 활발한 이유를 서술하시오.

08 다음은 물 분쟁 지역을 나타낸 지도이다. 이처럼 여러 나라를 흐르며 국가 간 분쟁의 원인이 되고 있는 하천을 무엇이라고 하는지 쓰고, 이와 같이 물 자원을 둘러싼 갈등이 나타나는 까닭을 상류 지역과 하류 지역의 입장에서 각각 서술하시오.

09 다음은 식량 자원의 재배지와 국제 이동을 나타낸 지도이다. A, B에 해당하는 작물의 이름을 쓰고, 재배 조건을 각각 서술하시오.

02 자원 개발과 주민 생활

꼼꼼! 필기 노트

이것이 포인트!
- 자원 개발로 경제 성장을 이룬 나라
- 자원 개발로 어려움을 겪는 나라

✚ 오스트레일리아의 풍부한 지하자원
오스트레일리아는 철광석과 우라늄 등의 매장량이 많으며, 그 외에도 풍부한 자원을 많이 보유하고 있다.

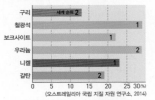

▲ 주요 광물 자원 매장량 비중

✚ 보츠와나
아프리카 남부에 위치한 인구 약 200만 명의 크지 않은 국가이다. 주변국 대부분이 내전과 빈곤의 고통을 겪고 있지만, 세계적인 다이아몬드 생산과 정치적 안정 덕분에 외국인 투자가 지속적으로 늘어났고, 1인당 국내 총생산(GDP)이 아프리카 최고 수준으로 올라섰다.

✚ 보크사이트와 가나
알루미늄을 만들 때 가장 중요한 원료가 되는 자원이 보크사이트이다. 보크사이트를 알루미늄으로 제조하여 수출하면 더 많은 이익을 거둘 수 있으나 전력이 부족한 가나의 경우, 보크사이트 자체를 싼 값에 수출하고 있다.

✚ 콜탄
휴대 전화와 컴퓨터 등에 들어가는 중요한 금속 물질로 세계 매장량의 약 80%가 콩고 민주 공화국에 있다.

콕콕! 핵심 개념

1 미국, 캐나다 등은 □□□□□ □을 토대로 선진국으로 성장하였다.

2 중앙아시아의 □□□□□은 자원 수출을 통해 빠른 경제 성장을 이루고 있다.

3 자원을 차지하기 위한 경쟁과 갈등이 심화되면서 정부군과 반군 사이에 □□이 발생하기도 한다.

---

1 풍부한 자원을 바탕으로 성장한 나라

1 풍부한 자원과 주민의 생활 수준

(1) 자원 개발의 긍정적 영향
① 자원을 수출하여 얻은 소득 → 도로, 항만 등 사회 기반 시설을 확충하고 경제를 발전시킴
② 자원을 이용한 산업 발달에 유리하며 그 이익을 활용하면 주민의 생활 수준이 높아짐

(2) 사례 지역: 사우디아라비아는 황량했던 사막에서 석유 자원이 개발되면서 큰 변화가 나타남

2 풍부한 자원과 안정적인 사회 운영으로 선진국이 된 나라들

(1) 선진국이 된 국가: 미국, 캐나다, 오스트레일리아 등 → 광업 및 관련 서비스 분야의 수출이 총 수출액의 83%를 차지하고 있어요.

(2) 발달 배경: 넓은 영토, **①**　　　　, 뛰어난 기술력 등을 바탕으로 선진국으로 성장

3 자원 수출을 통해 빠른 경제 성장을 이루고 있는 나라들

(1) 성장 지역: 중앙아시아의 **②**　　　　과 우즈베키스탄, 아프리카의 보츠와나와 우간다 등 → 풍부한 자원을 수출하여 빠른 경제 성장을 이루고 있음

(2) 사우디아라비아와 아랍 에미리트: 과거에는 유목 생활을 하고 오아시스 농업을 주로 하였으나 **③**　　　　 자원 개발로 경제가 성장함
→ 아랍 에미리트의 두바이는 석유 자원의 개발을 통해 황량했던 사막에서 세계적인 도시가 되었어요.

※ 통계는 2015년 기준임.
(BP, 2016, IAEA, 2016, 오스트레일리아 정부, 2016.)

▲ 오스트레일리아의 주요 자원 매장량

※ 통계는 2015년 기준임.
(BP, 2016, IAEA, 2016.)

▲ 카자흐스탄의 주요 자원 매장량
→ 세계 12위의 석유 매장국이며 각종 광물 자원을 많이 보유하고 있어요.

2 자원 개발로 어려움을 겪는 나라

1 자원이 풍부하지만 어려움을 겪는 나라

(1) 특징: 자원이 풍부하다고 해서 그 지역이 반드시 경제적으로 풍요로운 것은 아님 → 주민들의 삶의 질 악화, 환경 오염 문제, 전쟁 발생 등

(2) 원인: 선진국에 비해 기술 수준이 낮아 싼값에 자원을 수출함(예 가나), 자원 개발로 얻은 이익을 외국 기업이나 소수의 특정 계층이 독차지하기도 함

2 내전으로 고통받고 있는 나라들

(1) 석유와 천연가스가 풍부한 나이지리아: 자원 개발 이후 빈부 격차와 갈등 심화, 자원 생산 과정의 **④**　　　　, 주민의 생활 터전 파괴 등의 문제 발생

(2) 콜탄이 풍부한 콩고 민주 공화국: 자원을 둘러싼 오랜 **⑤**　　　　으로 주민 생활 악화, 열대 우림 파괴 등
→ 콜탄 매장지와 고릴라의 서식지가 일치하여 콜탄 채굴 시 숲이 파괴되면서 고릴라의 서식지도 줄어들고 있어요.

활동 ① 다음은 동남아시아의 브루나이에 대한 자료이다. 물음에 답해 보자.

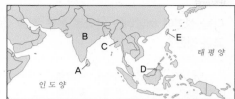

인도네시아 보루네오섬 북서 해안에 위치하고 있는 브루나이는 면적은 5,765㎢, 인구는 약 43만 명 밖에 안 되는 작은 왕국이다. 국토의 85%가 숲과 삼림 지대로, 경작할 수 있는 땅은 2% 정도밖에 되지 않으나, 수출의 약 95%를 차지하는 풍부한 석유와 천연가스 덕분에 세계 최부국 중 하나가 되었다.

브루나이 정부는 석유와 천연가스의 수출을 통한 소득이 국민에게 돌아갈 수 있도록 강력한 복지 정책을 집행하고 있다. 그 결과 브루나이의 국민들은 초등학교부터 대학까지 모두 무상 교육을 받을 수 있을 뿐만 아니라 900원 만 내면 병원의 모든 진료를 받을 수 있는 의료 복지 혜택을 제공받고 있다. 이처럼 브루나이는 풍부한 자원을 바탕으로 ㉠ 주민들의 생활 수준을 높이고 경제적 풍요도 누리는 국가의 바람직한 사례로 자리매김하고 있다.

1 위 지도에서 브루나이의 위치를 찾아 기호를 써 보자.

2 인구도 적고 경작지도 많지 않은 브루나이가 경제 성장을 이룰 수 있었던 배경을 찾아 쓰고, 밑줄 친 ㉠의 구체적인 사례를 설명해 보자.

(1) 성장 배경	
(2) 사례	

활동 ② 다음은 아프리카 기니만 연안의 지도이다. 물음에 답해 보자.

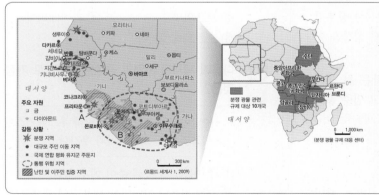

아프리카의 ㉠ 시에라리온과 ㉡ 라이베리아에서는 다이아몬드 광산을 차지하기 위한 정부군과 반군의 내전이 이어지고 있다. 정부군과 반군은 차지한 다이아몬드를 수출하고, 다시 그 수익금으로 전쟁을 이어 나가면서 주민들의 생명과 삶터를 위협하고 있다. 결국 이 지역의 다이아몬드에는 내전을 확산한다는 의미로 '피의 다이아몬드(blood diamond)'라는 명예롭지 못한 별명이 붙어버렸다.

1 밑줄 친 ㉠, ㉡에 해당하는 국가를 지도의 A, B와 연결해 보자.

㉠ – (   )   ㉡ – (   )

2 〈활동 1〉에 제시된 자료를 참고하여 시에라리온과 라이베리아에서 생산되는 다이아몬드가 '피의 다이아몬드'라는 오명을 벗고 주민들의 생활도 나아지기 위한 방안은 무엇인지 서술해 보자.

쑥쑥! 실력 키우기
단계별 문제를 풀면서 실력을 쑥쑥 키워 보세요.

1 STEP 개념을 되짚는 확인 문제

01 다음 빈칸에 들어갈 알맞은 말을 써 보자.

(1) 풍부한 (　　　　　)을(를) 보유한 국가는 그 자원을 수출하여 얻은 소득으로 경제를 발전시키고, 주민의 생활 수준을 높일 수 있다.

(2) 미국, 캐나다 등의 국가들은 풍부한 자원을 바탕으로 일찍부터 (　　　　　)(으)로 도약하였다.

(3) (　　　　　)의 카자흐스탄과 아프리카의 보츠와나 등은 자원 수출을 통해 빠른 경제 성장을 이루고 있다.

02 다음 설명이 옳으면 ○, 틀리면 ×에 표시해 보자.

(1) 지하자원이 풍부한 나라들은 모두 주민들의 생활 수준이 높다. (○ | ×)

(2) 내전이 발생하면 주민의 생명까지 위협받지만 자원 개발의 수익은 소수만 차지한다. (○ | ×)

(3) 무분별한 자원 개발로 환경이 파괴되고 자원을 차지하기 위한 갈등이 발생하기도 한다. (○ | ×)

03 다음 괄호 안에 들어갈 알맞은 말을 골라 보자.

(1) (시에라리온 | 오스트레일리아)은(는) 풍부한 자원과 뛰어난 기술을 바탕으로 경제 성장을 이루었다.

(2) 휴대 전화 부품의 원료가 되는 콜탄은 전 세계 매장량의 대부분이 (보츠와나 | 콩고 민주 공화국)에 매장되어 있다.

04 서로 관련 있는 것끼리 연결해 보자.

(1) 사우디아라비아 •
(2) 나이지리아 •

• ㉠ 석유 자원 개발로 사막 위에 도시를 건설하였으며, 석유를 '검은 황금'으로 잘 활용하고 있다.

• ㉡ 아프리카 최대의 석유 생산국이지만 환경 파괴 문제가 심각하다.

2 STEP 기초를 다지는 기본 문제

01 다음 설명에 해당하는 나라로 옳은 것을 〈보기〉에서 고른 것은?

> 풍부한 자원을 보유한 국가들은 자원을 수출하여 얻은 소득으로 경제를 발전시키고, 안정적인 사회 운영 체계를 바탕으로 일찌감치 산업 발달에 성공하였다.

보기
ㄱ. 미국　　　　　　ㄴ. 캐나다
ㄷ. 나이지리아　　　ㄹ. 콩고 민주 공화국

① ㄱ, ㄴ　　　② ㄱ, ㄷ　　　③ ㄱ, ㄹ
④ ㄴ, ㄷ　　　⑤ ㄴ, ㄹ

02 다음 글의 밑줄 친 부분과 관련이 있는 나라로 옳은 것은?

> 우리나라처럼 많은 자원을 수입하는 경우, 자원이 풍부한 나라는 부러움의 대상이다. 그러나 풍부한 자원을 보유하고 있음에도 불구하고 경제적으로 어렵거나 내전과 기아에 시달리는 나라도 있다.

① 미국　　　　　　② 캐나다
③ 보츠와나　　　　④ 라이베리아
⑤ 오스트레일리아

03 다음에 제시된 지역의 공통된 특징으로 가장 적절한 것은?

> • 중앙아시아 – 카자흐스탄과 우즈베키스탄
> • 아프리카 – 보츠와나와 우간다

① 주민들의 소득 수준이 매우 높다.
② 오래 전부터 안정적인 사회 운영 체계를 갖추었다.
③ 풍부한 자원의 수출을 통해 빠른 경제 성장을 이루고 있다.
④ 경제 발전을 이루기 위해 자원의 상당량을 수입에 의존하고 있다.
⑤ 자원 확보를 위한 경쟁과 갈등이 심해 크고 작은 내전이 많이 발생하고 있다.

04 다음 사진을 바탕으로 사회 시간에 토의를 하기로 하였다. 토의 주제로 적합하지 <u>않은</u> 것은?

▲ 사막 위에 건설 중인 도시

▲ 나이지리아의 환경 파괴

① 사막의 형성 과정
② 자원 개발에 따른 긍정적 변화
③ 자원 개발에 따른 문제점 및 갈등
④ 풍부한 자원을 가진 지역의 미래 예측
⑤ 우리의 자원 소비와 세계 여러 지역과의 관계

05 다음은 사회 시간에 실시할 모둠별 토의 주제이다. (가), (나)에 해당하는 나라를 바르게 연결한 것은?

풍부한 자원을 바탕으로 경제적 풍요로움을 누리는 지역	풍부한 자원에도 불구하고 내전이나 빈곤에 시달리는 지역
(가)	(나)

	(가)	(나)
①	보츠와나	카자흐스탄
②	시에라리온	보츠와나
③	나이지리아	아랍 에미리트
④	카자흐스탄	브루나이
⑤	사우디아라비아	시에라리온

06 다음 글의 ㉠에 들어갈 나라로 옳은 것은?

아프리카의 시에라리온과 (㉠)에서는 다이아몬드 광산을 차지하기 위한 정부군과 반군의 내전이 이어지고 있다. 이러한 내전은 주민의 생명까지 위협하고 있다.

① 미국　　② 캐나다　　③ 보츠와나
④ 라이베리아　　⑤ 아랍 에미리트

:3 STEP 실력을 완성하는 **주관식·서술형 문제**

07 신유형 다음은 어떤 나라의 1인당 국내 총생산 변화를 나타낸 그래프이다. 지도상에 표시된 위치를 참고하여 어떤 나라인지 쓰고, 이 나라의 성장 배경을 제시된 단어를 반드시 포함하여 서술하시오.

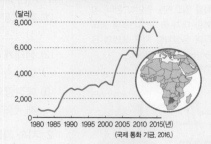

(달러)
8,000
6,000
4,000
2,000
0
1980 1985 1990 1995 2000 2005 2010 2015(년)
(국제 통화 기금, 2016.)

- 자원 개발　　• 수익, 분배
- 외국인 투자　　• 경제 성장

08 다음 글을 읽고 ㉠에 들어갈 내용을 세 가지 서술하시오.

자원 수출국은 자원을 수출하여 국가의 부를 늘리고 있지만, 자원이 풍부하다고 해서 그 지역이 반드시 경제적으로 풍요로운 것은 아니다. 왜냐하면 (㉠)

09 고난도 다음 글을 읽고 밑줄 친 ㉠의 이유가 무엇인지 서술하시오.

나이지리아 남부의 나이저 델타는 세계 메이저 석유 기업들이 원유를 채굴해 오는 아프리카 최대의 석유 매장 지역이다. 이곳은 한때 맹그로브 나무로 이루어진 울창한 숲이었지만, 강 곳곳에 낡은 시추 시설이 방치되어 있다. ……(중략)…… 이 지역의 복원에는 30년간 1조 2천억 원이 들 것으로 추산된다. 삶의 터전을 잃게 된 ㉠원주민들은 석유 기업과 나이지리아 정부를 상대로 집단 소송에 나섰다.

03 지속 가능한 자원 개발

꼼꼼! 필기 노트

＋ 온실가스(Greenhouse Gases)
대기 중에 있는 가스 형태의 물질로 지구 온난화를 일으키는 원인이 된다. 지구 온난화란 대기 중 온실가스의 농도가 증가하여 온실처럼 지구 표면의 온도가 상승하는 현상을 말한다.

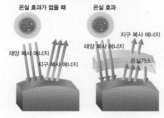

＋ 가채 연수
인류가 현재와 같은 속도로 자원을 채굴할 경우, 앞으로 얼마나 더 채굴할 수 있는지 가능한 매장량을 연수로 표시한 것을 말한다.

＋ 조석 간만의 차
바닷물이 가장 높은 때인 '만조'와 가장 낮은 때인 '간조'의 차이를 말하며 '조차'라고도 한다.

콕콕! 핵심 개념

1 환경에 영향을 적게 주면서 자원의 낭비를 최소한으로 하는 자원을 □□ □□□ 자원이라고 한다.

2 자원의 채굴 가능한 매장량을 연수로 표시한 것을 □□ □□라고 한다.

3 옥수수나 가축의 분뇨 등을 이용하여 에너지를 생산하는 것을 □□□ 에너지라고 한다.

---

1 지속 가능한 자원의 의미와 종류

1 기존 에너지 자원의 한계

(1) **환경 문제:** 석탄, 석유 등의 화석 연료는 온실가스를 배출하여 환경 문제를 유발함

(2) **생태계 파괴의 위험:** 원자력 발전은 방사성 물질 누출 시 생태계를 파괴할 위험이 있음

(3) **매장량의 한계:** 대부분의 에너지 자원은 가채 연수가 한정되어 있음

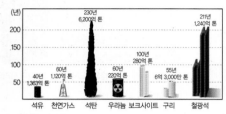

▲ 자원의 가채 연수

2 지속 가능한 자원

(1) **①**[   ] **자원의 의미:** 환경에 영향을 적게 주면서 자원의 낭비를 최소한으로 하는 자원을 의미함

(2) **지속 가능한 자원의 종류**

태양광 발전	• **②**[ ]을 전기 에너지로 변환하는 지속 가능한 자원 • 일사량이 많은 지역이 발전에 유리함
풍력 발전	• **③**[ ]을 이용해 전력을 생산함 • 강한 바람이 지속적으로 부는 해안이나 산간 지역이 발전에 유리함
조력 발전	조석 간만의 차이(밀물과 썰물의 차이)를 이용해 전력을 생산함 → 경기도의 시화호 조력 발전소
지열 발전	**④**[ ] 활동이 활발한 조산대 지역에서 지구 내부의 열 에너지를 이용해 전력을 생산함
바이오 에너지	옥수수, 콩 등의 식물에서 연료를 추출하는 방법과 가축의 분뇨나 음식물 쓰레기의 가스를 이용하여 전기를 생산하는 방식이 있음

→ 덴마크의 경우는 전체 전력의 42% 정도를 풍력 발전으로 생산해요.

→ 주요 식량 자원을 에너지 생산에 이용한다는 비판도 있어요.

2 지속 가능한 자원 개발의 효과와 부작용

1 지속 가능한 자원의 효과

(1) **⑤**[   ]**를 대체할 새로운 에너지:** 고갈 우려가 적고 친환경적이어서 화석 연료의 한계를 극복할 새로운 에너지로 주목받음 └→ 자원이 말라서 없어지거나 더 이상 사용할 수 없는 상태를 뜻하기도 해요.

(2) **폐기물이 없거나 재활용하는 자원**

① 폐기물을 발생시키지 않는 자원: 태양광, 풍력, 조력, 지열 에너지는 고갈 우려가 없고 폐기물도 발생하지 않음

② 폐기물을 재활용하는 자원: 일상의 폐기물을 재활용하기 때문에 환경에 미치는 영향이 적음

2 지속 가능한 자원 개발의 부작용

(1) **효율성 문제:** 아직은 높은 개발 비용에 비해 에너지의 **⑥**[   ]이 낮은 편

(2) **자연 조건의 문제:** 자연 조건의 영향을 많이 받아 개발 장소에 제한이 많음

(3) **생태계 파괴 문제:** 주변 생태계가 파괴되거나 지역 주민과의 갈등이 발생하기도 함

탄탄! 활동 노트

활동 1 다음은 어떤 자원에 대한 자료이다. 물음에 답해 보자.

| (가) | (나) |

미국 서부의 **❶**[   ] 기후 지역에 설치되어 있는 **❷**[   ]광 발전 시설이다. 태양 전지판이 태양 에너지를 모아 전력을 생산한다.

덴마크의 **❸**[   ] 발전소는 바람을 이용해 전기를 생산하는 시설로, **❹**[   ] 지역이나 바람이 강한 산지에 많이 설치된다.

1 위 글의 빈칸에 들어갈 알맞은 말을 써 보자.

2 (가), (나)와 같은 자원을 무엇이라고 하는지 쓰고, 이러한 자원의 장점을 서술해 보자.

(1) 명칭	
(2) 장점	

활동 2 다음 그림을 보고 물음에 답해 보자.

집열판 주변은
(㉠   ).

풍력 발전기가 돌아갈 때
(㉡   ).

▲ 태양광 발전   ▲ 풍력 발전

1 위 그림의 ㉠, ㉡에 들어갈 태양광 및 풍력 발전의 부작용에는 어떤 것이 있는지 써 보자.

(1) ㉠ – (   )

(2) ㉡ – (   )

2 〈활동 1〉과 〈활동 2〉를 종합하여 볼 때 지속 가능한 자원의 개발 과정에서 고려해야 할 점은 무엇인지 서술해 보자.

·1 STEP 개념을 되짚는 확인 문제

01 다음 빈칸에 들어갈 알맞은 말을 써 보자.

(1) 석탄, 석유 등은 (　　　　　　)(을)를 배출하여 환경 문제를 유발한다.

(2) 대부분의 에너지 자원은 (　　　　　　)이(가) 한정되어 있다.

(3) (　　　　　　)은(는) 고갈 우려가 적고 친환경적이라는 점에서 새로운 에너지로 주목받고 있다.

02 서로 관련 있는 것끼리 연결해 보자.

(1) 풍력 발전소　·

(2) 조력 발전소　·

(3) 바이오 에너지 ·

· ㉠ 식물에서 연료를 추출하는 방식의 에너지

· ㉡ 바다의 조차를 이용해 전력 생산

· ㉢ 바람을 이용해 전력 생산

03 다음 설명이 옳으면 ○, 틀리면 ×에 표시해 보자.

(1) 지열을 이용하여 전력을 생산하는 방식을 바이오 에너지라고 한다.　　　(○ | ×)

(2) 지속 가능한 자원은 매장량에 한계가 있어서 점점 그 비중이 줄어들 것이다.　(○ | ×)

(3) 태양광, 풍력, 조력 에너지 등과 같이 환경에 영향을 적게 주는 자원을 지속 가능한 자원이라고 한다.　　　　　　　　　(○ | ×)

04 다음 괄호 안에 들어갈 알맞은 말을 골라 보자.

(1) (바이오 에너지 | 원자력 발전)은(는) 방사성 물질 누출 시 생태계를 파괴할 수 있다.

(2) (태양광 발전 | 지열 발전)은(는) 화산 활동이 활발한 지역에서 지구 내부의 열 에너지를 이용해 전력을 생산한다.

(3) 조력 발전소는 조석 간만의 차가 (큰 | 작은) 해안 지역에 건설된다.

:2 STEP 기초를 다지는 기본 문제

01 다음 글의 ㉠에 해당하는 에너지 자원은?

> 오늘날 에너지원으로 ㉠ 가장 많이 사용하는 화석 연료는 환경 문제를 유발한다는 단점이 있다. 또한 머지 않아 고갈될 것으로 예상된다.

① 석유　　② 수소　　③ 풍력
④ 태양광　⑤ 바이오 에너지

02 다음 설명에 해당하는 에너지 자원으로 옳은 것은?

> 옥수수, 사탕수수 등 식물에서 연료를 추출하는 방식과 가축의 분뇨나 음식물 쓰레기의 가스를 이용하여 전기를 생산하는 방식이 있다.

① 　②

③ 　④

⑤

03 지속 가능한 자원의 긍정적 기능에 대한 설명으로 옳은 것을 〈보기〉에서 고른 것은?

> **보기**
> ㄱ. 친환경적이다.
> ㄴ. 고갈 우려가 적다.
> ㄷ. 개발 비용에 비해 에너지 효율성이 낮다.
> ㄹ. 개발 시 주변 생태계가 파괴될 우려가 있다.

① ㄱ, ㄴ　　② ㄱ, ㄷ　　③ ㄱ, ㄹ
④ ㄴ, ㄷ　　⑤ ㄷ, ㄹ

04 다음 글의 ㉠에 해당하는 에너지 자원은?

> 지속 가능한 자원은 고갈 우려가 적고 친환경적이라는 점에서 새로운 에너지로 주목받고 있다. 그러나 ㉠ 식량 가격을 상승시키는 등의 문제가 발생하기도 한다.

① 풍력 에너지 ② 조력 에너지
③ 태양광 에너지 ④ 지열 에너지
⑤ 바이오 에너지

05 다음 사진에 나타난 에너지 자원에 대한 설명으로 옳은 것은?

① 매장량이 한정되어 있다.
② 화산 활동이 활발한 지역에 주로 설치된다.
③ 온실가스를 배출하여 환경 문제가 발생한다.
④ 미국 서부의 건조 기후 지역에서 볼 수 있다.
⑤ 바람이 많이 부는 해안이나 산지 지역이 발전에 유리하다.

06 다음 내용과 관련 있는 발전 방식으로 옳은 것은?

> 대규모 토목 공사로 바다의 수질 오염이 심각합니다. 바닷물의 흐름이 바뀌면서 물고기도 많이 잡히지 않고, 갯벌도 점차 파괴되고 있다고 합니다.

① 풍력 발전 ② 조력 발전
③ 태양광 발전 ④ 지열 발전
⑤ 원자력 발전

:3 STEP **실력을 완성하는 주관식·서술형 문제**

07 (가), (나) 사진에 나타난 에너지는 무엇인지 각각 명칭을 쓰고, (가), (나) 발전이 입지하기에 유리한 조건을 서술하시오.

(가)   (나)

08 다음 그림의 A에 해당하는 에너지를 쓰고, 이 에너지의 발전에 유리한 입지 조건을 '조차'라는 단어를 포함하여 서술하시오.

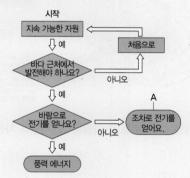

09 다음은 글과 관련된 에너지를 쓰고, ㉠에 들어갈 내용을 두 가지 서술하시오.

> 이 에너지는 옥수수, 콩과 같은 식물에서 직접 연료를 추출하거나 음식물 쓰레기, 가축 분뇨 등에서 발생하는 가스를 이용하여 에너지를 생산한다. 미국과 브라질은 이 에너지 생산량이 매우 높으며, 실제로 자동차 연료를 생산하거나 난방을 하는 데에 이용하고 있다.
> 그러나 이 에너지에 대한 비판의 목소리도 높다.
> (㉠   )

뚝딱! 단원 마무리하기

01 다음 설명에 해당하는 나라로 옳은 것을 〈보기〉에서 고른 것은?

> 자원이 지구상에 골고루 분포하지 않기 때문에 석유 소비량은 많지만 매장된 석유가 거의 없어 대부분을 수입에 의존하고 있는 나라도 많다.

보기

ㄱ. 캐나다　　　　　ㄴ. 일본
ㄷ. 우리나라　　　　ㄹ. 베네수엘라 볼리바르

① ㄱ, ㄴ　　② ㄱ, ㄷ　　③ ㄴ, ㄷ
④ ㄴ, ㄹ　　⑤ ㄷ, ㄹ

[02~03] 다음 지도를 보고 물음에 답하시오.

02 위와 같은 분포와 이동을 보이는 A 자원은?

① 석유　　② 석탄　　③ 철광석
④ 유황　　⑤ 알루미늄

03 A 자원에 대한 설명으로 옳은 것을 〈보기〉에서 고른 것은?

보기

ㄱ. 국제적 이동이 적은 편이다.
ㄴ. 서남아시아의 페르시아만 일대가 주요 매장지이다.
ㄷ. 우리나라는 A 자원을 주로 러시아에서 수입하고 있다.
ㄹ. 지역적 편재성이 커서 이 자원을 둘러싼 경쟁과 갈등이 발생하고 있다.

① ㄱ, ㄴ　　② ㄱ, ㄷ　　③ ㄴ, ㄷ
④ ㄴ, ㄹ　　⑤ ㄷ, ㄹ

[04~05] 다음 지도를 보고 물음에 답하시오.

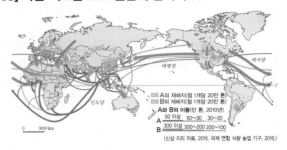

04 A, B 식량 자원의 명칭을 바르게 연결한 것은?

	A	B		A	B
①	쌀	밀	②	쌀	옥수수
③	밀	쌀	④	밀	옥수수
⑤	옥수수	밀			

05 A 자원의 특징으로 옳은 것을 〈보기〉에서 고른 것은?

보기

ㄱ. 주로 남반구에서 북반구로 수출된다.
ㄴ. 신대륙에서 구대륙으로 주로 이동한다.
ㄷ. 생산지에서 대부분 소비되어 국제 이동이 적다.
ㄹ. 아시아의 계절풍 기후 지역에서 주로 생산된다.

① ㄱ, ㄴ ② ㄱ, ㄷ ③ ㄴ, ㄷ ④ ㄴ, ㄹ ⑤ ㄷ, ㄹ

06 다음 지도를 보고 분석한 내용으로 옳은 것은?

① A에 해당하는 자원은 석탄이다.
② 곡물 기업과 식량 공급 통제를 나타내고 있다.
③ 유럽의 여러 나라들이 러시아에 자원을 공급한다.
④ 유럽의 국가들은 자원 민족주의를 내세워 러시아에 대항해야 할 것이다.
⑤ 러시아가 공급을 통제할 경우 A 자원을 둘러싼 유럽 국가와 러시아 간의 갈등이 커질 것이다.

07 다음 글의 밑줄 친 ㉠, ㉡에 해당하는 나라를 바르게 연결한 것은?

> 전 세계에는 ㉠ 자원이 풍부하여 일찌감치 선진국으로 발돋움한 나라들이 있다. 반면, 풍부한 자원을 보유하고 있어도 오히려 ㉡ 경제적으로 어렵거나 내전과 기아에 시달리는 나라도 있다.

	㉠	㉡
①	미국	보츠와나
②	미국	나이지리아
③	오스트레일리아	캐나다
④	콩고 민주 공화국	미국
⑤	콩고 민주 공화국	보츠와나

08 다음 설명에 해당하는 나라를 지도에서 고르면?

> • 휴대 전화에 사용되는 콜탄이 많이 매장되어 있다.
> • 콜탄 매장 지역은 고릴라 서식지와 일치하여 고릴라의 서식지가 줄어들고 있다.

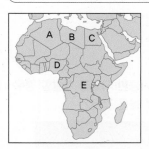

① A
② B
③ C
④ D
⑤ E

09 다음 글과 관련이 있는 나라로 옳은 것은?

> 중앙아시아 북부에 위치한 나라로 북쪽으로 러시아, 동쪽으로 중국과 몽골, 남쪽으로 키르기스스탄, 우즈베키스탄, 투르크메니스탄, 서쪽으로 카스피해와 접해 있다. 이 나라는 세계 12위의 석유 매장국으로 천연가스와 각종 광물 자원을 다량 보유하고 있으며, 자원을 개발하고 수출하면서 최근 높은 경제 성장률을 보이고 있다.

① 인도   ② 이라크   ③ 카자흐스탄
④ 아프가니스탄 ⑤ 아제르바이잔

10 다음 글을 읽고 그 원인으로 볼 수 없는 것을 고르면?

> 라이베리아, 시에라리온, 나이지리아 등은 주민들의 삶터가 위협받고 있으며, 생활 수준 또한 높지 않다.

① 광물 자원을 대부분 수입해서 사용하고 있다.
② 자원을 차지하기 위한 내전이 발생하고 있다.
③ 자원 개발에 따른 이익을 외국 기업이 가져간다.
④ 기술 수준이 낮아 저렴한 가격에 자원을 수출한다.
⑤ 무분별한 자원 개발로 환경이 파괴되어 가고 있다.

11 다음 글의 빈칸에 공통으로 들어갈 자원으로 옳은 것은?

> 아프리카 시에라리온과 라이베리아에서는 (   ) 광산을 차지하기 위한 정부군과 반군의 내전이 이어지고 있다. 내전은 주민들의 생명까지 위협하고 있지만, 정작 개발 수익은 소수만 차지하면서 '피의 (   )'라는 오명이 붙었다.

① 석탄   ② 석유   ③ 철광석
④ 보크사이트   ⑤ 다이아몬드

12 다음 글을 읽고 수업 시간에 토론을 하려고 한다. 그 주제로 가장 적절한 것은?

> 나이지리아는 아프리카 최대의 석유 자원 생산국이다. 하지만 오래된 자원 채취 시설 등이 그대로 방치되면서 강과 호수가 심각하게 오염되어 가고 있다.

① 식수 개발이 필요하다.
② 자원 개발로 빈부 격차가 심해지고 있다.
③ 외국인들의 석유 채취 기술력이 월등하다.
④ 석유를 대체할 수 있는 자원을 찾아야 한다.
⑤ 풍부한 지하자원이 반드시 이익이 되는 것은 아니다.

13 다음 자원의 가채 연수를 나타낸 그래프를 통해 알 수 있는 내용이 <u>아닌</u> 것은?

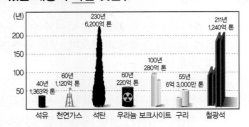

① 석탄의 가채 연수는 상대적으로 긴 편이다.
② 석유의 가채 연수는 상대적으로 짧은 편이다.
③ 대부분의 에너지 자원은 무한정 사용할 수 없다.
④ 자원의 채굴 가능한 매장량을 연수로 표시한 것이다.
⑤ 원자력 발전 시설을 최대한 많이 건설하여 효율적인 에너지 소비 구조를 정착시켜야 한다.

14 다음 자료에 대한 설명으로 옳지 <u>않은</u> 것은?

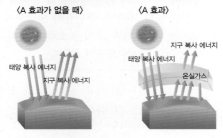

① A 효과는 온실 효과를 나타낸다.
② 태양광 발전의 부작용에 대한 내용이다.
③ 지구 온난화 현상을 일으키는 요인이다.
④ A 효과는 온실가스가 주 원인으로 작용한다.
⑤ 석유 같은 화석 연료를 많이 사용할 경우 피해가 더욱 커진다.

15 다음 설명에 해당하는 에너지 자원으로 옳은 것은?

> 고갈 우려가 적은 지속 가능한 자원으로 가축의 분뇨나 옥수수, 사탕수수 등 식물의 부산물을 이용하여 에너지를 생산하는 방식이다.

① 풍력　　② 조력　　③ 지열
④ 태양광　　⑤ 바이오 에너지

16 다음과 같은 발전의 비중이 높은 나라는?

① 영국
② 핀란드
③ 뉴질랜드
④ 에스파냐
⑤ 노르웨이

17 다음 사진에 나타난 발전소가 입지하기에 유리한 지역은?

① 화산 활동이 활발한 조산대 부근
② 원료를 구하기 쉬운 농어촌 지역
③ 밀물과 썰물의 차이가 큰 바다 근처
④ 바람이 지속적으로 부는 해안이나 산지 지역
⑤ 지속적으로 태양열을 얻을 수 있는 건조 기후 지역

18 다음과 같은 지속 가능한 자원을 개발할 경우 나타날 수 있는 부작용으로 옳은 것은?

① 발전기 작동에 따른 소음이 생각보다 심하다.
② 팜유의 생산을 위해 많은 열대 우림이 파괴된다.
③ 열과 빛이 강해서 주변의 농작물 수확량을 감소시킨다.
④ 대규모 토목 공사로 인해 바다의 수질 오염을 야기시킨다.
⑤ 주요 식량 자원을 에너지 개발에 소모한다는 비판에 직면한다.

19 다음과 같은 생산과 소비를 보이는 A 자원의 명칭을 쓰고, 이 자원의 국제 이동에 대해 서술하시오.

20 지도에 표시된 A 자원의 특징 세 가지를 제시된 용어를 반드시 포함하여 서술하시오.

• 가채 연수   • 국제 이동   • 주요 매장 지역

21 다음 글에 나타난 국제 기구의 명칭을 쓰고, 이 기구가 세계 경제에 미치는 영향을 서술하시오.

> 1960년 석유 자원의 수출을 통해 경제적 안정을 추구하기 위한 목적으로 만든 주요 석유 수출국 모임으로 쿠웨이트, 사우디아라비아, 베네수엘라 볼리바르 등이 회원국으로 활동하고 있다.

22 지도에 표시된 A 식량 자원의 이름을 쓰고, 국제 이동 방향을 제시된 용어를 반드시 포함하여 두 가지 서술하시오.

• 대륙   • 반구

23 다음은 사회 수업 시간에 발표하기 위해 작성 중인 자료이다. (가)에 해당하는 구체적인 사례를 세 가지 서술하시오.

풍부한 자원을 바탕으로 경제적 풍요로움을 누리는 지역	풍부한 자원에도 불구하고 내전이나 빈곤에 시달리는 지역
석유 수출을 통해 얻은 이익으로 사막 지역에 세계적인 도시를 건설한 사우디아라비아	(가)

24 다음 사진은 우리나라 시화호에 설치된 발전소의 모습이다. 이 에너지 자원은 무엇인지 쓰고, 효과와 부작용을 각각 한 가지씩 서술하시오.

7

이 단원을 배우면

사회화의 의미와 사회화 과정에서 나타나는 청소년기의 특징을 설명할 수 있어요. 또한 사회적 지위와 역할의 의미를 알고, 사회 집단에서 나타나는 차별과 갈등 상황을 해결하려는 태도를 기를 수 있어요.

개인과 사회생활

:나의 학습 진도표

중단원명	학습 코너	쪽수	학습 예정일	학습 완료일	달성도
01 사회화와 청소년기	꼼꼼! 필기 노트	124쪽	◯월 ◯일	◯월 ◯일	☆☆☆☆☆
	탄탄! 활동 노트	125쪽	◯월 ◯일	◯월 ◯일	☆☆☆☆☆
	쑥쑥! 실력 키우기	126~127쪽	◯월 ◯일	◯월 ◯일	☆☆☆☆☆
02 사회적 지위와 역할	꼼꼼! 필기 노트	128쪽	◯월 ◯일	◯월 ◯일	☆☆☆☆☆
	탄탄! 활동 노트	129쪽	◯월 ◯일	◯월 ◯일	☆☆☆☆☆
	쑥쑥! 실력 키우기	130~131쪽	◯월 ◯일	◯월 ◯일	☆☆☆☆☆
03 사회 집단과 차별	꼼꼼! 필기 노트	132쪽	◯월 ◯일	◯월 ◯일	☆☆☆☆☆
	탄탄! 활동 노트	133쪽	◯월 ◯일	◯월 ◯일	☆☆☆☆☆
	쑥쑥! 실력 키우기	134~135쪽	◯월 ◯일	◯월 ◯일	☆☆☆☆☆
뚝딱! 단원 마무리하기		136~139쪽	◯월 ◯일	◯월 ◯일	☆☆☆☆☆

01 사회화와 청소년기

이것이 **포인트!**
- 사회화와 본능의 차이
- 다양한 사회화 기관
- 청소년기의 사회화

꼼꼼! 필기 노트

✚ **본능과 사회화 구분하기**

졸릴 때 하품하는 것은 본능이지만, 하품할 때 입을 가리는 것은 사회화의 결과이다.

✚ **청소년기**
아동기와 성인기의 중간적 위치에 있으며, 사회화 과정에서 큰 변화를 경험하는 시기이다.

✚ **청소년기를 표현하는 용어**
- 질풍노도의 시기: '매서운 바람과 거센 물결'이라는 의미로, 청소년기의 격정적인 감정의 변화와 정서적 혼란 상태를 비유한다.
- 심리적 이유기: 부모나 교사 등 성인의 보호, 감독, 간섭으로부터 벗어나 독립적으로 행동하고자 하는 시기를 비유한다.
- 주변인: 아동과 성인 중 어느 쪽에도 속하지 못하고 주변을 맴도는 상황을 비유한다.
- 이유 없는 반항기: 어른의 권위에 반항하고, 전통적 가치를 부정하려는 경향이 큰 시기임을 비유한다.
- 제2의 탄생: 출생 이후 정신적·육체적 변화가 많이 나타나는 시기임을 비유한다.

콕콕! 핵심 개념

1 □□□: 인간이 자신이 속한 사회의 지식, 가치, 행동 양식, 규범 등을 배우는 과정

2 □□□□: 사회 변화에 따라 새롭게 등장하는 지식과 가치를 다시 배우는 과정

3 □□ □□□□: 남들과 다른 독특한 자기만의 모습

1 인간과 사회의 관계

1 사회적 존재로서의 인간
(1) 인간은 다른 사람과 더불어 살아가는 ❶ [   ]임
(2) 인간은 다른 사람들과의 관계 속에서 ❷ [   ]으로 살아가는 방법을 배움

2 ❸ [   ] → 사회화의 결과로 나타나는 행동은 본능에 따른 행동과는 달리 사회마다 다르게 나타나요.
(1) **의미**: 인간이 자신이 속한 사회의 지식, 가치, 행동 양식, 규범 등을 배우는 과정
(2) **기능**
  ① 개인적 측면: 사회화를 통해 사회 구성원으로 성장, 자신만의 개성과 ❹ [   ] 형성
  ② 사회적 측면: 사회 구성원들에게 그 사회의 문화를 익히게 함으로써 사회를 유지·발전
(3) **❺ [   ]**: 사회 구성원들의 ❻ [   ]를 담당하는 집단 또는 기관

종류	사회화의 내용과 특징	시기
❼ [ ]	• 기초적인 사회화 기관 • 기본적인 인성과 생활 습관 형성	❽ [ ]
❾ [ ]	• 비슷한 연령대의 친구 집단 • 소속감과 심리적 안정감 추구 • 청소년기의 ❿ [ ] 형성에 중요한 역할	유년기, ⓫ [ ]
학교	• 공식적·지속적·체계적인 사회화 기관 • 공동체 생활에 필요한 지식과 규범을 체계적으로 학습	
⓬ [ ]	• 종류: 신문, 텔레비전, 인터넷 등 • 사회생활에 필요한 여러 가지 지식과 정보를 신속하게 전달 • 현대 사회에서 영향력이 가장 큼	청소년기, 성인기, 노년기
직장	• 사회 적응을 위한 지식과 기술, 규범 등을 재교육 • 자아실현과 생계유지에 이바지	

3 ⓭ [   ]: 사회 변화에 따라 새롭게 등장하는 지식과 가치를 다시 배우거나 환경에 맞추어 그에 맞는 삶의 방식을 다시 익히는 것 → 대중 매체, 직장, 각종 교육원 등
→ 오늘날에는 급속한 사회 변화, 평균 수명의 증가 등으로 재사회화가 더욱 강조되고 있어요.

2 청소년기의 사회화

1 청소년기의 특징 → 부모와의 관계에서 독립적인 위치를 요구하거나 자신의 주장을 내세우기도 해요.
(1) **신체적 특징**: 신체적 변화가 크고, 2차 성징이 나타남
(2) **심리적 특징**: 감정 변화가 크고, 감수성이 풍부해지며, 독립심이 강해짐
(3) **사회적 특징**: 인간관계의 범위가 확대되고, ⓮ [   ]과의 관계를 중시함

2 ⓯ [   ] → '나는 누구인가?', '나는 무엇이 되고 싶은가?', '나는 어떻게 살아야 할까?'와 같은 물음을 던지고 이에 대한 답을 찾는 과정에서 형성돼요.
(1) **의미**: 자기 자신에 대한 통합적 관념으로 남과 구별되는 자신만의 고유한 특성
  → 청소년기에 중점적으로 형성 → 청소년기 사회화의 주된 내용은 독립된 자아로서 정체성을 형성해 나가는 것이에요.
(2) **자아 정체성 형성의 중요성**
  ① 개인적 측면: 자신에 대한 명확한 이해와 신념으로 진정한 자아를 실현해 나감
  ② 사회적 측면: 정체성 혼란으로 발생하는 여러 사회 문제 및 혼란을 예방함
  → 청소년기에 형성된 자아 정체성에 따라 성인기의 삶이 달라질 수 있으므로 이 시기에 올바른 자아 정체성을 확립하는 것이 중요해요.

탄탄! 활동 노트

활동 ① 다음 자료를 보고 물음에 답하시오.

우크라이나의 개 소녀 '옥사나'

　1991년 우크라이나에서 8세의 나이로 발견된 옥사나는 3살 때부터 개들과 함께 지냈다고 한다. 발견 당시 그녀는 짖거나 신음 소리를 내면서 개 무리를 지키려고 하고 네 발로 걷는 등 개와 비슷한 행동을 하였다. 이후 언어 치료를 받아 말을 할 수 있게 되었지만 사람들과의 관계에서 감정 표현하는 것을 어려워하고 개 무리와 함께 있을 때 가장 편안한 모습을 보였다.

1 다음 ㉠에 들어갈 알맞은 말을 써 보자.

　우크라이나의 개 소녀 '옥사나'는 자신이 속한 사회의 지식, 가치, 행동 양식, 규범 등을 배우는 과정인 (　㉠　)을(를) 경험하지 못했기 때문에 개와 비슷한 행동을 하게 되었다.

2 '옥사나'의 사례를 통해 알 수 있는 위 ㉠의 기능을 개인적 측면에서 서술해 보자.

활동 ② 다음은 영화 〈인사이드 아웃〉에 관한 내용이다. 물음에 답하시오.

　〈인사이드 아웃〉은 열한 살 소녀 라일리의 성장 과정을 머릿속에 존재하는 다섯 가지 감정 캐릭터(기쁨, 슬픔, 소심, 버럭, 까칠)로 표현한 영화이다. 원래 라일리는 하키와 친구들을 좋아하는 밝고 사랑스러운 아이였다. 그러던 어느 날 우연한 실수로 기쁨과 슬픔이 감정 조절 본부에서 나가게 되자, 라일리는 내성적이고 화를 잘 내는 아이로 변하게 된다. 새로운 곳으로 이사한 후에는 학교에 적응하지 못하고 부모님과의 갈등도 커지면서 충동적으로 혼자 떠나기도 하였다. 우여곡절 끝에 기쁨과 슬픔이 감정 조절 본부로 다시 돌아오게 되자 라일리도 예전보다 더 성숙한 인간으로 성장하게 된다.

1 위의 사례에서 나타나는 청소년기의 특징을 서술해 보자.

2 다음 빈칸에 들어갈 알맞을 말을 써 보자.

　라일리와 같은 청소년기에는 자기 자신의 모습을 탐색하기 시작한다. '나는 누구인가?', '나는 무엇이 되고 싶은가?', '나는 어떻게 살아가야 할까?'와 같은 물음을 던지고 이에 대한 답을 찾아가는 과정에서 남들과 다른 독특한 자기만의 모습, 즉 (　　　　　)을(를) 형성하게 된다.

3 라일리와 같은 청소년기에 가장 큰 영향력을 미치는 사회화 기관을 <u>두 가지</u> 써 보자.

1 STEP 개념을 되짚는 확인 문제

01 다음 빈칸에 들어갈 알맞은 말을 써 보자.

(1) 인간이 자신이 속한 사회의 지식, 가치, 행동 양식, 규범 등을 배우는 과정을 (　　　　)(이)라고 한다.

(2) (　　　　)은(는) 비슷한 연령대의 친구 집단으로, 소속감과 심리적 안정감을 추구한다.

(3) 성인이 된 이후에도 사회 변화에 따라 새롭게 등장하는 지식과 가치를 다시 배우는 (　　　　) 과정이 필요하다.

(4) 청소년기에는 '나는 누구인가?'에 관한 답을 찾아가는 과정에서 (　　　　)을(를) 형성하게 된다.

02 다음 사회화 과정이 이루어지는 시기를 써 보자.

(1) 학교에서 지식과 규범 등을 익히며, 또래 집단과 대중 매체의 영향을 많이 받는다.

(　　　　)

(2) 가정에서 기본적인 생활 습관을 학습하게 된다.

(　　　　)

03 다음 설명이 옳으면 ○, 틀리면 ×에 표시해 보자.

(1) 개인은 사회화를 통해 사회의 구성원으로 성장하며, 그 과정에서 자신만의 개성과 자아를 형성한다. (　○　|　×　)

(2) 재사회화는 개인에게 변화가 있을 때에만 나타나고, 사회의 변화와는 관계가 없다. (　○　|　×　)

(3) 현대 사회에서 신문, 텔레비전, 인터넷 등과 같은 대중 매체가 미치는 영향력이 축소되고 있다. (　○　|　×　)

(4) 청소년기는 독립된 자아로서의 정체성을 형성해 가는 중요한 시기이다. (　○　|　×　)

2 STEP 기초를 다지는 기본 문제

01 사회화에 대한 설명으로 옳지 않은 것은?

① 가정은 기초적인 사회화 기관이다.
② 사회화는 성인이 된 이후에는 이루어지지 않는다.
③ 사회화에 따른 행동은 사회마다 다르게 나타난다.
④ 개인은 사회화를 통해 사회의 구성원으로 성장해 나간다.
⑤ 한 사회의 구성원들은 사회화를 통해 문화를 공유하고 다음 세대로 전달한다.

02 다음 글을 통해 파악할 수 있는 내용으로 가장 적절한 것은?

> 인류학자 마거릿 미드(Mead, M.)는 뉴기니 섬의 세 부족 사회에서 나타나는 성 역할을 비교 연구하였다. 문두구머족은 남녀 모두 공격적이었으며, 아라페시족은 남녀 모두 다툼을 싫어하고 협동적이었다. 챔블리족은 여자가 용감한 반면, 남자는 외모 가꾸기를 좋아하였다.

① 남성다움과 여성다움은 인간의 본능이다.
② 사회화는 평생에 걸쳐 이루어지는 과정이다.
③ 남성다움과 여성다움은 모든 사회에서 동일하게 나타난다.
④ 사회 안에서 서로 관계를 맺고 살아가야 인간답게 성장한다.
⑤ 사회화의 결과로 나타나는 행동은 사회마다 다르게 나타난다.

03 다음에서 설명하는 개념으로 옳은 것은?

> 사회 변화에 따라 새롭게 등장하는 지식과 가치를 배우거나 변화하는 환경에 맞추어 그에 맞는 삶의 방식을 다시 익히는 것이다.

① 사회학　　② 재사회화　　③ 대중 매체
④ 사회화 기관　　⑤ 자아 정체성

04 사회화의 기능으로 옳지 <u>않은</u> 것은?

① 사회의 구성원으로 성장하게 한다.
② 자신만의 개성과 자아를 형성하게 한다.
③ 사회생활을 하는 데 필요한 지식을 전달한다.
④ 한 개인을 그가 속한 사회와 무조건 동일시하게 만든다.
⑤ 문화를 공유하고 다음 세대로 전달하여 사회를 유지시킨다.

05 사회화 기관과 그 특징에 대한 설명으로 옳은 것은?

① 학교 – 업무 수행에 필요한 지식과 기술을 배운다.
② 또래 집단 – 기본적인 인성과 생활 습관을 형성한다.
③ 직장 – 지식과 규범을 체계적으로 학습하는 공식적 교육 기관이다.
④ 대중 매체 – 신문, 텔레비전, 인터넷 등으로 다양한 정보를 제공한다.
⑤ 가정 – 비슷한 연령대의 친구 집단으로 소속감과 심리적 안정감을 추구한다.

06 청소년기의 특징에 대한 설명으로 옳지 <u>않은</u> 것은?

① 감정 변화가 크고 감수성이 풍부해진다.
② 독립된 자아로서 정체성을 형성해 가는 과정을 경험한다.
③ 신체적 변화가 크게 나타나며 외모에 대한 관심이 커진다.
④ 인간관계의 범위가 확대되고 또래 집단과 어울리는 것을 중시한다.
⑤ 부모와의 관계에서 의존적인 모습을 보이며 부모의 주장에 무조건적으로 순응하려고 한다.

:3 STEP 실력을 완성하는 주관식·서술형 문제

07 다음 사례에서 밑줄 친 상황이 발생한 이유를 서술하시오.

> 2007년 캄보디아 밀림에서 '늑대 소녀' 프니엥이 발견되었다. 프니엥은 1989년 8살 때 행방불명됐다가 18년 만에 나무꾼들에게 발견되었다. 발견 당시 프니엥은 벌거벗은 상태에서 야생 동물 소리를 내었다고 한다. <u>인간 사회에서 살게 된 프니엥은 말을 익히지 못하고, 옷을 입는 것도 거부하면서 인간 사회에 적응하지 못하였다.</u>

08 다음 내용과 관련하여 청소년기의 사회화가 중요한 이유를 서술하시오.

> 청소년기에는 '나는 누구인가?', '나는 무엇이 되고 싶은가?' 등에 대한 질문을 던지고 이에 대한 답을 찾아가는 과정에서 남들과 다른 독특한 자기만의 모습을 형성하게 된다.

09 다음 사례들을 통해 설명할 수 있는 개념을 쓰고, 현대 사회에서 이것의 중요성이 커지고 있는 이유를 서술하시오.

> • □□시에서는 외국인을 위한 한글 교실을 개강하였다.
> • ○○ 노인 대학에서는 컴퓨터 활용 교육을 실시하고 있다.

02 사회적 지위와 역할

이것이 포인트!
• 사회적 지위와 역할의 의미
• 역할 갈등의 합리적 해결

+ 나의 사회적 지위

우리는 다른 사람과 맺고 있는 사회적 관계 속에서 일정한 지위를 차지하고 있다. 가정에서는 자녀, 학교에서는 학생 등 우리가 소속된 집단이나 사회적 관계 속에서 차지하고 있는 위치를 사회적 지위라고 한다.

+ 보상
어떤 행위에 대한 물질이나 칭찬 같은 긍정적인 대가를 말한다.

+ 제재
처벌과 같이 어떤 정해진 규칙을 위반하는 행동을 제한하거나 금지하는 것을 말한다.

+ 역할 갈등의 발생 원인
역할 갈등은 두 가지 이상의 지위에서 서로 다른 역할이 요구되고 이를 동시에 수행해야 할 때 발생한다.

콕콕! 핵심 개념

1 □□□ □□ : 사회적 관계 속에서 차지하고 있는 위치

2 □□ □□ : 개인의 능력이나 노력으로 얻게 되는 지위

3 □□ : 지위에 따라 기대되는 행동

4 □□ □□ : 두 가지 이상의 지위에서 서로 다른 역할이 동시에 요구되고 충돌하는 경우

---

1 사회적 지위와 역할

1 사회적 지위[+]

(1) **의미**: 다른 사람과 맺고 있는 ❶_____ 속에서 차지하고 있는 위치

(2) **종류**

구분	❷_____	❸_____
의미	태어날 때부터 자연적으로 주어지는 지위	개인의 능력이나 노력으로 얻게 되는 지위
특징	전통 사회에서 중시됨	현대 사회에서 중시됨
사례	여자, 남자, 장남, 막내딸 등	교사, 학생, 남편 등

2 역할과 행동

(1) **역할**
① 의미: 개인이 차지하는 ❹_____에 따라 기대되는 행동
② 특징: 개인은 여러 가지 사회적 지위와 그에 따른 다양한 역할을 동시에 지님
③ 사례: 부모에게는 어린 자녀를 보살피고 교육하는 역할이 기대되고, 자녀에게는 부모의 말을 존중하고 효도하는 역할이 기대됨

(2) ❺_____
① 의미: 개인이 자신의 ❻_____을 수행하는 구체적인 방식
② 특징: 사회가 바라는 방식으로 역할 행동을 하는 경우 칭찬이나 보상을 받지만 그렇지 못한 경우 비난이나 제재를 받을 수 있음[+]

---

2 역할 갈등 → 오늘날 사회가 복잡해지고 지위와 역할이 다양해지면서 역할 갈등 상황이 점점 많아지고 있어요.

1 의미: 개인이 여러 가지 역할을 동시에 수행해야 하는 상황에서 여러 역할을 동시에 수행할 수 없어 서로 다른 역할들이 충돌하는 경우[+]

2 생활 속 역할 갈등의 사례

(1) **서로 다른 사회적 지위에 따른 역할 충돌**: 한 개인이 회사원이자 엄마의 역할을 가질 때, 회사원의 역할과 엄마의 역할 충돌로 발생

(2) **하나의 사회적 지위에 대한 서로 다른 역할 요구**: 한 개인이 엄마의 역할을 가질 때, 엄격한 엄마와 친근한 엄마의 역할이 동시에 요구될 때 발생

3 역할 갈등 해결의 필요성

(1) **개인적인 측면**: 역할 갈등을 원만하게 해결하지 못하면 ❼_____을 경험

(2) **사회적인 측면**: 역할 갈등을 원만하게 해결하지 못하면 ❽_____ 발생

4 역할 갈등의 합리적 해결 과정 → 역할 갈등을 해결하기 위해서는 먼저 갈등을 일으키는 지위와 역할이 무엇인지 확인하 그 다음으로 우선순위를 정해 자신에게 더 중요한 지위나 역할을 신중하게 선택해야 하

역할 갈등 상황 파악하기	→	역할의 중요성 따져 보기	→	❾_____ 정하기	→	선택한 역할 수행하기

활동 ① 다음 자료를 보고 물음에 답하시오.

　　중학생인 나영이는 연극 동아리 회장으로서 다음 주에 있을 학교 축제에서 공연하기 위해 매일 연습하고 있다. 오늘도 동아리 부원들과 연습하기로 약속했는데, 갑자기 부모님께서 퇴근이 늦어질 것 같다며 여동생을 돌보아 달라고 부탁하셨다. 나영이는 동아리 회장으로서 맡은 책임을 잘하고 싶지만, 언니로서 어린 여동생이 혼자 집에 있는 것도 걱정되어 어떻게 해야 할지 고민하고 있다.

1 위의 사례에서 나영이가 가지고 있는 지위를 모두 찾아 써 보자.

2 위의 **1**에서 찾은 지위를 귀속 지위와 성취 지위로 구분해 보자.

귀속 지위	성취 지위

활동 ② 다음 자료를 보고 물음에 답하시오.

　　2010년 2월 22일 밴쿠버 동계 올림픽 피겨 스케이팅 선수 로셰트가 쇼트 프로그램 경기를 이틀 앞두고 갑작스러운 심장 마비로 어머니를 잃었다. 이 때문에 로셰트는 이날 오전 치러진 쇼트 프로그램 연기 순서 추첨에 참석하지 않았고, 밴쿠버 동계 올림픽 위원회는 로셰트가 어머니의 장례식에 참석할 것이기 때문에 경기에는 참여하기 어려울 것이라고 예상하였다. 그러나 그녀는 경기에 참여하였고, 2분 50초간 혼신의 연기를 마쳤다. 로셰트는 자신의 최고 기록 71.36점을 달성하고 동메달을 목에 걸었다. 어린 나이에 갑작스럽게 어머니를 여의고도 경기에 나가 묵묵히 최선을 다하는 모습에 관중들은 아낌없는 박수를 보냈다.

1 로셰트가 겪었을 역할 갈등이 무엇인지 서술해 보자.

2 로셰트가 역할 갈등을 겪게 된 이유가 무엇인지 서술해 보자.

쑥쑥! 실력 키우기

단계별 문제를 풀면서 실력을 쑥쑥 키워보세요.

·1 STEP 개념을 되짚는 확인 문제

01 다음 빈칸에 들어갈 알맞은 말을 써 보자.

(1) 태어날 때부터 자연적으로 주어지는 사회적 위치를 ( )(이)라고 한다.

(2) ( )은(는) 개인의 능력이나 노력으로 얻게 되는 사회적 지위이다.

(3) 개인이 자신의 역할을 수행하는 구체적인 방식을 ( )(이)라고 한다.

(4) 두 가지 이상의 지위에서 서로 다른 역할이 요구되고 이를 동시에 수행해야 하는 경우 ( )이(가) 발생한다.

02 다음 지위를 귀속 지위와 성취 지위로 구분해 보자.

> ㄱ. 여자 ㄴ. 남편 ㄷ. 장남 ㄹ. 경찰관

(1) 귀속 지위: _____

(2) 성취 지위: _____

03 다음 설명이 옳으면 ○, 틀리면 ×에 표시해 보자.

(1) 현대 사회에서는 태어날 때부터 자연적으로 주어지는 귀속 지위의 영향력이 더욱 커지고 있다. (○ | ×)

(2) 개인이 차지하는 지위에는 그에 따라 기대되는 행동이 있는데, 이를 역할 행동이라고 한다. (○ | ×)

(3) 사회가 바라는 방식으로 역할 행동을 하는 사람은 칭찬이나 보상을 받지만, 그렇지 못한 사람은 비난이나 제재를 받기도 한다. (○ | ×)

(4) 역할 갈등을 해결하기 위해서는 우선 서로 충돌하고 있는 역할이 무엇인지를 정확하게 파악해야 한다. (○ | ×)

:2 STEP 기초를 다지는 기본 문제

01 사회적 지위에 대한 설명으로 옳지 <u>않은</u> 것은?

① 사회적 관계 속에서 차지하고 있는 위치이다.

② 교사, 학생과 같은 지위를 귀속 지위라고 한다.

③ 태어날 때부터 자연적으로 가지는 지위를 귀속 지위라고 한다.

④ 개인의 능력이나 노력으로 얻게 되는 지위를 성취 지위라고 한다.

⑤ 개인이 차지하는 지위에 따라 기대되는 행동을 역할이라고 한다.

02 밑줄 친 상황을 설명할 수 있는 개념으로 적절한 것은?

> 중학생인 은주는 다음 주 치러질 중간고사를 앞두고 주말에 있는 콘서트에 가야 할지 말아야 할지 고민하고 있다. <u>중학생이라는 지위에 맞게 시험공부를 할지, 아니면 팬클럽 회원이라는 지위에 따라 콘서트에 가야 할지</u> 은주는 매우 혼란스러운 상황을 겪고 있다.

① 역할   ② 역할 행동   ③ 역할 갈등
④ 귀속 지위   ⑤ 성취 지위

03 역할에 대한 설명으로 옳지 <u>않은</u> 것은?

① 개인이 차지하는 지위에 따라 기대되는 행동이다.

② 서로 다른 역할이 동시에 요구되는 경우 역할 갈등이 발생한다.

③ 개인이 자신의 역할을 수행하는 구체적인 방식을 역할 행동이라고 한다.

④ 현대 사회에서는 개인이 여러 가지 역할을 수행해야 하는 상황이 발생한다.

⑤ 역할 갈등이 발생하는 경우 반드시 성취 지위에 따른 역할부터 수행해야 한다.

04 성취 지위에 해당하는 것을 〈보기〉에서 모두 고른 것은?

> **보기**
> ㄱ. 노인   ㄴ. 아내   ㄷ. 소방관
> ㄹ. 한국인   ㅁ. 학생 회장

① ㄱ, ㄴ   ② ㄴ, ㅁ   ③ ㄹ, ㅁ
④ ㄴ, ㄷ, ㄹ   ⑤ ㄴ, ㄷ, ㅁ

05 다음 (가)~(다)는 중학생인 송이의 일기 내용을 요약한 것이다. 이에 대한 설명으로 옳지 <u>않은</u> 것은?

> (가) 5월 2일 언니의 생일에 선물을 주었다.
> (나) 5월 8일 어버이날에 부모님께 꽃을 달아드렸다.
> (다) 5월 15일 스승의 날에 선생님께 감사의 마음을 담은 편지를 드렸다.

① (가)에 나타나는 송이의 지위는 여동생이다.
② (나)에 나타나는 송이의 지위는 귀속 지위이다.
③ (다)에 나타나는 송이의 지위는 성취 지위이다.
④ (다)에서 나타나는 송이의 지위는 (나)에 나타나는 지위와 같은 성격을 가진다.
⑤ (가)~(다)와 같이 사회가 바라는 방식으로 역할 행동을 수행하면 칭찬이나 보상을 받을 수 있다.

06 다음 사례에 대한 설명으로 옳은 것은?

> 민수는 ㉠ 손자로서 오늘 생신이신 할아버지께 축하 전화를 드리고 학교에 갔다. 학교에서는 ㉡ 학생으로서 수업을 열심히 듣고 ㉢ 기타 동아리 회원으로서 동아리 활동에 참여하였다. 저녁에는 ㉣ 아들로서 엄마와 함께 저녁 식사를 준비하였다.

① ㉠과 ㉡은 동일한 성격의 사회적 지위이다.
② ㉠과 ㉣은 동일한 성격의 사회적 지위이다.
③ 사례에서 민수는 역할 갈등을 경험하고 있다.
④ ㉠은 개인의 노력에 따라 얻게 되는 사회적 지위에 해당한다.
⑤ ㉢은 태어날 때부터 자연적으로 주어지는 사회적 지위에 해당한다.

:3 STEP 실력을 완성하는 **주관식·서술형 문제**

07 다음 글을 통해 알 수 있는 역할 변화의 내용을 서술하시오.

> 과거에 남편은 가부장적이고, 아내는 순종적인 여성의 모습을 보이는 것이 자연스러운 현상이었다. 하지만 최근 여성의 사회적 활동의 증가, 남성과 여성에 대한 인식의 전환 등으로 남편도 집안일을 함께 하고 아내도 적극적으로 사회 활동을 하는 것이 자연스러워지고 있다.

[08~09] 다음을 읽고 물음에 답하시오.

> 분쟁 지역의 종군 기자인 레베카는 전쟁의 잔혹한 현실을 알리기 위해 열정적으로 일한다. 하지만 레베카의 두 딸은 엄마가 전쟁터에 나가는 대신 자신들과 함께 평범하게 생활하기를 원한다. 레베카는 분쟁 지역의 고통을 알리는 종군 기자 생활을 계속할지 엄마로서 딸들을 돌보며 평범하게 생활할지 고민하고 있다.

08 레베카가 겪고 있는 상황을 한 단어로 쓰고, 이러한 상황이 발생한 이유를 서술하시오.

09 레베카가 **08**의 문제를 합리적으로 해결하기 위한 방안에 대해 서술하시오.

03 사회 집단과 차별

✚ 사회 집단의 세 가지 조건
① 2명 이상의 구성원
② 소속감
③ 지속적인 상호 작용

✚ 사회 집단의 기능
• 개인에게 안정감을 느끼게 하고 지위와 역할을 부여한다.
• 개인과 사회를 연결하는 매개체 역할을 한다.

✚ 소속 집단과 준거 집단의 관계
준거 집단이 소속 집단과 일치할 경우 만족감을 느끼지만, 일치하지 않을 경우 불만이 생기고 갈등을 겪게 될 수 있다.

1 사회 집단

1 의미: 비슷한 관심과 목적을 가진 둘 이상의 사람들이 [❶   ]을 가지고 지속적인 상호 작용을 하는 집단✚ 예 가족, 또래 집단, 학교, 회사 등

2 사회 집단의 유형과 특징

기준	유형	특징	사례
소속감 여부	❷	자신이 속한 집단이라는 소속감을 가지고 있는 집단	우리집, 우리 학교
	❸	자신이 소속되어 있지 않다고 생각하는 집단	다른 반, 다른 학교
구성원의 ❹	❺	구성원 간에 친밀한 대면 접촉이 이루어지는 집단	가족, 또래 집단
	2차 집단	특정한 목적 달성을 위해 구성원 간 [❻]이 이루어지는 집단	회사, 정당
구성원의 결합 의지	❼	• 구성원의 의지와 무관하게 [❽]으로 소속된 집단 • 구성원 간의 인간관계가 친밀함	가족, 촌락
	❾	• 특정한 목적 달성을 위해 구성원의 의지에 의해 선택된 집단 • 구성원 간의 인간관계가 수단적임	학교, 회사

3 [❿   ]: 개인이 자신의 가치나 태도, 행동의 기준으로 삼는 집단✚

4 개인과 사회 집단의 관계 → 개인과 사회 집단은 서로 영향을 주고받는 밀접한 관계에 있어요.
(1) 개인은 다양한 사회 집단에 속해 있고, 집단 내에서 역할을 수행하며 정체성을 형성함
(2) 개인의 의지나 역할 수행 방법에 따라 사회 집단이 변화하고 발전하기도 함

2 사회 집단에서의 차별과 갈등

1 차이와 차별

차이	객관적으로 서로 다르게 나타나는 것 예 성별, 취미, 피부색 등
차별	다르게 대우해야 할 정당한 이유가 없는데도 다르게 대우하는 것 예 성차별, 외국인 차별, 장애인 차별, 지역 차별 등

2 발생 원인: 구성원 간 이해관계의 차이나 편견 및 고정 관념

3 문제점: [⓫   ]은 다른 사람의 권리를 침해하며, 사회 구성원 간의 [⓬   ]을 조장함 → 사회 통합과 발전 저해

4 해결 방안

개인적인 차원	사회적인 차원
• 고정 관념, 편견의 탈피 • [⓭]의 자세와 평등 의식 함양	• 법적·제도적 개선 방안 마련 예 장애인 차별 금지법, 여성 고용 할당제 시행 등

콕콕! 핵심 개념

1 □□□□: 비슷한 관심과 목적을 가진 둘 이상의 사람들이 소속감을 가지고 지속적인 상호 작용을 하는 집단

2 □□□: 자신이 속한 집단이라는 소속감을 가지고 있는 집단

3 □□: 다르게 대우해야 할 정당한 이유가 없는데도 다르게 대우하는 것

활동 ① 다음 자료를 보고 물음에 답하시오.

 가정  학교  또래 집단  직장

1 위의 사회 집단의 유형을 구분하여 표에 ✔ 표시를 해 보자.

구분	1차 집단	2차 집단	공동 사회	이익 사회
가정				
학교				
또래 집단				
직장				

2 위의 사회 집단들이 가지는 공통점을 찾아 사회 집단이 되기 위한 조건을 써 보자.

활동 ② 다음 자료를 보고 물음에 답하시오.

(가) 고등학교 3학년인 A 군은 항공 승무원이 되는 것이 꿈이다. A 군은 꿈을 이루기 위해 ○○ 대학 항공 운항과에 지원하려고 했지만 남자는 지원할 수 없다는 조건에 따라 원서를 낼 수 없었다.

(나) 회사원 B 씨는 청각 장애인이다. 최근 B 씨는 이사를 하기 위해 알아보던 중 자신이 청각 장애인이라는 이유로 집을 빌려줄 수 없다고 하는 건물 주인을 만나 크게 상처를 받았다.

1 (가)와 (나)에 나타나는 차별의 유형을 써 보자.

(가) – (   )   (나) – (   )

2 (나)와 같은 차별을 해결하기 위한 방안을 개인적인 차원과 사회적인 차원으로 구분하여 써 보자.

(1) 개인적인 차원: _____

(2) 사회적인 차원: _____

· 1 STEP 개념을 되짚는 확인 문제

01 다음 빈칸에 들어갈 알맞은 말을 써 보자.

(1) (　　　　　)은(는) 비슷한 관심과 목적을 가진 둘 이상의 사람들이 소속감을 가지고 지속적인 상호 작용을 하는 집단이다.

(2) (　　　　　)은(는) 자신이 속한 집단이라는 소속감을 가진 집단이다.

(3) 사회 집단은 구성원의 (　　　　　)에 따라 공동 사회와 이익 사회로 구분할 수 있다.

(4) (　　　　　)은(는) 어떤 판단이나 행동의 기준으로 삼는 집단이다.

(5) (　　　　　)은(는) 다르게 대우해야 할 정당한 이유가 없는데도 다르게 대우하는 것을 의미한다.

02 빈칸에 들어갈 알맞은 말을 〈보기〉에서 골라 보자.

┌─ 보기 ┐
ㄱ. 내집단　ㄴ. 외집단　ㄷ. 1차 집단　ㄹ. 2차 집단

(1) (　　　)은 자신이 소속되지 않은 집단이다.

(2) (　　　)은 가족, 또래 집단과 같이 구성원 간 친밀한 대면 접촉이 이루어지는 집단이다.

(3) (　　　)은 특정한 목적 달성을 위해 구성원 간 간접적인 접촉이 이루어지는 집단이다.

03 서로 관련 있는 내용끼리 연결해 보자.

(1) 학교 •　　　　　　　　• ㉠ 공동 사회

(2) 가정 •　　　　　　　　• ㉡ 이익 사회

04 다음 설명이 옳으면 ○, 틀리면 ×에 표시해 보자.

(1) 가족, 또래 집단과 같이 구성원 간 친밀한 대면 접촉이 이루어지는 집단을 2차 집단이라고 한다.　　　(○ | ×)

(2) 사회 집단은 개인의 의지나 역할 수행 방법과 상관없이 존재한다.　　　(○ | ×)

(3) 사회 집단에서 나타나는 차별과 갈등을 해결하기 위해서는 개인적·사회적 노력이 모두 필요하다.　　　(○ | ×)

:2 STEP 기초를 다지는 기본 문제

01 〔중요〕 사회 집단에 대한 설명으로 옳은 것은?

① 사회 집단은 소속감에 따라 1차 집단과 2차 집단으로 나눌 수 있다.

② 외집단은 자신이 속한 집단이라는 소속감을 가지고 있는 집단이다.

③ 이익 사회는 자신의 의도와 상관없이 자연 발생적으로 구성된 집단이다.

④ 회사, 정당과 같은 2차 집단은 구성원 간에 친밀한 대면 접촉이 이루어지는 집단이다.

⑤ 개인은 다양한 사회 집단에 속해 있고, 집단 내에서 역할을 수행하며 사회적 존재로 성장해 나간다.

02 밑줄 친 '이것'에 해당하는 개념으로 옳은 것은?

> 이것은 어떤 판단이나 행동의 기준으로 삼는 집단이다. 자신이 속한 집단과 이것이 일치하면 집단에 대한 개인의 만족도가 커지는 반면, 이것과 자신이 소속해 있는 집단이 일치하지 않으면 갈등을 겪을 수 있다.

① 내집단　　② 외집단　　③ 1차 집단

④ 2차 집단　　⑤ 준거 집단

03 사회 집단에서 나타나는 차별과 갈등에 대한 설명으로 옳지 않은 것은?

① 차별의 사례로는 장애인 차별, 지역 차별, 성차별 등이 있다.

② 피부색, 성별, 취미, 종교 등의 차이가 차별의 이유가 되어서는 안 된다.

③ 차별은 다르게 대우해야 할 정당한 이유 없이 다르게 대우하는 것을 말한다.

④ 차별은 개인의 자존감을 떨어뜨릴 뿐만 아니라, 사회 전체의 통합을 저해한다.

⑤ 차별의 문제를 해결하기 위해서는 개인적인 차원에서만 관용의 자세를 가져야 한다.

04 다음 빈칸에 들어갈 말로 알맞은 것은?

> 사회 집단은 구성원의 (　　　　)에 따라 공동 사회와 이익 사회로 구분할 수 있다. 가족, 촌락과 같은 사회 집단은 공동 사회에 해당하고, 학교나 회사와 같은 사회 집단은 이익 사회에 해당한다.

① 지위
② 역할
③ 소속감
④ 결합 의지
⑤ 상호 작용

05 다음 사회 집단을 1차 집단과 2차 집단으로 구분하여 바르게 연결한 것은?

> ㄱ. 가정　　　ㄴ. 정당　　　ㄷ. 학교
> ㄹ. 회사　　　ㅁ. 또래 집단

	1차 집단	2차 집단
①	ㄱ, ㄴ	ㄷ, ㄹ, ㅁ
②	ㄱ, ㅁ	ㄴ, ㄷ, ㄹ
③	ㄴ, ㄷ	ㄱ, ㄹ, ㅁ
④	ㄱ, ㄴ, ㄷ	ㄹ, ㅁ
⑤	ㄴ, ㄷ, ㄹ	ㄱ, ㅁ

06 밑줄 친 부분에 대한 설명으로 옳지 않은 것은?

> 애니메이션 〈비행기〉의 주인공 '더스티'의 꿈은 비행 레이싱에서 우승하는 것이다. 주변에서는 더스티의 꿈을 무시하지만 더스티는 자신의 꿈을 위해 레이싱 비행기들처럼 훈련하고 행동하였다.

① 더스티의 준거 집단에 해당한다.
② 더스티의 판단이나 행동의 기준이 된다.
③ 구성원의 선택적 의지에 따라 구성된 집단이다.
④ 더스티가 실제로 소속되어 있어 친밀감을 가지는 집단이다.
⑤ 특정한 목적 달성을 위해 구성원 간 간접 접촉이 이루어지는 집단이다.

:3 STEP 실력을 완성하는 주관식·서술형 문제

07 (가)~(라) 중 사회 집단에 해당하는 것을 쓰고, 사회 집단이 되기 위한 조건 세 가지를 서술하시오.

(가)

(나)

(다)

(라)

[08~09] 다음을 읽고 물음에 답하시오.

> (가) 가수가 꿈인 유정이는 유명 가수들이 속해 있는 S기획사에 들어가기 위해 오디션에 응시한 결과 연습생으로 합격하였다.
> (나) 고등학교 3학년인 수아는 초등학교 교사가 되는 것이 꿈이다. 수아는 꿈을 이루기 위해 교육대학교에 들어가려고 열심히 공부중이다.

08 (가)와 (나)에서 공통으로 나타나는 사회 집단을 쓰시오.

09 08의 사회 집단이 자신이 속한 집단과 일치하지 않을 때 나타날 수 있는 현상을 서술하시오.

뚝딱! 단원 마무리하기

01 밑줄 친 내용에 해당하는 사례로 옳은 것을 〈보기〉에서 고른 것은?

> 우리는 흔히 인간을 사회적 동물이라고 한다. 인간은 다른 사람들과의 관계를 통해 사회 구성원으로 살아가는 방법을 배워야만 인간다운 인간이 되기 때문이다. 이처럼 인간이 자신이 속한 사회의 지식, 가치, 행동 양식, 규범 등을 배우는 과정을 사회화라고 한다.

보기
ㄱ. 졸릴 때 하품을 한다.
ㄴ. 거짓말을 할 때 머리를 긁적이는 버릇이 있다.
ㄷ. 횡단보도를 건널 때에 초록 신호에 건너야 한다.
ㄹ. 웃어른과 식사를 할 때는 웃어른이 먼저 드신 후에 식사를 시작해야 한다.

① ㄱ, ㄴ　　② ㄱ, ㄷ　　③ ㄴ, ㄷ
④ ㄴ, ㄹ　　⑤ ㄷ, ㄹ

02 인간의 사회화 과정 중 (가) 시기에 대한 설명으로 옳지 않은 것은?

유년기 → (가) → 성인기 → 노년기

① 학교에서 지식과 규범 등을 익히게 된다.
② 사회적 측면에서 인간관계의 범위가 확대된다.
③ 가정에서 기본적인 생활 습관을 학습하게 된다.
④ 또래 집단과 대중 매체의 영향을 많이 받게 된다.
⑤ '질풍노도의 시기'로 사회화 과정에서 큰 변화를 경험하게 된다.

03 다음 설명에 해당하는 사회화 기관으로 옳은 것은?

> • 공식적 교육 기관이다.
> • 지식과 규범을 체계적으로 가르친다.
> • 또래 집단과의 관계가 활발하게 이루어진다.

① 가정　　② 직장　　③ 학교
④ 대중 매체　　⑤ 또래 집단

04 사회화에 대한 설명으로 옳은 것은?

① 청소년기는 자아 정체성이 완성되는 시기이다.
② 사회화의 결과는 모든 사회에서 동일하게 나타난다.
③ 기본적인 사회화는 성인기에 집중적으로 이루어진다.
④ 태어나는 순간부터 죽을 때까지 평생 계속되는 과정이다.
⑤ 공동체 의식을 익힘으로써 구성원 모두 동일한 생각을 하게 만든다.

05 다음 사례를 통해 알 수 있는 인간의 특성으로 옳은 것은?

> 1991년 우크라이나에서 8세의 나이로 발견된 옥사나는 3살 때부터 개들과 함께 지냈다고 한다. 발견 당시 그녀는 짖거나 신음 소리를 내면서 개 무리를 지키려고 하고 네 발로 걷는 등 개와 비슷한 행동을 하였다. 이후 언어 치료를 받아 말을 할 수 있게 되었지만, 사람들과의 관계에서 감정 표현하는 것을 어려워하고 개 무리와 함께 있을 때 가장 편안한 모습을 보였다.

① 동물과 달리 이성을 가지고 있다.
② 태어날 때부터 인간답게 사는 방법을 알고 있다.
③ 자신을 보호할 수 있는 신체적 능력이 뛰어나다.
④ 동물과 달리 무리지어 살지 않고 독립적으로 산다.
⑤ 다른 사람들과 함께 살아가야 인간다운 삶을 살 수 있다.

06 사회화의 기능 중 개인적인 측면에 해당하는 것을 〈보기〉에서 고른 것은?

보기
ㄱ. 자신만의 개성과 자아를 형성해 나간다.
ㄴ. 사회화를 통해 사회 구성원으로 성장한다.
ㄷ. 사회를 지속적으로 유지하고 발전시켜 나간다.
ㄹ. 사회의 규범과 가치 등을 다음 세대에 전달한다.

① ㄱ, ㄴ　　② ㄱ, ㄷ　　③ ㄴ, ㄷ
④ ㄴ, ㄹ　　⑤ ㄷ, ㄹ

07 자아 정체성에 대한 설명으로 옳지 <u>않은</u> 것은?

① 남과 구별되는 자신만의 고유한 특성이다.
② 사회화 과정 중 성인기에 집중적으로 형성된다.
③ '나는 누구인가?'에 대한 답을 찾아가는 과정에서 형성된다.
④ 자아 정체성의 혼란을 겪는 경우 여러 가지 사회 문제를 일으킬 수 있다.
⑤ 가정, 학교, 또래 집단, 대중 매체 등 다양한 사회화 기관의 영향을 받아 형성된다.

08 다음 사례들이 공통적으로 나타내는 개념에 대한 설명으로 옳은 것은?

> • 교사의 직무 연수
> • 군대의 신병 교육
> • 이주민의 한글 교육

① 개인의 변화에 따른 필요에 의해서만 발생한다.
② 주로 가정이나 학교에서 집중적으로 이루어진다.
③ 주로 유아기에서 청소년기에 집중적으로 이루어진다.
④ 기존에 학습한 지식만으로 사회 적응이 충분할 경우에 발생한다.
⑤ 급속한 사회 변화, 평균 수명의 증가 등으로 중요성이 커지고 있다.

09 다음 설명에 해당하는 개념으로 적절한 것은?

> • 개인이 차지하는 지위에 따라 기대되는 행동을 수행하는 구체적인 방식이다.
> • 사회가 바라는 방식으로 수행할 경우 칭찬이나 보상을 받지만, 그렇지 못할 경우 비난이나 제재를 받을 수 있다.

① 역할   ② 사회화   ③ 재사회화
④ 역할 행동   ⑤ 자아 정체성

10 밑줄 친 지위 중 성격이 나머지와 <u>다른</u> 하나는?

① 갑은 <u>막내아들</u>이다.
② 을은 동일이의 <u>아내</u>이다.
③ 병은 <u>중학교 사회 교사</u>이다.
④ 정은 <u>국가 대표 유도 선수</u>이다.
⑤ 무는 <u>방과 후 기타 동아리의 회장</u>이다.

11 사회적 지위에 대한 설명으로 옳은 것은?

① 교사, 학생, 남편 등은 귀속 지위에 해당한다.
② 현대 사회에서 개인은 여러 가지 지위를 가진다.
③ 현대 사회에서 귀속 지위의 중요성이 더욱 강조되고 있다.
④ 지위에 따라 기대되는 구체적인 행동 양식을 역할이라고 한다.
⑤ 태어날 때부터 자연적으로 주어지는 지위를 성취 지위라고 한다.

12 밑줄 친 내용에 대한 설명으로 옳지 <u>않은</u> 것은?

> 대학 병원 의사로 근무 중인 갑은 당직 근무를 서던 중 응급 환자가 들어와 긴급 수술을 하게 되었다. 그런데 수술실에 들어가기 직전, 병환 중에 계시던 어머니가 위독하다는 연락을 받게 되었다. <u>외아들인 갑은 아들로서 어머니의 마지막을 지키러 가야 할지, 의사로서 응급 환자를 수술해야 할지 고민하고 있다.</u>

① 개인이 가진 역할들이 조화를 이루지 못해 발생한 현상이다.
② 사회가 복잡해지고 다양해지면서 점점 증가하고 있는 현상이다.
③ 두 가지 이상의 지위에서 서로 다른 역할이 요구되어 발생한 현상이다.
④ 개인이 여러 가지 역할을 동시에 수행할 수 없기 때문에 발생한 현상이다.
⑤ 역할의 우선순위를 정해 타인에게 더 중요한 역할을 선택함으로써 해결해야 한다.

13 다음 ㉠~㉢에 들어갈 알맞은 말을 바르게 연결한 것은?

> 사회 집단은 (㉠)에 따라 (㉡)과 (㉢)으로 나눌 수 있다. (㉡)은 가족, 또래 집단과 같이 구성원 간에 친밀한 대면 접촉이 이루어지는 반면, (㉢)은 회사나 정당처럼 특정한 목적을 달성하기 위해 구성원 간에 간접적인 접촉이 이루어진다.

	㉠	㉡	㉢
①	소속감 유무	내집단	외집단
②	소속감 유무	외집단	외집단
③	구성원의 접촉 방식	내집단	외집단
④	구성원의 접촉 방식	1차 집단	2차 집단
⑤	구성원의 접촉 방식	2차 집단	1차 집단

14 사회 집단에 해당하는 것을 〈보기〉에서 고른 것은?

> **보기**
> ㄱ. 영화관 관객들
> ㄴ. 버스 안 승객들
> ㄷ. ○○ 전자 직원들
> ㄹ. 중학교 연극 동아리

① ㄱ, ㄴ 　② ㄱ, ㄷ 　③ ㄱ, ㄹ
④ ㄴ, ㄹ 　⑤ ㄷ, ㄹ

15 다음 사회 집단의 공통적인 특징으로 옳은 것은?

> • 학교 　　• 회사 　　• 정당

① 내집단이다.
② 1차 집단이다.
③ 공동 사회에 해당한다.
④ 자연적으로 구성된 집단이다.
⑤ 특정한 목적의 달성을 위해 만들어진 집단이다.

16 다음은 연예인 A의 인터뷰 내용 중 일부분이다. ㉠~㉤에 대한 설명으로 옳지 않은 것은?

> 저는 1991년 대학 개그제를 통해 ㉠ 개그맨으로 데뷔했습니다. 이후, 다양한 개그 및 예능 프로그램을 거쳐 '㉡ 국민 MC'라는 호칭도 얻을 수 있었습니다. ㉢ 아나운서 출신 ㉣ 아내와 결혼하여 ㉤ 아들을 낳고 살아가는 지금, 저는 너무 행복합니다.

① ㉠~㉤은 개인이 사회 속에서 차지하는 위치이다.
② ㉠과 ㉡은 개인의 능력이나 노력에 따라 얻게 되는 지위이다.
③ ㉢과 ㉣에서 요구되는 역할이 충돌할 때 역할 갈등이 발생할 수 있다.
④ ㉣과 ㉤은 태어나면서부터 자연적으로 주어지는 지위이다.
⑤ 사회에 따라 ㉠~㉤에 요구되는 역할이 다르게 나타날 수 있다.

17 다음 상황에 대한 설명으로 옳은 것을 〈보기〉에서 모두 고른 것은?

> ○○중학교 2학년인 A는 교내 신문부의 기자로서 다음 주에 있을 졸업식에 대해 취재하기로 되어 있다. 그런데 A의 여동생인 B의 초등학교 졸업식이 ○○중학교 졸업식과 같은 날 치러지게 되었다. A는 신문부의 기자로서 맡은 역할에 책임을 다하고 싶지만, 언니로서 동생의 졸업식에도 참석하고 싶어서 어떻게 해야 할지 고민하고 있다.

> **보기**
> ㄱ. A는 역할 갈등을 경험하고 있다.
> ㄴ. A가 경험하는 상황은 현대 사회에서 드물게 나타나고 있다.
> ㄷ. A가 가진 여러 가지 지위에서 서로 다른 역할들이 요구되고 있다.
> ㄹ. A는 자신이 가진 역할의 우선순위를 정해 신중하게 선택해야 한다.

① ㄱ, ㄴ 　② ㄱ, ㄷ 　③ ㄴ, ㄷ
④ ㄱ, ㄷ, ㄹ 　⑤ ㄴ, ㄷ, ㄹ

18 다음 표현들이 공통적으로 나타내는 시기를 쓰고, 이 시기에 이루어지는 사회화의 주된 내용을 서술하시오.

- 주변인
- 제2의 탄생
- 심리적 이유기
- 질풍노도의 시기
- 이유 없는 반항기

19 다음 두 사회 집단이 가지는 공통점을 **두 가지** 서술하시오.

20 (가)와 (나)에 나타나는 사회적 개념을 각각 쓰고, 그 의미를 비교하여 서술하시오.

(가) 초등학교 1학년인 유정이는 복도를 다닐 때 우측통행을 해야 한다는 것을 배웠다.
(나) 국제결혼을 하여 우리나라로 이주해 온 카밀라 씨는 주민 센터에서 열리는 한글 교실에 다니고 있다.

21 다음 ㉠~㉤을 귀속 지위와 성취 지위로 구분한 후, 두 지위의 특징을 비교하여 서술하시오.

㉠ 교사인 지윤이의 ㉡ 어머니는 ㉢ 딸에게 자신의 뒤를 이어 ㉣ 학생들을 사랑으로 가르치는 교사가 되라고 말씀하신다. 그러나 지윤이의 장래 희망은 ㉤ 배우가 되는 것이다.

22 다음과 같은 상황을 원만하게 해결하지 못했을 때 나타날 수 있는 문제를 개인적인 측면과 사회적인 측면에서 서술하시오.

중학교 교사인 A는 오늘 중요한 공개 수업을 앞두고 있다. 그런데 지난 밤 A의 딸이 갑작스러운 고열로 입원을 하게 되었다. 딸을 돌봐줄 사람이 마땅치 않은 상황에서 딸은 엄마가 옆에 있어 주기를 원한다. 교사로서 A는 학교에 출근을 해서 공개 수업을 해야 하지만, 엄마로서 A는 아픈 딸 옆에서 간호를 해야 하기 때문에 고민하고 있다.

23 다음 사례에 나타난 차별의 해결 방안을 개인적인 차원과 사회적인 차원에서 서술하시오.

경찰 간부 후보생 공개 경쟁 선발 시험의 일반 분야에서 여성을 더 적게 모집하여 여성 응시생들의 불만이 커졌다.

이 단원을 배우면

문화의 의미와 구성 요소를 알고, 문화를 바라보는 바람직한 태도를 함양할 수 있어요. 아울러 대중 매체와 대중문화의 특징을 이해하고, 대중문화를 비판적으로 평가하는 태도를 기를 수 있어요.

문화의 이해

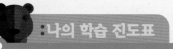

나의 학습 진도표

중단원명	학습 코너	쪽수	학습 예정일	학습 완료일	달성도
01 문화의 의미와 특징	꼼꼼! 필기 노트	142쪽	◯월 ◯일	◯월 ◯일	☆☆☆☆☆
	탄탄! 활동 노트	143쪽	◯월 ◯일	◯월 ◯일	☆☆☆☆☆
	쑥쑥! 실력 키우기	144~145쪽	◯월 ◯일	◯월 ◯일	☆☆☆☆☆
02 문화를 바라보는 태도	꼼꼼! 필기 노트	146쪽	◯월 ◯일	◯월 ◯일	☆☆☆☆☆
	탄탄! 활동 노트	147쪽	◯월 ◯일	◯월 ◯일	☆☆☆☆☆
	쑥쑥! 실력 키우기	148~149쪽	◯월 ◯일	◯월 ◯일	☆☆☆☆☆
03 대중 매체와 대중문화	꼼꼼! 필기 노트	150쪽	◯월 ◯일	◯월 ◯일	☆☆☆☆☆
	탄탄! 활동 노트	151쪽	◯월 ◯일	◯월 ◯일	☆☆☆☆☆
	쑥쑥! 실력 키우기	152~153쪽	◯월 ◯일	◯월 ◯일	☆☆☆☆☆
뚝딱! 단원 마무리하기		154~157쪽	◯월 ◯일	◯월 ◯일	☆☆☆☆☆

문화의 의미와 특징

이것이 **포인트!**
- 문화인 것과 문화가 아닌 것의 구분
- 문화의 좁은 의미와 넓은 의미의 차이
- 문화의 특징과 속성 구분

꼼꼼! 필기 노트

✦ 문화의 어원
문화(culture)라는 말은 원래 라틴어의 '경작하다.'라는 의미를 담고 있는 'cultus'에서 나온 것이다. 이것이 나중에 자연과 대비되는 '문명'이라는 의미로 이해되기도 하였다. 지금은 일반적으로 문화를 '인간 집단의 생활 양식'으로 이해한다.

✦ 생활 양식
사회나 집단이 공통적으로 가지고 있는 생활에 대한 인식이나 생활하는 방식을 말한다.

✦ 문화가 아닌 것
인간의 타고난 체질이나 본능에 따른 행동, 개인의 독특한 습관 등은 문화라고 할 수 없다.

✦ 문화의 변동성과 전체성
문화의 변동성은 문화가 변동한다는 사실 그 자체를 나타내는 반면, 문화의 전체성은 문화가 변동함으로써 다른 문화 요소에도 영향을 미치는 것을 의미한다.

1 문화의 의미와 구성 요소

1 문화의 의미[+]

(1) **좁은 의미**: ❶ [   ]이나 교양, 세련된 것이나 발전된 상태

> 예) 문화생활, 문화인, 문화유산 등

(2) **넓은 의미**: 한 사회의 구성원들이 만들어 낸 공통의 ❷ [   ][+]

> 예) 청소년 문화, 전통문화 등

2 문화의 구성 요소

→ 문화의 구성 요소들은 서로 긴밀히 연관되어 우리의 생활에 영향을 미치고 있어요. 예를 들어 음식은 물질문화인 동시에 식사 예절과 같은 제도문화와 연관되어 있어요. 또 자신이 믿는 신께 음식을 바치는 행동은 관념 문화의 성격을 지니지요.

구성 요소		의미	예
❸ [ ]		인간 생활에 필요한 물건과 그것을 만들고 이용하는 기술	음식, 옷, 집, 컴퓨터 등
비물질 문화	❹ [ ]	사회 질서를 유지하기 위한 제도적 장치	법, 관습, 예절, 정치 등
	관념 문화	인간의 정신적 산물 → 삶의 방향이나 정신적 풍요로움을 제공	철학, 예술, 종교, 언어 등

→ 인간의 행동에 의미를 부여하여 삶을 풍요롭게 해 줘요.

2 문화의 특징

1 문화의 특성

(1) ❺ [   ]: 시대와 사회를 초월하여 문화 간에 공통적인 요소가 나타남

(2) **특수성**: 각 사회의 자연환경과 사회적 상황에 따라 문화가 독특하게 나타남

(3) **다양성**: 문화의 특수성으로 인해 사회마다 문화가 다양하게 나타남

(4) ❻ [   ]: 각 사회의 문화는 나름대로의 의미와 고유한 특성, 가치를 가짐
 → 어떤 특정 기준에 의해 문화의 우열을 평가할 수 없음

2 문화의 속성[+]

속성	특징	사례
❼ [ ]	• 한 사회의 구성원들은 그 사회의 문화를 공유하므로 이들 사이에 공통적인 행동 및 사고방식이 나타남 • 사회 구성원들은 특정한 상황에서 서로의 행동을 어느 정도 예측할 수 있음	시험을 앞둔 사람에게 합격을 기원하는 의미로 엿이나 찹쌀떡을 선물하는 것
학습성	문화는 선천적으로 타고나는 것이 아니라 ❽ [ ]으로 학습됨	아이들이 어른을 통해 젓가락 사용법을 자연스럽게 배우는 것
❾ [ ]	문화는 언어와 문자 등을 통해 다음 세대로 전달되고 그 과정에서 점차 풍요로워짐	조상들의 온돌을 발전시켜 현대 아파트의 난방 시설에 적용한 것
❿ [ ]	문화는 고정된 것이 아니라 끊임없이 변화함	전통적인 혼례 방식이 서양의 결혼 방식으로 변화한 것
⓫ [ ]	문화의 요소들은 서로 밀접한 관련을 맺으면서 전체적으로 연결되어 있음	정보 통신 기술의 발달이 사회 전반에 영향을 미치는 것

→ 문화는 다른 문화와의 접촉, 발명이나 발견, 가치관의 변화 등에 따라 끊임없이 변화해요.

→ 이러한 이유로 문화의 어느 한 부분에 변화가 생기면 다른 부분에 연쇄적으로 영향을 미쳐요.

콕콕! 핵심 개념

1 □□ : 한 사회의 구성원들이 만들어 낸 공통의 생활 양식

2 □□□□ : 인간 생활에 필요한 물건과 그것을 만들고 이용하는 기술

3 □□□ : 문화는 선천적으로 타고나는 것이 아니라 후천적으로 학습된다는 속성

4 □□□ : 문화의 요소들은 서로 밀접한 관련을 맺으면서 전체적으로 연결되어 있다는 속성

활동 1 다음 자료를 보고 물음에 답하시오.

(가) 재채기    (나) 생일 케이크에 촛불 끄기    (다) 아기의 울음   (라) 음악 감상

1 다음 (가)~(라)의 사례를 문화인 것과 문화가 아닌 것으로 구분해 보자.

문화인 것	문화가 아닌 것

2 위의 **1**에서 문화인 것을 좁은 의미의 문화와 넓은 의미의 문화로 구분해 보자.

좁은 의미의 문화	넓은 의미의 문화

활동 2 다음 자료를 보고 물음에 답하시오.

김치는 한국 고유의 음식이다. ㉠ 과거 단순히 소금에 절인 형태였던 김치는 고추가 전래되면서 오늘날과 같이 고춧가루가 들어간 모습으로 바뀌었다. 김치의 종류는 매우 다양하며, ㉡ 지역마다 특유의 조리법이 조금씩 전해져 온 결과 맛이 약간씩 다르게 나타난다. 최근에는 김치를 판매하는 회사들이 많아졌지만, ㉢ 김장철이 되면 가까운 친지와 이웃 간에 서로 김장 품앗이를 하는 풍습은 여전히 이어져 오고 있다. 또한, ㉣ 겨울철에 김장해서 장독대에 묻던 풍습은 음식의 보관 방법에 큰 영향을 미쳤고, 오늘날의 김치 냉장고까지 탄생시켰다.

1 밑줄 친 ㉠~㉣에 해당하는 문화의 속성을 써 보자.

㉠ – (　　　　　　　　)   ㉡ – (　　　　　　　　)

㉢ – (　　　　　　　　)   ㉣ – (　　　　　　　　)

2 다음 빈칸에 들어갈 알맞은 말을 골라 보자.

> 김치와 같은 음식 문화는 문화의 (넓은 | 좁은) 의미에 해당한다.

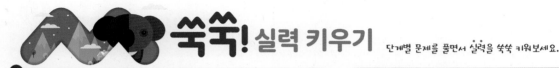

쑥쑥! 실력 키우기 단계별 문제를 풀면서 실력을 쑥쑥 키워보세요.

·1 STEP 개념을 되짚는 확인 문제

01 다음 빈칸에 들어갈 알맞은 말을 써 보자.

(1) ( )은(는) 한 사회의 구성원들이 만들어 낸 공통의 생활 양식을 말한다.

(2) 문화는 선천적으로 타고나는 것이 아니라 후천적으로 ( )하는 것이다.

(3) 문화는 고정된 것이 아니라 시간이 지나면서 변해 간다는 것을 문화의 ( )(이)라고 한다.

(4) 같은 사회 안에서 타인의 행동을 예측할 수 있는 것은 문화의 ( ) 때문이다.

02 서로 관련 있는 내용끼리 연결해 보자.

(1) 물질문화 •   • ㉠ 법, 관습, 예절, 정치 등

(2) 제도문화 •   • ㉡ 음식, 옷, 자동차, 컴퓨터 등

(3) 관념 문화 •   • ㉢ 철학, 예술, 종교, 언어 등

03 다음 설명이 옳으면 ○, 틀리면 ×에 표시해 보자.

(1) 인간의 본능이나 타고난 신체적 특징, 체질 등도 문화에 포함된다. (○ | ×)

(2) 문화는 오랜 시간을 거치면서 더욱 풍요로워지고 발전해 나간다는 것을 문화의 축적성이라고 한다. (○ | ×)

(3) 한 부분에서 일어난 문화의 변동이 다른 부분에도 영향을 미친다는 것을 문화의 공유성이라고 한다. (○ | ×)

04 다음 빈칸에 들어갈 알맞은 말을 골라 보자.

(1) (물질문화 | 비물질문화)는 음식이나 옷, 컴퓨터 등과 같은 인간 생활에 필요한 물건들과 그것을 만들고 이용하는 기술을 말한다.

(2) (좁은 의미 | 넓은 의미)의 문화는 예술이나 교양, 그리고 세련된 것이나 발전된 상태를 뜻한다.

(3) 문화의 (공유성 | 학습성)이란 문화는 타고나는 것이 아니라 후천적으로 배우는 것임을 뜻한다.

:2 STEP 기초를 다지는 기본 문제

01 문화에 대한 설명으로 옳은 것은?

① 선천적으로 타고나는 것이다.

② 모든 사회에서 동일한 모습으로 나타난다.

③ 예술이나 교양, 그리고 세련된 것만을 의미한다.

④ 인간의 본능, 타고난 신체적 특징 등은 문화에 해당한다.

⑤ 한 사회의 구성원들이 만들어 낸 공통의 생활 양식을 말한다.

02 (중요) 다음 빈칸에 들어갈 문화의 속성으로 옳은 것은?

> 문화는 수많은 요소로 구성되어 있으며, 이들 각 요소는 서로 밀접한 관련을 맺으면서 전체를 이루고 있는데, 이를 문화의 ( )이라고 한다.

① 공유성   ② 학습성   ③ 전체성

④ 변동성   ⑤ 축적성

03 문화에 해당하는 것을 〈보기〉에서 모두 고른 것은?

> **보기**
> ㄱ. 잠이 올 때 하품을 한다.
> ㄴ. 학교에서는 우측통행을 한다.
> ㄷ. 한국 사람들은 젓가락을 이용해서 식사를 한다.
> ㄹ. 거짓말을 하면 상대방의 눈을 똑바로 쳐다보지 못한다.
> ㅁ. 웃어른과 식사를 할 때는 웃어른이 먼저 식사를 시작한 후에 식사를 한다.

① ㄱ, ㄷ   ② ㄴ, ㄷ   ③ ㄴ, ㅁ

④ ㄱ, ㄴ, ㄷ   ⑤ ㄴ, ㄷ, ㅁ

04 다음 사례에서 알 수 있는 문화의 속성으로 옳은 것은?

> 많은 사람이 살고 있는 아파트의 난방 시설은 과거 우리 조상들이 사용하던 온돌을 발전시켜 현대적으로 적용한 것이다.

① 공유성   ② 다양성   ③ 변동성

④ 축적성   ⑤ 전체성

05 문화의 공유성에 해당하는 사례를 〈보기〉에서 고른 것은?

보기
ㄱ. 우리 민족은 김장철이 되면 가까운 친지와 이웃 간에 서로 '김장 품앗이'를 하는 풍습을 공유하고 있다.
ㄴ. 과거에는 남녀가 전통적 방식으로 혼례를 올렸지만 현재는 주로 서양의 결혼 방식으로 결혼식을 올리고 있다.
ㄷ. 아이들은 어른들이 젓가락을 사용하여 식사하는 모습을 보고 배우면서 자연스럽게 젓가락 사용법을 익히게 된다.
ㄹ. 우리나라는 중요한 시험을 앞둔 사람에게 합격을 기원하는 의미로 엿이나 찹쌀떡을 선물로 주고받는 문화를 가지고 있다.

① ㄱ, ㄴ　　② ㄱ, ㄹ　　③ ㄴ, ㄷ
④ ㄴ, ㄹ　　⑤ ㄷ, ㄹ

06 문화의 속성과 사례가 잘못 연결된 것은?

① 학습성: 우리나라에서는 어려서부터 김치를 먹는 방법을 배운다.
② 변동성: 처음 백김치 형태였던 김치는 고추가 전래되면서 빨갛고 매운 형태로 변화하였다.
③ 공유성: 김치의 빨간 양념만 봐도 입안에 군침이 도는 이유는 입맛이 김치에 익숙해졌기 때문이다.
④ 전체성: 겨울철의 김장 풍습은 음식 보관 방법에 큰 영향을 미치고, 오늘날 김치 냉장고까지 탄생시켰다.
⑤ 축적성: 김치는 지역마다 맛이 약간씩 다른데, 이는 그 지역 특유의 조리법이 조금씩 축적되어 전해져 온 결과이다.

07 다음 중 좁은 의미의 문화에 해당하는 것은?

① 대중문화　　② 음식 문화　　③ 한국 문화
④ 문화 상품권　　⑤ 청소년 문화

:3 STEP 실력을 완성하는 주관식·서술형 문제

08 다음 (가), (나)에 공통으로 나타난 문화의 속성을 쓰고, 그 의미를 서술하시오.

(가) 과거에는 남녀가 전통적 방식으로 혼례를 올렸지만, 현재는 주로 서양의 결혼 방식으로 결혼식을 올리고 있다.
(나) 과거에는 격식 있는 자리에 갈 때 주로 한복을 입었지만, 현재는 주로 정장을 입는다.

09 다음 (가)~(라)를 문화인 것과 문화가 아닌 것으로 구별하고, 문화의 의미를 서술하시오.

(가) 웃어른께 존댓말을 사용한다.
(나) 긴장을 하면 말을 더듬게 된다.
(다) 배가 고프면 먹을 것을 찾게 된다.
(라) 한국, 중국, 일본은 젓가락을 사용하여 식사한다.

10 다음 (가), (나)에 공통으로 나타난 문화의 속성을 쓰고, 그 속성이 우리 사회에서 수행하고 있는 기능에 대하여 서술하시오.

(가) 생일날에는 미역국을 끓여 먹는다.
(나) 중요한 시험을 앞둔 사람에게 합격을 기원하는 의미로 찹쌀떡이나 엿을 선물한다.

문화를 바라보는 태도

+ 문화의 상대성
문화는 인간이 환경에 적응해 온 결과로 형성된 것이기 때문에 각자 나름의 이유가 있고 독특한 가치를 지니고 있다고 본다.

+ 순장
고대에 왕이나 귀족이 죽었을 때 살아 있는 처와 노비, 때에 따라서 가족을 함께 매장하던 장례 풍습을 말한다.

+ 명예 살인
가문의 명예를 더럽혔다는 이유로 가족 구성원을 죽이는 이슬람 사회의 풍습을 말한다.

+ 전족
과거 중국에서 여자의 발을 인위적으로 작게 하기 위하여 헝겊으로 묶던 풍습을 말한다.

+ 문화 제국주의
특정한 국가의 문화가 경제력·군사력을 토대로 다른 문화를 파괴하거나 지배하는 것을 말한다. 일제 강점기의 신사 참배 강요, 근대 유럽 국가의 식민지 정책 등을 예로 들 수 있다.

꼭꼭! 핵심 개념

1 □□ □□□□□: 한 사회의 문화를 그 문화가 형성된 배경 속에서 이해하는 태도

2 □□□ □□□□: 자기 문화를 가장 우수하다고 믿으면서 다른 사회의 문화를 부정적으로 평가하는 태도

3 □□ □□□□: 자신의 문화를 열등하다고 생각하고 다른 사회의 문화를 추종하는 태도

1 문화의 상대성을 인정하는 태도

1 ❶[   ] ←+→ 오늘날 세계화로 인하여 다양한 문화를 접할 기회가 많아지면서 다른 문화의 의미와 가치를 올바르게 이해하도록 돕는 문화 상대주의 태도가 더욱 중요해지고 있어요.

(1) **의미**: 한 사회의 문화를 그 문화가 형성된 배경 속에서 이해하는 태도

(2) **필요성**: 한 사회의 문화는 그 사회의 환경과 필요에 따라 형성되어 고유한 가치를 지니고 있으므로 문화 간에 열등하거나 우월하다고 평가할 수 없음

(3) **장점**
① 다른 사회의 문화를 편견 없이 이해하는 데 도움을 줌
② 자신이 속한 문화에 대해 객관적으로 이해할 수 있음

2 ❷[   ] 문화 상대주의

(1) **의미**: 문화 상대주의를 극단적으로 해석한 것으로, 모든 문화에 나타나는 인간의 행위를 옳다고 인식하여 무조건 이해하고 존중하려는 태도 → 시대와 사회에 따라 문화가 달라져도 인간의 존엄성, 자유, 평등과 같은 인류의 보편적인 가치는 중시하고 존중해야 해요. 그러므로 우리는 극단적 문화 상대주의 태도를 지양해야 해요.

(2) **사례**: 순장, 명예 살인, 전족 풍습 등+

2 문화의 상대성을 부정하는 태도

1 ❸[   ]

(1) **의미**: 자신의 문화를 가장 우수하다고 믿으면서 다른 사회의 문화를 부정적으로 평가하는 태도

(2) **사례**: 중국의 ❹[   ], 흥선 대원군의 쇄국 정책 등

(3) **장점**
① 자기 문화에 대한 ❺[   ] 상승, 주체성 강화
② 사회의 통합과 단결에 기여

(4) **문제점**
① 문화에 대한 편견 초래
② 자신의 문화만을 고집함으로써 국제적 갈등과 고립 발생
③ 지나칠 경우 문화 제국주의에 빠질 수 있음+ → 자문화 중심주의가 극단적으로 흐르면 한 사회가 다른 사회에 자신의 문화를 강요하여 문화적으로 지배하려 하는 문화 제국주의가 나타나게 돼요.

2 ❻[   ]

(1) **의미**: 자신의 문화를 열등하다고 생각하고 다른 문화를 추종하는 태도

(2) **사례**: 외국의 명품을 무조건 선호하는 태도, 조선 시대의 사대주의 등

(3) **장점**: 선진 문물을 적극적으로 받아들여 자신의 문화를 발전시키는 계기 마련

(4) **문제점**: 민족 문화의 가치를 과소 평가 → ❼[   ]과 주체성 상실

3 자문화 중심주의와 문화 사대주의의 공통점

(1) 문화의 다양성과 상대성을 부정하고 ❽[   ]에 의해 문화의 우열을 가리고 있음

(2) 다른 문화를 제대로 이해하는 데 방해가 됨

(3) 자신의 문화를 발전시키는 데에 장애 요소로 작용함

활동 1 다음 자료를 보고 물음에 답하시오.

(가) 중화사상이란 중국이 자국의 문화와 국토를 자랑스러워하며 타민족을 배척하는 사상이다. 여기서 '중화'는 세계의 중심의 우수한 나라라는 뜻이며, 그 밖의 나라는 오랑캐로 여겨 천시한다.

(나) 최근에는 자국어가 적힌 티셔츠보다 영어가 적힌 티셔츠를 선호하거나 무조건적으로 해외 제품을 동경하고 선호하는 사람들이 늘어나고 있다.

1 (가)와 (나)에 나타난 문화를 바라보는 태도를 각각 써 보자.

2 (가)와 (나)에 해당하는 문화를 바라보는 태도가 가지는 공통적인 문제점을 서술해 보자.

활동 2 다음 자료를 보고 물음에 답하시오.

(가) 일부 이슬람 문화권에는 집안의 명예를 더럽혔다는 이유로 가족 구성원을 살해하는 것이 허용되는 '명예 살인'이라는 관습이 있다. 한 21세의 여성이 유대인과 사귄다는 이유로 가족들에게 살해당한 경우도 있었고, 16세의 어떤 소녀는 기독교인과 사귄다는 이유로 아버지에게 살해당한 경우도 있었다.

(나) 옛날 사람들은 죽은 뒤에도 삶이 이어질 것이라고 생각하였다. 그래서 죽은 사람이 편안하게 생활할 수 있도록 필요한 것들을 함께 묻어 주었다. 그런데 죽은 사람과 함께 묻는 대상에는 '사람'도 있었다. 죽은 사람의 시중을 들던 노비는 물론이고 신하나 무사처럼 죽은 사람의 일이나 생활과 관계된 사람들까지 함께 묻기도 했는데, 이것이 바로 '순장'이다.

1 다음 빈칸에 들어갈 알맞은 말을 써 보자.

> 모든 문화에 나타나는 인간의 행위를 옳다고 인식하여 (가), (나)와 같은 문화 역시 문화로서 의미와 가치를 지닌다고 보는 태도를 (   )라고 한다.

2 (가), (나)와 같은 문화를 바라보는 바람직한 태도에 대하여 서술해 보자.

•1 STEP 개념을 되짚는 확인 문제

01 다음 빈칸에 들어갈 알맞은 말을 써 보자.

(1) ( )은(는) 자신의 문화를 가장 우수하다고 믿으면서 다른 사회의 문화를 부정적으로 평가하는 태도를 말한다.

(2) ( )은(는) 자신의 문화를 열등하다고 생각하고 다른 문화를 추종하는 태도를 말한다.

(3) ( )은(는) 한 사회의 문화를 그 문화가 형성된 배경 속에서 이해하는 태도를 말한다.

02 다음 설명에 해당하는 문화 이해 태도를 써 보자.

(1) 인류의 보편적 가치를 무시하는 것까지 문화로서의 의미와 가치를 지닌다고 보는 태도
( )

(2) 선진 문물을 받아들이는 데 도움이 되지만, 자신의 문화가 가지는 고유성과 주체성을 상실하게 할 수 있는 태도 ( )

03 다음 설명이 옳으면 ○, 틀리면 ×에 표시해 보자.

(1) 문화 사대주의는 다른 사회의 문화를 우수한 것으로 믿고, 자기 문화를 낮게 평가하며 부정적으로 바라보는 태도이다. (○ | ×)

(2) 자문화 중심주의는 다른 국가나 사회에 대한 이해와 협조가 어려워 국제적으로 고립될 수 있다. (○ | ×)

(3) 인간의 존엄성을 침해하는 문화까지도 인정하는 태도를 문화 상대주의라고 하며, 이는 지향해야 한다. (○ | ×)

04 서로 관련 있는 내용끼리 연결해 보자.

(1) 문화 사대주의 • • ㉠ 중화사상

(2) 자문화 중심주의 • • ㉡ 명예 살인

(3) 극단적 문화 • • ㉢ 외국의 명품을 무조
상대주의 건 선호하는 태도

:2 STEP 기초를 다지는 기본 문제

01 자문화 중심주의에 대한 설명으로 옳지 <u>않은</u> 것은?

① 문화의 상대성을 부정하는 태도이다.

② 자기 문화에 대한 자부심을 높여 준다.

③ 절대적인 기준으로 문화의 우열을 가린다.

④ 집단 내 결속을 강화하는 데 도움이 될 수 있다.

⑤ 다른 사회의 문화를 우월한 것으로 생각하고 자기 문화를 무시하는 태도이다.

02〔중요〕 다음 글에 나타난 문화를 이해하는 태도가 가진 특징으로 옳은 것은?

> 천하도는 중국, 일본 등에서는 찾아볼 수 없는 우리나라 고유의 세계 지도로, 조선 시대에 만들어져 널리 유포되었다. 지도의 한가운데에는 중국이 있고, 조선 등 주변국은 중국을 둘러싸고 있는 것으로 표현하였다. 조선에서 제작된 지도임에도 중국을 세계의 중심으로 표현한 것은 중국의 문화를 동경하고 중시하는 당시 사람들의 세계관이 반영된 것이다.

① 사회의 통합과 단결에 기여한다.

② 국제적 갈등이나 고립을 초래할 수 있다.

③ 자기 문화에 대한 자부심을 상승시킨다.

④ 민족 문화의 고유성과 주체성을 상실하게 할 수 있다.

⑤ 다른 사회의 문화를 편견 없이 이해하는 데 도움이 된다.

03 문화를 이해하는 태도로 바람직하지 <u>않은</u> 것은?

① 서로 다른 사회의 문화적 차이를 인정한다.

② 한 사회의 문화를 그 사회의 환경과 관련하여 이해한다.

③ 문화를 바라볼 때 상대주의적 관점에서 바라보아야 한다.

④ 문화가 나타나게 된 그 사회의 역사적 배경을 고려하여 이해한다.

⑤ 인류의 보편적 가치를 무시하는 행위라고 하더라도 문화로 인정해 주어야 한다.

04 다음 (가), (나)를 통해 알 수 있는 문화의 특징으로 옳은 것은?

> (가) 티베트는 자연환경이 척박하여 땅을 파서 시신을 매장하기가 어렵고 나무가 없어서 화장도 쉽지 않다. 그래서 시신의 처리를 조류에게 맡기는 '조장' 문화가 형성되었다.
>
> (나) 인도는 건기와 우기가 약 6개월 주기로 번갈아 나타난다. 만약 건기에 먹을 것이 없어 소를 잡아먹게 되면 그 수가 감소하여, 정작 우기 때 농사를 짓기 어렵게 된다. 또한 소를 길러 우유나 치즈, 버터를 생산하는 것이 훨씬 효용 가치가 있다. 결국 이러한 경제적인 이유가 소를 숭배하는 문화로 이어졌다.

① 문화는 절대주의적 관점에서 이해해야 한다.
② 문화 요소들은 모든 사회에서 동일하게 나타난다.
③ 문화는 그 사회가 처한 자연환경, 사회적 상황과 연관된다.
④ 어느 사회에서나 공통적으로 나타나는 문화 요소들이 있다.
⑤ 인간의 행위는 모두 문화에 해당하기 때문에 존중해야 한다.

05 다음 사례에 나타난 문화를 이해하는 바람직한 태도로 옳은 것은?

> 나이지리아의 에픽족은 '뚱뚱함'을 아름다움의 기준으로 삼는다. 뚱뚱함에는 아름다움뿐만 아니라 여성성과 생식 능력의 의미가 담겨 있다.

① 자기 문화를 기준으로 평가해야 한다.
② 절대적인 기준을 세워 평가해야 한다.
③ 문화에는 우열이 나타남을 전제로 이해해야 한다.
④ 문화의 상대성을 인정하여 각 문화가 형성된 배경 속에서 이해해야 한다.
⑤ 자신의 문화를 열등한 것으로 생각하고 다른 문화를 추종하는 태도를 가져야 한다.

06 다음 갑의 주장에 나타나는 문화 이해의 태도를 쓰고, 그 태도가 가지는 문제점을 한 가지 서술하시오.

이번에 오픈한 식당 이름은 한글보다 더 멋있어 보이는 영어로 만들어야 한다고 생각해.

07 다음 사례를 문화로 인정하는 문화 이해의 태도를 쓰시오.

> 일부 이슬람 문화권에는 집안의 명예를 더럽혔다는 이유로 가족 구성원을 살해하는 것이 허용되는 '명예 살인'이라는 관습이 있다.

08 다음 (가), (나)에 나타난 문화 이해의 태도를 각각 쓰고, 두 가지 태도가 가지는 공통점을 서술하시오.

> (가) 2011년 미국의 경제 전문지인 포브스는 세계의 10대 혐오 음식 중 1위로 '마유주'를 선택했다. 암말의 젖을 숙성시켜 만든 마유주는 발효 과정에서 생겨나는 암모니아향이 매우 강하고, 시큼한 맛이 난다.
>
> (나) 오늘날 우리 사회에는 외국의 명품 브랜드라고 하면 무엇이든 선호하면서 자신의 문화를 열등한 것으로 평가하는 사람들이 늘어나고 있다.

03 대중 매체와 대중문화

이것이 **포인트!**
• 대중 매체의 특징
• 대중문화의 의미와 특징
• 대중문화를 바라보는 올바른 자세

꼼꼼! 필기 노트

＋ 대중
현대 사회를 구성하는 대다수 사람을 의미한다. 즉 계층, 성별, 직업, 지역 등을 초월한 사회 대다수의 구성원을 말하며, 어떤 조직이나 집단으로 통합되지 않은 불특정 다수의 사람을 일컫는다.

＋ 뉴미디어
과학 기술의 발전에 따라 생겨난 새로운 전달 매체로 기존 대중 매체에 얽매이지 않는 새로운 매체이다. 고속의 통신망을 중심으로 각 기업 및 가정에 설치된 유무선 디지털 단말기를 통해 정보를 얻거나 전달 및 교환하는 기술을 말한다.

＋ 쌍방향 소통
텔레비전이나 라디오와 같이 미디어가 전달하는 정보를 받기만 하는 것이 아니라 수용자 쪽에서 정보를 다시 보낼 수 있는 것이다.

＋ 문화의 민주화
대중 매체로 인해 누구나 평등하게 대중문화를 누릴 수 있게 되었다. 즉, 대중 매체를 통해 대중은 비싼 비용을 지불하지 않고도 다양한 문화 예술을 쉽게 접할 수 있게 되었다.

＋ 상업화
어떤 재화나 서비스를 상품으로 만들어 거래를 통해 이익을 얻으려는 특성을 말한다.

콕콕! 핵심 개념

1 □□□□ : 익명의 다수에게 대량의 정보를 동시에 전달하는 매체

2 □□□□ : 현대 사회를 살아가는 대다수 사람이 일상적으로 누리는 문화

---

1 대중 매체와 대중문화

1 ❶ [   ]

(1) **의미**: 익명의 ❷ [   ]에게 대량의 정보를 동시에 전달하는 매체

(2) **의의**: ❸ [   ]의 형성과 발달에 중요한 역할을 함

> 블로그나 사용자 제작 콘텐츠(UCC) 같은 대중문화를 생산하고 전파할 수 있게 되었어요.

(3) **종류**

구분	전통적인 대중 매체	새로운 대중 매체(뉴미디어)＋
종류	신문, 책, 라디오, 텔레비전 등	인터넷, 스마트폰, 케이블 텔레비전, 위성 방송 등
특징	• 정보의 생산자와 소비자가 명확히 구분됨 • 정보의 ❹ [ ] · 획일적 전달 • 대중은 정보를 ❺ [ ] · 무비판적으로 수용	• 대중이 정보의 소비자이자 ❻ [ ] • ❼ [ ]과 공간의 제약을 받지 않음 • 매체와 이용자 사이에 ❽ [ ] 의사소통이 가능＋ • 대중은 정보를 비동시적 · 개별적으로 수용

> 과거 수동적인 소비자의 위치에서 벗어나 적극적인 문화 생산자의 역할을 하게 된 거예요.

2 ❾ [   ]

(1) **의미**: 현대 사회를 살아가는 대다수 사람이 일상적으로 누리는 문화

> 예 가요, 드라마, 영화, 스포츠 등

(2) **형성 배경**

① 경제적 요인: 산업의 발달로 대량 생산과 대량 소비 가능 → 소비자로서 대중의 역할 증대, 문화 소비의 ❿ [   ]

② 정치적 요인: 민주화의 진행으로 ⓫ [   ] 실시 → 대중의 정치적 위상 향상＋

③ 사회적 요인: 의무 교육의 확대, 대중 매체 발달 → 대중의 교양 수준 향상 및 문화 향유 욕구의 증대

(3) **특징**

긍정적인 측면	부정적인 측면
• 새로운 소식과 다양한 정보 제공 • 즐거움과 정서적 만족감 제공 • 문화의 ⓬ [ ]에 기여＋	• 문화의 ⓭ [ ] • 지나친 ⓮ [ ] → 선정적, 폭력적 • 대중이 수동적인 소비자가 되기 쉬움 • 정보의 왜곡

> 대중문화는 대량으로 생산되어 많은 사람들에게 같은 내용을 전달하기 때문에 사람들의 가치관과 사고방식이 획일화될 수 있어요.

2 대중문화를 바라보는 올바른 자세

1 대중문화의 ⓯ [   ] 수용

→ 정보가 객관적인 사실인지, 균형 있는 시각을 담고 있는지 검토하여 선택적으로 받아들여야 함

2 대중문화의 생산에 주체적 · 능동적 참여

→ 문화 창조자로서 대중 매체를 활용하여 새로운 문화를 만들어 가는 데 주도적 역할을 해야 함

150 ● 8. 문화의 이해

탄탄! 활동 노트

활동 ① 다음 자료를 보고 물음에 답하시오.

(가)  (나)  (다)  (라)

1 (가)~(라)에 해당하는 대중 매체의 종류를 써 보자.

(가) – (   )   (나) – (   )

(다) – (   )   (라) – (   )

2 위 **1**의 대중 매체를 전통적 대중 매체와 새로운 대중 매체로 구분하고, 특징을 써 보자.

구분	전통적 대중 매체	새로운 대중 매체
종류		
특징		

활동 ② 다음을 읽고 물음에 답하시오.

　최근 들어 웹툰이 대중문화의 선두 주자로 부상하고 있다. 웹툰은 인터넷의 발달로 다양한 만화들이 개인 블로그나 홈페이지에 연재되면서 등장하였으며, 스마트폰의 도입으로 급속히 시장을 확대해 나가고 있다. 웹툰은 독창적인 스토리와 형식, 장르로 눈길을 끌고 있을 뿐만 아니라, 컴퓨터, 스마트폰, 태블릿 등 다양한 플랫폼을 이용해 짧은 시간 안에 편리하고 간단하게 이용할 수 있다.

1 '웹툰'이라는 새로운 대중문화가 빠른 속도로 성장할 수 있었던 이유를 써 보자.

2 '웹툰'과 같은 대중문화의 특징을 긍정적인 측면과 부정적인 측면으로 나누어 써 보자.

긍정적인 측면	부정적인 측면

·1 STEP 개념을 되짚는 확인 문제

01 다음 빈칸에 들어갈 알맞은 말을 써 보자.

(1) (   )은(는) 익명의 다수에게 대량의 정보를 동시에 전달하는 매체이다.

(2) (   )은(는) 현대 사회를 살아가는 대다수 사람이 일상적으로 누리는 문화를 말한다.

02 빈칸에 들어갈 알맞은 말을 골라 보자.

(1) 대중문화는 익명의 다수에게 (소량 | 대량)으로 생산되고 소비된다.

(2) 대중문화는 사람들의 가치관을 (다양화 | 획일화)할 수 있다.

(3) 새로운 대중 매체의 등장으로 (쌍방향 | 일방향) 의사소통이 가능해졌다.

03 다음 설명이 옳으면 ○, 틀리면 ×에 표시해 보자.

(1) 대중문화는 대중 매체에 의해 대중에게 전달된다. (○ | ×)

(2) 대중문화를 통해 과거 소수만 누리던 예술 문화를 대중도 쉽게 누릴 수 있게 되었다. (○ | ×)

(3) 대중문화는 사람들의 가치관과 사고방식을 다양화시키는 데 도움이 된다. (○ | ×)

(4) 대중문화는 문화를 상품의 형태로 생산하기 때문에 지나치게 상업화를 추구하다 보면 선정적이거나 폭력적인 문화를 생산할 수 있다. (○ | ×)

04 새롭게 등장한 대중 매체를 〈보기〉에서 모두 골라 보자.

> **보기**
> ㄱ. 책   ㄴ. 신문
> ㄷ. 인터넷   ㄹ. SNS
> ㅁ. 스마트폰   ㅂ. 라디오

:2 STEP 기초를 다지는 기본 문제

01 대중 매체에 대한 설명으로 옳지 <u>않은</u> 것은?

① 대중문화의 발달에 결정적인 역할을 하였다.

② 정보 통신 기술의 발달로 끊임없이 진화하고 있다.

③ 전통적인 대중 매체에는 신문, 잡지, 라디오 등이 있다.

④ 익명의 다수에게 대량의 정보를 동시에 전달하는 매체이다.

⑤ 새로 등장한 대중 매체의 영향으로 일방향 의사소통이 가능해졌다.

02 다음과 같은 특징을 가진 대중 매체를 〈보기〉에서 고른 것은?

> • 시간과 공간의 제약을 받지 않고 쌍방향 의사소통이 가능하다.
> • 대중이 정보의 소비자인 동시에 적극적인 문화 생산자의 역할을 수행한다.

> **보기**
> ㄱ. 신문   ㄴ. 인터넷
> ㄷ. 텔레비전   ㄹ. 스마트폰

① ㄱ, ㄴ   ② ㄱ, ㄷ   ③ ㄴ, ㄷ
④ ㄴ, ㄹ   ⑤ ㄷ, ㄹ

03 〔중요〕 대중문화에 대한 설명으로 옳지 <u>않은</u> 것은?

① 다수의 사람들에게 새로운 지식과 정보를 전달한다.

② 소수의 사람들만이 즐길 수 있는 예술 문화를 말한다.

③ 대중 매체가 대중문화의 발달에 결정적인 역할을 하였다.

④ 문화를 상품의 형태로 생산하기 때문에 상업화되기 쉽다.

⑤ 대량으로 생산되어 많은 사람들에게 전달되기 때문에 사람들의 생각을 획일화시킬 수 있다.

04 다음 사례를 통해 알 수 있는 대중문화의 특징으로 적절한 것은?

> 요즘은 '스타의 전성시대'라고 할 만하다. 그러나 상품으로 만들어진 스타의 수명은 결코 길지 않다. 팬들이 식상해 하는 기미가 보이고 인기가 시들해진다고 판단되면 기획사는 미련 없이 그룹을 해체하고 새로운 상품을 내놓는다.

① 새로운 지식과 정보를 전달한다.
② 대중의 삶의 질을 풍요롭게 만들어 준다.
③ 대중이 능동적인 소비자가 될 수 있게 한다.
④ 사람들의 가치관과 사고방식을 획일화시킨다.
⑤ 문화를 상품의 형태로 생산하기 때문에 상업화되기 쉽다.

05 대중문화가 가지는 긍정적인 측면으로 옳은 것은?

① 소수를 대상으로 하여 문화 수준이 높다.
② 상업성보다는 예술적인 완성도를 강조한다.
③ 다수의 사람에게 새로운 지식과 정보를 제공한다.
④ 대중이 독창성을 발휘할 수 있는 기회를 제공한다.
⑤ 사람들의 생각과 가치관을 다양화시키는 데 도움을 준다.

06 다음 대중 매체의 특징으로 옳은 것을 〈보기〉에서 고른 것은?

 새롭게 등장한 대중 매체는 누구든지 자유롭게 대중문화를 생산할 수 있도록 만들었다.

┌─ 보기 ┐
ㄱ. 쌍방향 의사소통이 가능하다.
ㄴ. 시간과 공간의 제약을 받지 않는다.
ㄷ. 대중은 수동적인 정보 이용자가 된다.
ㄹ. 정보의 생산자와 소비자가 명확하게 구별된다.

① ㄱ, ㄴ   ② ㄱ, ㄷ   ③ ㄴ, ㄷ
④ ㄴ, ㄹ   ⑤ ㄷ, ㄹ

07 다음 (가), (나) 대중 매체가 가지는 특징을 각각 **두 가지**씩 서술하시오.

> (가) 신문, 잡지, 라디오, 텔레비전 등
> (나) 인터넷, 스마트폰, SNS 등

08 다음의 대중문화가 가지는 긍정적인 측면과 부정적인 측면을 **한 가지**씩 서술하시오.

> 최근 들어 웹툰이 대중문화의 선두 주자로 부상하고 있다. 웹툰은 인터넷의 발달로 다양한 만화들이 개인 블로그나 홈페이지에 연재되면서 등장하였으며, 스마트폰의 도입으로 급속히 시장을 확대해 나가고 있다. 웹툰은 독창적인 스토리와 형식, 장르로 눈길을 끌고 있을 뿐만 아니라 컴퓨터, 스마트폰, 태블릿 등 다양한 플랫폼을 이용해 짧은 시간 안에 편리하고 간단하게 이용할 수 있다.

09 다음 (가), (나)에 나타난 대중문화의 특징을 쓰고, 대중문화를 바라보는 바람직한 태도에 대해 서술하시오.

> (가) 할리우드 영화에 밀려 소규모 독립 영화들이 자리를 잃고 있다.
> (나) 유명 연예인이 드라마에서 입고 나온 의상이 다음 날이면 날개 돋친 듯 팔린다.

01 밑줄 친 '문화'가 넓은 의미로 사용된 것은?

① 문화인으로서 공공질서를 잘 지켜야 한다.
② 이번 주말에는 오랜만에 문화생활을 즐기자.
③ 인사법으로 얼굴에 침을 뱉는 것은 그 사회의 문화 행위이다.
④ 도서관, 공연장, 전시관 등 문화 시설의 확충을 위해 노력해야 한다.
⑤ 모임에 나갈 때 깨끗한 옷을 단정하게 입고 참석하면 문화인으로 여겨진다.

02 문화에 대한 설명으로 옳지 않은 것은?

① 문화를 구성하는 요소는 크게 물질문화와 비물질문화로 구분된다.
② 좁은 의미의 문화는 예술이나 교양, 세련된 것이나 발전된 상태를 가리킨다.
③ 넓은 의미의 문화는 한 사회의 구성원들이 만들어 낸 공통의 생활 양식을 가리킨다.
④ 인간의 타고난 체질이나 본능에 따른 행동, 개인의 독특한 습관 등도 문화에 해당한다.
⑤ 제도 문화는 법, 관습, 예절 등과 같이 사회 질서를 유지하기 위한 제도적 장치를 말한다.

03 문화라고 볼 수 없는 것을 〈보기〉에서 모두 고른 것은?

> **보기**
> ㄱ. 갑은 잠잘 때 코를 심하게 곤다.
> ㄴ. 을은 웃어른과 대화할 때 존댓말을 사용한다.
> ㄷ. 병은 다이어트를 하기 위해 요가를 다니고 있다.
> ㄹ. 정은 상대방의 눈을 쳐다보지 못하는 버릇이 있다.

① ㄱ, ㄴ   ② ㄱ, ㄷ   ③ ㄱ, ㄴ, ㄷ
④ ㄱ, ㄷ, ㄹ   ⑤ ㄴ, ㄷ, ㄹ

04 다음 (가), (나)에 해당하는 문화의 속성을 바르게 연결한 것은?

> (가) 과거 백김치였던 김치는 고추가 전래되면서 빨갛고 매운 형태로 변화하였다.
> (나) 인터넷의 발달은 전자 투표, 전자 상거래, 원격 강의 등 사회 전반에 영향을 주고 있다.

	(가)	(나)		(가)	(나)
①	학습성	전체성	②	변동성	전체성
③	변동성	학습성	④	변동성	공유성
⑤	전체성	변동성			

05 다음 사례에 나타난 문화의 속성으로 옳은 것은?

> 우리나라에서는 중요한 시험을 앞둔 사람에게 합격을 기원하는 의미로 엿이나 찹쌀떡을 선물한다.

① 공유성   ② 학습성   ③ 축적성
④ 변동성   ⑤ 전체성

06 다음 빈칸에 들어갈 문화의 속성으로 옳은 것은?

> 문화는 수많은 요소로 구성되어 있으며, 이들 각 요소는 서로 밀접한 관련을 맺으면서 전체를 이룬다. 이를 문화의 (   )이라고 한다.

① 공유성   ② 학습성   ③ 축적성
④ 변동성   ⑤ 전체성

07 다음 (가), (나)에 해당하는 문화를 바르게 연결한 것은?

> (가) 옷, 음식, 주택 등
> (나) 학문, 언어, 예술, 종교, 사상 등

	(가)	(나)
①	물질문화	제도문화
②	물질문화	관념 문화
③	제도문화	물질문화
④	제도문화	관념 문화
⑤	관념 문화	제도문화

08 다음 사례와 관련하여 문화를 이해하는 태도로 바람직한 것은?

> 일부 이슬람 문화권에는 집안의 명예를 훼손하였다는 이유를 가족 구성원을 죽이는 것이 허용되는 '명예 살인'이라는 관습이 있다. 부모 동의 없이 결혼했다는 이유로 신혼부부를 공개 처형하는 일도 있었다.

① 자기 나라의 문화를 기준으로 문화의 우열을 평가해야 한다.
② 모든 사회의 문화는 그 나름의 가치가 있기 때문에 존중해야 한다.
③ 다른 사회의 문화를 우수한 것으로 믿고, 자기 문화를 낮게 평가해야 한다.
④ 인간의 존엄성과 같은 인류의 보편적 가치를 무시하는 행위에 대해 비판해야 한다.
⑤ 문화는 사회가 처한 특수한 환경과 역사적 맥락 속에서 객관적으로 이해해야 한다.

09 다음 사례에 나타난 문화를 이해하는 태도가 가진 문제점으로 옳은 것은?

> 중국 사람들은 자신들이 세계의 중심이면서 가장 우수한 문화를 가지고 있다고 생각하였다. 그래서 중국은 주변의 나라들을 오랑캐 또는 야만인이라고 부르고, 자신들이 다른 민족을 가르치고 이끌어야 세상의 질서가 유지될 수 있다고 보았다.

① 자기 문화의 가치를 인정하지 않는다.
② 다른 사회의 문화에 종속될 위험성이 있다.
③ 다른 문화권과 갈등을 초래하거나 국제적 고립에 빠질 수 있다.
④ 자기 문화 내 자부심을 높이고, 집단 내 결속을 강화할 수 있다.
⑤ 인간의 존엄성, 생명 존중 사상, 자유, 평등과 같은 인류의 보편적 가치를 해칠 수 있다.

10 문화 상대주의에 대한 설명으로 옳지 않은 것은?

① 오늘날 세계화로 인해 더욱 중요해지고 있다.
② 다른 문화의 의미와 가치를 바르게 이해할 수 있다.
③ 문화의 다양성을 인정하여 다른 문화와 교류하는 데 도움이 된다.
④ 한 사회의 문화를 그 문화가 형성된 배경 속에서 이해하는 태도이다.
⑤ 모든 문화에 대해 상대성을 내세워 인간의 존엄성을 해치는 문화도 인정하는 태도이다.

11 다음과 같은 생각을 가진 프랑스 여배우에게 요구되는 태도로 적절한 것은?

> 프랑스의 한 여배우는 한국인이 개고기를 먹는 것에 대해 야만인이라고 비난하였다. 동물 애호가인 그녀는 개고기를 먹는 우리나라 풍습에 대해 강하게 비판하면서 한국 상품의 불매 운동을 하는 등 강한 반발심을 드러냈다.

① 문화 사대주의   ② 문화 상대주의
③ 문화 제국주의   ④ 자문화 중심주의
⑤ 극단적 문화 상대주의

12 문화 이해의 태도에 대한 설명으로 옳은 것을 〈보기〉에서 고른 것은?

> **보기**
> ㄱ. 문화 상대주의는 다른 사회의 문화를 편견 없이 이해할 수 있도록 도와준다.
> ㄴ. 자문화 중심주의는 자기 문화에 대한 자부심을 높이는 데 도움이 될 수 있다.
> ㄷ. 문화 사대주의는 다른 나라에 자기의 문화를 강요하는 문화 제국주의로 발전할 수 있다.
> ㄹ. 문화 상대주의는 인류의 보편적 가치를 무시하여 인간의 존엄성, 생명 존중 사상 등을 해칠 수 있다.

① ㄱ, ㄴ   ② ㄱ, ㄷ   ③ ㄴ, ㄷ
④ ㄴ, ㄹ   ⑤ ㄷ, ㄹ

13 대중문화에 대한 설명으로 옳은 것은?

① 개인의 독창성과 개성을 살릴 수 있다.
② 특정 사회나 계층의 소수만이 누릴 수 있다.
③ 소수의 기호에 맞게 대량으로 생산되고 소비된다.
④ 특정 사회나 계층을 구분하지 않고 대량 보급하기 때문에 보편적인 성격을 가진다.
⑤ 대중 매체를 통해 같은 내용이 동시에 전달되기 때문에 사람들의 생각을 다양화시킨다.

14 다음 사례에 나타난 대중문화의 문제점으로 가장 적절한 것은?

> 웹툰의 폭력성과 선정성 논란이 끊이지 않고 있다. 2012년 만화가 ○○의 웹툰은 학교 폭력을 조장한다는 이유로 연재가 중단되었다. 한 웹툰 사이트는 선정적이라는 이유로 방송 통신 심의 위원회로부터 접속 차단 조치를 당하기도 하였다.

① 왜곡된 정보를 전달한다.
② 정치적 무관심을 초래한다.
③ 지나치게 상업성을 추구한다.
④ 사람들의 행동을 획일화시킨다.
⑤ 문화를 누리는 데 비싼 비용을 지불하도록 한다.

15 (가)의 대중 매체가 가지는 특징으로 옳은 것은?

구분	인쇄 매체	영상 매체	(가)
종류	신문, 잡지	텔레비전	스마트폰, 인터넷

① 정보의 생산자와 소비자가 명확히 구분된다.
② 정보를 미리 정해진 한 방향으로만 전송한다.
③ 대중이 정보를 비동시적 · 개별적으로 수용할 수 있다.
④ 대중이 정보를 수동적 · 무비판적으로 받아들이게 한다.
⑤ 정보가 대중 매체를 통해 대중에게 일방적으로 전달된다.

16 다음을 통해 알 수 있는 대중문화의 긍정적인 기능으로 가장 적절한 것은?

> 과거 클래식 공연은 일부 계층의 사람들만 누리던 예술 문화였지만 오늘날에는 누구나 쉽게 대중 매체를 통해 클래식 공연을 감상할 수 있다. 대중 매체의 발달로 대중문화의 폭이 확대되었다.

① 문화의 민주화에 기여한다.
② 대중 매체와 결합하여 이윤을 창출한다.
③ 대중이 능동적인 소비자가 될 수 있게 한다.
④ 유행보다는 개인의 개성과 취향에 민감한 문화를 즐길 수 있다.
⑤ 작품의 예술적 완성도보다 대중의 흥미를 끌기 위한 자극적인 내용이 강조된다.

17 다음을 통해 알 수 있는 대중문화의 영향으로 가장 적절한 것은?

> 최근 한 아이돌 그룹의 여성 멤버가 하고 나온 헤어스타일이 화제가 되었다. 이로 인해 미용실에서는 똑같은 헤어스타일을 요구하는 고객이 늘고 있고, 길거리에서 똑같은 헤어스타일을 한 여성들을 쉽게 볼 수 있다.

① 문화가 획일화된다.
② 대중의 삶의 질이 풍요로워진다.
③ 대중이 능동적인 소비자가 될 수 있다.
④ 유행보다는 개인의 개성과 취향에 민감해진다.
⑤ 대중문화의 생산자에 의해 문화가 조작될 수 있다.

18 대중문화를 바라보는 자세로 가장 바람직한 것은?

① 대중 매체가 전달하는 정보를 그대로 수용한다.
② 대중 매체를 통해 정보의 상업적 이용을 확대한다.
③ 수동적인 소비자의 위치에서 대중문화를 받아들인다.
④ 대중문화에 민감하게 반응하여 유행을 따르려고 노력한다.
⑤ 주체적인 문화 생산자로서 대중 매체를 비판적으로 활용해야 한다.

19 다음 (가)~(다)에 공통으로 나타나는 문화의 속성을 쓰고, 그 속성의 기능에 대해 서술하시오.

> (가) 멕시코에서는 포도를 열두 알 먹으면서 새해 소원을 빈다.
> (나) 우리나라에서는 설날에 떡국을 먹으면 한 살을 더 먹게 된다고 생각한다.
> (다) 헝가리 사람들은 새해에 콩을 넣은 음식을 먹으면서 부자가 되기를 기원한다.

20 다음 대화에서 병의 문화 이해의 태도가 무엇인지 쓰고, 이 태도가 가지는 문제점을 서술하시오.

> 갑: 일부 이슬람 사회에서는 집안의 명예를 훼손하였다는 이유로 가족 구성원을 살해하는 것이 허용되는 '명예 살인'이라는 관습이 있대.
> 을: 아무리 관습을 어겼다고 하더라도 어떻게 자신의 가족을 살해하는 것이 허용될 수 있지? 그런 관습은 당장 사라져야 해.
> 병: 과연 그럴까? '명예 살인'이라는 것도 이슬람 사회가 가지는 문화야. 그러니까 그 문화가 만들어진 사회의 환경이나 배경에 따라 존중해 주어야 한다고 생각해.

21 다음 자료에 나타난 문화 이해의 태도를 쓰고, 이 태도가 가지는 장점과 문제점을 한 가지씩 서술하시오.

 왼쪽 지도는 우리나라에서 최초로 만든 세계 지도인 '혼일강리역대국도지도'이다. 지도를 보면 중앙에는 중국이 가장 크게 그려져 있고, 그 다음으로 우리나라가 크게 그려져 있다. 이는 당시 우리나라 사람들이 중국 문화를 우월하다고 인식하고, 중국을 중심으로 세계를 생각하였던 것이 반영된 결과이다.

22 밑줄 친 대중 매체가 가지는 특징을 두 가지 서술하시오.

> 정보 통신 기술의 발달로 스마트폰이 등장하면서 사람들의 일상생활이 크게 달라지고 있다. 스마트폰을 통해 정보 검색은 물론, 쇼핑을 하거나 SNS를 통해 다양한 정보를 공유하고 생산하기도 한다.

23 다음 사례와 관련하여 대중문화를 바라보는 바람직한 자세를 두 가지 서술하시오.

> 인도 북서부에 위치한 라다크에 사는 사람들은 자신들만의 고유한 문화를 유지하고 수확물을 공유하며 소박하게 살고 있었다. 그러던 중 광고, 영화 등의 미디어가 라다크에 들어왔다. 사람들은 이를 통해 서구 문화를 간접적으로 경험하면서 자기 문화에 대한 열등감을 갖게 되었고 결국 자신의 문화를 잃어 버렸다.

정치 생활과 민주주의

:나의 학습 진도표

중단원명	학습 코너	쪽수	학습 예정일	학습 완료일	달성도
01 정치와 국가·시민의 역할	꼼꼼! 필기 노트	160쪽	◯ 월 ◯ 일	◯ 월 ◯ 일	☆☆☆☆☆
	탄탄! 활동 노트	161쪽	◯ 월 ◯ 일	◯ 월 ◯ 일	☆☆☆☆☆
	쑥쑥! 실력 키우기	162~163쪽	◯ 월 ◯ 일	◯ 월 ◯ 일	☆☆☆☆☆
02 민주 정치의 발전과 원리	꼼꼼! 필기 노트	164, 166쪽	◯ 월 ◯ 일	◯ 월 ◯ 일	☆☆☆☆☆
	탄탄! 활동 노트	165, 167쪽	◯ 월 ◯ 일	◯ 월 ◯ 일	☆☆☆☆☆
	쑥쑥! 실력 키우기	168~169쪽	◯ 월 ◯ 일	◯ 월 ◯ 일	☆☆☆☆☆
03 민주 정치 제도와 정부 형태	꼼꼼! 필기 노트	170쪽	◯ 월 ◯ 일	◯ 월 ◯ 일	☆☆☆☆☆
	탄탄! 활동 노트	171쪽	◯ 월 ◯ 일	◯ 월 ◯ 일	☆☆☆☆☆
	쑥쑥! 실력 키우기	172~173쪽	◯ 월 ◯ 일	◯ 월 ◯ 일	☆☆☆☆☆
뚝딱! 단원 마무리하기		174~177쪽	◯ 월 ◯ 일	◯ 월 ◯ 일	☆☆☆☆☆

정치와 국가·시민의 역할

이것이 **포인트!**
• 정치의 의미와 기능
• 정치 생활에서 국가와 시민의 역할

꼼꼼! 필기 노트

✚ 권력
어떤 수단을 사용하여 원하는 결과를 달성하는 능력을 말한다.

✚ 보통 선거
일정한 나이 이상의 모든 국민에게 제한 없이 선거권이 주어지는 선거이다.

✚ 공청회
국가나 공공 기관이 국민에게 영향을 끼치는 사업을 시행하기 전에 이해 관계자나 전문가, 시민들로부터 공식적인 자리에서 의견을 듣는 제도이다.

✚ 권리
일정한 이익을 주장하고 그것을 누릴 수 있는 법률상의 힘을 말한다.

콕콕! **핵심 개념**

1 □□: 공동체 구성원의 이해관계를 조정하여 의사 결정을 하고 이를 실천하는 과정

2 □□□ □□□□: 누구나 누리고 싶어 하지만 사회적으로 그 양이 한정된 가치

3 □□□□: 국가 기관이 정치적 기능을 수행하기 위해 행사하는 힘

4 □□□: 국가나 공공 기관이 사업에 대해 공식적으로 국민들의 의견을 듣는 제도

---

1 정치의 의미와 기능

1 ❶ [   ]의 의미 → 정치(politics)는 폴리스(polis, 도시 국가)의 업무, 즉 국가의 통치 행위를 의미해요. 정치를 국가 현상으로 보는 것 이외에 권력 현상, 타협, 공적 활동 등으로 보는 다양한 관점이 있어요.

좁은 의미	정치인들이 정치권력을 획득·유지·행사하는 과정을 통해 사회 구성원들이 인간다운 삶을 살 수 있도록 하는 활동 **예** 대통령, 국회 의원 등의 정치 활동✚
넓은 의미	일상생활에서 개인 또는 집단 간 발생하는 이해관계의 대립이나 갈등을 조정하고 해결해 나가는 활동 **예** 주민 회의, 학급 회의, 가족회의 등

2 정치권력

부, 명예, 권력 등 누구나 누리고 싶어 하지만 그 양이 한정되어 있는 사회적 희소가치의 배분과 관련되어 있어요.

(1) **의미**: 사회 구성원 간 이해관계를 조정하면서 사회 질서와 안정을 유지하고 공동체의 목적을 달성하기 위해 국가나 국가 기관이 행사하는 힘

(2) **발생**: 정치에서는 일반적으로 구성원들 간의 이해관계를 조정하기 위한 **❷ [   ]** 과 개인의 의사에 반하더라도 이를 지키도록 하는 **❸ [   ]** 가 나타남

(3) **특징**: 사회 구성원들이 정해진 규칙이나 행동에 따르도록 제재할 수 있는 **강제성이 있음**

3 정치의 기능 → 사회 집단이나 국가에서 나타나는 의사 결정과 권력 행사가 정당하게 이루어질 경우, 구성원들은 정치를 신뢰하게 되어 공동체가 잘 유지되고 구성원들이 결속하게 돼요.

(1) **대립과 갈등 조정**: 사회 구성원 간의 다양한 이해관계를 조정하여 **대립과 갈등을 해결함**

(2) **사회 ❹ [   ] 유지 및 사회 ❺ [   ]**: 사회 질서와 안정을 유지하고 사회를 통합하여 공동체를 발전시킴

(3) **개인과 집단의 요구 충족**: 서로 대립하는 이익을 조정하고 정책으로 반영하여 사회 구성원들의 다양한 요구를 충족함 → 정치가 특정 사람들에게만 유리하게 전개되면 오히려 사회 갈등을 일으키고, 사회 통합을 저해할 수 있어요.

2 정치 생활과 국가·시민의 역할

1 정치 생활

(1) **의미**: 집단이나 국가 등 공동체에서 이루어지는 의사 결정과 권력 행사에 참여하는 것

(2) **특징**: **❻ [   ]** 는 모든 시민에게 강한 구속력을 지닌 결정을 내리는 공동체이기 때문에 우리의 정치 생활에서 중요한 부분을 차지함

(3) **변화**

전통 사회	오늘날
백성은 국가의 지배를 받을 뿐 국가의 운영에 참여할 수 없었음	**❼ [ ]** 선거가 정착되고 시민이 국가 운영에 직접 참여할 수 있는 제도가 마련되면서 과거보다 정치에 참여할 기회가 늘어나고 있음✚

2 국가와 시민의 역할
시민의 참여가 뒷받침되지 못하는 국가는 민주적으로 운영되기 어렵고, 시민을 위한 정책을 펴기도 어렵기 때문이야.

국가	• **❽ [ ]** 과 **❾ [ ]** 을 만들고 집행하면서 정치 활동을 주도함 • 시민이 정치 활동에 자유롭게 참여할 **❿ [ ]** 를 제공해야 함
시민	• 국가의 구성원으로서 정치 과정에 적극적으로 참여해야 함 • **⓫ [ ]** 나 토론회를 비롯한 다양한 매체나 활동을 통해 자신의 의견을 적극적으로 표현하며 정책에 반영될 수 있도록 노력해야 함✚ • 국가가 결정한 사항을 지켜야 할 의무와 국가의 부당한 정책을 비판할 권리를 함께 지님✚

활동 ① 다음 (가)~(마) 중 정치에 해당하는 것을 골라 보자.

(가)

학급 회의를 통해 청소 구역 분담을 결정하였다.

(나)

국회 의원들이 국회에 모여 선거 연령을 낮추는 법안에 대해 논의하였다.

(다)

갑은 이번 시험에서 성적을 올리기 위해 평소보다 늦게까지 공부를 하였다.

(라)

계속되는 지각으로 선생님께 크게 혼이 난 을은 지각을 하지 않는 방법에 대해 고민하였다.

(마)

△△ 마을 사람들은 인근 쓰레기장 건립을 무산시키기 위해 주말마다 시위를 하였다.

활동 ② 다음 신문 기사를 보고 물음에 답하시오.

직장인 절반 가량이 근로 소득세를 한 푼도 내지 않는 세정 현실을 개선하기 위한 공청회가 열렸다. 면세자 중 세금 낼 여력이 있는 근로자의 세금 부담을 늘려 공평 과세 원칙을 세워야 한다는 논리와 중산층 면세자 중심으로 세금 증가에 따른 조세 저항이 우려된다는 등의 다양한 의견이 나왔다. 국책 연구 기관인 조세 재정 연구원은 20일 오후 서울 은행 회관에서 근로 소득세 면세자 축소 방안을 주제로 한 '소득세 공제 제도 개선 방안' 공청회를 열었다. 기획 재정부는 이날 나온 대안을 포함해 면세자 축소 대책을 검토할 계획이다. 다만 다음 달 발표 예정인 '세법 개정안'에 담을지 여부는 아직 확정되지 않았다.

– △△신문, 2017. 6. –

1 기사를 통해 알 수 있는 정치 생활에서의 국가의 역할을 서술해 보자.

2 기사를 통해 알 수 있는 정치 생활에서의 시민의 역할을 서술해 보자.

•1 STEP 개념을 되짚는 확인 문제

01 다음 빈칸에 들어갈 알맞은 말을 써 보자.

(1) (   )은(는) 공동체 구성원 간의 이해관계와 갈등을 조정하는 활동이다.

(2) 정치에서는 구성원 간의 이해관계를 조정하기 위한 의사 결정과 개인의 의사에 반하더라도 이를 지키도록 하는 (   ) 행사가 나타난다.

(3) 정치가 정당하게 이루어지면 사회 (   )이(가) 유지되고 구성원들이 결속함으로써 사회 (   )에도 기여한다.

(4) 과거에 비해 오늘날 (   ) 선거가 정착되면서 시민이 국가 운영에 직접 참여할 수 있는 기회가 늘어났다.

02 다음 설명에 해당하는 개념을 써 보자.

(1) 부, 명예, 권력 등 누구나 누리고 싶어 하지만 그 양이 한정된 가치를 말한다. (   )

(2) 집단이나 국가 등 공동체에서 이루어지는 의사 결정과 권력 행사에 참여하는 활동을 말한다.
(   )

03 다음 설명이 옳으면 ○, 틀리면 ×에 표시해 보자.

(1) 정치는 대통령이나 국회 의원들의 역할과 같이 국가 운영과 관련된 활동만을 의미한다. (○ | ×)

(2) 정치적으로 결정된 사항에 대해 동의하지 않는다면 지키지 않아도 된다. (○ | ×)

(3) 국가는 모든 시민에게 강력한 구속력을 지니는 공동체로서 정치 생활에 있어 중요한 부분을 차지한다.
(○ | ×)

04 서로 관련 있는 내용끼리 연결해 보자.

(1) 법률과 정책을 만들고 •
    집행함
                                    • ㉠ 국가

(2) 공청회나 토론회에 참 •
    여하여 의견을 표출함
                                    • ㉡ 시민

(3) 국가가 결정한 사항을 •
    지켜야 할 의무를 지님

:2 STEP 기초를 다지는 기본 문제

01 다음 내용에 해당하는 개념으로 옳은 것은?

> • 권력을 통한 희소한 자원의 배분
> • 자유롭고 평등한 시민 간의 상호 작용
> • 타협, 화해, 협상을 통해 갈등을 해소하는 수단

① 정치　　　　② 입법　　　　③ 행정
④ 사법　　　　⑤ 주권

02 정치에 대한 설명으로 옳은 것을 〈보기〉에서 고른 것은?

> **보기**
> ㄱ. 우리의 삶에 큰 영향을 미치지 않는다.
> ㄴ. 의사 결정과 권력 행사가 함께 나타난다.
> ㄷ. 사회적 희소가치들을 배분하는 활동이다.
> ㄹ. 정치인들이 국가와 관련된 일을 하는 것만 해당한다.

① ㄱ, ㄴ　　② ㄱ, ㄷ　　③ ㄴ, ㄷ
④ ㄴ, ㄹ　　⑤ ㄷ, ㄹ

03 다음과 관련 있는 정치의 의미로 옳은 것은?

> 수업 시간에 몰래 스마트폰을 사용하는 것이 지속적으로 문제가 되자 학급 회의를 통해 교실 내에서는 스마트폰 사용을 금지하는 결정이 내려졌다.

① 국가와 관련된 통치 활동
② 사적 생활과 구분되는 공적 활동
③ 사회적 희소가치를 배분하는 활동
④ 권력을 차지하고 유지하려는 활동
⑤ 대화와 타협을 통해 갈등을 해소하는 활동

04 정치의 기능으로 옳은 것을 〈보기〉에서 모두 고른 것은?

> **보기**
> ㄱ. 사회 통합
> ㄴ. 사회 질서 유지
> ㄷ. 사회적 갈등 해소
> ㄹ. 사회적 희소가치 생산

① ㄱ, ㄴ ② ㄱ, ㄷ ③ ㄴ, ㄷ
④ ㄱ, ㄴ, ㄷ ⑤ ㄴ, ㄷ, ㄹ

05 다음 중 정치 생활에 대한 설명으로 옳지 <u>않은</u> 것은?

① 국가는 정치 생활에서 중요한 부분을 차지한다.
② 전통 사회에서 백성은 국가 운영에 참여할 수 없었다.
③ 국가는 시민을 위해 여러 법률과 정책을 만들고 집행한다.
④ 직접 선거가 정착되고 난 이후 시민이 정치에 참여할 기회가 늘어났다.
⑤ 시민은 다양한 활동을 통해 자신의 의견이 정책에 반영되도록 노력해야 한다.

06 다음과 관련 있는 시민의 역할로 가장 적절한 것은?

> 헨리 데이비드 소로는 미국 정부가 노예 제도를 계속 용납하고 영토 확장을 위해 멕시코 전쟁까지 일으키자 이에 항의하여 모든 성인에게 부과되는 인두세 납부를 거부하였다. 이로 인해 그는 하루 동안 감옥에 갇히게 되었고 그때의 경험을 토대로 '시민 불복종'이라는 책을 쓰게 되었다.

① 국가의 부당한 정책을 비판할 권리가 있다.
② 공청회나 토론회 등에 적극적으로 참여한다.
③ 법률과 정책을 만들고 정치 활동을 주도한다.
④ 정치 활동에 자유롭게 참여할 수 있는 기회를 제공한다.
⑤ 자신의 의사에 반하더라도 국가가 결정한 사항을 지켜야 한다.

3 STEP 실력을 완성하는 주관식·서술형 문제

07 다음 설명에 해당하는 개념을 쓰고, 이 개념의 기능을 **두 가지** 서술하시오.

> 공동체가 직면한 문제에 대해 구성원 간의 이해관계와 갈등을 조정하여 의사 결정을 하고 이를 실천하는 과정이다.

08 다음 글을 통해서 알 수 있는 국가와 시민의 역할을 **한 가지씩** 서술하시오.

> ○○시는 시 의회 대회의실에서 '대중교통 요금 제도 개선 공청회'를 개최한다. ○○시는 대중교통 요금 조정을 앞두고 대중교통의 원가 합리화와 투명성을 제고하고 운송 기관의 경영 개선 방안을 논의한다. 또한 대중교통 요금 절차 등이 시민 공감대를 바탕으로 이루어질 수 있도록 시민과 의견을 나누는 자리를 갖는다. ○○시는 이번 공청회에서 논의된 의견을 수렴하여 향후 대중교통 요금 제도 개선 계획에 반영할 예정이다.

09 다음 ㉠, ㉡에 들어갈 알맞은 말을 쓰시오.

> 인간은 공동체의 문제를 해결하기 위해 의사 결정에 참여하고 (㉠)을(를) 배분하는 정치 활동을 수행한다. 정치에서는 일반적으로 이해관계를 조정하기 위한 의사 결정과 개인의 의사에 반하더라도 이를 지키도록 하는 (㉡) 행사가 나타난다.

02 민주 정치의 발전과 원리

꼼꼼! 필기 노트

✚ 민주주의

민주주의는 국민이 정부를 구성하고 국가의 의사를 결정하는 정치 형태를 의미하는데, 오늘날에는 정치 형태를 의미하는 것에서 생활 방식으로까지 확대되었다. 타인의 의사 존중, 대화와 타협, 다수결의 원칙 등 구성원의 합의에 의해 문제를 해결하려는 사회생활의 실천 원리가 생활 방식으로서의 민주주의에 속한다.

✚ 윤번제

어떤 임무를 돌아가며 차례로 맡는 제도를 말한다.

✚ 시민 혁명

봉건 사회 또는 절대 왕정의 지배로부터 벗어나기 위해 시민 계급(부르주아)이 주체가 되어 일으킨 혁명이다. 인간은 누구나 자유롭고 평등하게 태어났으며 국가는 이러한 자유롭고 평등한 개개인의 합의로 만들어졌다는 사상을 바탕으로 새로운 근대 국가를 탄생시켰다.

✚ 법치주의

법에 의한 지배를 말하는데, 국가가 국민의 자유와 권리를 제한하거나 국민에게 의무를 부과할 때에는 반드시 국민의 대표 기관인 의회에서 제정한 법률에 의해야 하고, 행정 작용과 사법 작용도 법률에 근거를 두어야 한다는 원칙을 말한다.

콕콕! 핵심 개념

1 □□□□□ : 시민이 스스로 지배하고 통치하는 정치 체제

2 □□ □□ : 시민의 자유와 권리를 확대시키고 시민이 정치에 참여하는 근대 민주 정치 성립의 계기를 마련한 혁명

3 □□ □□□ □□ : 시민이 선출한 대표가 국가 정책을 결정하는 정치 제도

1 민주 정치의 발전 과정

1 민주주의✚

(1) **어원**: 고대 그리스의 아테네에서 기원함, 민주주의(Democracy) = 민중(Demos) + 지배 또는 통치(Kratia) → ❶_____의 지배

(2) **의미**: 시민들 스스로가 지배하고 통치하는 정치 체제

2 고대의 민주 정치 – 고대 그리스 아테네의 민주 정치

(1) **등장 배경**: 소규모의 도시 국가, 시민들의 경제적·시간적 여유 → 노동은 대부분 노예와 외국인이 담당했기 때문이에요.

(2) **특징**: ❷_____ 민주 정치 실시 → 모든 시민이 정치에 참여함
  ① 시민은 ❸_____에서 자유로운 토론과 대화를 통해 국가 정책을 결정함
  ② 공직자를 추첨제나 윤번제로 선임함✚

(3) **한계**: ❹_____된 민주 정치
  ① 시민권을 지닌 ❺_____만 정치에 참여함
  ② 다수의 노예, 여성, 외국인에게는 참정권이 주어지지 않았음

3 근대의 민주 정치

(1) **등장 배경**: ❻_____을 계기로 등장(영국의 명예혁명, 미국의 독립 혁명, 프랑스의 시민 혁명) → 인간의 존엄성, 자유와 평등 추구, 국민 주권의 원리 실현 노력✚

(2) **특징**
  ① 정치적 자유 확대, 평등 이념 확산, ❼_____ 확립✚
  ② ❽_____ 민주 정치(대의제): 시민이 선출한 대표가 국가 정책을 결정함

(3) **한계**: ❾_____된 민주 정치
  ① 일정 수준 이상의 재산을 가진 사람들만 시민으로서 권리를 행사함
  ② 노동자, 농민, 빈민, 여성 등에게는 여전히 참정권이 주어지지 않았음

구분	영국의 명예혁명(1688)	미국의 독립 혁명(1776)	프랑스 혁명(1789)
배경	전제 정치 강화에 대한 반발	영국의 식민 지배에 대한 저항	전제 군주, 구제도에 대한 반발
주요 내용	• 국왕은 의회의 승인 없이 법률을 제정하거나 세금을 징수할 수 없다. • 잔인한 형벌을 금지한다. • 의회를 자주 소집한다.	• 인간은 자연권 확보를 위해 정부 수립에 동의하였다. • 정부의 정당한 권력은 국민의 동의로부터 나온다.	• 인간은 자유롭고 평등하게 태어난다. • 주권은 국민에게 있다.
문서	권리 장전	독립 선언	인권 선언
결과	• 의회 정치 발달 • 입헌주의 확립	• 국민 주권의 원리 보장 • 최초의 민주 공화국 수립	• 신분제 폐지 • 자유와 평등 이념 확립 • 헌법 원리로 권력 분립 제시

탄탄! 활동 노트

활동 ① 다음 자료를 보고 물음에 답하시오.

〈고대와 근대 민주 정치의 발전 과정〉

고대	• 고대 그리스 아테네의 시민은 (㉠)에서 국가의 중요 정책 결정 • 모든 시민이 정치에 참여하는 (㉡) 민주 정치 • (㉢)만 시민으로 인정하고 여자, 노예, 외국인은 시민으로 인정하지 않은 (㉣)된 민주 정치

↓

근대	• (㉤)을(를) 계기로 등장 • 자유와 평등의 이념 확산, (㉥) 확립 • 일정 수준 이상의 (㉦)을(를) 가진 사람들만 정치 참여 가능

1 ㉠〜㉦에 들어갈 알맞은 말을 써 보자.

㉠ – (   ) ㉡ – (   ) ㉢ – (   ) ㉣ – (   )

㉤ – (   ) ㉥ – (   ) ㉦ – (   )

2 ㉤의 사례를 〈보기〉에서 모두 골라 보자.

> **보기**
> ㄱ. 명예혁명   ㄴ. 독립 혁명   ㄷ. 프랑스 혁명   ㄹ. 산업 혁명   ㅁ. 4 · 19 혁명

활동 ② 다음은 아테네 민주 정치의 전성기를 가져온 정치가인 페리클레스의 연설문이다. 물음에 답하시오.

기원전 431년, 페리클레스는 전몰자들을 추도하는 장례식 연설에서 절정에 달해 있었던 아테네의 민주주의를 이렇게 찬양하였다.

"우리의 정치 체제는 이웃 나라의 관행과 전혀 다릅니다. 남의 것을 본뜬 것이 아니고, 오히려 남들이 우리의 체제를 본뜹니다. 몇몇 사람이 통치의 책임을 맡는 게 아니라 모두 골고루 나누어 맡으므로, 이를 민주주의라고 부릅니다. 개인끼리 다툼이 있으면 모두에게 평등한 법으로 해결하며, 출신을 따지지 않고 오직 능력에 따라 공직자를 선출합니다. 이 나라에 무언가 기여를 할 수 있는 사람이라면, 아무리 가난하다고 해서 인생을 헛되이 살고 끝나는 일이 없습니다. …… 실로 우리는 전 헬라스(그리스)의 모범입니다."

1 위 글을 통해 알 수 있는 아테네 민주 정치의 특징을 서술해 보자.

2 위 글의 밑줄 친 권리를 누릴 수 있었던 사람들을 쓰고, 이를 통해 알 수 있는 고대 아테네 민주 정치의 한계를 서술해 보자.

민주 정치의 발전과 원리

꼼꼼! 필기 노트

✚ 차티스트 운동
영국 노동자들이 성인 남성의 보통 선거권, 인구 비례에 따른 평등한 선거구, 비밀 투표 등을 요구한 참정권 확대 운동이다. 하지만 여성은 제외하고 남성의 보통 선거권만 주장했다는 한계를 지니기도 한다.

✚ 대중 민주주의
지위, 계급, 직업, 학력, 재산 등과 상관없이 불특정 다수의 사람들을 의미하는 대중이 주체가 되어 이끌어가는 민주주의를 말한다.

✚ 자유
• 소극적 자유(국가로부터의 자유)
  개인이 국가로부터 구속을 받지 않을 자유를 말한다.
• 적극적 자유(국가에의 자유)
  개인이 공동체나 국가 운영에 참여할 수 있는 자유를 말한다.
• 능동적 자유(국가에 의한 자유)
  국가에 대해 인간다운 생활의 보장을 요구할 수 있는 자유를 말한다.

✚ 평등
• 형식적 평등(기계적·절대적 평등)
  선천적·후천적 차이를 고려하지 않은 평등이다.
• 실질적 평등(비례적·상대적 평등)
  개인의 업적이나 능력에 따른 차이를 인정하는 평등으로 합리적 차별에 해당한다.

콕콕! 핵심 개념

4 ☐☐☐ ☐☐☐ : 모든 인간은 인간이라는 이유만으로 존중받아야 한다는 민주주의 이념

5 ☐☐ ☐☐ : 국가의 의사를 결정하는 최고 권력인 주권이 국민에게 있다는 원칙

6 ☐☐☐☐☐ : 헌법에 따라 국가 기관을 구성하고 권력을 행사한다는 원칙

---

4 현대의 민주 정치

(1) 등장 배경: 노동자 계급의 차티스트 운동, 여성의 참정권 운동, 흑인의 참정권 운동 등[✚]
→ ⑩ ☐☐☐☐ 확립 → 재산, 성별, 직업, 신분을 초월하여 일정한 나이가 되면 선거에 참여할 수 있게 됨으로써 모든 국민의 정치적 자유와 평등을 보장하게 된 거예요.

(2) 특징
① ⑪ ☐☐☐☐ : 보통 선거의 정착으로 모든 사회 구성원들이 정치에 참여함[✚]
② 간접 민주 정치(대의 민주 정치): 현대 국가들은 영토가 넓고 인구가 많아 대부분 시민이 선출한 대표에 의해 운영되고 있음
③ 전자 민주주의: 정보 통신 기술의 발달로 국민이 정치 과정에 직접 참여할 수 있는 방법이 확대됨

(3) 한계: 시민이 선출한 대표에 의해 국가의 정치가 운영되는 과정에서 시민의 의사를 제대로 반영하기 어려운 경우 발생 → 시민이 직접 정치에 참여할 수 있는 제도를 마련함으로써 보완하고자 함
→ 국민 투표, 국민 , 국민 발안 등의 직접 민주 정치 요소를 도입하고 있어요.

2 민주주의의 이념과 원리

1 민주주의의 이념

(1) ⑫ ☐☐☐☐
① 의미: 모든 인간은 인간이라는 이유만으로 존중받을 가치와 권리가 있으며, 어떤 경우라도 목적을 위한 수단이 될 수 없음
② 의의: 민주주의의 기본 이념이자 민주주의가 추구하는 궁극적인 목표

(2) 자유와 평등: 인간의 존엄성을 실현하기 위해서는 자유와 평등이 보장되어야 함
① ⑬ ☐☐ : 외부의 간섭 없이 자기 뜻에 따라 결정하고 행동하는 것[✚]
② ⑭ ☐☐ : 모든 인간이 성별, 종교, 신분 등에 따라 부당하게 차별받지 않고 누구나 동등하게 대우받는 것[✚]
→ 민주주의는 자유롭고 평등한 공동체를 지향하지만 자유와 평등의 이상은 서로 충돌할 수 있어서 조화와 균형이 필요함 자유를 지나치게 강조하면 불평등이 심화되고, 평등을 지나치게 강조하면 개인의 자유가 침해될 수 있어요.

2 민주주의의 원리 국가의 주인은 국민이기 때문에 모든 국가 권력의 행사는 국민의 동의를 바탕으로 해야 해요.

⑮ ☐☐☐☐ 의 원리	• 민주 정치의 가장 기본적인 원리 • 국가의 의사를 결정하는 최고 권력인 주권이 국민에게 있음
⑯ ☐☐☐☐ 의 원리	• 국민이 스스로 국가를 다스려야 함 • 실현 방법: 직접 민주 정치, 간접 민주 정치
입헌주의의 원리	• 국민의 기본권을 최고 규범인 ⑰ ☐☐☐ 으로 보장하고, 이에 따라 국가를 운영해야 함 • 국가 권력의 남용을 방지 → 국민의 자유와 권리 보장
⑱ ☐☐☐☐ 의 원리	• 국가 권력을 서로 다른 기관이 나누어 맡게 함으로써 각 국가 기관 간에 견제와 균형이 이루어지도록 함 • 국가 권력 간 상호 견제와 균형 → 권력 남용과 횡포 방지 → 국민의 기본권 보장

활동 ③ 다음은 현대 민주 정치에 대한 설명이다. 밑줄 친 ㈀~㈁ 중 틀린 부분을 찾아 고쳐 써 보자.

현대 사회에 접어들면서 ㈀ 노동자 계급의 차티스트 운동, 여성의 참정권 운동, 흑인의 참정권 운동을 통해 비로소 평등 선거가 확립되었고 이를 바탕으로 ㈁ 대중이 정치의 주체가 되는 대중 민주주의가 확립되었다. 하지만 대의제에서 일반 ㈂ 대중은 선거 이외의 정치 과정에서 소외되기 쉽기 때문에, 현대 민주 국가에서는 ㈃ 대의제를 실시하지 않고 국민이 ㈄ 직접 정치에 참여할 수 있는 제도를 실시하고 있다.

활동 ④ 다음 (가)~(다)와 관련 있는 자유를 헌법 조항 ㈀~㈅에서 골라 바르게 연결해 보자.

㈀ 제12조 ① 모든 국민은 신체의 자유를 가진다. 누구든지 법률에 의하지 아니하고는 체포·구속·압수·수색 또는 고문을 받지 아니하며, 법률과 적법한 절차에 의하지 아니하고는 처벌·보안처분 또는 강제 노역을 받지 아니한다.
㈁ 제14조 모든 국민은 거주·이전의 자유를 가진다.
㈂ 제15조 모든 국민은 직업 선택의 자유를 가진다.
㈃ 제24조 모든 국민은 법률이 정하는 바에 의하여 선거권을 가진다.
㈄ 제25조 모든 국민은 법률이 정하는 바에 의하여 공무 담임권을 가진다.
㈅ 제34조 ① 모든 국민은 인간다운 생활을 할 권리를 가진다.
㈆ 제35조 ① 모든 국민은 건강하고 쾌적한 환경에서 생활할 권리를 가지며, 국가와 국민은 환경 보전을 위하여 노력하여야 한다.

(가) 소극적 자유	개인이 국가의 구속을 받지 않는 상태
(나) 적극적 자유	개인이 공동체나 국가 운영에 참여할 수 있는 자유
(다) 능동적 자유	국가에 대해 인간다운 생활의 보장을 요구할 수 있는 자유

활동 ⑤ 다음 (가)~(라)와 관련 있는 민주 정치의 원리를 써 보자.

구분	사례	민주 정치의 원리
(가)	대통령은 국민의 직접 선거로 당선되며 대통령의 모든 권력은 국민으로부터 나온다.	
(나)	대통령은 국회에서 통과된 ○○ 법률안이 국민에게 과도한 부담이 될 우려가 있다는 이유로 거부하였다.	
(다)	△△시는 무상 급식에 대한 논란이 계속되자 무상 급식에 대한 시민들의 찬반 의견을 직접 묻기 위해 주민 투표를 실시하였다.	
(라)	과거 민법의 동성동본 금혼 규정으로 인해 부부로 인정받지 못하는 동성동본 부부들은 헌법 소원을 냈고, 이에 대해 헌법 재판소는 동성동본 금혼이 개인의 행복 추구권을 제한한다는 이유로 헌법 불합치 결정을 내려 약 20만 쌍이 넘는 동성동본 부부들이 법적으로 인정받았다.	

 쑥쑥! 실력 키우기

단계별 문제를 풀면서 실력을 쑥쑥 키워보세요.

•1 STEP 개념을 되짚는 확인 문제

01 다음 빈칸에 들어갈 알맞은 말을 써 보자.

(1) 고대 아테네에서는 시민들이 민회에서 국가 정책을 결정하는 (　　　　)을(를) 실시하였다.

(2) 근대 (　　　　)을(를) 통해 자유와 평등 이념이 확산되었고 법치주의가 확립되었다.

(3) 현대 사회에서는 (　　　　)의 정착으로 대중 민주주의가 등장하였다.

(4) 현대 국가들은 영토가 넓고 인구가 많아 모든 국민이 정치에 참여할 수 없어서 대표를 뽑아 국가를 운영하는 (　　　　)을(를) 주로 실시한다.

02 다음 설명에 해당하는 개념을 써 보자.

(1) 고대 그리스 아테네에서 기원했으며, 시민 스스로 지배하고 통치하는 정치 체제이다. (　　　　)

(2) 민주주의의 기본 이념이자 민주주의가 추구하는 궁극적인 목표로, 모든 인간은 인간이라는 이유만으로 존중받아야 한다는 이념이다. (　　　　)

03 다음 설명이 옳으면 ○, 틀리면 ×에 표시해 보자.

(1) 현대 국가에서 시민은 특정 신분이나 일정 수준 이상의 재산을 가진 사람을 의미한다. (○ | ×)

(2) 인간의 존엄성을 실현하기 위해서는 자유와 평등이 보장되어야 한다. (○ | ×)

04 서로 관계 있는 내용끼리 연결해 보자.

(1) 국민이 스스로 국가를 다 • 　• ㉠ 국민 주권의 원리
스러야 한다.

(2) 국민의 기본권은 헌법으 • 　• ㉡ 국민 자치의 원리
로 보장되어야 한다.

(3) 국가의 주권은 국민에게 • 　• ㉢ 입헌주의의 원리
있다.

(4) 국가 권력을 다른 기관이 • 　• ㉣ 권력 분립의 원리
나누어 맡아야 한다.

:2 STEP 기초를 다지는 기본 문제

01 고대 아테네의 민주 정치에 대한 설명으로 옳은 것을 〈보기〉에서 모두 고른 것은?

> **보기**
> ㄱ. 직접 민주 정치를 실시하였다.
> ㄴ. 제한된 민주 정치를 실시하였다.
> ㄷ. 선거를 통해 공직자를 선출하였다.
> ㄹ. 외국인을 제외한 모든 국민의 시민권을 보장하였다.

① ㄱ, ㄴ　　② ㄱ, ㄷ　　③ ㄴ, ㄷ
④ ㄴ, ㄹ　　⑤ ㄷ, ㄹ

02 다음 내용과 관련된 역사적 사건으로 옳은 것은?

> • 법치주의 확립
> • 자유와 평등 이념 확산
> • 영국 명예혁명, 미국 독립 혁명, 프랑스 혁명

① 상업 혁명　② 산업 혁명　③ 가격 혁명
④ 시민 혁명　⑤ 과학 혁명

03 근대 민주 정치에 대한 설명으로 옳은 것은?

① 법치주의가 제대로 확립되지 못하였다.
② 추천제나 윤번제로 공직자를 선출하였다.
③ 대표를 선출하여 국가를 운영하는 대의제가 실시되었다.
④ 국가의 중요한 정책을 시민이 민회에서 직접 결정하였다.
⑤ 신분과 재산에 상관없이 모든 시민이 정치에 참여하였다.

04 다음과 관련 있는 선거 제도로 옳은 것은?

> • 여성 및 흑인의 참정권 운동
> • 영국 노동자 계급의 차티스트 운동

① 직접 선거　② 보통 선거　③ 비밀 선거
④ 평등 선거　⑤ 비례 선거

05 근대 민주 정치와 현대 민주 정치의 공통점으로 옳은 것을 〈보기〉에서 고른 것은?

보기
ㄱ. 모든 국민의 시민권을 보장한다.
ㄴ. 시민이 선출한 대표가 국가 정책을 결정한다.
ㄷ. 인간의 존엄성과 함께 자유와 평등을 추구한다.
ㄹ. 시민들이 국가의 중요한 정책을 직접 결정하여 집행한다.

① ㄱ, ㄴ ② ㄱ, ㄷ ③ ㄴ, ㄷ
④ ㄴ, ㄹ ⑤ ㄷ, ㄹ

06 다음 (가), (나)의 헌법 조항과 민주주의 원리가 바르게 연결된 것은?

(가) 제1조 ② 대한민국의 주권은 국민에게 있고, 모든 권력은 국민으로부터 나온다.
(나) 제117조 ① 지방 자치 단체는 주민의 복리에 관한 사무를 처리하고 재산을 관리하며 법령의 범위 안에서 자치에 관한 규정을 제정할 수 있다.

　　　(가)　　　　　(나)
① 입헌주의의 원리　　국민 주권의 원리
② 입헌주의의 원리　　국민 자치의 원리
③ 국민 주권의 원리　　입헌주의의 원리
④ 국민 주권의 원리　　국민 자치의 원리
⑤ 국민 자치의 원리　　국민 주권의 원리

07 다음 그림과 관련 있는 민주 정치의 기본 원리는?

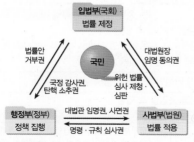

① 입헌주의의 원리　　② 국민 자치의 원리
③ 국민 주권의 원리　　④ 권력 분립의 원리
⑤ 주민 자치의 원리

3 STEP 실력을 완성하는 **주관식·서술형 문제**

08 다음과 관련 있는 민주 정치의 기본 원리를 쓰고, 그 목적을 서술하시오.

• 입법권의 국회에 속한다.
• 사법권은 법관으로 구성된 법원에 속한다.
• 행정권은 대통령을 수반으로 하는 정부에 속한다.

09 다음 사건을 배경으로 등장한 민주 정치의 특징과 한계를 각각 한 가지씩 서술하시오.

• 영국의 명예혁명(1688)
• 미국의 독립 혁명(1776)
• 프랑스 혁명(1789)

10 다음 ㉠~㉢에 들어갈 알맞은 말을 쓰시오.

(㉠)은(는) 민주주의의 기본 이념이자 민주주의가 추구하는 궁극적인 목표로서 모든 인간은 인간이라는 이유만으로 존중받을 가치와 권리가 있다는 의미이다. (㉠)을(를) 제대로 보장하기 위해서는 (㉡)와(과) (㉢)이(가) 보장되어야 한다. (㉡)은(는) 개인이 외부의 간섭 없이 자기 뜻에 따라 결정하고 행동할 수 있는 것을 의미하고, (㉢)은(는) 모든 인간은 누구나 동등하게 대우받아야 한다는 이념이다.

03 민주 정치 제도와 정부 형태

이것이 **포인트!**
• 직접 민주 정치와 간접 민주 정치의 비교
• 의원 내각제와 대통령제의 특징 비교
• 우리나라 정부 형태의 특징

꼼꼼! 필기 노트

+ 대의제
국민이 뽑은 대표로 의회와 행정부를 구성하여 국가의 운영을 맡기는 제도를 말한다.

+ 국민 투표
국가의 중대한 사안을 결정할 때 국민의 전체 의사를 묻는 제도로서 우리나라는 헌법 개정과 대통령이 필요하다고 판단되는 중요 정책에 대해서 국민 투표를 실시하고 있다.

+ 국민 발안
국민이 국가에 필요한 법안이나 안건을 직접 제안할 수 있는 제도를 말한다.

+ 국민 소환
국민이 선출직 공직자를 임기 중에 소환 투표를 통해 파면하는 제도를 말한다.

+ 내각 불신임권
내각이 국정 운영을 제대로 하지 못할 경우 책임을 물어 내각 구성원 전원을 사퇴시키는 제도를 말한다.

+ 법률안 거부권
국회에서 통과된 법률안에 대해 이의가 있을 때 대통령이 그 법률안을 국회로 돌려보내 다시 의결할 것을 요구할 수 있는 권리로서 대통령이 국회를 견제하는 대표적인 수단이라고 할 수 있다.

콕콕! 핵심 개념

1 ☐☐☐☐: 국민이 선거를 통해 선출한 대표가 국가를 운영하는 민주 정치

2 ☐☐☐☐☐☐: 입법부와 행정부가 융합된 정부 형태

3 ☐☐☐☐: 국민이 의회와 대통령을 별도의 선거를 통해 선출하고 대통령이 행정부를 구성하는 정부 형태

1 민주 정치의 실현

1 직접 민주 정치

의미	모든 국민이 법률과 정책 결정에 ❶_____ 참여함으로써 국민에 의한 실질적인 지배가 이루어지는 민주 정치 → 민주주의 원칙에 충실한 이상적인 제도
문제점	모든 국민의 직접적인 의사 표현과 참여 → 토론과 결정에 많은 ❷_____과 ❸_____이 소모됨

2 간접 민주 정치(❹_____)

의미	국민이 선거를 통해 ❺_____를 선출하고, 그들이 의회와 행정부를 구성하여 법률과 정책을 결정하는 민주 정치 → 오늘날 대부분의 민주 국가에서 이루어짐
문제점	선거 이외에 국민의 정치에 참여 통로 부족 → 국민의 의사가 정책에 제대로 반영되지 않음
보완	❻_____ 민주 정치 요소 도입 **예** 국민 투표, 국민 발안, 국민 소환 등

2 민주주의 정부 형태

1 의원 내각제 → 의원 내각제는 영국에서 절대 군주의 권력을 제한하는 과정에서 발달했어요.

형태	국민이 입법부인 의회의 의원들을 선출하고, 의회 다수당의 대표는 ❼_____(수상)가 되어 내각을 구성하고 행정을 담당함
특징	• 입법부와 행정부가 ❽_____된 정부 형태 → 의회의 내각은 연대 책임을 짐 • 의회 의원이 내각의 장관을 겸임할 수 있음 • 의회는 내각을 ❾_____할 수 있고 총리는 의회를 ❿_____할 수 있음
장점	• 의회와 내각이 국민의 요구에 민감하게 반응하는 ⓫_____ 정치 실현이 가능함 • 신속하고 효율적인 정책 수행이 가능함
단점	• 한 정당이 의회를 독점할 경우 ⓬_____가 나타날 수 있음 • 다수당 없이 소수 정당으로 의회가 구성될 경우 정국이 혼란해질 수 있음

2 대통령제 → 대통령제는 영국으로부터 독립한 미국이 강력한 정부를 마련하기 위해서 만들었어요.

형태	국민이 입법부인 의회와 행정부의 수반인 대통령을 별도의 선거를 통해 각각 선출하고, 대통령이 행정부를 구성함
특징	• 입법부와 행정부가 ⓭_____된 정부 형태 → 의회와 대통령의 엄격한 권력 분립 • 의회 의원이 행정부의 장관을 겸임할 수 없음 • 의회는 법률안을 심의·결정하고, 대통령은 법률안을 제출할 수는 없지만 의회의 법률안에 대해 ⓮_____을 행사할 수 있음
장점	대통령의 임기 동안 행정부가 안정되어 강력한 정책 수행이 가능함
단점	• 대통령이 독단적으로 국정을 운영할 수 있음 • 의회와 대통령이 대립할 경우 제도적으로 해결 방법이 없어 국정 운영이 어려워짐

3 우리나라의 정부 형태

→ 행정부와 국회 간의 긴밀한 협조를 통해 국가의 정책을 효율적으로 수행하기 위해서예요.

(1) **정부 형태:** 대통령제를 기본으로 의원 내각제적 요소를 부분적으로 도입

(2) **의원 내각제적 요소:** 국무총리 제도, 국무 회의 설치, 국회 의원의 행정부 장관 겸직 가능, 행정부의 법률안 제출권, 국회의 국무총리 임명 동의권, 국회의 국무 위원 해임 건의권

활동 ① 다음은 민주 정치를 실현하는 방법을 나타낸 것이다. 물음에 답하시오.

(가)	(나)

1 (가), (나)에 해당하는 민주 정치를 써 보자.

2 (나)의 민주 정치가 지닌 문제점을 서술해 보자.

3 (나)의 민주 정치가 지닌 문제점을 보완하기 위한 제도를 〈보기〉에서 모두 골라 보자.

> **보기**
>
> ㄱ. 저항권   ㄴ. 국민 발안   ㄷ. 국민 투표   ㄹ. 국민 소환   ㅁ. 기본권 보장

활동 ② 다음 자료를 보고 물음에 답하시오.

(가)	(나)
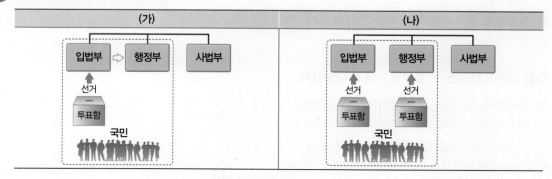	

1 (가), (나)에 해당하는 정부 형태를 써 보자.

2 (가), (나)와 관련 있는 내용을 〈보기〉에서 골라 바르게 연결해 보자.

> **보기**
>
> ㄱ. 의회는 내각을 불신임할 수 있으며, 총리는 의회를 해산시킬 수 있다.
> ㄴ. 입법부와 행정부가 밀접한 관계를 맺고 있는 권력 융합형 정부 형태이다.
> ㄷ. 입법부와 행정부가 엄격하게 분리되어 서로 견제와 균형을 이루는 정부 형태이다.
> ㄹ. 대통령은 법률안을 제출할 수는 없지만 의회에서 의결된 법률안에 거부권을 행사할 수 있다.

쑥쑥! 실력 키우기 단계별 문제를 풀면서 실력을 쑥쑥 키워보세요.

·1 STEP 개념을 되짚는 확인 문제

01 다음 빈칸에 들어갈 알맞은 말을 써 보자.

(1) (　　　　　) 민주 정치에서는 모든 국민이 법률과 정책 결정에 직접 참여함으로써 국민의 실질적인 지배가 이루어진다.

(2) (　　　　　)은(는) 국민이 선거를 통해 선출한 대표가 의회와 행정부를 구성하여 국가를 운영하는 정치 형태이다.

(3) 의원 내각제는 의회와 내각이 국민의 요구에 민감하게 반응하여 (　　　　　) 정치를 실현할 수 있다.

(4) 대통령제는 입법부와 행정부가 (　　　　) 된 정부 형태이다.

02 다음 설명에 해당하는 개념을 써 보자.

(1) 국민이 선거를 통해 의회를 구성하고 의회 다수당의 대표가 총리가 되어 내각을 구성하는 정부 형태이다. (　　　　　)

(2) 대통령제 국가에서 국가 원수이자 행정부 수반의 역할을 함께 맡고 있다. (　　　　　)

03 다음 설명이 옳으면 ○, 틀리면 ×에 표시해 보자.

(1) 대의제에서는 국민의 의사가 정책에 제대로 반영되지 않는 문제점을 보완하기 위해 직접 민주 정치 요소를 도입하고 있다. (○ | ×)

(2) 의원 내각제에서는 의회 의원이 내각의 장관을 겸임할 수 없다. (○ | ×)

(3) 우리나라의 정치 형태는 대통령제를 기본으로 의원 내각제적 요소를 포함하고 있다. (○ | ×)

04 서로 관련 있는 내용끼리 연결해 보자.

(1) 내각 불신임권 ・

(2) 법률안 거부권 ・　　　　　・㉠ 대통령제

(3) 독재의 가능성이 큼 ・

(4) 다수당의 횡포가 나　・　　　　・㉡ 의원 내각제
　　타날 수 있음

:2 STEP 기초를 다지는 기본 문제

01 다음 설명과 관련 있는 정치 형태로 옳은 것은?

스위스의 일부 지역에서는 일 년에 한 번씩 란트슈게마인데가 열린다. 란트슈게마인데는 매년 참정권을 가진 일반 주민들이 한곳에 모여 직접 법을 만들고 정책을 결정하는 제도로서 참여한 사람들은 누구나 자신의 의견을 표현할 수 있고, 그 의견을 정책에 반영할 수 있다.

① 군주 정치　　　　② 귀족 정치
③ 과두 정치　　　　④ 직접 민주 정치
⑤ 간접 민주 정치

02 직접 민주 정치에 대한 설명으로 옳은 것을 〈보기〉에서 고른 것은?

> **보기**
> ㄱ. 시간과 비용이 많이 들어가는 단점이 있다.
> ㄴ. 민주주의 원칙에 충실한 이상적인 형태이다.
> ㄷ. 국민의 의사가 정책에 제대로 반영되지 않는다.
> ㄹ. 오늘날 대부분의 민주 국가에서 시행되고 있다.

① ㄱ, ㄴ　　② ㄱ, ㄷ　　③ ㄴ, ㄷ
④ ㄴ, ㄹ　　⑤ ㄷ, ㄹ

03 다음 자료에 나타난 영국의 정부 형태로 옳은 것은?

영국 의회 해산, 총선 전 돌입……, 여론 조사 팽팽

보수당(캐머런 총리): 현 정부의 경제 성과를 보십시오. 또 우리는 국민 건강 보험(NHS) 무상 의료를 주말까지 확대하려고 합니다. 우리가 재집권할 수 있도록 지지해 주십시오.
노동당(밀리반드 당수): 경제 성과라니, 오히려 현 정부에서 삶의 질이 저하되었습니다. 무상 의료 주말 확대안은 의료의 공공성을 훼손합니다. 우리가 정권 교체를 할 수 있도록 도와주십시오.
　　　　　　　　　　　　　　　　- 연합 뉴스, 2015. 3. 30. -

① 대통령제　　　　② 절대 군주제
③ 의원 내각제　　　④ 입헌 군주제
⑤ 이원 집정부제

:3 STEP 실력을 완성하는 **주관식·서술형 문제**

[04~05] 다음 자료를 보고 물음에 답하시오.

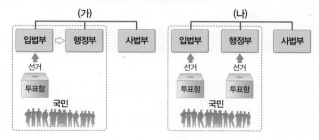

04 (가)와 같은 정부 형태의 장점으로 옳은 것은?

① 책임 정치가 나타난다.
② 다수당의 횡포가 나타날 우려가 적다.
③ 의회가 막강한 권력을 행사할 수 있다.
④ 엄격한 권력 분립이 나타나 권력 남용을 막을 수 있다.
⑤ 총리의 임기가 보장되어 안정적으로 국정을 운영할 수 있다.

05 (나)와 같은 정부의 특징으로 옳은 것을 〈보기〉에서 고른 것은?

> **보기**
> ㄱ. 대통령의 독재가 나타날 수 있다.
> ㄴ. 의회와 행정부가 융합된 정부 형태이다.
> ㄷ. 의회 의원이 행정부 장관을 겸직할 수 없다.
> ㄹ. 소수 정당으로 의회가 구성되면 혼란스러워질 수 있다.

① ㄱ, ㄴ ② ㄱ, ㄷ ③ ㄴ, ㄷ
④ ㄴ, ㄹ ⑤ ㄷ, ㄹ

06 우리나라 정부 형태에 대한 설명으로 옳은 것은?

① 국회 다수당의 대표가 대통령이 된다.
② 행정 각부를 관리하는 국무총리가 있다.
③ 국회와 행정부의 권력이 밀접하게 융합되어 있다.
④ 대통령은 실질적인 권한이 없는 상징적인 존재이다.
⑤ 대통령은 임기 중에도 국회의 불신임을 받으면 물러나야 한다.

07 대의제를 실시하는 국가에서 다음과 같은 제도들을 도입하는 이유를 서술하시오.

> • 국민 투표   • 국민 발안   • 국민 소환

08 다음 자료에 나타난 정부 형태를 쓰고, 이 정부 형태의 단점을 **두 가지** 서술하시오.

> **미국 대통령 오바마 '오바마케어 무력화' 법안에 거부권 행사**
>
> 대통령(오바마): 공화당 법안은 건강 보험 개혁법(오바마케어)을 되돌리는 것은 물론 미국의 보건 제도를 진전시키기 위해 이룬 큰 성과들을 후퇴하게 합니다. 따라서 나는 이에 대해 거부권을 행사합니다. — 연합 뉴스, 2016. 1. 9. —

09 다음 ㉠, ㉡에 들어갈 알맞은 말을 쓰시오.

> 의원 내각제는 국민이 의회의 의원들을 선출하고, 의회 다수당의 대표는 총리가 되어 내각을 구성하고 행정을 담당하며 실질적인 권력을 행사한다. 따라서 의회와 행정부가 (㉠)된 정부 형태로 연대 책임을 진다. 그러나 대통령제에서는 국민이 의회 의원과 대통령을 별도의 선거를 통해 선출하기 때문에 의회와 행정부가 (㉡)된 정부 형태로 엄격한 권력 분립이 나타난다.

01 다음 빈칸에 공통으로 들어갈 말로 알맞은 것은?

> 정치는 (　　　)이다. 이때 (　　　)은 어떤 수단을 사용하여 원하는 결과를 달성하는 능력이다. 이러한 의미에서 볼 때 정치는 국가 사이, 국가 내부뿐만 아니라 소규모 집단 사이, 집단 내에서도 나타날 수 있다. 결국 희소한 자원을 둘러싸고 벌어지는 다툼에서 (　　　)을 통해 자원 배분이 이루어지는 것이 정치인 셈이다.

① 권력　　　② 타협　　　③ 관용
④ 공적 활동　⑤ 통치 기술

02 다음 ㉠, ㉡에 들어갈 알맞은 말을 쓰시오.

> 정치란 공동체가 직면한 문제에 대해 구성원 간의 이해관계와 갈등을 조정하여 (㉠)을(를) 하고 이를 실천하는 과정인데, 이 과정에서 개인의 의사에 반하더라도 지키도록 강제하는 (㉡) 행사가 함께 나타난다.

03 다음 대화에서 옳지 않은 내용을 말한 사람은?

> 갑: 정치인들이 국가의 법률이나 정책을 결정하여 집행하는 것이 정치야.
> 을: 그렇기 때문에 정치에서 시민보다는 국가의 역할이 절대적으로 중요해.
> 병: 학교에서 구성원들 간의 갈등을 조정하기 위해 규칙을 정하는 것도 정치지.
> 정: 그래서 정치에서는 자신의 이익만 반영할 수 없고 양보와 타협이 필요해.
> 무: 정치에 양보와 타협만 있는 것은 아니야. 강자가 약자를 억압하는 경우도 있어.

① 갑　② 을　③ 병　④ 정　⑤ 무

04 정치 생활에서 시민의 역할로 바람직한 것을 〈보기〉에서 고른 것은?

> **보기**
> ㄱ. 공청회나 토론회 등에 적극적으로 참여한다.
> ㄴ. 대표에게 모든 권한을 위임하고 관심을 갖지 않는다.
> ㄷ. 국가가 결정한 사항에 대해서는 지켜야 할 의무가 있다.
> ㄹ. 국가의 정책에 대해서는 어떠한 경우라도 비판하지 않는다.

① ㄱ, ㄴ　　② ㄱ, ㄷ　　③ ㄴ, ㄷ
④ ㄴ, ㄹ　　⑤ ㄷ, ㄹ

05 고대 아테네 민주 정치에 대한 설명으로 옳은 것은?

① 모든 아테네인들이 정치에 참여하였다.
② 시민들의 선거를 통해 공직자를 선출하였다.
③ 국가의 중요한 일은 민회에서 토론을 통해 결정하였다.
④ 경제적 여유와 시간이 있는 외국인도 정치에 참여할 수 있었다.
⑤ 시민들이 대표를 선출하여 국가의 운영을 맡기는 대의제가 실시되었다.

06 다음 설명에 해당하는 시기에 나타난 민주 정치에 대한 설명으로 옳은 것은?

> 시민은 대표를 통해 정책 결정에 의사를 반영하였다. 그러나 일부 사람들에게는 대표를 뽑거나 대표가 될 권리를 주지 않았다.

① 보통 선거가 확립되었다.
② 직접 민주 정치가 이루어졌다.
③ 근대 시민 혁명으로 등장하였다.
④ 자유와 평등 이념이 확산되지 못하였다.
⑤ 부유한 여성도 정치에 참여할 수 있었다.

[07~08] 다음 자료를 보고 물음에 답하시오.

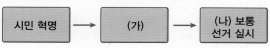

시민 혁명 → (가) → (나) 보통 선거 실시

07 (가)에 들어갈 내용으로 옳은 것을 〈보기〉에서 모두 고른 것은?

보기
ㄱ. 여성의 참정권 운동
ㄴ. 흑인의 참정권 운동
ㄷ. 영국의 차티스트 운동
ㄹ. 인도의 비폭력 · 불복종 운동

① ㄱ, ㄴ   ② ㄱ, ㄷ   ③ ㄴ, ㄷ
④ ㄱ, ㄴ, ㄷ   ⑤ ㄴ, ㄷ, ㄹ

08 (나) 시기에 대한 설명으로 옳은 것은?

① 제한된 민주 정치가 이루어진다.
② 주로 대의 민주 정치가 시행된다.
③ 추첨제나 윤번제로 공직자를 선출한다.
④ 시민의 직접적인 정치 참여를 보장하지 않는다.
⑤ 세금을 많이 낼수록 투표 시 더 많은 표를 행사할 수 있다.

09 중요 다음 (가)~(라)는 민주 정치의 발전 과정에서 나타난 사건들이다. 순서대로 바르게 나열한 것은?

(가) 시민들이 민회에 모여 자유로운 토론을 통해 국가의 중요한 정책을 결정하였다.
(나) 근대 시민 혁명을 통해 절대 왕정이 무너지고 대의 민주 정치가 확립되었다.
(다) 국민 모두가 정치에 참여하는 대중 민주주의가 확립되었다.
(라) 영국 노동자들의 차티스트 운동을 비롯하여 여성, 흑인들의 참정권 운동이 일어났다.

① (가)-(나)-(다)-(라)   ② (가)-(나)-(라)-(다)
③ (가)-(라)-(다)-(나)   ④ (나)-(다)-(가)-(라)
⑤ (나)-(라)-(가)-(다)

10 신유형 다음은 미국 링컨 대통령의 연설문이다. ㉠, ㉡이 의미하는 민주주의 원리를 바르게 연결한 것은?

지금으로부터 87년 전, 우리 조상들은 자유가 실현됨과 동시에 모든 인간은 천부적으로 평등하다는 원리가 충실하게 지켜지는 새로운 나라를 이 대륙에서 탄생시켰습니다. …(중략)… 우리가 그처럼 헌신적인 노력을 기울일 때, 신의 가호 속에서 우리나라는 새롭게 보장된 자유를 누릴 수 있고, 우리나라는 ㉠ 국민의 정부이면서, ㉡ 국민에 의한 정부이면서, 국민을 위한 정부로서 결코 지구상에서 사라지지 않을 것입니다.

	㉠	㉡
①	입헌주의의 원리	국민 주권의 원리
②	입헌주의의 원리	국민 자치의 원리
③	국민 주권의 원리	입헌주의의 원리
④	국민 주권의 원리	국민 자치의 원리
⑤	국민 자치의 원리	국민 주권의 원리

11 다음 사례와 관련 있는 민주주의 원리로 옳은 것은?

갑은 신분증을 챙겨 지정된 투표소에 가서 자신이 지지하는 대선 후보에게 투표하였다.

① 입헌주의의 원리   ② 국민 자치의 원리
③ 국민 주권의 원리   ④ 권력 분립의 원리
⑤ 주민 자치의 원리

12 고난도 다음 유신 헌법이 위반하고 있는 민주주의의 원리로 가장 적절한 것은?

1972년 10월에 제정된 유신 헌법은 대통령의 권한을 대폭 강화하였다. 대통령은 국회 의원의 1/3을 추천할 수 있었고, 국회 해산권 및 모든 법관 임명권을 가질 뿐만 아니라 헌법의 효력까지도 일시적으로 정지시킬 수 있는 긴급 조치권을 부여받았다.

① 입헌주의의 원리   ② 국민 자치의 원리
③ 국민 주권의 원리   ④ 권력 분립의 원리
⑤ 주민 자치의 원리

13 다음 대화에서 옳지 <u>않은</u> 내용을 말한 사람은?

> 갑: 민주주의에서 추구하는 가장 근본적인 이념은 인간의 존엄성이야.
>
> 을: 성별, 종교 또는 사회적 신분 등을 이유로 차별하거나 권리를 제한한다면 인간의 존엄성을 실현하기 어려워.
>
> 병: 그렇다면 인간의 존엄성을 제대로 실현하기 위해서 자유와 평등이 반드시 보장되어야겠네.
>
> 정: 그렇지. 오늘날에는 개인이 국가 운영에 참여할 수 있는 자유인 소극적 자유가 강조되고 있어.
>
> 무: 평등은 모든 인간이 누구나 동등하게 대우받아야 한다는 것인데, 합리적 차별은 인정하고 있어.

① 갑 ② 을 ③ 병 ④ 정 ⑤ 무

[14~15] 다음을 읽고 물음에 답하시오.

> 오늘날 영토와 인구 규모가 확대되고 사회가 복잡해지면서 직접 민주 정치를 실현하기 어려워졌다. 따라서 대부분의 민주 국가에서는 국민이 선거를 통해 대표자를 선출하고, 그들이 국정을 운영하는 대의제를 실시하고 있다. 하지만 대의제를 실시하면서 ㉠ 문제점이 나타나게 되자, 이를 보완하기 위해 ㉡ 직접 민주 정치의 요소를 도입하고 있다.

14 ㉠의 문제점으로 옳은 것은?

① 선거 절차가 매우 복잡하다.
② 과도한 비용과 시간이 소모된다.
③ 대규모 국가에서 시행하기 어렵다.
④ 국민 자치의 원리 실현이 불가능하다.
⑤ 국민의 의사가 정책에 제대로 반영되지 않는다.

15 ㉡에 해당하는 제도를 〈보기〉에서 모두 고른 것은?

> **보기**
> ㄱ. 국민 투표   ㄴ. 국민 발안
> ㄷ. 국민 소환   ㄹ. 지방 선거

① ㄱ, ㄴ ② ㄱ, ㄷ ③ ㄴ, ㄷ
④ ㄱ, ㄴ, ㄷ ⑤ ㄴ, ㄷ, ㄹ

[16~17] 다음 자료를 보고 물음에 답하시오.

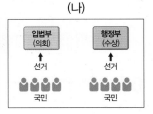

16 (가)와 같은 정부 형태의 특징으로 옳지 <u>않은</u> 것은?

① 입법부와 행정부가 연대 책임을 진다.
② 의회 의원이 행정부의 장관을 겸임할 수 있다.
③ 수상의 막강한 권력 행사로 독재의 우려가 있다.
④ 군소 정당이 난립할 경우 국정이 혼란스러워질 수 있다.
⑤ 국가 원수인 왕이나 대통령은 상징적인 존재일 뿐 정치적 권한이 없다.

17 (나)와 같은 정부 형태의 장점으로 옳은 것은?

① 신속하고 효율적인 정책 수행이 가능하다.
② 대통령의 독단적인 국정 운영이 불가능하다.
③ 의회와 대통령이 국민의 요구에 민감하게 반응한다.
④ 대통령이 의회를 해산시켜 정치적 책임을 물을 수 있다.
⑤ 대통령의 임기가 보장되어 안정적인 국정 운영이 가능하다.

18 우리나라 정부 형태에 도입된 의원 내각제적 요소로 옳은 것을 〈보기〉에서 모두 고른 것은?

> **보기**
> ㄱ. 정부가 법률안을 제출할 수 있다.
> ㄴ. 국무총리를 두고 대통령이 국무총리를 임명한다.
> ㄷ. 대통령은 국가 원수이자 행정부의 수반이며 임기는 5년 단임이다.
> ㄹ. 대통령은 의회에서 통과된 법안에 대해 거부권을 행사할 수 있다.

① ㄱ, ㄴ ② ㄱ, ㄷ ③ ㄴ, ㄷ
④ ㄱ, ㄴ, ㄷ ⑤ ㄴ, ㄷ, ㄹ

19 다음 ㉠의 기능을 두 가지 서술하시오.

> • (㉠)은(는) 국가 공동체의 집단적 결정을 내리고 사회 질서를 유지하는 활동으로서 국가와 관련된 일을 의미한다.
> • (㉠)은(는) 타협, 화해, 협상을 통해 갈등을 해소하는 수단으로 이것은 광범위한 영역에서 이루어진다.

20 다음을 통해 알 수 있는 고대 아테네 민주 정치의 특징을 두 가지 서술하시오.

> • 공동체의 중요한 일은 모든 시민이 참여하는 민회에서 토의하고 결정하였다.
> • 시민권을 가진 성인 남성만 정치에 참여할 수 있었고, 여성, 노예, 외국인 등은 정치에 참여할 수 없었다.

21 다음 사건들의 결과로 나타난 정치적 변화에 대하여 서술하시오.

> 19세기 영국의 노동자들은 중산 계층에게만 선거권을 부여한 선거법 개정에 반발하여 선거권 확대와 피선거권 차별 금지를 요구하는 차티스트 운동을 전개하였다. 여성과 흑인들도 각각 성차별, 인종 차별에 맞서 참정권을 요구하는 운동을 펼쳤다.

22 다음에서 설명하는 민주주의 이념을 쓰고, 이를 실현하기 위한 전제 조건을 서술하시오.

> 성별, 종교, 또는 사회적 신분 등을 이유로 다른 사람을 차별하거나 그의 권리를 제한하는 것은 부당하다. 그리고 인간은 다른 모든 조건을 떠나서 인간이라는 사실 하나만으로도 누구나 인간답게 생활할 수 있어야 하며, 인간으로서의 대우를 받을 수 있어야 한다.

23 다음 헌법 조항에 공통적으로 나타난 민주주의 원리를 쓰고, 이 원리의 의미와 목적을 서술하시오.

> • 제10조 …국가는 개인이 가지는 불가침의 기본적 인권을 확인하고 이를 보장할 의무를 진다.
> • 제37조 ② …법률로 제한하는 경우에도 자유와 권리의 본질적인 내용을 침해할 수 없다.

24 다음을 통해 알 수 있는 우리나라 정부 형태의 특징에 대해 서술하시오.

> 우리나라는 별도의 선거를 통해 대통령과 국회의원을 선출하고 있으며, 대통령은 국가 원수이자 행정부의 수반으로서 임기는 5년 단임이다. 국회의원은 장관을 겸직할 수 있고, 정부도 법률안을 제출할 수 있다.

정치 과정과 시민 참여

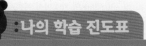

: 나의 학습 진도표

중단원명	학습 코너	쪽수	학습 예정일	학습 완료일	달성도
01 정치 과정과 정치 주체	꼼꼼! 필기 노트	180쪽	◯월 ◯일	◯월 ◯일	☆☆☆☆☆
	탄탄! 활동 노트	181쪽	◯월 ◯일	◯월 ◯일	☆☆☆☆☆
	쑥쑥! 실력 키우기	182~183쪽	◯월 ◯일	◯월 ◯일	☆☆☆☆☆
02 선거의 의미와 제도	꼼꼼! 필기 노트	184쪽	◯월 ◯일	◯월 ◯일	☆☆☆☆☆
	탄탄! 활동 노트	185쪽	◯월 ◯일	◯월 ◯일	☆☆☆☆☆
	쑥쑥! 실력 키우기	186~187쪽	◯월 ◯일	◯월 ◯일	☆☆☆☆☆
03 지방 자치 제도와 주민 참여	꼼꼼! 필기 노트	188쪽	◯월 ◯일	◯월 ◯일	☆☆☆☆☆
	탄탄! 활동 노트	189쪽	◯월 ◯일	◯월 ◯일	☆☆☆☆☆
	쑥쑥! 실력 키우기	190~191쪽	◯월 ◯일	◯월 ◯일	☆☆☆☆☆
뚝딱! 단원 마무리하기		192~195쪽	◯월 ◯일	◯월 ◯일	☆☆☆☆☆

정치 과정과 정치 주체

✚ 다원화
생각이나 사상이 다양해지는 것으로 나와 다른 사람의 다양한 가치와 생활 양식을 존중하고 실현하는 것이다.

✚ 표출
겉으로 나타내어 표현하는 것을 말한다.

✚ 정책
공공 문제를 해결하기 위해 정부나 공공 기관이 수행하는 활동 방향이나 계획을 말하며, 공공 정책이라고도 한다.

✚ 환류(feed back)
국민의 요구가 정책 결정 과정에서 변형될 수 있으므로 정책에 대한 평가가 다시 정책 결정 과정에 투입되는 현상을 말하는 것으로, 이 과정을 통해 여론이 형성되고 새로운 요구가 투입된다.

✚ 정치 주체
정치 과정에서 정책 결정에 영향력을 행사하는 개인이나 집단을 말한다.

✚ 여론
사회적·정치적 문제에 관한 대다수 국민의 공통된 의견을 말한다.

콕콕! **핵심 개념**

1 □□ □□ : 다양한 이해관계가 표출되고 집약되어 정책으로 결정되고 집행되는 과정

2 □□ : 정책 시행에 근거가 되는 법률을 제정하는 공식적인 정치 주체

3 □□ : 정치적 견해를 같이 하는 사람들이 정치적 권력을 획득하기 위해 만든 집단

---

1 정치 과정

1 다양한 이익과 가치의 표출

(1) 사회의 **①**　　　　 : 현대 사회는 과거보다 사람들의 가치나 이익이 다양해짐✚

(2) 민주주의 발전: 시민들의 권리 의식이 높아지고 시민의 다양한 요구가 표출됨✚

　→ 정치 과정은 다양한 이해관계가 표출되고 집약되어 정책으로 결정되고 집행되는

2 정치 과정을 통한 갈등 조정 과정이에요. 정치 과정을 통해 사회적 갈등을 해결하고 사회 통합을 이루게 돼요.

(1) 정치 과정: 다양한 이해관계가 표출되고 집약되어 정책으로 결정되고 집행되는 과정✚

(2) 정치 과정의 단계

이익 표출	개인, 이익 집단, 시민 단체 등이 다양한 이익 표출
②	다양한 이익이 정당, 언론 등을 통해 하나로 모아짐→ 이 과정에서 여론이 형성돼요.
정책 결정	국회나 정부가 가장 적합한 정책을 결정함
정책 집행	결정된 정책을 정부가 집행함
정책 평가 및 환류✚ (피드백)	결정된 정책은 집행되는 과정에서 국민의 평가를 받아 수정을 거치고 새롭게 나온 요구를 다시 정책에 반영하기도 함

이익 표출 (개인, 집단) → 이익 집약 (정당, 언론) → 정책 결정 (국회) → 정책 집행 (정부) → 정책 평가 (시민)

환류

→ 정치 과정은 계속 순환하며 반복되는 특징이 있어요. 특히 환류는 정책에 대한 평가를 통해서만 이루어지는 것이 아니라 모든 단계에 걸쳐 이루어져요.

2 정치 과정의 참여 주체

1 공식적 정치 주체✚ → 국회, 행정부, 법원 등의 국가 기관이 해당돼요.

③	법률의 제정·개정
정부(행정부)	국회에서 제정한 법률에 기초하여 이를 실현하기 위한 정책을 결정·집행
법원(사법부)	재판을 통해 정부의 정책 집행 과정에서 발생한 분쟁과 갈등 해결

2 비공식적 정치 주체

구분	의미	역할
④	정치권력을 획득하기 위해 정치적 의견을 같이 하는 사람들이 만든 집단	국민의 대표자 배출, 여론 형성 및 조직, 정부 정책의 비판 및 감시 등
⑤	이해관계를 같이하는 사람들이 자신들의 특수한 이익을 실현하기 위해 만든 단체	다양한 이익을 대변하여 정당의 기능을 보완
시민 단체	사회 전체의 이익인 **⑥**　　　　 을 실현하기 위해 시민들이 자발적으로 만든 집단	정부 정책의 감시 및 비판, 시민의 정치 참여 유도, 여론 형성 등✚
⑦	대중 매체를 통해 여론을 수렴하여 국회나 정부에 전달	정책에 대한 정보를 전달, 정부 정책에 대한 비판과 해설을 제공하여 여론 형성에 주도적인 역할을 함

→ 자기 집단만의 이익을 지나치게 추구할 경우 공익과 충돌할 수 있어요.

활동 ① 다음 정책이 결정되는 과정을 보고 물음에 답하시오.

이익 집약

○○일보
초등학생 살해
성범죄자 불감혀!!
보호 관찰 기간에
또 범죄 저질러…
성범죄자 재범률 48%
대책 시급

다원적 이익 표출

전자 발찌 제도 시행 추구
○○ 시민연대

관련 법률이
통과되었습니다.

정책 결정
국회 의장

○○일보
강력범에게도
전자 발찌 채우기로!
성범죄자에 대한
전자 발찌 시행
결과 긍정적으로
평가

정책 평가

교도소

정책 집행

오늘날 민주 정치에서는 개인이나 집단의 다양한 요구와 이익이 ❶ [   ]되면 정당이나 언론 등이 나서서 이익을 ❷ [   ]한다. 이익이 집약되고 이에 따라 여론이 형성되면 국회나 정부에서 이를 바탕으로 관련 ❸ [   ]을(를) 결정하여 다양한 이해관계를 조정한다. 이렇게 결정된 정책은 ❹ [   ]되는 과정에서 정책 ❺ [   ]을(를) 받아 수정을 거치게 되고, 새롭게 나온 요구를 다시 정책에 반영하기도 한다.

1 위의 그림을 참고하여 빈칸 ❶~❺에 들어갈 알맞은 말을 써 보자.

2 정치 과정이 궁극적으로 추구하는 목적과 관련하여 빈칸에 들어갈 알맞은 말을 써 보자.

> 정치 과정을 통해 사회의 중요한 정치 문제가 표출되고, 구성원들 간의 다양한 이익과 가치들이 조정되어 갈등이 해결됨으로써 궁극적으로 사회 발전 및 (   )이(가) 이루어진다.

활동 ② 다음 자료를 보고 물음에 답하시오.

▲ 파울 요제프 괴벨스

"나에게 그 사람이 한 말을 한 마디만 알려 달라. 그러면 누구라도 바로 범죄자로 만들 수 있다. …(중략)… 거짓말일수록 과감하게 과장하고 여러 번 반복해서 지속적으로 말하라. 그러면 대중은 믿게 될 것이다."

파울 요제프 괴벨스는 제2차 세계 대전 당시 나치당의 선전부 장관이었다. 신문과 라디오를 활용하여 독일 대중을 나치즘으로 끌어들이는 데 앞장섰으며, 각종 선전 전략을 만들어서 히틀러를 독재자로 만드는 데 큰 역할을 담당하였다. 그는 히틀러를 총통으로 만들기 위한 신화를 창조해 냈으며, 당의 행사 및 시위 의식을 제정하고 정력적인 연설을 함으로써 독일 대중을 나치즘으로 끌어들이는 데 결정적인 역할을 하였다. 독일 국민에게 라디오를 보급하고, 세계 최초로 정기적인 텔레비전 방영을 시행하였는데, 미디어를 통치 수단으로 이용함으로써 히틀러의 통치 이념을 독일 국민에게 세뇌시킨 것이다. 히틀러가 자살한 후 결국 그도 스스로 목숨을 끊었지만 후대에 그의 정치적 선동 방법은 학자들의 연구 대상이 되었고, 많은 독재자에 의해 국민 선동 방법으로 이용되고 있다.

1 신문, 라디오 등 여론 형성에 주도적인 역할을 하는 정치 참여 주체를 써 보자.

2 위의 사례를 읽고, **1**의 정치 참여 주체가 지녀야 할 바람직한 태도를 서술해 보자.

1 STEP 개념을 되짚는 확인 문제

01 다음 빈칸에 들어갈 알맞은 말을 써 보자.

(1) ( )은(는) 사회 현상이나 정치적 문제 등에 대한 시민 다수의 공통된 의견을 말한다.

(2) 공공의 이익을 실현하기 위해 정부나 공공 기관이 수행하는 활동 방향이나 계획을 ( )(이)라고 한다.

(3) ( )은(는) 공익 실현을 위해 시민들이 자발적으로 결성한 집단이다.

(4) ( ), ( ), ( )은(는) 헌법에 따라 공식적으로 정책 결정에 참여하는 공식적 정치 주체이다.

02 다음 설명에 해당하는 정치 참여 주체를 써 보자.

(1) 자기 집단의 특수한 이익을 실현하기 위해 정책 결정 과정에 영향력을 행사한다. ( )

(2) 여론 형성에 주도적 역할을 한다. ( )

03 다음 설명이 옳으면 ○, 틀리면 ×에 표시해 보자.

(1) 현대 사회는 과거보다 획일화되었으며 추구하는 이익이 단순해졌다. (○ | ×)

(2) 다양한 요구들을 수렴하고 반영하는 정치 과정을 통해 공익을 위한 정책이 마련된다. (○ | ×)

(3) 정치 과정을 통해 다양한 이익 간의 갈등이 해결됨으로써 사회 통합이 이루어진다. (○ | ×)

04 서로 관련 있는 내용끼리 연결해 보자.

(1) 이익 집약 • • ㉠ 다양한 이익과 주장이 나타남

(2) 이익 표출 • • ㉡ 정부가 현실에 맞게 정책을 추진함

(3) 정책 집행 • • ㉢ 다양한 이익을 하나로 모아 수렴함

(4) 정책 결정 • • ㉣ 국회나 정부가 공식적인 활동 방향을 결정함

2 STEP 기초를 다지는 기본 문제

01 현대 사회에 대한 설명으로 옳지 않은 것은?

① 과거보다 사람들의 가치관이 다양해졌다.

② 과거에 비해 사람들의 이해관계가 복잡해졌다.

③ 민주주의의 발전으로 시민의 권리 의식이 낮아졌다.

④ 자신의 가치와 이익 실현을 위해 의견을 표출한다.

⑤ 구성원들의 이해관계가 서로 충돌하여 갈등을 일으키기도 한다.

02 다음은 정치 과정을 나타낸 것이다. (가)~(다)에 들어갈 내용을 바르게 연결한 것은?

	(가)	(나)	(다)
①	이익 표출	이익 집약	정책 결정
②	이익 표출	이익 집약	정책 집행
③	이익 표출	정책 결정	이익 집약
④	이익 집약	이익 표출	정책 평가
⑤	이익 집약	이익 표출	정책 결정

03 다음 (가)~(다)의 정치 주체에 대한 설명으로 옳지 않은 것은?

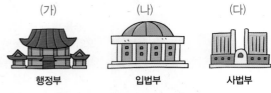

(가) 행정부   (나) 입법부   (다) 사법부

① (가)는 정치 주체들의 의견을 수렴하여 정책을 수립한다.

② (나)는 국민의 의견을 모아 법률을 제정·개정한다.

③ (다)는 재판을 통해 정부의 정책 집행 과정에서 발생한 분쟁이나 갈등 상황을 해결한다.

④ 판결을 통한 (다)의 판단은 현재의 정책을 평가하고 새로운 정책 방향을 제시하기도 한다.

⑤ (가)와 (나)는 공식적 정치 주체, (다)는 비공식적 정치 주체에 해당한다.

04 다음 내용과 관련 있는 정치 과정의 단계로 옳은 것은?

> 정부가 게임 셧다운제 시행에 대한 계획을 발표하자 시민과 청소년 및 학부모 단체, 게임 제작자 단체 등이 이를 지지 또는 반대하는 집회를 열었다.

① 이익 표출 ② 이익 집약 ③ 정책 집행
④ 정책 결정 ⑤ 환류 과정

05 정치 과정에 참여하는 주체의 역할에 대한 설명으로 옳은 것을 〈보기〉에서 고른 것은?

> **보기**
> ㄱ. 정부는 정책에 대해 비판한다.
> ㄴ. 정당은 여론을 반영하여 정책을 건의한다.
> ㄷ. 시민 단체는 특정 집단의 이익을 실현하기 위해 노력한다.
> ㄹ. 이익 집단은 다양한 이익을 대변하여 정당의 기능을 보완하기도 한다.

① ㄱ, ㄴ ② ㄱ, ㄷ ③ ㄴ, ㄷ
④ ㄴ, ㄹ ⑤ ㄷ, ㄹ

06 정당에 대한 설명으로 옳지 <u>않은</u> 것은?

① 선거에 후보자를 추천한다.
② 정치권력을 획득하기 위해 만든 집단이다.
③ 정치 과정에 참여하는 비공식적 정치 주체이다.
④ 공정성 있는 정보를 제공하여 여론을 형성한다.
⑤ 다양한 국민의 의견을 국회나 정부에 전달하여 정책으로 반영시키고자 노력한다.

07 시민 단체에 대한 질문의 답변으로 옳지 <u>않은</u> 것은?

구분	질문	답변
①	정치적 책임이 있는가?	아니요
②	공익 추구가 목적인가?	예
③	공식적 정치 주체인가?	아니요
④	사회의 전 영역에 관심을 갖는가?	예
⑤	현대 사회에서 영향력이 점차 감소하고 있는가?	예

：3 STEP 실력을 완성하는 **주관식·서술형 문제**

08 다음 (가)~(마)를 정치 과정의 단계에 따라 바르게 나열하시오.

> (가) 이익 집약 (나) 정책 집행
> (다) 정책 결정 (라) 다원적 이익 표출
> (마) 정책 평가 및 환류

09 다음 (가)~(다)에 해당하는 비공식적 정치 참여 주체를 쓰고, (가)~(다) 정치 주체의 공통점을 서술하시오.

(가)   (나)

(다)

10  다음과 같은 정치 참여 주체를 쓰고, 이 집단의 순기능과 역기능을 각각 한 가지씩 서술하시오.

02 선거의 의미와 제도

꼼꼼! 필기 노트

이것이 포인트!
- 선거의 기능
- 민주 선거 기본 원칙의 특징
- 공정한 선거를 위한 제도와 기관의 역할

+ 선거와 투표

선거	투표
국민을 대신할 대표 자를 뽑는 행위	선거 과정에서 누구 를 지지하는지 표로 표시하는 행위

+ 정치권력
국가 기관이 정치적 기능을 수행하기 위해 행사하는 힘을 말한다.

+ 게리맨더링

특정 정당이나 후보자에게 유리하도 록 선거구를 정하는 것을 뜻한다. 1812 년 미국 매사추세츠 주지사인 게리가 자신의 소속 정당인 공화당에 유리하 도록 획정한 선거구 형태가 샐러맨더 (salamander: 도룡뇽)와 비슷하여 게리 의 이름과 합성한 게리맨더라고 부른 것에서 유래하였다.

콕콕! 핵심 개념

1 ☐☐ : 대의 정치에서 국민들이 자신들을 대표할 사람을 뽑는 행위

2 ☐☐ ☐☐ : 일정한 연령 이상 의 국민이면 누구나 선거권을 가 지는 민주 선거의 원칙

3 ☐☐☐ ☐☐☐☐ : 선거구 를 국회에서 미리 정해 놓은 법률 에 따라 획정하는 원칙

→ 선거는 국민이 자신의 정치적 의사를 표현하는 가장 기본적인 정치 참여 방법이므로, '민주주의 꽃'이라고도 불러요.

1 선거의 의미와 기능

1 선거: 대의 정치에서 국민들이 자신들을 대표할 사람을 뽑는 행위[+]
→ 대의 (민주) 정치는 국민을 대표하는 대표자를 선출하여 그들이 국민을 대신하여 국가를 운영하 는 제도예요.

2 선거의 기능

❶	대표자를 선출하여 국정을 담당하도록 함 →선거의 가장 기본적인 기능이에요.
정치권력에 ❷ 부여[+]	대표자는 선거를 통해 합법적으로 선출되었으므로 국민의 대표로서 국정을 담당 할 수 있음
여론을 정치 과정에 반영	국민은 자신의 이해관계나 의견에 따라 특정 정당이나 후보자를 지지하므로 국민 의 여론을 드러내어 정치 과정에 반영하는 기회를 제공함
정치권력 통제	대표자의 국정 운영이 잘못된 경우 다음 선거에서 뽑지 않음으로써 대표자를 평가 및 통제할 수 있음 →대표자의 책임 정치 실현에 기여하는 거예요.

→ 선거에서 국민의 동의와 지지를 얻었다는 것은 대표자가 국정 운영에 필요한 정당한 정치권력을 부여받았다는 의미예요.

2 선거의 기본 원칙
→ 우리나라에서는 보통·평등·직접·비밀 선거의 기본 원칙을 헌법에 규정하고 있어요. 이는 국민의 의사를 정확히 반영할 수 있는 자유롭고 공정한 선거를 위해서예요.

❸ 선거	일정한 연령 이상의 국민이면 누구나 선거권을 가짐 - 즉 성별이나 재산, 학력, 직 업, 종교 등을 이유로 선거권을 부당하게 제한하지 않음 ↔ 제한 선거
평등 선거	모든 유권자에게 동등하게 한 표씩 투표권을 부여하며, 유권자가 가지는 한 표의 가치는 같아야 함 ↔ 차등 선거 　　　　표의 등가성 원리라고 해요.
❹ 선거	유권자가 직접 투표를 해야 함 ↔ 대리 선거
비밀 선거	유권자가 누구에게 투표했는지 다른 사람이 알지 못하도록 비밀을 보장함 ↔ 공개 선거

→ 유권자가 다른 사람으로부터 압력을 받지 않고 본인의 의사에 따라 자유롭게 투표할 수 있도록 하기 위한 것이에요.

3 공정한 선거를 위한 제도와 기관

1 ❺ → 대표를 선출하는 지역적 단위를 말해요.
(1) **의미:** 국회에서 제정하는 법률에 따라 선거구를 획정하는 원칙 → 선거구를 어떻게 정하느냐에 따라 선거 결과가 달라지기도 해요.
(2) **목적:** 선거구를 임의로 조정하는 ❻ 을 방지하고, 선거구별 유권자의 수가 지나치게 차이나지 않도록 하여 궁극적으로 공정한 선거 문화를 정착하기 위함[+]

2 ❼
(1) **의미:** 국가나 지방 자치 단체가 선거의 진행을 관리하고 선거 운동 비용의 일부를 부담 하는 제도
(2) **목적:** 경제력에 상관없이 유능한 후보자에게 선거에 입후보할 기회를 보장하고, 선거 운동의 과열을 방지하여 공정한 선거가 이루어지도록 함

3 ❽ → 공정한 선거의 운영을 위해 정치적 중립성을 보장하고 있어요.
(1) **의미:** 선거의 공정한 관리와 정당에 관한 사무를 처리하기 위하여 설치된 국가 기관
(2) **역할:** 후보자 등록과 선거 운동 및 투표·개표 과정을 관리하고, 공정 선거와 시민의 선거 참여를 위한 각종 홍보 활동 등을 함 →국민의 뜻이 선거를 통해 있는 그대로 반영될 수 있도록 해요.

활동 1 다음 자료를 보고 물음에 답하시오.

(가)	(나)

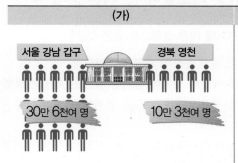

서울 강남 갑구　　　경북 영천

30만 6천여 명　　　10만 3천여 명

　2014년까지 공직 선거법은 선거 구획을 정할 때 인구 편차의 비율을 3대 1까지 허용했었다. 그러나 19대 총선 당시 최대 선거구인 서울 ○○○구(30만 6천 명)와 최소 선거구인 경북 □□(10만 3천여 명)의 인구 편차가 3배 이상 차이가 나자 '○○○구가 □□보다 인구가 3배가 많은데 동등한 하나의 선거구로 묶는 것은 문제'라고 하면서 헌법 소원이 제기되었다. 이에 헌법 재판소는 "선거구별 인구 편차를 2대 1이하로 바꿔야 한다."라고 선고하였다. 헌법 재판소는 "현행 선거구 획정은 [❶　　　　] 원칙 위배이며, 표 가치의 불평등은 대의 민주주의 관점에서 결코 바람직하지 못하다."라고 결정하였다.
　　　　　　　　　　　　－ ○○신문, 2014. 10. 30. －

❸ 투표용지 2장 각각 기표

❹ 투표용지 2장 따로 투표함에 넣음

출구

투표함　표함

입구

❷ 투표용지 2장 받음 (지역구, 비례 대표)

❶ 신분증 제시 후 선거인 명부 서명

　지난 16대 총선까지 시행된 1인 1표제는 유권자가 지역구 의원에 표를 찍고, 이 표를 전국적으로 정당별 득표 비율을 계산해 전국구 당선자를 배정하던 방식이었다. 이 방식은 특정 지역에 기반을 둔 정당 출신의 후보자가 당선될 경우 당선자를 제외한 다른 후보의 지지표가 모두 사표(死票)가 되고, 각 정당의 전국 득표율과 의석수 비율이 심하게 불균형을 이루는 등 많은 문제점이 지적되었다. 이에 헌법 재판소는 2001년 7월 위헌 결정을 내렸다. 헌법 재판소는 "선거권자들의 투표 행위로써 비례 대표 의원의 선출을 직접 결정할 수 없으므로 [❷　　] 에 위배되고, 합리적 이유없이 무소속 후보자에 투표하는 유권자를 차별하는 것이라 할 것이므로 [❸　　　] 의 원칙에도 위배된다."라고 선고하였다.
　이에 우리나라에서는 '1인 2표 정당 명부식 비례 대표제'가 지방 선거에서는 2002년부터, 국회 의원 선거에서는 2004년부터 도입되었다. 1인 2표제는 국회 의원 선거에서 유권자가 지지하는 지역구 국회 의원 후보 및 정당에 대해 각각 한 표씩 행사하는 선거 제도이다.

1 빈칸 ❶~❸에 들어갈 민주 선거의 원칙을 써 보자.

❶ － (　　　　　　　)　　　❷ － (　　　　　　　)　　　❸ － (　　　　　　　)

2 (가), (나)를 실시하게 된 궁극적인 목적을 서술해 보자.

활동 2 다음은 선거의 기본 원칙과 공정 선거에 관련된 우리나라 헌법 조항의 일부이다. 물음에 답하시오.

제41조　① 국회는 국민의 보통 · 평등 · 직접 · 비밀 선거에 의하여 선출된 국회 의원으로 구성한다.
　　　　② 국회 의원의 수는 법률로 정하되, 200인 이상으로 한다.
　　　　③ 국회 의원의 선거구와 비례 대표제 기타 선거에 관한 사항은 [❶　　　　] 로 정한다.
제114조　① 선거와 국민 투표의 공정한 관리 및 정당에 관한 사무를 처리하기 위하여 [❷　　　] 을(를) 둔다.
제116조　① 선거 운동은 각급 선거 관리 위원회의 관리 하에 법률이 정하는 범위 안에서 하되, 균등한 기회가 보장되어야 한다.
　　　　② 선거에 관한 경비는 법률이 정하는 경우를 제외하고는 정당 또는 후보자에게 부담시킬 수 없다.

1 빈칸 ❶, ❷에 들어갈 알맞은 말을 써 보자.

❶ － (　　　　　)　　　❷ － (　　　　　)

2 헌법 제116조의 ①항과 ②항이 의미하는 제도가 무엇인지 써 보자.

·1 STEP 개념을 되짚는 확인 문제

01 다음 빈칸에 들어갈 알맞은 말을 써 보자.

(1) 시민이 정책 결정 과정에 참여하는 가장 기본적이고 중요한 수단은 (   )(이)다.

(2) (   )은(는) 투표의 가치를 동등하게 부여해야 한다는 민주 선거의 원칙이다.

(3) 특정 후보자나 정당에 유리하도록 선거구를 임의로 변경하는 행위를 (   )(이)라고 한다.

(4) 국가 기관에서 선거 운동을 관리하고 선거 비용의 일부를 지원하는 제도를 (   )(이)라고 한다.

02 다음 괄호 안의 알맞은 말에 ○로 표시해 보자.

(1) 선거구는 (헌법 | 법률)(으)로 정해야 하는데, 이를 선거구 법정주의라고 한다.

(2) (헌법 재판소 | 선거 관리 위원회)는 선거의 공정한 관리와 정당에 관한 사무를 처리하기 위하여 설치된 국가 기관이다.

03 다음 설명이 옳으면 ○, 틀리면 ×에 표시해 보자.

(1) 선거는 정치권력에 정당성을 부여한다.(○ | ×)

(2) 선거를 통해 정치권력을 통제하기는 어렵다.
(○ | ×)

(3) 선거는 국민의 여론을 드러내어 정치 과정에 반영하는 기회를 제공한다. (○ | ×)

(4) 선거는 국민의 뜻에 따라 국가의 정치를 담당할 대표자를 선출하는 행위이다. (○ | ×)

04 서로 관련 있는 내용끼리 연결해 보자.

(1) 평등 선거 •   • ㉠ 투표 내용은 비공개로 함

(2) 보통 선거 •   • ㉡ 1인 1표의 동등한 권리를 보장함

(3) 비밀 선거 •   • ㉢ 본인이 대리인을 거치지 않고 직접 투표함

(4) 직접 선거 •   • ㉣ 일정한 연령이 되면 누구에게나 선거권을 부여함

:2 STEP 기초를 다지는 기본 문제

01 선거에 대한 설명으로 옳은 것은?

① 선거 운동의 과열을 장려한다.

② 국민이 정치에 참여할 수 있는 유일한 방법이다.

③ 대표자에게 국민을 통제하는 권한을 주는 행위이다.

④ 우리나라는 보통, 평등, 직접, 비밀 선거를 보장하고 있다.

⑤ 선거 관리 위원회는 선거 때에만 활동하는 임시적인 조직이다.

02 다음 글과 관련 있는 민주 선거의 원칙으로 옳은 것은?

> 1689년 영국의 「권리장전」에는 시민의 천부 인권을 명시하였지만 여전히 많은 노동자는 시민의 권리를 누리지 못하였다. 이에 영국의 노동자들은 차티스트 운동을 통해 선거권 확대를 요구하였고, 여성들의 참정권 운동도 꾸준히 전개되었다.

① 보통 선거   ② 평등 선거   ③ 직접 선거

④ 대리 선거   ⑤ 비밀 선거

03 다음 사회 형성 평가에서 학생이 받을 점수는?

> Q. 우리나라에서 시행되고 있는 선거의 유형(종류)을 다섯 가지만 제시하시오. (맞으면 1개당 1점, 틀려도 감점은 없음.)
>
> | 답 | 1. 교육감 선거 |
> |---|---|
> | | 2. 대통령 선거 |
> | | 3. 국무총리 선거 |
> | | 4. 국회 의원 선거 |
> | | 5. 지방 자치 단체장 선거 |

① 1점   ② 2점   ③ 3점

④ 4점   ⑤ 5점

04 다음에서 강조하는 선거의 기능으로 가장 적절한 것은?

> 만약 현재의 대표자가 국정 운영을 잘하지 못하거나 약속한 정책들을 제대로 이행하지 않을 경우 다음 선거에서 책임을 물어 교체할 수 있다.

① 대표자를 선출한다.
② 정치권력에 정당성을 부여한다.
③ 정치권력을 통제하는 기능을 한다.
④ 시민의 정치적 무관심을 방지한다.
⑤ 국민의 주권 의식을 함양하게 한다.

05 선거 관리 위원회에 대한 설명으로 옳지 <u>않은</u> 것은?

① 투표 및 개표 과정을 관리한다.
② 각종 선거의 홍보 활동을 담당한다.
③ 후보자 등록과 선거 운동을 관리한다.
④ 정치적 중립성이 보장된 헌법상의 독립 기관이다.
⑤ 공정한 선거를 위하여 법에 따라 선거구를 정한다.

06 선거구 법정주의에 대한 설명으로 옳은 것은?

① 국회에서 제정된 법률로 선거구를 획정한다.
② 선거구가 변해도 선거 결과는 달라지지 않는다.
③ 선거구를 정할 때 행정 구역은 고려하지 않는다.
④ 게리맨더링으로 선거구 간 인구 편차를 확대한다.
⑤ 특정 후보자에게 유리하도록 선거구를 조정한다.

07 우리나라에서 공정한 선거를 위해 실시하고 있는 제도로 옳은 것을 〈보기〉에서 고른 것은?

> **보기**
> ㄱ. 자유방임적인 선거 운동을 장려한다.
> ㄴ. 선거 비용의 전부를 국가가 부담한다.
> ㄷ. 선거구별 유권자 수의 차이가 심하게 나지 않도록 한다.
> ㄹ. 선거에 관한 사무를 처리하기 위해 독립된 헌법 기관을 둔다.

① ㄱ, ㄴ   ② ㄱ, ㄷ   ③ ㄴ, ㄷ
④ ㄴ, ㄹ   ⑤ ㄷ, ㄹ

:3 STEP 실력을 완성하는 **주관식·서술형 문제**

08 선거를 '민주주의 꽃'이라고 표현하는 이유를 서술하시오.

> 민주주의 꽃은
> ~~선거~~ 입니다

09 다음은 우리나라에서 시행되고 있는 선거의 종류이다. 물음에 답하시오.

구분		선출 대표자	임기
대통령 선거		대통령	(㉠)년
국회 의원 선거		국회 의원	(㉡)년
지방 자치 선거	지방 자치 단체장	(광역) 특별시장, 광역시장, 도지사	(㉢)년
		(기초) 자치 구청장, 시장, 군수	
	지방 의회 의원	(광역) 특별시, 광역시, 도의회 의원	
		(기초) 자치구, 시·군의회 의원	

(1) ㉠ ~ ㉢에 들어갈 숫자를 각각 쓰시오.

(2) 선거의 기능을 <u>두 가지만</u> 서술하시오.

10 다음 ㉠에 들어갈 제도를 쓰고, 밑줄 친 ㉡을 시행하는 이유를 서술하시오.

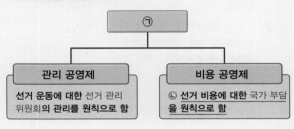

03 지방 자치 제도와 주민 참여

이것이 포인트!
• 지방 자치 제도의 의의
• 지방 의회와 지방 자치 단체장의 역할
• 주민 참여 방법의 유형

꼼꼼! 필기 노트

+ 풀뿌리 민주주의
한 식물의 무수히 많은 잔뿌리가 물과 양분을 흡수하여 아름다운 열매를 맺듯이, 지역 주민들이 지역의 모든 문제에 대해 스스로 결정하는 등 지역의 일을 자치적으로 처리함으로써 밑바탕에서부터 민주주의를 실현한다는 의미를 담고 있다.

+ 중앙 정부와 지방 정부

구분	중앙 정부	지방 정부
의결 기관	국회	지방 의회
집행 기관	대통령 (행정부)	지방 자치 단체장

+ 조례
지방 자치 단체가 법령의 범위 안에서 지방 의회의 의결을 거쳐 그 지방의 사무에 관하여 제정하는 규범을 말한다.
예 ○○도 학생 인권 조례 등

+ 공청회
국가 또는 지방 자치 단체가 중요한 의사 결정을 하기에 앞서 해당 분야의 전문가나 이해 당사자들의 의견을 듣기 위해 개최하는 공개 회의를 말한다.

콕콕! 핵심 개념

1 □□ □□ □□: 지역 주민이나 지방 정부가 해당 지역의 공공 문제를 자율적으로 처리하는 제도

2 □□: 지방 자치 단체장이 법령 또는 조례의 범위 내에서 조례의 시행을 위한 구체적인 사무에 관하여 제정하는 규범

3 □□ □□: 지역 사회의 주요한 문제를 주민이 직접 투표로 결정하는 제도

---

1 지방 자치 제도

1 의미: 지역 주민이나 지방 정부가 해당 지역의 공공 문제를 자율적으로 처리하는 제도
➡ '❶ 　　　　　　'라고도 함

2 목적: 지역 주민의 복리 증진 → 지역의 특성에 맞게 업무를 처리함
　　　　주민의 행복과 이익을 말해요.

3 의의

주민 자치의 원리 실현	• 주민 참여를 통해 주민의 이익을 실현함 • 주민의 의사를 지역의 정치 과정에 반영하여 주인 의식이 향상됨
지역 실정에 맞는 정책 추진	지역 사회의 현실과 주민의 필요에 맞는 업무와 정책을 추진함
민주 시민의 자질 함양	주민의 정치 참여 기회를 확대하여 민주 정치의 원리를 실현함
❷ 　　　　　의 원리 실현	지방 정부가 중앙 정부와 권력을 나누어 맡음 → 국가 권력 남용 억제

2 우리나라 지방 자치 제도의 구성
우리나라는 1991년에 지방 의회를 구성하고, 1995년에 지방 자치 단체장을 선출하면서 지방 자치 제도를 본격적으로 시행하였어요.

1 종류: 지역의 인구 크기에 따라 광역 자치 단체와 ❸ 　　　　　 자치 단체로 구분

광역 자치 단체	특별시, 광역시, 특별자치시, 도, 특별자치도
기초 자치 단체	시, 군, 구

2 지방 자치 단체의 기관
지방 자치 단체장인 도지사, 시장, 군수, 구청장 등은 자연인으로서의 사람이 아니라 지방 자치 단체의 집행 기관을 가리키는 용어예요.

구분	지방 의회(의결 기관)	지방 자치 단체장(집행 기관)
구성	주민의 직접 선거, 임기 4년, 연임 가능 → 연속해서 임명될 수 있는 것을 말해요.	
역할	❹ 　　　　 제·개정, 지역 사회 문제 논의 및 정책 결정, 지방 자치 단체의 예산 심의·의결, 지방 자치 단체의 행정 사무 감사 및 조사	조례의 범위 내에서 ❺ 　　　　 제·개정, 지방 의회의 의결 사항 집행, 지방 의회에 예산안 제출, 지방 자치 단체의 재산 관리, 주민 복리에 관한 업무 처리

3 지방 자치에 참여하는 방법
주민이 적극적으로 참여해야 지역의 대표가 주민의 요구를 알고 역할을 수행할 수 있기 때문이에요.

1 주민 참여의 중요성: 지방 자치의 성공과 발전은 주민들의 관심과 참여에 달려 있음

2 주민 참여의 방법
지역 주민이 지방 자치에 참여하는 가장 기본적인 방법이에요.

선거	지방 선거에 참여하여 지역의 일을 담당할 대표를 선출
❻	지역 사회의 주요한 문제를 주민이 직접 투표로 결정하는 제도
❼	선출된 공직자가 직무를 잘 수행하지 못하면 주민 투표로 해임을 결정하는 제도
주민 발의	필요한 조례를 주민이 제안할 수 있는 제도
주민 청원	주민이 자치 단체 행정에 관한 개선 및 희망 사항을 서면으로 요구하는 제도
주민 참여 예산제	지방 자치 단체의 예산 편성 과정에 주민이 직접 참여하는 제도
주민 감사 청구	주민이 직접 잘못된 행정에 대한 감사를 청구할 수 있는 제도
기타	공청회 참석, 언론 매체 투고, 민원 제출, 집회, 시위 등

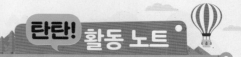

활동 ① 다음 자료를 보고 물음에 답하시오.

(가)	(나)
❶ 은(는) 선출된 지역의 공직자가 직무를 잘 수행하지 못하면 주민들이 직접 해임시킬 수 있는 제도이다. 선진국에서는 널리 시행하고 있는데, 2003년 미국 캘리포니아 주지사인 그레이 데이비스가 재정 적자 등의 문제로 ❶ 을(를) 당해 물러난 것이 단적인 예이다. 우리나라에서는 2007년 ○○시에서 시장과 시 의원 3명이 광역 화장장 유치 계획을 발표한 것에 대해 직권을 남용하고 자질이 부족하다는 이유로 전국에서 처음으로 ❶ 이(가) 실시된 적이 있다. 그 결과 시장에 대한 주민 소환은 투표율 미달(31.1%)로 부결되었지만 시 의원 3명 중 2명은 해임되었다.	2005년, 방사선 폐기물 처리장의 입지 선정 문제가 군산, 경주, 영덕, 포항에서 실시된 ❷ 에 의해 결정되었다. 이 네 지역은 방사선 폐기물 처리장 유치 신청을 했고, 주무 부처인 산업 자원부의 실시 요구에 따라 ❷ 을(를) 발의하고 실시하게 되었다. 총 투표율은 60.5%였으며, 주민의 89.5%가 찬성해 가장 높은 주민 지지율을 보인 경북 경주시가 유치 지역으로 확정되었다.

1 빈칸 ❶, ❷에 해당하는 주민 참여 방법을 써 보자.

2 ❶, ❷ 제도가 가지고 있는 장점과 단점을 생각해 보고, ㉠~㉢에 들어갈 알맞은 말을 써 보자.

구분	❶	❷
장점	지방 의원이나 지방 자치 단체장의 (㉠)을(를) 높이고 성실하게 일하도록 한다.	주민들의 의견을 직접 물어보고 그에 따라 정책을 실시하기 때문에 살고 있는 지역에 대한 주민들의 (㉡)을(를) 높일 수 있다.
단점	소환이 잦을 경우 지역 행정에 (㉢)을(를) 일으킬 수도 있다.	너무 자주 실시될 경우에는 지역 행정에 (㉢)을(를) 일으킬 수도 있다.

활동 ② 다음 자료를 보고 물음에 답하시오.

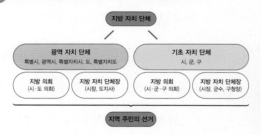

1 빈칸 ❶~❻에 들어갈 알맞은 말을 써 보자.

지방 자치 단체는 지역의 인구 크기에 따라 ❶ 자치 단체와 ❷ 자치 단체로 구분한다. 또한, 중앙 정부의 국회와 같은 역할을 하는 ❸ 기관으로 지방 의회가 있고, 중앙 정부의 대통령이나 행정부 역할을 하는 ❹ 기관인 지방 자치 단체장이 있다. 지방 의회는 지역 정책과 예산을 결정하고 ❺ 을(를) 제정한다. 지방 자치 단체장은 지방 의회의 의결 사항을 집행하고 ❻ 을(를) 제정할 수 있다.

2 지방 자치 제도의 궁극적인 목적과 관련하여 다음 빈칸에 들어갈 알맞은 말을 써 보자.

지역의 특성에 맞게 업무를 처리하여 주민의 ( )을(를) 증진시킨다.

•1 STEP 개념을 되짚는 확인 문제

01 다음 빈칸에 들어갈 알맞은 말을 써 보자.

(1) 우리나라 지방 자치 단체는 의결 기관인 (   )와(과) 집행 기관인 (   )(으)로 구성된다.

(2) (   )은(는) 지방 자치 단체가 법령의 범위 안에서 지방 의회의 의결을 거쳐 그 지방의 사무에 관하여 제정하는 규범을 말한다.

(3) 주민들은 지방 자치 단체에 지역 사회의 문제를 해결해 달라고 서면으로 요구하는 (   )을(를) 할 수 있다.

02 다음 우리나라의 지방 자치 단체를 광역 자치 단체와 기초 자치 단체로 구분해 보자.

(1) 특별시, 광역시, 특별자치시, 도, 특별자치도
(   )

(2) 시, 군, 구
(   )

03 다음 설명이 옳으면 ○, 틀리면 ×에 표시해 보자.

(1) 지방 자치 제도를 통해 주민이 민주주의를 직접 체험하고 배울 수 있다. (○ | ×)

(2) 지방 자치 제도를 통해 정치 과정이 이루어지면 지역의 실정을 제대로 반영하기 어렵다. (○ | ×)

(3) 주민들은 공청회에 참석하거나 언론 매체를 통해 자신들의 의견을 지방 자치 단체에 전달할 수 있다. (○ | ×)

04 다음 주민 참여 방법과 그 내용을 연결해 보자.

(1) 주민 투표 •

(2) 주민 소환 •

(3) 주민 참여 예산제 •

• ㉠ 지방 자치 단체의 예산 편성 과정에 주민이 직접 참여

• ㉡ 지역 사회의 주요한 문제를 주민이 직접 투표로 결정

• ㉢ 선출된 지역의 공직자가 직무를 잘 수행하지 못하면 주민 투표로 해임

:2 STEP 기초를 다지는 기본 문제

01 지방 자치 제도에 대한 설명으로 옳지 <u>않은</u> 것은?

① 지역 특성에 맞게 업무를 추진한다.

② 중앙 정부로부터 독립되어 자율성을 확보한다.

③ 국가의 중앙 집권화를 강화시키는 역할을 한다.

④ 주민들이 스스로 지역 문제를 해결하도록 하는 능력을 길러 준다.

⑤ 지역 주민이 지역의 일을 스스로 해결함으로써 민주주의를 실현한다는 의미에서 '풀뿌리 민주주의'라고도 한다.

02 밑줄 친 '이것'에 해당하는 주민 참여의 방법으로 옳은 것은?

> <u>이것</u>은 지역 주민이 지방 자치에 참여하는 가장 기본적인 방법으로, 지역별로 4년마다 실시된다.

① 청원   ② 주민 투표   ③ 주민 발의
④ 주민 소환   ⑤ 지방 선거

03 다음 ㉠에 해당하는 예로 옳은 것은?

> 우리나라의 지방 자치 단체는 지역의 인구 규모에 따라 광역 자치 단체와 (㉠)(으)로 구분된다.

① 경기도   ② 임실군   ③ 부산광역시
④ 서울특별시   ⑤ 세종특별자치시

04 지방 의회에 대한 설명으로 옳지 <u>않은</u> 것은?

① 지방 자치 단체의 집행 기관이다.

② 주민이 선출한 의원으로 구성된다.

③ 지역 사회에 알맞은 조례를 제정한다.

④ 지방 자치 단체의 예산을 심의·의결한다.

⑤ 지역 문제를 논의하며 지역 정책을 결정한다.

05 지방 자치 단체장에 대한 설명으로 옳은 것을 〈보기〉에서 모두 고른 것은?

> **보기**
> ㄱ. 주민의 직접 선거로 선출된다.
> ㄴ. 지방 자치 단체의 의결 기관이다.
> ㄷ. 주민 복리와 관련한 각종 업무를 처리한다.
> ㄹ. 지방 자치 단체의 행정 사무를 감사 및 조사한다.
> ㅁ. 법령과 조례의 범위 내에서 규칙을 제정 및 개정한다.

① ㄱ, ㄴ　　② ㄱ, ㄹ　　③ ㄴ, ㄷ
④ ㄱ, ㄷ, ㅁ　　⑤ ㄴ, ㄹ, ㅁ

06 (가), (나)에 해당하는 주민 참여 제도를 바르게 연결한 것은?

> (가) 지방 자치 단체의 예산 편성 과정에 주민이 직접 참여할 수 있다.
> (나) 선출된 지역의 공직자가 직무를 잘 수행하지 못하면 주민 투표로 해임할 수 있다.

	(가)	(나)
①	주민 투표	주민 소환
②	주민 소환	주민 투표
③	주민 투표	주민 참여 예산제
④	주민 참여 예산제	주민 소환
⑤	주민 참여 예산제	주민 투표

07 지방 자치에 참여하는 방법으로 옳지 않은 것은?

① 공청회에 참석하여 의견을 전달할 수 있다.
② 지방 의회의 의결 사항을 주민이 집행할 수 있다.
③ 언론 매체를 통해 주민의 의견을 전달할 수 있다.
④ 지역 사회의 주요 문제를 주민이 직접 투표로 결정할 수 있다.
⑤ 지방 자치 단체에 지역 사회의 문제를 해결해 달라고 서면으로 요구하는 청원을 할 수 있다.

:3 STEP 실력을 완성하는 주관식·서술형 문제

08 다음 ㉠이 무엇인지 쓰고, ㉠이 추구하는 궁극적인 목적을 서술하시오.

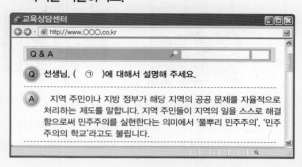

09 다음 ㉠에 들어갈 알맞은 용어를 쓰고, ㉠이 가지고 있는 정치적 의의를 서술하시오.

> (　㉠　)은(는) 지역 주민이 지방 의회 의원과 지방 자치 단체장을 선출하는 절차로, 지역 단위로 4년마다 주기적으로 실시한다.

10 밑줄 친 ㉠에 해당하는 내용을 두 가지만 서술하시오.

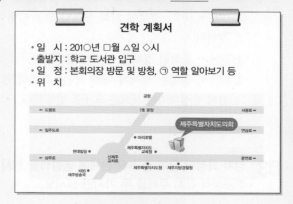

01 현대 사회에서 다음과 같은 현상들이 나타나는 원인으로 가장 적절한 것은?

① 사회가 획일화되었기 때문이다.
② 시민들의 주권 의식이 약화되었기 때문이다.
③ 시민 참여를 보장하는 제도의 발달이 미흡하기 때문이다.
④ 사회 구성원이 추구하는 신념과 가치가 다양해졌기 때문이다.
⑤ 민주주의의 발전으로 시민이 정치에 참여할 필요성이 줄어들었기 때문이다.

[2~3] 다음은 정치 과정을 나타낸 것이다. 물음에 답하시오.

02 (가)~(마) 단계에 대한 설명으로 옳지 않은 것은?

① (가) – 주로 국가 기관이 중심이 되어 이익을 표출한다.
② (나) – 선거 등에 의해 여론으로 형성된다.
③ (다) – 국회, 정부에 의해 공적인 활동 방향이 결정된다.
④ (라) – 결정된 정책을 정부가 집행한다.
⑤ (마) – 집행된 정책에 대해 국민들로부터 평가를 받아 수정하거나 새로운 요구를 반영한다.

03 정치 과정의 단계 중 (나) 단계에 영향력을 행사하는 비공식적 정치 주체를 두 가지만 쓰시오.

(   ), (   )

04 사진에 나타난 정치 주체에 대한 설명으로 옳은 것을 〈보기〉에서 고른 것은?

보기
ㄱ. 국민의 대표 기관이다.
ㄴ. 결정된 정책을 구체적으로 집행한다.
ㄷ. 정책의 근거가 되는 법률을 제정 및 개정한다.
ㄹ. 분쟁을 해결하기 위해 법률을 해석·적용한다.

① ㄱ, ㄴ   ② ㄱ, ㄷ   ③ ㄴ, ㄷ
④ ㄴ, ㄹ   ⑤ ㄷ, ㄹ

05 다음 단체들의 공통점으로 옳은 것은?

• 대한 변호사 협회   • 전국 경제인 연합회

① 선거에 후보자를 추천한다.
② 정권 획득을 목적으로 한다.
③ 정책 결정 과정에 참여하는 공식적 주체이다.
④ 특수한 이익을 실현하기 위해 만든 집단이다.
⑤ 자신의 활동 결과에 대해 정치적 책임을 진다.

06 다음은 정치 주체에 대한 수업 장면이다. 교사의 질문에 옳지 않은 대답을 한 학생은?

① 갑   ② 을   ③ 병   ④ 정   ⑤ 무

07 선거에 대한 설명으로 옳은 것은?

① 국민들이 국가의 중요한 일을 직접 결정할 수 있다.
② 국민의 기본권 보장을 위해 권력을 분립하는 과정이다.
③ 대통령 선거는 4년, 국회 의원 선거는 5년마다 실시한다.
④ 국민이 직접 헌법 개정안이나 법률안을 제출할 수 있는 제도이다.
⑤ 국민들은 선거를 통해 대표자를 선출함과 동시에 대표자에 대한 통제를 할 수 있다.

08 다음 (가), (나)와 관련된 민주 선거의 기본 원칙을 바르게 연결한 것은?

(가)   (나)

	(가)	(나)		(가)	(나)
①	보통 선거	평등 선거	②	보통 선거	비밀 선거
③	평등 선거	직접 선거	④	평등 선거	비밀 선거
⑤	직접 선거	평등 선거			

09 우리나라에서 다음과 같은 제도를 실시하는 목적으로 가장 적절한 것은?

> 선거구는 반드시 국민의 대표 기관인 국회에서 제정하는 법률로 정해야 한다.

① 게리맨더링을 방지하기 위해서
② 선거구를 최대한 많이 만들기 위해서
③ 선거 운동의 과열을 방지하기 위해서
④ 신속하고 정확한 선거 결과를 얻기 위해서
⑤ 선거구별 유권자 수의 차이가 크게 나도록 하기 위해서

10 선거 공영제에 대한 설명으로 옳은 것을 〈보기〉에서 고른 것은?

> **보기**
> ㄱ. 국가 기관이 선거를 관리한다.
> ㄴ. 선거 비용의 일부를 국가 또는 지방 자치 단체가 분담한다.
> ㄷ. 특정 정당이나 인물에게 유리하도록 선거구를 정하지 않는 것이다.
> ㄹ. 후보자의 경제적 여건에 따라 선거 운동의 기회를 다르게 부여한다.

① ㄱ, ㄴ   ② ㄱ, ㄷ   ③ ㄴ, ㄷ
④ ㄴ, ㄹ   ⑤ ㄷ, ㄹ

고난도 **11** 다음은 수업 시간에 사용된 형성 평가지이다. 학생의 답안 (가)~(마) 중 옳지 않은 것은?

> 〈형성 평가〉
> **선거 관리 위원회는 무엇이며 어떤 일을 할까?**
> ○학년 ◇반 이름: ㅁㅁㅁ
> ※ (가)~(마) 진술에 대하여 옳으면 ○, 틀리면 ×로 답하시오.
> (가) 각종 선거의 홍보 활동을 담당한다.   (○)
> (나) 정치적으로 중립적인 국가 기관이다.   (×)
> (다) 선거법 위반 행위를 감시하고 단속한다.   (○)
> (라) 선거와 국민 투표를 공정하게 관리한다.   (○)
> (마) 정당에 관한 사무를 처리하는 헌법 기관이다.(○)

① (가)   ② (나)   ③ (다)   ④ (라)   ⑤ (마)

12 우리나라에서 공정한 선거를 위해 실시하고 있는 제도로 옳지 않은 것은?

① 대리 선거를 인정한다.
② 법에 따라 선거구를 정하고 있다.
③ 모든 유권자에게 표의 가치를 동등하게 부여한다.
④ 선거 공영제를 통해 선거 운동의 과열을 방지한다.
⑤ 성별이나 학력 등을 이유로 선거권을 제한하지 않는다.

13 밑줄 친 '이것'이 공통으로 가리키는 제도의 시행에 따른 영향으로 적절한 것은?

> • 밀: 이것은 민주 정치의 훈련장이다.
> • 미국 공화당 전당 대회의 한 의원: 이것은 풀뿌리 민주주의이다.
> • 브라이스: 이것은 민주 정치의 가장 좋은 학교이며, 민주주의 성공의 보증서이다.

① 권력이 중앙 정부에 집중된다.
② 주민의 민주적 자질이 저하된다.
③ 주민의 정치 참여 기회가 줄어든다.
④ 중앙 정부의 감독과 지시가 강화된다.
⑤ 지역 실정에 맞는 정책을 추진할 수 있다.

[14~15] 다음은 우리나라 지방 자치 단체의 구성을 도식화한 것이다. 물음에 답하시오.

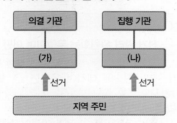

14 (가), (나)에 들어갈 기관을 쓰시오.

15 (가), (나)에 대한 설명으로 옳은 것을 〈보기〉에서 모두 고른 것은?

> **보기**
> ㄱ. (가)는 주민의 간접 선거로 선출한다.
> ㄴ. (가)는 법률과 명령의 범위 내에서 조례를 제정한다.
> ㄷ. (나)는 조례를 집행하고, 규칙을 제정한다.
> ㄹ. (나)는 대통령이 임명하며, 임기는 4년이다.
> ㅁ. (나)는 주민 복리에 관한 사무를 처리한다.

① ㄱ, ㄷ　　② ㄴ, ㄹ　　③ ㄹ, ㅁ
④ ㄱ, ㄴ, ㄷ　　⑤ ㄴ, ㄷ, ㅁ

16 우리나라의 광역 자치 단체에 해당하는 것은?

① 대통령
② 경기도 수원시장
③ 전라북도 임실군수
④ 서울특별시 시의회
⑤ 서울특별시 종로구 구의회

17 지역 주민이 지역 사회의 정치 과정에 참여하는 방법으로 옳은 것을 〈보기〉에서 모두 고른 것은?

> **보기**
> ㄱ. 공청회에 참여하여 의견을 개진한다.
> ㄴ. 자치 단체의 예산안을 심의 및 의결한다.
> ㄷ. 지역의 대표를 선출하는 지방 선거에 참여한다.
> ㄹ. 인터넷 게시판에 우리 지역의 문제점을 알리는 글을 올린다.

① ㄱ, ㄴ　　② ㄱ, ㄷ　　③ ㄴ, ㄹ
④ ㄱ, ㄷ, ㄹ　　⑤ ㄴ, ㄷ, ㄹ

18 (가), (나)에 대한 설명으로 옳지 않은 것은?

> (가) 지역의 중요 사안에 대해 주민이 직접 투표를 함으로써 의견을 표출한다.
> (나) 지역 공직자가 잘못된 직무 수행을 했을 경우 공직자를 소환하여 주민 투표로 해임을 결정하는 제도를 말한다.

① (가)는 주민 투표이다.
② (가)를 통해 주민은 지역의 주인으로서 역할을 담당할 수 있다.
③ (나)는 공직자의 임기 중에는 실시할 수 없다.
④ (나)의 방법을 통해 주민은 지방 자치 단체가 시행한 정책에 대해 평가할 수 있다.
⑤ (가), (나)를 통해 지역 주민의 의사를 올바르게 반영하고 자치 단체의 권력 남용을 방지할 수 있다.

19 다음은 정치 참여 주체 A의 활동 상황을 나타낸 것이다. A가 무엇인지 쓰고, A가 추구하는 궁극적인 목적을 서술하시오.

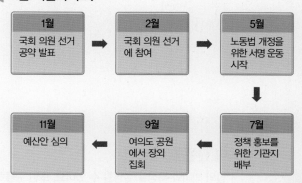

1월	2월	5월
국회 의원 선거 공약 발표	국회 의원 선거에 참여	노동법 개정을 위한 서명 운동 시작

11월	9월	7월
예산안 심의	여의도 공원에서 장외 집회	정책 홍보를 위한 기관지 배부

20 우리나라에서 다음과 같은 제도와 기관을 통해 추구하고 있는 궁극적인 목적이 무엇인지 서술하시오.

헌법 제41조
① 국회는 국민의 보통·평등·직접·비밀 선거에 의하여 선출된 국회 의원으로 구성한다.
③ 국회 의원의 선거구와 비례 대표제 기타 선거에 관한 사항은 법률로 정한다.

헌법 제114조
① 선거와 국민 투표의 공정한 관리 및 정당에 관한 사무를 처리하기 위하여 선거 관리 위원회를 둔다.

21 갑, 을, 병국이 각각 위반하고 있는 민주 선거의 원칙을 서술하시오.

• 갑국은 국교(國敎)인 △△교를 믿는 사람들에게만 선거권을 부여하고 있다.
• 을국은 한 선거구에 3년 미만 거주한 유권자에게는 1표, 3년 이상 거주한 유권자에게는 2표를 부여하고 있다.
• 병국은 각 정당의 선거 후보를 결정하는 예비 선거 시 각종 제한 요건을 부과하며, 문자 해독 시험 등을 보게 하였다.

22 정치 주체인 이익 집단, 시민 단체와 관련하여 A~C에 들어갈 특징을 각각 서술하시오.

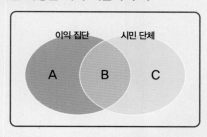

이익 집단   시민 단체

A   B   C

23 다음 누리집에 나타난 지방 자치 단체의 유형을 쓰고, 이 기관의 기능을 두 가지만 서술하시오.

서울특별시의회
언제, 어디서나
서울시의회 SNS

24 다음은 지방 자치의 성공적인 실현을 위해 요구되는 시민의 자세를 정리한 것이다. (가)에 들어갈 내용을 두 가지만 서술하시오.

• 지역 사회에 대해 애정과 관심을 가진다.
• _____(가)_____

11

이 단원을 배우면

법의 의미와 특성을 설명할 수 있어요. 또한 규율하는 생활 영역을 중심으로 법을 구분할 수 있고, 유형별로 법의 특징을 파악할 수 있어요. 재판의 의미와 기능을 파악하고, 법적 분쟁을 슬기롭게 해결할 수 있어요.

일상생활과 법

: 나의 학습 진도표

중단원명	학습 코너	쪽수	학습 예정일	학습 완료일	달성도
01 법의 의미와 목적	꼼꼼! 필기 노트	198쪽	◯월 ◯일	◯월 ◯일	☆☆☆☆☆
	탄탄! 활동 노트	199쪽	◯월 ◯일	◯월 ◯일	☆☆☆☆☆
	쑥쑥! 실력 키우기	200~201쪽	◯월 ◯일	◯월 ◯일	☆☆☆☆☆
02 법의 유형과 특징	꼼꼼! 필기 노트	202쪽	◯월 ◯일	◯월 ◯일	☆☆☆☆☆
	탄탄! 활동 노트	203쪽	◯월 ◯일	◯월 ◯일	☆☆☆☆☆
	쑥쑥! 실력 키우기	204~205쪽	◯월 ◯일	◯월 ◯일	☆☆☆☆☆
03 재판의 이해	꼼꼼! 필기 노트	206쪽	◯월 ◯일	◯월 ◯일	☆☆☆☆☆
	탄탄! 활동 노트	207쪽	◯월 ◯일	◯월 ◯일	☆☆☆☆☆
	쑥쑥! 실력 키우기	208~209쪽	◯월 ◯일	◯월 ◯일	☆☆☆☆☆
뚝딱! 단원 마무리하기		210~213쪽	◯월 ◯일	◯월 ◯일	☆☆☆☆☆

법의 의미와 목적

+ 교리
종교적인 원리나 이치를 말한다. 즉, 각 종교의 종파가 진리라고 규정한 신앙의 체계를 이르는 말이다.

+ 계율
원래는 불교 신자가 지켜야 할 수행 규범을 뜻하는 용어였으나, 오늘날에는 모든 종교적 규율을 뜻하는 말로 폭넓게 사용된다.

+ 양심
자기의 행위에 대하여 옳고 그름, 선과 악의 판단을 내리는 도덕적 의식을 말한다.

+ 정의
• 모든 사람이 차별받지 않고 공평한 기회를 얻으며, 자신의 능력과 노력에 따라 정당한 대가를 받는 것
• 모든 사람에게 각자의 정당한 몫을 배분해 주는 것

+ 권리
일정한 이익을 주장하고 그것을 누릴 수 있는 법률상의 힘을 말한다.

1 법의 의미와 특성

사회 규범은 시대와 사회에 따라 달라져요.

1 **❶ [   ]**: 사회 구성원들이 사회생활을 하면서 지켜야 할 일정한 행동의 기준

2 **사회 규범의 종류** → 사회 규범은 사회 질서를 유지하기 위해 만들어졌어요.

종류	의미	예
관습	한 사회에서 오랜 세월 동안 지켜져 내려와 그 사회 구성원들이 널리 인정하는 질서나 풍습	장례 풍습, 결혼 풍습, 명절, 제사 등
종교 규범	특정 종교 사회에서 지켜야 할 교리나 계율+	십계명, 불경 등
도덕	대다수 사람이 양심에 따라 지켜야 할 행동의 기준+	어른의 공경, 예의 등
❷ [ ]	사회 구성원들의 합의에 따라 국가가 제정한 제도화된 규범	민법, 형법 등

3 **법과 도덕**

(1) **법과 도덕의 차이**

구분	목적	형성 과정	규율 대상	강제성	위반 시
법	정의 실현+	공식적 합의	외적 행동	있음	벌금, 처벌 등의 국가의 제재
도덕	선의 실현	관행, 상식	내적 동기	없음	양심의 가책, 사회적 비난

(2) **법과 도덕의 관계**

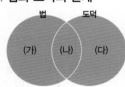

① (가): 순수 법 영역 예 혼인 신고, 출생 신고 등
② (나): 도덕에 바탕을 둔 법 영역 예 타인의 물건을 훔쳤을 경우, 도덕적으로 비난을 받을 뿐만 아니라 법적 처벌도 받음
③ (다): 순수 도덕 영역 예 부모님께의 효도, 어른의 공경 등

4 **법의 특성** → 법은 외적으로 보이는 행동을 규율해요.

(1) **❸ [   ]**: 다른 사회 규범과 달리 지키지 않으면 국가 권력에 의해 제재를 받음
(2) **명확성**: 다른 사회 규범에 비해 내용이 명확함

법은 개인은 물론 집단, 국가에 이르기까지 모두가 지켜야 할 기준이 돼요.

2 법의 기능과 목적

1 **법의 기능** → 법은 분쟁 해결의 기준과 절차를 제시하고 국민의 인권을 보장해요.

❹ [ ] 예방 및 해결	• 법은 사회생활에서 지켜야 할 행동 기준을 명확하게 제시해 줌 • 상대방의 행동에 따른 법적 결과를 예측할 수 있게 함
❺ [ ] 보호+	법은 국가에 대한 국민의 권리와 의무를 규정하고 있음
사회 질서 유지	다툼을 해결하고 범죄로부터 사람들을 보호함

2 **법의 목적**

❻ [ ] 실현	• 법이 실현하고자 하는 궁극적인 목적임 • 노력한 사람에게 정당한 보상을, 타인에게 피해를 준 사람에게는 제재를 가함
공공복리 증진	법은 개인이나 특정 집단의 이익뿐만 아니라 사회 구성원 ❼ [ ] 의 행복과 이익을 증진하는 것을 목적으로 함

콕콕! 핵심 개념

1 □□ □□: 사회 구성원들이 지켜야 할 행동 기준

2 □□□: 법은 지키지 않으면 국가 권력에 의해 제재를 받음

3 □□: 모든 사람에게 각자의 정당한 몫을 주는 것

활동 ① 다음을 보고 물음에 답하시오.

1 다음 (가)~(라)와 관련된 사회 규범을 바르게 연결해 보자.

(가)	(나)	(다)	(라)

・　　　　　　　　・　　　　　　　　・　　　　　　　　・

・　　　　　　　　・　　　　　　　　・　　　　　　　　・

　㉠ 관습　　　　　㉡ 종교 규범　　　　㉢ 도덕　　　　㉣ 법

2 다음 빈칸에 들어갈 알맞은 말을 써 보자.

> 법은 도덕과 달리 지키지 않을 경우 벌금이나 처벌 등과 같은 국가 권력에 의한 제재를 받는다는 점에서
> (　　　　　　　　　　)을(를) 지닌다.

활동 ② 다음 자료를 보고 물음에 답하시오.

▲ 서양의 정의의 여신상

▲ 우리나라의 정의의 여신상

▲ 해태상

　서양의 정의의 여신상은 안대로 ㉠ 두 눈을 감거나 가리고 한 손에는 저울을, 다른 한 손에는 ㉡ 칼을 들고 있다. 한편, 우리나라의 정의의 여신상은 눈을 뜨고 있으며 한 손에는 저울을 다른 한 손에는 칼 대신 ㉢ 법전을 들고 있다. '해태'의 본래 이름은 '해치'로, 시비와 선악을 판단한다는 상상의 동물이며, 부정한 사람을 보면 뿔로 받는다고 전해진다.

1 위의 ㉠~㉢이 의미하는 것을 써 보자.

㉠ – (　　　　　　　　)　　　　㉡ – (　　　　　　　　)　　　　㉢ – (　　　　　　　　)

2 위의 세 가지 상징물에서 공통적으로 나타난 법이 실현하고자 하는 궁극적인 목적을 서술해 보자.

1 STEP 개념을 되짚는 확인 문제

01 다음 빈칸에 들어갈 알맞은 말을 써 보자.

(1) (   )은(는) 사회 구성원들이 따라야 할 행동의 기준이며, 다양한 형태로 존재한다.

(2) (   )은(는) 사회 구성원들의 합의에 따라 국가가 제정한 사회 규범으로 우리의 일상생활과 밀접하게 연결되어 있다.

(3) 법은 (   )이(가) 있어 지키지 않으면 국가 권력에 의해 제재를 받는다.

(4) 법은 국가에 대한 국민의 권리와 의무를 규정하여 개인의 (   )을(를) 보호한다.

02 다음 설명에 해당하는 용어를 써 보자.

(1) 사회 규범 중 대다수 사람이 양심에 비추어 옳다고 여기는 행동의 기준이다.   (   )

(2) 법이 실현하고자 하는 목적이자 모든 사람에게 각자의 정당한 몫을 주는 것이다.   (   )

03 다음 설명이 옳으면 ○, 틀리면 ×에 표시해 보자.

(1) 관습은 한 사회에서 오랜 세월 동안 지켜져 내려와 그 사회 구성원들이 널리 인정하는 질서나 풍습을 말한다.   (○ | ×)

(2) 법은 내적인 동기와 외적인 행동을 모두 규율하며 위반 시 처벌을 받는다.   (○ | ×)

(3) 법은 일반적으로 정의 실현과 공공복리의 증진을 추구한다.   (○ | ×)

04 서로 관련 있는 내용끼리 연결해 보자.

(1) 신호등이 초록색일 때 •   • ㉠ 「도로 교통법」
길을 건넌다.

(2) 학교에 가서 친구들과 •   • ㉡ 「청소년 보호법」
함께 공부를 한다.

(3) 16세 미만의 청소년은 •   • ㉢ 「초·중등 교육법」
심야 시간에 인터넷 게임 이용이 제한된다.

2 STEP 기초를 다지는 기본 문제

01 사회 규범에 대한 설명으로 옳지 <u>않은</u> 것은?

① 관습, 종교 규범, 도덕, 법 등이 있다.
② 인간의 일상생활과 밀접한 관련이 있다.
③ 사회의 질서를 유지하기 위해 만들어졌다.
④ 어느 사회에서나 사회 규범의 내용은 같다.
⑤ 법은 다른 사회 규범과 달리 강제성을 지닌다.

02 다음 (가), (나)에 해당하는 사회 규범을 바르게 연결한 것은?

(가) 어른을 공경하고 부모에게 효도해야 한다.
(나) 우상을 섬기지 말라.

　　(가)　　(나)
① 관습　　법
② 관습　　종교 규범
③ 도덕　　법
④ 도덕　　관습
⑤ 도덕　　종교 규범

03 다음 사례와 관련된 사회 규범에 대한 설명으로 옳은 것은?

전통적으로 제사상을 차릴 때에는 생선은 동쪽에, 고기는 서쪽에 놓아야 한다. 이때 머리는 동쪽을 향하게, 꼬리는 서쪽을 향하게 놓아야 한다.

① 시간이 흘러도 절대 변하지 않는다.
② 위반 시에는 국가 권력의 제재를 받는다.
③ 특정 종교를 믿는 사람들만 지키는 교리이다.
④ 한 사회에서 오랜 세월 동안 반복되면서 만들어졌다.
⑤ 사회 구성원들의 공식적인 합의에 따라 만들어졌다.

04 법의 특징으로 옳은 것을 〈보기〉에서 고른 것은?

> **보기**
> ㄱ. 분쟁을 해결해 준다.
> ㄴ. 내적인 동기를 규제한다.
> ㄷ. 정의 실현을 목표로 한다.
> ㄹ. 성인만을 규제 대상으로 한다.

① ㄱ, ㄴ   ② ㄱ, ㄷ   ③ ㄴ, ㄷ
④ ㄴ, ㄹ   ⑤ ㄷ, ㄹ

05 다음을 통해 알 수 있는 법의 특징으로 옳은 것은?

> 타인의 재물을 절취한 자는 6년 이하의 징역 또는 1천만 원 이하의 벌금에 처한다.

① 강제성   ② 자발성   ③ 합리성
④ 사회성   ⑤ 변동성

06 다음을 통해 알 수 있는 법의 역할로 옳은 것은?

> A 씨는 몇 달 전 회사에서 일어난 사고로 다리를 다쳐 일주일 동안 입원하여 치료를 받았다. 이에 대해 A 씨는 회사에 보상을 청구했으나 받아들여지지 않자 근로 복지 공단에 산업 재해 보상을 신청하여 「산업 재해 보상 보험법」에 따라 보상금을 받게 되었다.

① 불필요한 분쟁을 사전에 예방한다.
② 다수의 행복과 이익을 증진시킨다.
③ 개인의 양심에 따라 행동하게 한다.
④ 국가의 처벌을 통해 선을 실현한다.
⑤ 명확한 기준을 제시하여 분쟁을 해결한다.

:3 STEP 실력을 완성하는 주관식·서술형 문제

07 법과 도덕의 차이점을 두 가지만 서술하시오.

08 다음 (가), (나)의 사례에서 나타나는 법의 기능을 각각 서술하시오.

> (가) A는 현재 영화관에서 상영 중인 영화를 인터넷에서 불법 유포하여 「저작권법」 위반으로 처벌을 받았다.
> (나) B는 인터넷 쇼핑몰에서 구입한 청바지가 홈페이지에 안내된 것과 매우 달라 환불을 요청했지만 받아들여지지 않자 소비자 보호 센터에 신고를 하였다.

09 다음 ㉠, ㉡에 들어갈 알맞은 말을 쓰시오.

> 법은 열심히 노력한 사람에게는 정당한 보상을 해 주고, 타인에게 피해를 준 사람에게는 제재를 가함으로써 (㉠)을(를) 실현한다. 또한 법은 개인이나 특정 집단의 이익뿐만 아니라 사회 구성원 다수의 행복과 이익인 (㉡)을(를) 증진하는 것을 목적으로 한다.

법의 유형과 특징

이것이 포인트!
- 공법, 사법, 사회법 구분
- 사례 분석을 통한 공법, 사법, 사회법의 특징 탐구

＋ 국가 기관
국가의 통치 작용을 담당하는 기관이다. 일반적으로 입법 기관, 사법 기관, 행정 기관으로 분류된다.

＋ 사법(私法)과 사법(司法)
사법(私法)은 개인 간의 권리와 의무에 관한 법을 의미하고, 사법(司法)은 법을 적용하는 국가의 작용을 의미한다.

＋ 노사 갈등
노동자와 회사 사이에서 발생하는 갈등으로 노동자와 기업 간 임금이나 근로 시간 등과 같은 근로 조건에 대해 상반된 의견을 가질 때 나타나며, 노사 갈등이 심해지면 노사 분쟁이 일어나기도 한다.

＋ 복지 국가
국민 전체의 삶의 질 향상과 행복 추구를 국가의 가장 중요한 역할로 보는 국가를 말한다.

＋ 노동조합
노동자의 지위 향상, 근로 조건 개선 등을 목적으로 노동자들이 자주적으로 조직한 단체를 말한다.

＋ 독점
특정 기업이 유일한 시장 공급자이기 때문에 생산과 시장을 지배하여 이익을 독차지하는 것을 말한다.

콕콕! 핵심 개념

1 ☐☐: 개인과 국가, 또는 국가 기관 간의 공적인 생활 관계를 규율하는 법

2 ☐☐: 개인과 개인 간의 사적인 생활 관계를 규율하는 법

3 ☐☐☐: 모든 국민에게 최소한의 인간다운 생활을 보장하기 위해 등장한 새로운 법

1 공법과 사법 → 법은 규율하는 생활 영역에 따라 크게 공법, 사법, 사회법으로 나뉘어요.

1 [①] → 공법은 공권력에 대해 규정하고 있어요.

(1) **의미**: 개인과 국가 또는 국가 기관 간의 공적인 생활 관계를 규율하는 법 ＋

(2) **종류** → 세법, 병역법, 선거법 등도 공법에 속해요.

②	국민의 권리와 의무 및 국가의 통치 구조를 정해 놓은 법
형법	범죄의 종류와 형벌의 강도를 정해 놓은 법
행정법	행정의 조직과 작용 및 구제에 관한 법
소송법	재판이 이루어지는 절차를 규정한 법

2 [③] ＋ → 사법은 개인의 자유와 권리가 중시되었던 근대 이후부터 강조되었어요.

(1) **의미**: 개인과 개인 간의 사적인 생활 관계를 규율하는 법

(2) **종류**   재산권, 혼인, 친족, 유언, 상속 등에 관한 내용이에요.

④	재산 관계와 가족 관계를 규율하는 법 ──
상법	상인과 기업의 경제생활 관계를 규정한 법

2 사회법 → 사회법은 모든 국민의 실질적 평등과 복지 증진을 목표로 해요.

1 등장 배경: 산업 혁명 이후 자본주의가 급속히 발달하면서 빈부 격차, 노사 갈등 등 사회 문제가 발생함 ＋

2 의미: 국가가 [⑤]를 보호하여 모든 국민에게 최소한의 [⑥]다운 생활을 보장하기 위한 법 → 사법 영역에 국가가 개입하여 사회·경제적 약자를 보호하고자 함

3 특징

① 공법과 사법의 [⑦]적 성격을 가짐

② 사회적 약자의 권리를 보호하고 인간다운 생활을 보장함으로써 모든 국민의 실질적 평등과 복지 증진을 목표로 함

③ 현대 [⑧] 국가에서 중요성이 커지고 있음 ＋

4 종류

노동법	근로 환경에서 발생할 수 있는 각종 문제를 해결하며 노동자의 권리를 보호하기 위한 법 예 「근로 기준법」, 「노동조합 및 노동관계 조정법」, 「최저 임금법」 등 ＋
경제법	공정하고 자유로운 경쟁을 촉진하여 창의적인 기업 활동을 돕고, 소비자의 권익을 보호하며 국민 경제의 균형 있는 발전을 도모하기 위한 법 예 「독점 규제 및 공정 거래에 관한 법률」, 「소비자 기본법」 등 ＋
⑨	빈곤, 실업, 질병 등으로 어려움을 겪고 있는 사람들을 도와주고, 모든 국민의 최소한의 인간다운 삶을 보장하기 위한 법 예 「국민 기초 생활 보장법」, 「국민연금법」, 「국민 건강 보험법」, 「노인 장기 요양 보험법」, 「긴급 복지 지원법」 등

활동 ① 다음을 보고 물음에 답하시오.

> (가) 국가와 개인 간, 국가 기관 상호 간의 관계를 규율하는 법
> (나) 개인과 개인 간의 관계를 규율하는 법

1 위의 (가), (나)에 해당하는 법 영역을 각각 써 보자.

(가) – (   )　　　　　　　(나) – (   )

2 위의 (가), (나)에 해당하는 사례를 ㉠~㉣에서 찾아 바르게 연결해 보자.

　　　　　　　　　　　(가)　　　　　　　　　　　　　　　　(나)
　　　　　　　　　　　　•　　　　　　　　　　　　　　　　　•

활동 ② 다음을 보고 물음에 답하시오.

> 　근대 자본주의 경제는 자유방임주의를 기반으로 하여 개인의 경제적 자유와 활동을 최대한 보장하고, 국가의 간섭은 최대한 축소하는 것을 지향하였다. 그런데 이러한 과정에서 ㉠ 기업의 독점, 빈익빈 부익부, 대규모의 실업 발생과 같은 여러 가지 사회적 모순과 부조리가 발생하게 되었다. 이에 따라 경제적 약자, 장애인, 여성 등 차별받는 ㉡ 사회적 약자를 보호하고 모든 국민에게 최소한의 인간다운 삶을 보장하기 위해 ┌─(가)─┐이(가) 등장하였다. └─(가)─┘은(는) 사법적 영역에 국가가 개입하기 때문에 ㉢ 공법과 사법 중 공법에 더 가깝다. 또한 ┌─(가)─┐은(는) 모든 국민의 실질적 평등과 복지 증진을 목표로 하기 때문에 ㉣ 현대 복지 국가에서 그 중요성이 감소하고 있다. 이러한 ┌─(가)─┐에는 ㉤ 노동법, 경제법, 사회 보장법 등이 있다.

1 빈칸 (가)에 들어갈 알맞은 말을 써 보자.

2 밑줄 친 ㉠~㉤ 중 틀린 부분을 모두 찾아 고쳐 써 보자.

· 1 STEP 개념을 되짚는 확인 문제

01 다음 빈칸에 들어갈 알맞은 말을 써 보자.

(1) (   )은(는) 개인과 국가 또는 국가 기관 간의 공적인 생활 관계를 규율하는 법이다.

(2) (   )은(는) 개인과 개인 간의 사적인 생활 관계를 규율하는 법이다.

(3) 사회·경제적 약자를 보호하고 모든 국민의 최소한의 인간다운 삶을 보장하기 위해 (   )이(가) 등장하였다.

(4) 사회법은 공익 실현을 위해 사법 영역에 국가가 개입하는 것으로 공법과 사법의 (   ) 성격을 띤다.

02 다음 설명에 해당하는 용어를 써 보자.

(1) 공법 중 국민의 권리와 의무 및 국가의 통치 구조를 정해 놓은 법이다. (   )

(2) 사회법 중 모든 국민의 최소한 인간다운 삶을 보장하기 위한 법이다. (   )

03 다음 설명이 옳으면 ○, 틀리면 ×에 표시해 보자.

(1) 범죄의 종류와 형벌의 정도를 정해 놓은 형법은 공법에 해당한다. (○ | ×)

(2) 상인과 기업의 경제생활 관계를 규정하는 상법은 사회법에 해당한다. (○ | ×)

(3) 사회법은 현대 복지 국가에서 역할과 중요성이 더욱 커지고 있다. (○ | ×)

04 사회법에 해당하는 것을 〈보기〉에서 모두 골라 보자.

> **보기**
> ㄱ. 민법   ㄴ. 헌법   ㄷ. 노동법
> ㄹ. 행정법   ㅁ. 사회 보장법

: 2 STEP 기초를 다지는 기본 문제

01 법의 분류에 대한 설명으로 옳은 것은?

① 민사 소송법은 사법에 속한다.
② 유언, 상속은 공법의 규율을 받는다.
③ 사회법은 공법과 사법의 중간적 성격을 띤다.
④ 공법은 현대 복지 국가에서 더욱 중요해졌다.
⑤ 사법은 사회적 약자를 보호하기 위해 등장하였다.

02 다음 (가), (나)에 해당하는 법을 바르게 연결한 것은?

> (가) 개인과 국가, 국가 기관 간의 공적인 관계를 규율한 법
> (나) 개인과 개인 간의 사적인 생활 관계를 규율한 법

	(가)	(나)
①	헌법	형법
②	헌법	노동법
③	형법	민법
④	노동법	헌법
⑤	노동법	민법

03 다음 (가)~(다)의 법 조항과 관련된 법 영역을 바르게 연결한 것은?

> (가) 혼인은 신고함으로써 그 효력이 생긴다.
> (나) 19세 이상의 국민은 대통령 및 국회 의원의 선거권이 있다.
> (다) 사용자가 근로자에게 부당 해고 등을 하면 근로자는 노동 위원회에 구제를 신청할 수 있다.

	(가)	(나)	(다)
①	공법	사법	사회법
②	공법	사회법	사법
③	사법	공법	사회법
④	사법	사회법	공법
⑤	사회법	공법	사법

04 다음 사례와 관련된 법으로 옳은 것은?

> A 씨는 친구에게 빌려준 돈을 몇 년째 돌려받지 못하여 손해 배상을 청구하였다.

① 민법 　② 상법 　③ 형법
④ 행정법 　⑤ 경제법

05 다음과 같은 배경에서 등장한 법의 특징으로 옳은 것은?

> 근대 사회에서는 산업화가 진행되고 개인의 자유로운 경제 활동을 보장하는 과정에서 빈익빈 부익부, 노사 갈등, 실업 등과 같은 여러 가지 사회 문제가 발생하였다. 이러한 문제를 해결하고 사회적 약자를 보호하기 위해 새로운 법이 등장하였다.

① 공법보다 사법에 더 가깝다.
② 국민의 생활을 통제하고자 한다.
③ 실질적 평등보다 형식적 평등을 추구한다.
④ 개인의 자유로운 경제 활동을 무제한 보장한다.
⑤ 현대 복지 사회에서 중요성이 더욱 강조되고 있다.

06 다음 중 사회법과 관련된 사례가 <u>아닌</u> 것은?

① 모든 국민은 국방의 의무를 진다.
② 근로자에게 법정 최저 임금을 지급해야 한다.
③ 일주일 전에 실직을 하여 실업 급여를 신청하였다.
④ 인터넷으로 구입한 청바지가 마음에 들지 않아 환불하였다.
⑤ 미래의 질병이나 사고에 대비하여 국민 건강 보험료를 납부하고 있다.

:3 STEP 실력을 완성하는 **주관식·서술형 문제**

07 다음 (가), (나)에 해당하는 법 영역을 쓰고, (가), (나)에 해당하는 법의 종류를 구분하여 서술하시오.

(가)	(나)
개인과 국가 또는 국가 기관 간의 공적인 생활 관계를 규율하는 법	개인과 개인 간의 사적인 생활 관계를 규율하는 법

08 다음은 어떤 법에 대해 정의한 것이다. (가)에 들어갈 알맞은 내용을 서술하시오.

> • 등장 배경: 빈부 격차, 노사 갈등과 같은 근대 산업 사회의 문제점 발생
> • 특징: 사법과 공법의 중간적 성격
> • 목적: _____ (가)

09 다음 사례와 관련 있는 법 영역을 쓰시오.

> 현재 한 포털 사이트에서 연재되고 있는 인기 웹툰 「송곳」은 대한민국의 노동 현실과 노동 운동을 소재로 하고 있다. 웹툰 「송곳」은 대형마트의 직원 해고에 맞서 노조를 조직하여 대항하는 과정을 그리고 있다.

재판의 이해

이것이 **포인트!**
- 민사 재판과 형사 재판 구분
- 공정한 재판을 위한 제도

꼼꼼! 필기 노트

✚ 여러 가지 재판

- **가사 재판**: 이혼이나 상속과 같이 가족이나 친족 간에 벌어진 다툼을 해결하는 재판이다.
- **행정 재판**: 행정 기관이 국민의 권리를 침해하였는지 판단하는 재판이다.
- **선거 재판**: 선거와 당선의 효력에 관한 다툼을 해결하는 재판이다.
- **헌법 재판**: 헌법 질서를 지키고 국민의 기본권을 보장하기 위한 재판으로 헌법 재판소에서 담당하며 위헌 법률 심판과 헌법 소원 심판 등이 있다.
- **소년 보호 재판**: 소년이 저지른 범죄나 잘못된 행동을 다루는 재판이다.
- **국민 참여 재판**: 만 20세 이상의 국민 가운데 무작위로 선정된 배심원들이 형사 재판에 참여하여 피고인의 유 · 무죄에 대한 평결을 내리지만 법적인 구속력은 없는 재판이다.

✚ 법관

헌법과 법원 조직법이 정한 바에 따라 임명되어 사법부를 구성하고 대법원과 각급 법원에서 재판 사무를 담당하는 공무원을 말한다.

✚ 헌법에 명시된 사법권의 독립

제101조 ① 사법권은 법관으로 구성된 법원에 속한다.
제103조 법관은 헌법과 법률에 의하여 그 양심에 따라 독립하여 심판한다.

콕콕! 핵심 개념

1 ☐☐☐: 개인과 개인 사이의 권리와 의무에 관한 분쟁을 해결하기 위한 재판

2 ☐☐☐☐: 범죄 여부와 형벌의 양을 결정하기 위한 재판

3 ☐☐ ☐☐: 한 사건에 대해 급을 달리하는 법원에서 여러 번 재판을 받을 수 있게 한 제도

---

1 재판의 의미와 종류

1 ☐ ① ☐ **의 의미와 역할** → 재판은 법치 사회에서 사회의 여러 분쟁들을 해결하는 공식적인 절차예요.

(1) **의미**: 법원에서 법관이 법을 적용하여 옳고 그름을 판단하거나 죄의 유무와 형벌의 정도를 결정하는 과정

(2) **역할**: 분쟁의 공정한 해결, 사회 질서 유지, 사회 정의 실현, 국민의 권리 보호 등

2 재판의 종류✚ → 사건의 성격이나 재판 당사자에 따라 여러 종류로 나뉘어요.

(1) ☐ ② ☐ **재판**: 개인과 개인 사이의 권리와 의무에 관한 분쟁을 해결하기 위한 재판

(2) ☐ ③ ☐ **재판**: 범죄가 발생했을 때 죄가 있는지를 판단하고 형벌의 양을 결정하기 위한 재판

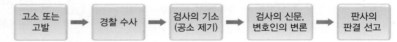

2 공정한 재판을 위한 제도 → 재판이 공정하게 이루어져야 국민의 자유와 권리를 보장할 수 있어요.

1 ☐ ④ ☐ **의 독립**

법원의 독립	법원의 조직이나 운영에 있어 다른 기관으로부터 독립하여 외부의 간섭이나 압력을 받지 않도록 함
법관의 독립	법관의 신분을 보장하여 ☐ ⑤ ☐과 ☐ ⑥ ☐에 근거하여 양심에 따라 판단하도록 보장함

2 재판의 기본 원칙

☐ ⑦ ☐ 재판주의	반드시 증거에 의해서만 범죄 사실을 인정해야 한다는 원칙
☐ ⑧ ☐ 재판주의	재판의 심리와 판결은 공개해야 한다는 원칙

3 ☐ ⑨ ☐ 제도

(1) **의미**: 한 사건에 대해 급을 달리 하는 법원에서 여러 번 재판을 받을 수 있게 한 제도

(2) **목적**: 법관의 오판 가능성을 최소화하고 공정한 재판을 실현하여 국민의 자유와 권리 보장

(3) **내용**

① 우리나라는 한 사건에 대해 세 번까지 재판을 받을 수 있는 ☐ ⑩ ☐를 채택함

② **상소**: 하급 법원의 판결에 불만이 있을 때 상급 법원에 다시 재판을 청구하는 것

③ **항소**: 1심 법원의 판결에 불복하여 2심을 청구하는 것

④ **상고**: 2심 법원의 판결에 불복하여 3심을 청구하는 것

→ 우리나라는 기본적으로 3심제를 운영하고 있지만 2심제, 단심제로 끝나는 재판도 있어요. 선거 재판은 단심제와 2심제로, 특허 재판 중 일부는 2심제로 운영해요.

3심 대법원

상고 ↑ 상고 ↑

2심 지방 법원 본원 합의부 · 고등 법원

항소 ↑

1심 지방 법원 단독 판사 · 지방 법원 합의부

탄탄! 활동 노트

활동 1 다음 자료를 보고 물음에 답하시오.

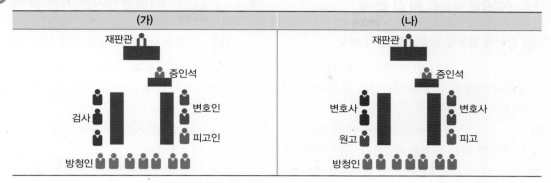

(가)	(나)

1 위의 (가), (나)에 해당하는 재판의 종류를 써 보자.

(가) – (   )　　　　　(나) – (   )

2 위의 (가), (나)에 해당하는 구체적인 사례를 〈보기〉에서 골라 연결해 보자.

> **보기**
> ㄱ. A는 지하철에서 다른 사람의 물건을 몰래 훔치다가 경찰에 붙잡혔다.
> ㄴ. B는 C에게 천만 원을 빌려주었으나 약속한 시간이 지나도 돈을 받지 못하고 연락이 두절되었다.
> ㄷ. D는 다른 사람의 개인 정보를 유출하였고, 그 정보를 팔아 돈을 벌었다.
> ㄹ. E는 F가 살던 아파트를 사기 위해 매매 계약을 체결하고 돈을 지불하였는데, 갑자기 G가 나타나 자신이 주인이라고 주장하고 있다.

(가): _____　　　(나): _____

활동 2 다음 자료를 보고 물음에 답하시오.

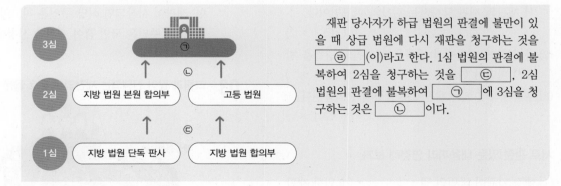

재판 당사자가 하급 법원의 판결에 불만이 있을 때 상급 법원에 다시 재판을 청구하는 것을 ㉣ (이)라고 한다. 1심 법원의 판결에 불복하여 2심을 청구하는 것을 ㉢, 2심 법원의 판결에 불복하여 ㉠ 에 3심을 청구하는 것은 ㉡ 이다.

1 위의 ㉠~㉣에 들어갈 알맞은 말을 써 보자.

㉠ – (   )　　㉡ – (   )　　㉢ – (   )　　㉣ – (   )

2 위와 같은 제도를 실시하고 있는 목적을 서술해 보자.

쑥쑥! 실력 키우기

단계별 문제를 풀면서 실력을 쑥쑥 키워보세요.

·1 STEP 개념을 되짚는 확인 문제

01 다음 빈칸에 들어갈 알맞은 말을 써 보자.

(1) (　　　　　)은(는) 법원에서 법관이 법을 적용하여 다양한 분쟁을 해결하는 공식적인 절차이다.

(2) (　　　　　) 재판은 개인과 개인 간의 권리와 의무에 관한 분쟁을 해결하기 위한 재판이다.

(3) (　　　　　) 재판은 죄가 있는지를 판단하고 형벌의 양을 결정하기 위한 재판이다.

(4) 우리나라는 일반적으로 한 사건에 대하여 세 번까지 판결을 받을 수 있는 (　　　　　)을(를) 채택하고 있다.

02 다음에서 설명하는 용어를 써 보자.

(1) 재판의 심리와 판결은 공개해야 한다는 재판의 기본 원칙이다. (　　　　　)

(2) 한 사건에 대해 급을 달리하는 법원에서 여러 번 재판을 받을 수 있게 한 제도이다. (　　　　　)

03 다음 설명이 옳으면 ○, 틀리면 ×에 표시해 보자.

(1) 민사 재판의 재판 당사자는 원고와 피고이고, 형사 재판의 재판 당사자는 검사와 피고인이다.
(　○　|　×　)

(2) 국민 참여 재판에서 법관은 배심원의 평결을 반드시 따라야 한다. (　○　|　×　)

(3) 우리나라의 모든 재판에는 삼심제가 적용된다.
(　○　|　×　)

04 서로 관련 있는 내용끼리 연결해 보자.

(1) 행정 기관이 국민의 권리를 침해한 경우 · · ㉠ 민사 재판

(2) 학급 내에서 학교 폭력 사건이 발생한 경우 · · ㉡ 행정 재판

(3) 지인에게 빌려준 돈을 받지 못하고 있는 경우 · · ㉢ 소년 보호 재판

:2 STEP 기초를 다지는 기본 문제

01 재판에 대한 설명으로 옳지 않은 것은?

① 분쟁을 해결하기 위한 공식적인 절차이다.

② 사건의 성격이나 당사자에 따라 여러 종류로 나뉜다.

③ 법관이 법을 적용하여 옳고 그름을 판단하는 과정이다.

④ 모든 분쟁은 재판을 통해 해결하는 것이 가장 바람직하다.

⑤ 국민의 권리를 보호하고 사회 질서를 유지하는 역할을 한다.

02 〔중요〕 다음 상황과 관련된 재판으로 옳은 것은?

> 조용한 주택가에 어느 음식점이 새로 문을 열었다. 늦은 밤까지 영업을 하는 음식점 때문에 시끄러워서 불편을 겪는 동네 주민들은 여러 번 주의해 줄 것을 요청했으나 나아지지 않자 재판을 통해 해결하려고 한다.

① 검사가 공소를 제기하면 재판이 시작된다.

② 동네 주민은 형사 재판을 청구할 수 있다.

③ 재판이 시작되면 동네 주민은 원고가 된다.

④ 재판이 시작되면 식당 주인은 피고인이 된다.

⑤ 동네 주민은 국민 참여 재판을 신청할 수 있다.

03 그림과 같이 진행되는 재판의 종류로 옳은 것은?

① 민사 재판　② 행정 재판　③ 군사 재판

④ 특허 재판　⑤ 국민 참여 재판

04 다음 (가), (나)의 상황과 관련된 재판의 종류를 바르게 연결한 것은?

> (가) 부주의한 하수도 공사로 집 앞 담장이 무너지자 집주인 A는 시청을 상대로 소송을 제기하였다.
> (나) 층간 소음으로 고충을 겪던 B는 계속적인 노력에도 해결되지 않자 소송을 제기하였다.

	(가)	(나)
①	민사 재판	형사 재판
②	민사 재판	행정 재판
③	형사 재판	민사 재판
④	행정 재판	민사 재판
⑤	행정 재판	형사 재판

05 다음 헌법 조항과 관련 있는 제도로 옳은 것은?

> 제103조 법관은 헌법과 법률에 의하여 그 양심에 따라 독립하여 심판한다.
> 제106조 ① 법관은 탄핵 또는 금고 이상의 형의 선고에 의하지 아니하고는 파면되지 아니하며 ……

① 심급 제도　　　　② 공개 재판주의
③ 증거 재판주의　　④ 사법권의 독립
⑤ 무죄 추정의 원칙

06 공정한 재판을 위한 제도로 옳은 것을 〈보기〉에서 고른 것은?

> **보기**
> ㄱ. 심급 제도　　　　ㄴ. 비밀 재판주의
> ㄷ. 증거 재판주의　　ㄹ. 입법권의 독립

① ㄱ, ㄴ　　② ㄱ, ㄷ　　③ ㄴ, ㄷ
④ ㄴ, ㄹ　　⑤ ㄷ, ㄹ

3 STEP 실력을 완성하는 주관식·서술형 문제

07 다음 상황과 관련 있는 재판의 종류를 쓰고, 이 재판의 당사자는 누구인지 서술하시오.

> A는 편의점에서 아르바이트를 하고 있다. A는 주인이 없는 틈을 타서 수차례 편의점에서 판매하는 물건을 훔쳤고 이를 알게 된 편의점 주인 B는 A에게 호통을 치며 변상을 요구하였다. 이에 화가 난 A는 B를 폭행하였고 결국 B는 A를 고소하여 재판이 열리게 되었다.

08 다음 제도들의 공통적인 목적을 서술하시오.

> ・심급 제도　　　・공개 재판주의
> ・증거 재판주의　・사법권의 독립

09 다음 ㉠에 들어갈 제도를 쓰시오.

> 우리나라는 신중한 재판을 위하여 3번까지의 재판을 보장하는 (　㉠　)을(를) 채택하고 있다. 이 중에서 1심 판결에 불복하여 2심을 청구하는 것을 항소, 2심 판결에 불복하여 3심을 청구하는 것을 상고라고 한다.

 01 사회 규범에 대한 설명으로 옳은 것을 〈보기〉에서 고른 것은?

> **보기**
> ㄱ. 사회 규범은 시대와 사회에 따라 달라진다.
> ㄴ. 결혼 풍습이나 명절 등은 관습에 해당한다.
> ㄷ. 법은 인간의 양심에 따라 지켜야 할 도리이다.
> ㄹ. 도덕을 지키지 않으면 국가에 의해 처벌을 받는다.

① ㄱ, ㄴ　　② ㄱ, ㄷ　　③ ㄴ, ㄷ
④ ㄴ, ㄹ　　⑤ ㄷ, ㄹ

02 다음 법 조항을 통해 알 수 있는 법의 특성을 쓰시오.

> 제257조 (상해, 존속 상해) ① 사람의 신체를 상해한 자는 7년 이하의 징역, 10년 이하의 자격 정지 또는 1천만 원 이하의 벌금에 처한다.

 03 다음 (가)와 (나)가 속하는 영역을 A~C에서 골라 바르게 연결한 것은?

> (가) 어려운 이웃을 도와주어야 한다.
> (나) 이사를 하면 14일 내에 전입 신고를 해야 한다.

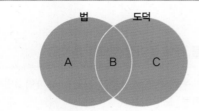

	(가)	(나)		(가)	(나)
①	A	B	②	A	C
③	B	A	④	B	C
⑤	C	A			

04 법과 도덕을 비교한 내용으로 옳지 <u>않은</u> 것은?

구분	법	도덕
① 목적	정의의 실현	선의 실현
② 형성 과정	공식적 합의	관행, 상식
③ 규율 대상	내적 동기	외적 행동
④ 강제성	있음	없음
⑤ 위반 시	국가의 제재	양심의 가책

05 다음을 통해 알 수 있는 법의 기능으로 가장 적절한 것은?

> 「소비자 기본법」 제4조에 의해 소비자는 안전할 권리, 알 권리, 선택할 권리, 피해 보상을 받을 권리 등 여덟 가지의 권리를 갖는다.

① 선의 실현
② 사회 질서 유지
③ 사회 안전 보장
④ 국민의 권리 보호
⑤ 경제 활동의 자유 보장

06 일상생활과 관련된 법이 바르게 연결되지 <u>않은</u> 것은?

① 「도로 교통법」 - 녹색 신호등이 켜지면 횡단보도를 건넌다.
② 「청소년 활동 진흥법」 - 청소년은 유해 업소에 출입할 수 없다.
③ 「학교 급식법」 - 학생은 균형 잡힌 건강한 식단으로 차려진 급식을 먹는다.
④ 「근로 기준법」 - 18세 미만의 근로자는 오후 10시 이후에는 일을 할 수 없다.
⑤ 「아동 복지법」 - 아동에게 폭행을 가하거나 정서적으로 학대를 한 부모는 처벌받을 수 있다.

07 법 영역에 대한 설명으로 옳지 <u>않은</u> 것은?

① 헌법, 형법, 행정법 등은 공법에 속한다.
② 민법, 상법, 소송법 등은 사법에 속한다.
③ 개인과 국가 간의 관계는 공법과 관련이 있다.
④ 개인과 개인 간의 관계는 사법과 관련이 있다.
⑤ 사회법은 공법과 사법의 중간적 성격을 갖는다.

08 다음 (가), (나)와 관련된 법이 바르게 연결된 것은?

(가) A는 친구에게 빌려준 돈을 약속한 날짜가 지나도록 받지 못하고 친구와 연락도 되지 않아 법의 도움을 받으려고 한다.
(나) B는 자동차 사고가 난 뒤 치료비를 보험 회사에 청구했으나 보험 회사 직원의 실수로 치료비를 받지 못하였다.

	(가)	(나)		(가)	(나)
①	민법	상법	②	민법	행정법
③	상법	민법	④	상법	행정법
⑤	행정법	상법			

09 다음 상황에서 등장한 법 영역에 해당하는 것을 〈보기〉에서 고른 것은?

근대 산업 사회에서 나타나는 빈부 격차, 노사 갈등과 같은 사회 문제를 해결하고 사회적 약자를 보호하여 모든 국민에게 최소한의 인간다운 생활을 보장하기 위해 등장하였다.

보기
ㄱ. 선거법   ㄴ. 소송법
ㄷ. 근로 기준법   ㄹ. 소비자 기본법
ㅁ. 독점 규제 및 공정 거래에 관한 법률

① ㄱ, ㄴ, ㄷ   ② ㄱ, ㄴ, ㅁ   ③ ㄴ, ㄷ, ㄹ
④ ㄴ, ㄹ, ㅁ   ⑤ ㄷ, ㄹ, ㅁ

10 다음 법들을 모두 포함하는 법 영역으로 옳은 것은?

• 행정의 조직과 작용 및 구제에 관한 법
• 범죄의 종류와 형벌의 강도를 정해 놓은 법
• 국민의 권리와 의무 및 국가의 통치 구조를 정해 놓은 법

① 헌법   ② 사법   ③ 공법
④ 사회법   ⑤ 소송법

11 다음 ㉠~㉤과 관련 있는 법 영역의 연결이 바르지 <u>않은</u> 것은?

A는 요즘 고민이 많다. 3년 전 직장 동료였던 B와 ㉠ 결혼을 하였고 얼마 전 딸을 ㉡ 출산하였다. ㉢ 출산 휴가를 내고 집에서 육아를 하던 A는 인터넷으로 주문한 기저귀에서 이상한 냄새가 나고 변색이 되어 있는 것을 발견하고 판매 업체에 ㉣ 환불을 요구했으나 판매 업체는 환불을 거부하고 있는 상황이다. 설상가상으로 얼마 전 남편 B는 회식 후 음주 운전을 하다가 ㉤ 음주 단속에 걸려 벌금을 내게 되었다.

① ㉠ – 민법   ② ㉡ – 사법
③ ㉢ – 상법   ④ ㉣ – 사회법
⑤ ㉤ – 공법

12 다음 설명에 해당하는 법의 종류로 옳은 것은?

모든 국민의 최소한의 인간다운 삶을 보장하기 위한 법으로 「국민 기초 생활 보장법」, 「국민연금법」, 「국민 건강 보험법」 등이 있다.

① 민법   ② 노동법   ③ 행정법
④ 경제법   ⑤ 사회 보장법

13 다음 (가), (나)의 재판과 관련된 사례를 〈보기〉에서 골라 바르게 연결한 것은?

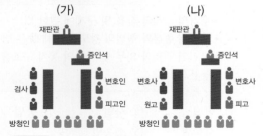

보기
ㄱ. A는 3개월 동안 일한 월급을 1년째 받지 못하고 있다.
ㄴ. B는 얼마 전 도둑이 들어 현금과 귀중품을 도난당하였다.
ㄷ. C는 과속으로 운전을 하다가 횡단보도를 건너던 사람을 치어 다치게 했다.
ㄹ. D는 전세 계약 기간이 끝나 다른 곳으로 이사를 간 이후에도 전세금을 돌려받지 못하고 있다.

	(가)	(나)		(가)	(나)
①	ㄱ, ㄴ	ㄷ, ㄹ	②	ㄱ, ㄷ	ㄴ, ㄹ
③	ㄴ, ㄷ	ㄱ, ㄹ	④	ㄴ, ㄹ	ㄱ, ㄷ
⑤	ㄷ, ㄹ	ㄱ, ㄴ			

14 다음 사례에 대한 설명으로 옳은 것은?

아파트에 살고 있는 A는 얼마 전 안방 천장에서 물이 떨어지는 것을 보고 깜짝 놀랐다. 원인을 찾아보니 위층 집에서 내부 공사를 하던 중에 실수가 있었던 것을 발견하였다. 이에 대해 A는 위층 집주인인 B에게 손해 배상을 요구했으나 받아들여지지 않았고, 법의 도움을 받고자 한다.

① B는 피고인이 된다.
② 민사 재판이 열리게 된다.
③ 검사의 기소로 재판이 시작된다.
④ 1심 판결에 불복하면 대법원에 재판을 다시 청구할 수 있다.
⑤ A는 국민 참여 재판을 요구하여 배심원에게 죄의 유무를 물을 수 있다.

15 다음과 같은 절차를 거치는 재판의 종류로 옳은 것은?

① 민사 재판
② 형사 재판
③ 가사 재판
④ 행정 재판
⑤ 선거 재판

16 다음 헌법 조항과 관련 있는 공정한 재판을 위한 제도를 쓰시오.

• 제101조 ① 사법권은 법관으로 구성된 법원에 속한다.
• 제103조 법관은 헌법과 법률에 의하여 그 양심에 따라 심판한다.

17 다음 (가)~(마)에 들어갈 말로 적절하지 **않은** 것은?

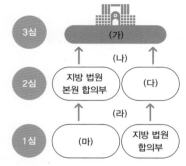

① (가) – 대법원
② (나) – 상고
③ (다) – 고등 법원
④ (라) – 상소
⑤ (마) – 지방 법원 단독 판사

18 다음 ㉠~㉢에 들어갈 알맞은 말을 쓰고, ㉠, ㉡과 달리 ㉢이 갖고 있는 특성을 서술하시오.

〈사회 규범의 종류〉

1. (㉠): 한 사회에서 오랜 세월 동안 지켜져 내려와 그 사회 구성원들이 인정하는 질서나 풍습
2. (㉡): 대다수 사람이 양심에 비추어 옳다고 여기는 행동의 기준
3. (㉢): 사회 구성원들의 합의에 따라 국가가 제정한 제도화된 규범

19 다음 글을 통해 알 수 있는 법의 목적을 바르게 서술하시오.

법은 노력한 사람에게는 정당한 보상을 주고 타인에게 피해를 준 사람에게는 제재를 가한다. 또한 법은 개인이나 특정 집단의 이익뿐만 아니라 사회 구성원 다수의 행복과 이익을 증진시키고자 한다.

고난도
20 다음 (가), (나)의 사례가 해당하는 법 영역을 그 이유와 함께 서술하시오.

(가) A는 입영 통지서를 받아 다음 달에 육군 훈련소로 입대하게 되었다.
(나) B와 C는 새로운 아파트에 이사한 뒤 전입 신고를 하였다.

21 다음 제시된 상황들을 모두 포괄하는 법 영역의 특징을 **두 가지** 서술하시오.

다치거나 질병이 생겨 치료를 받을 때에는 「국민 건강 보험법」에 따라 보험 급여를 받을 수 있다.

「소비자 기본법」에 따라 소비자는 물품의 사용으로 입은 피해에 대하여 적절한 보상을 받을 수 있다.

고난도
22 다음 상황에서 열리게 될 재판의 종류를 쓰고, 재판 전후에 따른 B의 지위 변화를 서술하시오.

A는 온라인 게임을 하던 중 모두가 볼 수 있는 공개 채팅 창에서 B로부터 지속적인 욕설과 인신 공격을 당해 법의 도움을 받으려고 한다.

23 다음과 같은 제도의 필요성을 서술하시오.

재판 당사자가 하급 법원의 판결에 불만이 있을 때 상급 법원에 다시 재판을 청구하는 것을 심급 제도라고 한다. 1심 법원의 판결에 불복하여 2심을 청구하는 것을 항소, 2심 법원의 판결에 불복하여 대법원에 3심을 청구하는 것은 상소이다.

12

이 단원을 배우면

사회 변동의 의미와 요인을 알고, 한국 사회 변동의 최근 경향에 대응하는 자세를 기를 수 있어요. 아울러 현대 사회의 문제점을 알고, 이를 해결할 수 있는 방법을 탐색할 수 있어요.

사회 변동과 사회 문제

 : 나의 학습 진도표

중단원명	학습 코너	쪽수	학습 예정일	학습 완료일	달성도
01 현대 사회의 변동 특징	꼼꼼! 필기 노트	216쪽	◯월 ◯일	◯월 ◯일	☆☆☆☆☆
	탄탄! 활동 노트	217쪽	◯월 ◯일	◯월 ◯일	☆☆☆☆☆
	쑥쑥! 실력 키우기	218~219쪽	◯월 ◯일	◯월 ◯일	☆☆☆☆☆
02 한국 사회 변동의 최근 경향	꼼꼼! 필기 노트	220쪽	◯월 ◯일	◯월 ◯일	☆☆☆☆☆
	탄탄! 활동 노트	221쪽	◯월 ◯일	◯월 ◯일	☆☆☆☆☆
	쑥쑥! 실력 키우기	222~223쪽	◯월 ◯일	◯월 ◯일	☆☆☆☆☆
03 현대 사회의 사회 문제	꼼꼼! 필기 노트	224쪽	◯월 ◯일	◯월 ◯일	☆☆☆☆☆
	탄탄! 활동 노트	225쪽	◯월 ◯일	◯월 ◯일	☆☆☆☆☆
	쑥쑥! 실력 키우기	226~227쪽	◯월 ◯일	◯월 ◯일	☆☆☆☆☆
뚝딱! 단원 마무리하기		228~231쪽	◯월 ◯일	◯월 ◯일	☆☆☆☆☆

현대 사회의 변동 특징

이것이 포인트!
- 사회 변동의 의미와 요인
- 산업화, 정보화, 세계화의 특징

＋ 인류 사회의 변동 모습

원시 사회	수렵·채집 활동

↓

농경 사회	농사

↓

산업 사회	공장에서의 대량 생산

↓

정보 사회	정보와 지식의 생산·거래

＋ 정보 격차(digital divide)
새로운 정보에 접근할 수 있는 능력을 보유한 사람과 그렇지 못한 사람 사이에 경제적·사회적 격차가 심화되는 현상을 말한다.

＋ 다국적 기업
세계 각지에 자회사, 지사, 공장 등을 확보하여 생산 및 판매 활동을 국제적 규모로 수행하는 기업을 말한다.

콕콕! 핵심 개념

1 □□ □□ : 사회를 구성하는 정치, 경제, 사회 제도나 가치관 등이 변화하는 현상

2 □□□ : 전체 산업에서 공업이 차지하는 비율이 높아지고, 그에 따라 생활 양식이 변화하는 현상

3 □□□ : 정치, 경제, 사회, 문화 등의 각 부분에서 국경의 장벽이 없어지고 세계 전체의 상호 의존성이 높아지면서 단일한 체계로 통합되어 가는 현상

---

1 사회 변동 → 사회 변동의 형태와 속도, 방향 등은 사회마다 다르지만, 변동 자체는 어느 사회에서나 나타나고 있어요.

1 ❶_____의 의미와 특징
→ 사회 변동은 물질적인 변화뿐만 아니라, 정신적인 변화도 포함하는 개념이에요.

(1) **의미**: 사회를 구성하는 정치, 경제, 사회 제도나 가치관 등이 부분적 또는 전체적으로 변화하는 현상 → 인류 사회는 수렵·채집 시대를 거쳐 농경 사회, 산업 사회, 정보 사회로 변화해 오고 있어요.

(2) **특징**: 사회 변동은 사회 전반의 복합적인 요인 간의 상호 작용에 의해 일어나며, 사회 변동의 속도는 사회의 영역마다 다름

2 사회 변동의 요인

기술적 요인	❷_____의 발전이 사회 변동에 영향을 줌 예 증기 기관 발명으로 촉발된 산업 혁명 등
정신적 요인	사람들의 가치관, 신념 등의 변화가 사회 변동에 영향을 줌 예 계몽주의 사상의 발달로 일어난 시민 혁명 등
인구학적 요인	인구의 크기, 밀도, 증감, 구성 등의 변화가 사회 변동에 영향을 줌 예 외국인 근로자 및 결혼 이주 여성의 증가로 우리 사회가 다문화 사회로 변화한 것 등
기타	전쟁과 같은 역사적 사건, 정부의 정책, 자연환경의 변화 등

2 현대 사회의 주요 변동 양상 → 오늘날의 사회 변동은 과거와는 달리 다차원적이고 광범위하게 나타나고 있어요.

1 ❸_____

(1) **의미**: 생산 활동이 분업화·기계화되면서 전체 산업에서 공업이 차지하는 비율이 높아지고, 그에 따라 생활 양식이 변화하는 현상

(2) **양상**
① 산업화·도시화 → 인류의 생산력 증대 → ❹_____·대량 소비 가능
② 인구의 도시 집중 → 도시와 농촌의 격차, 빈부 격차, 환경 오염 등의 문제 발생

2 ❺_____ → 오늘날에는 초고속 통신망과 인터넷의 발달로 시간과 공간의 제약을 넘어 정보와 지식의 자유로운 이동이 이루어지고 있어요.

(1) **의미**: 20세기 후반 정보 통신 기술의 발달로 정보와 지식의 중요성이 높아지는 현상

(2) **기능** → 오늘날에는 지식 정보 산업이 경제를 주도하고 있어요.
① 순기능: 맞춤형 소량 생산, 3차 산업(지식 정보 산업, 서비스 산업 등) 중심
② 역기능: ❻_____ 및 정보 유출, 사이버 범죄, 사생활 침해 등

3 ❼_____

(1) **의미**: 국가 간 경계가 약화되고, 세계 여러 나라가 다양한 분야에서 서로 영향을 주고받으며 긴밀한 관계를 형성하고 있는 현상

(2) **발생 배경**: 교통 및 ❽_____의 발달, 다국적 기업의 증가, 전 지구적 문제 발생 → 물자, 기술, 자본 등이 자유롭게 이동하면서 세계화가 가속화됨

(3) **기능**
① 순기능: 다양한 문화 전파로 문화 발전, 민주주의·인권 등 보편적 가치의 확산, 전 지구적 문제의 효과적 해결
② 역기능: 지역 고유의 문화 파괴, 국가 간의 경제적·문화적 갈등 심화

활동 ① 다음은 인류의 사회 변동 모습을 나타낸 것이다. 빈칸 ❶~❸에 들어갈 알맞은 말을 써 보자.

수렵 · 채집 시대 　　　 농경 사회 　　　 산업 사회 　　　 정보 사회

　　인류 사회는 수렵 · 채집 시대를 거쳐 농경 사회, 산업 사회, 정보 사회로 변화해 오고 있다. ❶[　　　　　] 사회의 부가 가치 원천은 토지와 노동이며, 이를 통해 토지를 매개로 한 노동 구조가 지배적인 사회였음을 알 수 있다. 산업 사회의 부가 가치 원천은 ❷[　　　　　]와(과) 노동이며, 자본을 소유한 자본가 계급이 노동자 계급을 고용함으로써 임금을 매개로 한 노동 관계가 형성되었다. 정보 사회의 중심 직업군은 전문직이며 부가 가치의 주요 원천은 ❸[　　　　　]에 해당하므로 고급 수준의 창의성을 발휘하는 노동이 중시됨을 알 수 있다.

활동 ② 다음 자료를 보고 물음에 답하시오.

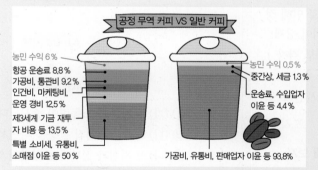

공정 무역 커피 VS 일반 커피

농민 수익 6 %
항공 운송료 8.8 %
가공비, 통관비 9.2 %
인건비, 마케팅비, 운영 경비 12.5 %
제3세계 기금 재투자 비용 등 13.5 %
특별 소비세, 유통비, 소매점 이윤 등 50 %

농민 수익 0.5 %
중간상, 세금 1.3 %
운송료, 수입업자 이윤 등 4.4 %
가공비, 유통비, 판매업자 이윤 등 93.8 %

▲ 일반 거래를 통해 농민들이 받는 수익은 0.5 % 밖에 안 되지만, 공정 무역으로 거래하면 농민에게 돌아가는 수익은 6 %나 된다.

터 커피 생산자와 직접 계약을 맺어 정당한 대가를 지불해 왔다.

　　소위 '착한 커피'가 유행이다. 이른바 공정 무역 커피이다. 이는 다국적 기업의 횡포에서 벗어나 개발 도상국의 원료와 상품, 노동력을 공정하게 거래함으로써 제3세계의 빈곤 문제를 해결하고 지속적인 발전을 이루도록 한다는 취지에서 거래된다. 커피는 세계적으로 한 해 600억 달러어치가 팔리지만 정작 커피콩을 생산하는 케냐 등의 농민들은 커피 45잔을 만들 수 있는 원두 1파운드(약 0.45kg)에 평균 60센트(약 580원)만을 받는다. 이에 주목하여 유럽과 미국의 시민 단체들은 30여 년 전부

1 위의 사례와 관련이 있는 현대 사회의 변동 양상을 써 보자.

2 1의 사회 변동 양상으로 나타날 수 있는 부정적인 영향과 관련하여 빈칸 ❶, ❷에 들어갈 알맞은 말을 써 보자.

　　다국적 기업이 거대한 자본과 조직력을 바탕으로 막대한 이윤을 추구하는 과정에서 세계화의 이익이 선진국에게 집중되어 선진국과 개발 도상국 간의 (❶　　　　)이(가) 오히려 커질 수 있다. 또한, 선진국 문화가 전 세계에 퍼져 고유한 문화적 전통을 사라지게 만드는 (❷　　　　)의 우려도 있다.

쑥쑥! 실력 키우기
단계별 문제를 풀면서 실력을 쑥쑥 키워 보세요.

•1 STEP 개념을 되짚는 확인 문제

01 다음 빈칸에 들어갈 알맞은 말을 써 보자.

(1) ( )은(는) 사회를 구성하는 정치, 경제, 사회 제도나 가치관 등이 부분적 또는 전체적으로 변화하는 현상을 말한다.

(2) 인류 사회는 수렵 · 채집 시대를 거쳐 농경 사회, 산업 사회, ( )(으)로 변화하고 있다.

(3) ( )은(는) 국가 간 경계가 약화되고 세계 여러 나라가 다양한 분야에서 서로 긴밀한 관계를 형성하고 있는 현상을 의미한다.

(4) 근대 산업 혁명 이후 생산 활동이 분업화되고 기계화되면서 전체 산업에서 공업이 차지하는 비율이 높아지고, 그에 따라 생활 양식이 변화하는 현상을 ( )(이)라고 한다.

02 다음 빈칸에 들어갈 알맞은 말에 ○ 표시해 보자.

(1) 교육, 소득 수준, 성별, 지역 등의 차이로 인해 정보에 대한 접근과 이용에 차이가 심화되어 경제 · 사회적 불균형이 발생하는 현상을 (정보 격차 | 사이버 범죄)라고 한다.

(2) 정보 사회에서 가장 중요하게 여기는 생산 요소는 (노동과 자본 | 지식과 정보)이다.

03 다음 설명이 옳으면 ○, 틀리면 ×에 표시해 보자.

(1) 현대 사회의 변동이 일어나게 된 가장 근본적인 원인은 과학 기술의 발달이다. (○ | ×)

(2) 현대 사회 변동의 특징은 변화 속도가 느리고 그 범위도 좁다는 것이다. (○ | ×)

(3) 세계화로 인해 기업 간, 국가 간 상호 의존 정도가 약화되고 있다. (○ | ×)

04 현대 사회의 변동 양상 중 서로 관련이 있는 내용끼리 연결해 보자.

(1) 세계화 •   • ㉠ 맞춤형 소량 생산

(2) 정보화 •   • ㉡ 대량 생산 · 대량 소비

(3) 산업화 •   • ㉢ 국가 간 상호 의존성 증가

:2 STEP 기초를 다지는 기본 문제

01 현대 사회에서 다음과 같은 현상이 나타나는 원인에 대한 설명으로 옳지 <u>않은</u> 것은?

> 사람이 태어나 시간이 지나면서 성장하고 변화하는 것처럼 사회도 시간이 흐름에 따라 계속 변화한다. 사회는 일정 기간 동안 정치, 경제, 법, 도덕 규범이나 가치관이 변화하는 과정을 거친다.

① 생명 공학 기술이 개발되었다.
② 전통적인 가치와 이념이 널리 전파되었다.
③ 정보 통신 기술이 비약적으로 발달하였다.
④ 정신적 가치와 삶의 질을 중시하기 시작하였다.
⑤ 교통의 발달로 시간과 공간의 제약을 극복하였다.

02 다음은 사회 변동 과정을 나타낸 것이다. (가)~(다)에 대한 설명으로 옳은 것은?

(가) 농경 사회
↓
(나) 산업 사회
↓
(다) 정보 사회

① (가) – 자본과 노동력이 중시된다.
② (나) – 수렵 · 채집 활동을 하면서 생활한다.
③ (나) – 지식과 정보가 중심적인 역할을 한다.
④ (다) – 대량 생산 및 대량 소비가 이루어진다.
⑤ (다) – 정보 격차나 사생활 침해 등의 문제가 발생할 수 있다.

03 세계화의 배경으로 옳은 것을 〈보기〉에서 모두 고른 것은?

> **보기**
> ㄱ. 국가 간 경계 강화
> ㄴ. 다국적 기업의 증가
> ㄷ. 전 지구적 문제 발생
> ㄹ. 교통 및 정보 통신 기술의 발달

① ㄱ, ㄴ   ② ㄱ, ㄹ   ③ ㄷ, ㄹ
④ ㄱ, ㄴ, ㄷ   ⑤ ㄴ, ㄷ, ㄹ

04 세계화의 긍정적인 측면으로 옳지 <u>않은</u> 것은?

① 소비자의 상품 선택의 폭이 넓어진다.
② 세계의 다양한 문화를 체험할 수 있다.
③ 국가 간에 상품과 생산 요소가 자유롭게 이동한다.
④ 공동의 문제를 해결하기 위해 국가들이 협력한다.
⑤ 선진국과 개발 도상국 간의 경제 갈등이 심화된다.

05 밑줄 친 현상과 관련한 설명으로 옳은 것을 〈보기〉에서 고른 것은?

> 근대 산업 혁명 이후, 기계의 발명으로 시작된 <u>공장제 기계 공업의 발달로</u> 농업 중심의 사회·경제 질서가 공업 중심으로 바뀌었다.

┌─ 보기 ┐
ㄱ. 인류의 생산력은 비약적으로 증대되었다.
ㄴ. 빈부 격차나 환경 오염 등 부작용이 나타났다.
ㄷ. 전문직 계층이 사회의 주도 세력으로 부상하였다.
ㄹ. 고객의 다양한 취향에 맞춘 제품의 생산이 가능해졌다.

① ㄱ, ㄴ   ② ㄱ, ㄷ   ③ ㄴ, ㄷ
④ ㄴ, ㄹ   ⑤ ㄷ, ㄹ

06 정보 사회를 바라보는 관점이 <u>다른</u> 하나는?

① 정보 격차의 문제가 나타난다.
② 개인 정보의 유출이 늘어날 것이다.
③ 사이버 범죄가 발생할 가능성이 크다.
④ 온라인을 통한 사생활 침해가 발생한다.
⑤ 물리적 거리를 초월한 의사소통이 가능하다.

:3 STEP 실력을 완성하는 주관식·서술형 문제

07 다음 사례에서 공통으로 나타난 현대 사회의 변동 양상을 쓰시오.

> • 어느 나라에서나 유명 프랜차이즈 음식을 먹을 수 있다.
> • 해외여행을 가서도 한국 기업의 광고를 볼 수 있고, 한국 음식 또한 어렵지 않게 접할 수 있다.

08 다음 글을 읽고 현대 사회 변동의 특징을 **세 가지만** 서술하시오.

> 현대 사회는 대변혁의 시대라는 말이 있다. 현대 사회에서 발생하는 사회 변동의 양상이 과거에 나타났던 변동과는 근본적으로 다르기 때문이다.

09 다음 (가)에 들어갈 사회의 명칭을 쓰고, 산업 사회와 비교하여 (가)가 갖는 특징을 **두 가지만** 서술하시오.

> 근대화 이후, 제조업 등의 2차 산업이 중심 산업으로 자리 잡으면서 생산 방식이 소품종 대량 생산으로 변화하였다. 이러한 사회에서는 노동과 자본이 중시된다. 그리고 오늘날에는 과학 기술의 발달로 새로운 　(가)　(으)로 진입하였다. 미래학자 앨빈 토플러는 '제3의 물결'에서 정보 혁명이 산업 사회를 　(가)　(으)로 전환시켰다고 하였다.

10 다음 글에 나타난 정보 사회의 문제점은 무엇인지 쓰고, 이를 해결하기 위한 대책을 서술하시오.

> 인터넷 시대에는 정보를 많이 가진 자와 그렇지 못한 자의 격차가 심해진다. 인터넷 접속 기회를 제공하는 조직이나 기관에 속하지 않은 개인이 가상 공간에서 정보를 얻으려면, 우선 스마트폰이나 컴퓨터가 있어야 하고, 매달 인터넷 통신비도 지불해야 한다. 이 조건들은 생활비 문제를 해결해야 하는 사람들에게 만만치 않은 '입장료'이고 '문턱'이다.

02 한국 사회 변동의 최근 경향

✚ 고령화 단계

고령화 사회	65세 이상 연령층이 총인구의 7~14 % 미만을 차지하는 사회이다.
고령 사회	65세 이상 연령층이 총인구의 14~20 % 미만을 차지하는 사회이다.
초고령 사회	65세 이상 연령층이 총인구의 20 % 이상을 차지하는 사회이다.

✚ 합계 출산율
여성 한 명이 가임 기간 동안 낳을 수 있는 평균 자녀 수를 의미한다. 인구가 늘거나 줄지 않고 현상 유지되기 위한 합계 출산율은 2.1명이다. 하지만 여러 요인들로 인해 출산율이 이에 미치지 못하는 경우가 있는데, 이러한 현상이 지속되는 것을 저출산이라고 한다.

✚ 노인 부양비
15~64세(부양 연령층) 인구에 대한 65세 이상(고령 인구, 피부양 노인 연령층) 인구의 비율, 즉 생산 가능 인구(15~64세) 100명이 부양해야 하는 65세 이상 인구 수를 말한다.

✚ 실버산업
노인을 상대로 상품을 팔거나 의료 · 복지를 세우는 산업을 말한다.

콕콕! 핵심 개념
1 ☐☐☐ : 아이를 적게 낳아 출산율이 줄어드는 현상
2 ☐☐☐ : 전체 인구에서 만 65세 이상 노년 인구의 비율이 높아지는 현상
3 ☐☐☐ ☐☐ : 서로 다른 문화들이 공존하는 사회

---

1 저출산 · ❶[　　　　] 사회✚

1 의미: 신생아 수는 줄어들고, 전체 인구 중에서 노년층의 비율이 높아지는 현상
　　　　　저출산　　　　　　　　　　　　고령화

2 주요 원인
(1) 자녀 양육비 · 교육비 부담 증가, 가족에 대한 가치관 변화 및 맞벌이 부부 증가 등
　→ ❷[　　　　] 현상으로 인한 합계 출산율 감소✚
(2) 의료 기술의 발달, 생활 수준의 향상 → ❸[　　　　]의 증가

3 영향
(1) **국가 경쟁력 약화:** 노동력 부족 및 생산성 저하
(2) **청 · 장년층의 조세 부담 증가:** 노인 부양비 증가, 의료비 증가, 노년 복지비 증가 등 재정적 부담 초래✚

4 저출산 · 고령화 대응 방안
(1) **저출산 대응 방안:** 출산율을 높이기 위해 일과 가정이 양립할 수 있도록 다양한 정책과 제도 마련
　① ❹[　　　　] 정책: 육아 휴직제의 확대, 영유아 보육비 지원 등
　② 양성 평등 및 일 · 가정 양립 문화 확산: 남녀가 동등하게 부모의 역할을 할 수 있도록 노력함
(2) **고령화 대응 방안**　　　　　　　　예 의료 실버 보험, 노인 복지 시설, 전문 요양 병원 등
　① 연금 및 노인 복지 제도 마련, 실버산업의 확충✚
　② 노인 일자리 확대를 위한 국가와 사회의 노력이 필요 → 예 고령자 재교육, 취업 알선 등 노인 취업 기회 확대
　③ 개인적 차원에서 스스로 자신의 노후를 준비하는 자세 함양

2 ❺[　　　　] ↔ 과거의 한국 사회처럼 단일한 인종 · 민족으로 이루어진 사회는 단일 문화 사회라고 해요.

1 의미: 한 사회 안에 서로 다른 문화들이 공존하는 사회

2 형성 배경: 외국인 근로자, 국제결혼 이민자, 외국인 유학생 등의 증가

3 영향

긍정적 영향	부정적 영향
• ❻[　　　　] 증가 → 국내 노동력 부족 문제 완화 • 농촌 사회에 활력: 국제결혼 이민자로 인해 인구 감소와 성비 불균형 해결 • 다문화주의의 정착으로 소수 집단의 문화 유지 및 발전 → 다양한 문화적 자극 제공, 문화의 질적 수준 향상	• 문화적 갈등 • 사회 · 경제적 갈등: 편견과 차별로 인한 인권 침해, 일자리를 둘러싼 갈등 등 • 외국인 관련 범죄 발생

4 다문화 사회의 대응
(1) ❼[　　　　]: 다양한 문화를 편견 없이 이해하고 수용하려는 태도
(2) **제도적 장치:** 다문화 교육 강화, 다문화 정책 추진, 법률과 제도 변화 등
　　　　　　　　　　　　　　　→ 예 「다문화 가족 지원법」 등

활동 ① 다음 자료를 보고 물음에 답하시오.

	❶	❷	❸	소요 연수
한국	2000	2018	2026	26년
일본	1970	1994	2006	36년
프랑스	1864	1979	2018	?? 154년
독일	1932	1972	2009	77년
이탈리아	1927	1988	2006	79년
미국	1942	2015	2036	94년

(자료 : 보건 사회 연구원, 보건 복지 포럼)

국제 연합(UN)의 정의에 따르면, 총인구 중 65세 이상 고령 인구 비율이 7~14 % 미만인 사회를 ❶ [   ], 14~20 % 미만인 사회를 ❷ [   ], 20 % 이상인 사회를 ❸ [   ]로 분류한다.

고령화 현상은 ❹ [   ]의 감소뿐만 아니라 취업자 가운데서도 고령 인구의 비중이 증가함에 따라 취업 인구의 ❺ [   ] 하락, ❻ [   ] 부담 증가 등의 문제까지 나타나게 한다. 더 큰 문제는 한국의 고령화 속도가 다른 선진국들에 비해 월등히 빠른 속도로 이루어지고 있다는 점이다. 한국은 지난 2000년 이미 ❶ [   ]에 진입했으며 2018년에는 ❷ [   ], 2026년에는 ❸ [   ]에 진입할 것으로 보인다. 한국이 ❶ [   ]에서 ❸ [   ]에 도달하는 시간은 26년으로 일본(36년), 프랑스(154년), 독일(77년), 이탈리아(79년), 미국(94년)에 비해 빠르다. 선진국 중에서도 한국처럼 빠른 속도로 저출산 · 고령화로 진입하고 있는 나라가 없어 앞선 사례를 찾아보기 어렵다는 것이 더 큰 문제이다.

－○○일보, 2014. 06. 19.－

1 빈칸 ❶~❸에 들어갈 고령화 단계를 써 보자.

❶ – (   )   ❷ – (   )   ❸ – (   )

2 고령화 현상으로 인해 나타날 수 있는 문제와 관련하여 빈칸 ❹~❻에 들어갈 알맞은 말을 써 보자.

❹ – (   )   ❺ – (   )   ❻ – (   )

활동 ② 다음은 다문화 사회 정책의 두 가지 방향을 나타낸 것이다. 물음에 답하시오.

❶ [ ] 이론	❷ [ ] 이론

'❶ [   ](동화주의) 이론'이란 다양한 인종과 민족을 ❶ [   ]에 녹여 하나의 동일한 문화를 형성하려는 것이다. 이 이론은 문화적 배경이 서로 다른 다양한 인종과 민족이 ❶ [   ]를 거쳐 그 사회의 주류 문화에 동화되기를 기대한다. 이에 반해 '❷ [   ](다문화주의) 이론'은 샐러드의 여러 재료처럼 각각의 문화가 독특한 특징을 잃지 않고 조화되는 사회를 의미한다. 즉, ❶ [   ] 이론은 다양한 문화가 각각의 개성을 살리면서 서로 조화를 이루는 것을 뜻한다.

1 빈칸 ❶, ❷에 들어갈 알맞은 말을 써 보자.

❶ – (   )   ❷ – (   )

2 다음 빈칸에 들어갈 알맞은 말을 골라 보자.

다문화 사회에서 시민의 문화적 삶을 풍요롭게 하고, 국가 문화의 발전을 도모하기 위해서는 타문화에 대한 (개방적 | 폐쇄적) 태도와 관용의 자세가 필요하다.

쑥쑥! 실력 키우기
단계별 문제를 풀면서 실력을 쑥쑥 키워 보세요.

·1 STEP 개념을 되짚는 확인 문제

01 다음 빈칸에 들어갈 알맞은 말을 써 보자.

(1) (　　　　　　)은(는) 여성 한 명이 가임 기간 동안 낳을 수 있는 평균 자녀 수를 의미한다.

(2) 현재 우리나라는 의료 기술의 발달과 생활 수준의 향상으로 (　　　　　)이(가) 늘어나면서 전체 인구에서 만 65세 이상 노년 인구의 비율이 높아지는 (　　　　) 현상이 가속화되고 있다.

(3) (　　　　　　)은(는) 한 사회 안에 이질적인 여러 문화가 함께 존재하는 사회를 말한다.

(4) 다문화 사회의 갈등을 해결하기 위해서는 다양한 문화를 편견 없이 이해하고 수용하려는 (　　　　　)인 태도와 자세가 필요하다.

02 다음에서 설명하는 고령화 단계를 써 보자.

(1) 총인구 중 65세 이상 인구가 차지하는 비율이 14~20 % 미만인 사회이다.　(　　　　　)

(2) 총인구 중 65세 이상 인구가 차지하는 비율이 20% 이상인 사회이다.　(　　　　　)

03 다음 설명이 옳으면 ○, 틀리면 ×에 표시해 보자.

(1) 고령화에 대한 대비책으로 노후 보장에 필요한 다양한 연금 및 노인 복지 제도를 마련해야 한다.
(　○　|　×　)

(2) 고령화에 대한 대비책으로 노인 일자리 확대를 위한 국가와 사회의 노력이 필요하며, 개인적 차원에서는 스스로 자신의 노후를 준비할 필요는 없다.
(　○　|　×　)

04 서로 관련 있는 내용끼리 연결해 보자.

(1) 고령화 현상 ·

(2) 저출산 현상 ·

(3) 다문화 사회 ·

· ㉠ 실버산업 확충, 노인 복지 제도 마련

· ㉡ 다문화 교육 강화, 다문화 정책 추진

· ㉢ 양성 평등 및 일·가정 양립 문화 확산 노력

:2 STEP 기초를 다지는 기본 문제

01 한국 사회 변동의 최근 경향으로 옳지 않은 것은?

① 다문화 사회로 변화하고 있다.

② 저출산 현상이 심화되고 있다.

③ 높은 출생률로 급격한 인구 증가를 경험하고 있다.

④ 고령화 현상으로 노인 복지 지출이 확대되고 있다.

⑤ 의료 기술 발달과 생활 수준 향상으로 평균 수명이 늘어나고 있다.

02 다음 자료에 대한 분석으로 옳은 것은?

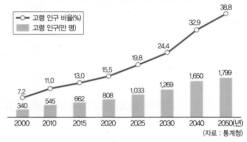

〈우리나라 인구 고령화 추이 및 전망〉

(자료: 통계청)

① 노인을 부양하기 위한 비용이 감소하고 있다.

② 노동력 부족으로 국가 경쟁력이 약화될 수 있다.

③ 평균 수명이 줄어들면서 의료비 지출이 감소하고 있다.

④ 높은 합계 출산율 때문에 고령화 현상이 가속화되고 있다.

⑤ 국가는 노인 복지 제도를 마련하고 있으므로 개인적 차원에서는 노후를 대비할 필요가 없다.

03 고령화에 대처하기 위한 옳은 방안을 〈보기〉에서 고른 것은?

> **보기**
> ㄱ. 실버산업 확충　　ㄴ. 복지 예산 삭감
> ㄷ. 노인 정년 단축　　ㄹ. 다양한 연금 제도 마련

① ㄱ, ㄴ　　② ㄱ, ㄹ　　③ ㄴ, ㄷ

④ ㄴ, ㄹ　　⑤ ㄷ, ㄹ

04 다음 사례가 공통으로 해결하고자 하는 사회 문제는?

> • 독일에는 노인을 배려하는 노인 친화적 슈퍼마켓이 많이 들어서 있다.
> • 프랑스는 5세까지 아이의 양육을 국가가 대부분 책임지므로 여성이 일과 육아를 병행할 수 있다.

① 출산율 급증　　② 고령화 심화
③ 가치관의 다원화　　④ 빈부 격차의 심화
⑤ 정보 격차의 심화

05 한국 사회가 다문화 사회로 변화하고 있음을 보여 주는 현상으로 적절하지 <u>않은</u> 것은?

① 외국인을 위한 안내 표지판이 늘어나고 있다.
② 해외로 유학 가는 국내 학생이 늘어나고 있다.
③ 외국인들끼리 모여 사는 마을이 늘어나고 있다.
④ 국제결혼이 증가하여 결혼 이민자가 늘고 있다.
⑤ 우리나라의 경제 활동 인구의 감소로 외국인 근로자들이 증가하고 있다.

06 다문화 사회의 긍정적 영향을 〈보기〉에서 고른 것은?

> **보기**
> ㄱ. 문화의 질적 수준 향상
> ㄴ. 전체 문화의 동질성 강화
> ㄷ. 다양한 문화 요소의 제공
> ㄹ. 독립적인 문화적 특성 유지

① ㄱ, ㄴ　　② ㄱ, ㄷ　　③ ㄴ, ㄷ
④ ㄴ, ㄹ　　⑤ ㄷ, ㄹ

07 다문화 사회에서 나타나는 갈등으로 옳은 것을 〈보기〉에서 모두 고른 것은?

> **보기**
> ㄱ. 문화적 갈등　　ㄴ. 지역 간의 갈등
> ㄷ. 외국인 범죄 발생　　ㄹ. 차별로 인한 인권 침해

① ㄱ, ㄴ　　② ㄱ, ㄷ　　③ ㄴ, ㄷ
④ ㄱ, ㄷ, ㄹ　　⑤ ㄴ, ㄷ, ㄹ

:3 STEP 실력을 완성하는 주관식·서술형 문제

08 고령화의 대처 방안을 <u>세 가지만</u> 서술하시오.

09 다음을 통해 해결하고자 하는 사회 문제를 쓰시오.

> • 육아 휴직 제도 확대
> • 영유아 보육비 지원
> • 양성평등 및 일·가정 양립 문화 확산

10 다음 (가), (나)를 참고하여 다문화 사회의 문제를 해결하기 위한 방안을 사회적 측면과 개인적 측면에서 한 가지씩 서술하시오.

(가) 〈서울에 거주하는 외국인이 겪는 어려움〉 (단위: 점/10점 만점)

음식 6.87 / 한국식 생활 문화 6.59 / 언어 문제 6.28 / 의료 기관 이용 5.79 / 외로움 5.67 / 사회적 편견 차별 5.62 / 공공행정기관 민원제기해결 5.60 / 한국인과 유대 5.35 / 주택 등 주거 5.34 / 자녀 양육 및 교육 5.28

(자료: 서울시, 2016년 조사)

(나) 〈다문화 자녀들이 겪는 학교 폭력〉 (단위: %)

기타 17.4 / 욕설 14.3 / 따돌림 12.9 / 폭행 12.3 / 흉보기 11.6 / 외모 놀림 10.8 / 공부 못한다고 놀림 10.2 / 의심함 10.2

작년 9~11월 1,500여 명을 설문 조사한 결과
(자료: 한국 청소년 정책 연구원)

고난도
11 (가)의 교향악단과 (나)의 샐러드가 다양함을 제공할 수 있는 이유와, 그것이 다문화 사회에 시사하는 바를 서술하시오.

(가)

(나)

03 현대 사회의 사회 문제

꼼꼼! 필기 노트

이것이 포인트!
• 사회 문제의 특징과 의의
• 인구 문제, 노동 문제, 환경 문제의 특징

＋ 개발 도상국
산업의 근대화와 경제 개발이 선진국보다 뒤떨어져 있는 나라를 말한다.

＋ 임금
노동자가 사용자에게 노동력을 제공하고 받는 대가를 말한다.

＋ 비정규직 근로자
근로 방식 및 기간, 고용의 지속성 등에서 정규직과 달리 보장을 받지 못하는 직위나 직무로 계약직, 임시직, 일용직 등이 이에 속한다.

＋ 실업
노동할 의지와 능력을 갖춘 사람이 노동의 기회를 얻지 못하고 있는 상태를 말한다.

＋ 화석 연료
석탄, 석유, 천연가스 등과 같은 지하자원을 이용하는 연료를 말한다.

---

1 사회 문제의 의미와 특징

1 ① [ ]**의 의미:** 사회 구성원 대다수가 바람직하지 못하다고 생각하여 해결되기를 원하는 사회 현상 → 친구들 사이의 사소한 말다툼이나 개인의 진로 문제 등과 같이 개인에게 한정된 일은 사회 문제가 아니에요.

2 특징과 의의 → 사회 문제는 어느 사회에서나 존재하며, 시대와 장소에 따라 달라질 수 있어요.

(1) **특징:** 발생 원인이 사회 내부에 있고, 사회 구성원 대다수가 문제라고 여기는 사회 현상 중 ② [ ]으로 해결 가능한 문제로, 사회 구성원의 인식 변화에 따라 달라질 수 있음

(2) **의의:** 사회 문제를 해결하는 과정에서 사회 발전의 계기 마련

(3) **현대 사회의 사회 문제:** 빠른 사회 변동과 가치관의 변화 → 과거에 비해 더욱 다양한 사회 문제 발생

2 현대의 주요 사회 문제

1 인구 문제 → 지역별로 서로 다른 양상을 보여요.

(1) ③ [ ]: 인구 감소와 고령화로 인한 경제 성장 둔화, 노동력 부족, 노인 부양 부담 증가 등

(2) ④ [ ]: 높은 출산율로 인한 폭발적 인구 증가 → 기아, 빈곤, 일자리와 각종 시설 부족으로 삶의 질 저하[＋]

2 노동 문제 → 산업화가 진행되면서 노동자의 권익이 침해되는 노동 문제가 발생하고 있어요. 최근 비정규직의 비율이 높아지면서 비정규직 근로자의 저임금, 고용 불안 등이 심각한 문제가 되고 있어요.

(1) **노사 갈등:** 임금 인상, 노동 환경의 개선 등을 둘러싼 갈등[＋]

(2) **임금 문제:** 비정규직 근로자나 외국인 근로자, 여성 근로자에 대한 임금 차별이나 저임금과 관련된 문제[＋]

(3) ⑤ [ ] **문제:** 일하고자 하는 사람이 일자리를 얻지 못하는 문제[＋]
자동화 시스템, 저성장의 장기화 등의 영향 때문이에요.

3 환경 문제

(1) **의미:** 산업화 과정에서 자원이 고갈되고 자연환경이 훼손되고 있는 문제

(2) **양상:** 지구 온난화, 사막화 현상, 화석 연료의 고갈, 열대 우림의 감소, 오존층의 파괴 등[＋]

4 기타: 사생활 침해와 저작권 침해 문제, 정보 격차 등 정보화로 인한 문제, 여성·장애인·저소득층 등 사회적 약자에 대한 차별 문제, 빈부 격차 심화, 범죄 문제 등

3 현대 사회 문제의 해결

→ 현대 사회 문제를 해결하기 위해서는 제도적 차원과 의식적 차원의 노력이 함께 이루어져야 해요.

정부 차원에서 정책을 마련하거나 제도를 개선하는 것을 말해요.

책임 의식과 공동체 의식 함양, 시민 운동이나 개인적 실천 등을 말해요.

구분	⑥ [ ] 차원	⑦ [ ] 차원
⑧ [ ] 문제	출산 장려금 지급, 육아 휴직 제도의 확대 등	양성평등 의식을 확산하기 위한 공익 광고나 캠페인 활동 등
노동 문제	실업 문제 해결을 위한 일자리 창출 정책 실시 등	적극적인 구직 활동 및 업무 능력 향상 노력 등
환경 문제	쓰레기 종량제 실시, 녹지 공간 늘리기 등	대중교통 이용, 일회용품 안 쓰기 등

→ 환경 문제는 국경을 초월하여 나타나므로 이를 해결하기 위해 국제적인 차원에서 협력하려는 노력도 필요해요.

콕콕! 핵심 개념

1 □□ □□: 대다수의 사회 구성원들이 문제라고 인식하고 있으며, 바람직한 방향으로 개선되어야 한다고 생각하는 사회 현상

2 □□ □□: 일하고자 하는 사람이 일자리를 얻지 못하는 문제

3 □□ □□: 산업화 과정에서 자원이 고갈되고 자연환경이 훼손되고 있는 문제

활동 1 다음 자료를 보고 물음에 답하시오.

(가) ❶ [　　　　　　]

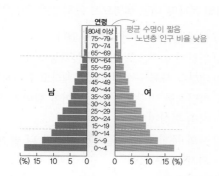

연령
80세 이상 ← 평균 수명이 짧음
75~79 → 노년층 인구 비율 낮음
70~74
65~69
60~64
55~59
50~54
45~49
40~44
35~39
30~34
25~29
20~24
15~19
10~14
5~9
0~4
남　　　여
(%) 15 10 5 0　0 5 10 15 (%)

(나) ❷ [　　　　　　]

평균 수명 증가
→ 노년층 인구 비율 높음
→ 심한 고령화 발생

연령
80세 이상
75~79
70~74
65~69
60~64
55~59
50~54
45~49
40~44
35~39
30~34
25~29
20~24
15~19
10~14
5~9
0~4
남　　　여

출산율 감소
→ 유소년층 비율 낮음
→ 심한 저출산 발생

(%) 15 10 5 0　0 5 10 15 (%)

1 인구 피라미드 (가), (나)의 특징을 파악하여 빈칸 ❶, ❷에 선진국 또는 개발 도상국으로 구분하여 써 보자.

2 (가)와 (나)에서 나타나는 인구 문제를 〈보기〉에서 각각 골라 보자.

> **보기**
> ㄱ. 기아 문제　　　　　　ㄴ. 빈곤 문제　　　　　　ㄷ. 노동력 부족
> ㄹ. 인구 과잉 문제　　　ㅁ. 경제 성장 둔화　　　ㅂ. 노인 부양 부담 증가
> ㅅ. 저출산·고령화 문제　ㅇ. 각종 시설 부족으로 삶의 질 저하

활동 2 다음 자료를 보고 물음에 답하시오.

가 인터넷 이용률 (단위: %)

76.0　70.6　59.9　59.3　63.4　88.3
저소득층 장애인 농어민 노년층 소외 계층 전체
　　　　　　　　　　　평균　　국민

나

다 유년 인구와 노년 인구의 구성비 추이

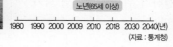

(단위: %)
34.0
유년(0~14세)
25.6　　　　　　　　　　　　　　　　32.5
21.1
16.8 16.2　24.3
14.3
3.8　5.1　7.2　10.7 11.0 12.7 11.4 10.3
노년(65세 이상)
1980 1990 2000 2009 2010 2018 2030 2040(년)
(자료: 통계청)

라 근로 형태별 1인당 월평균 임금

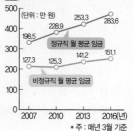

(단위: 만 원)
500
253.3　283.6
400　228.9
198.5
300　정규직 월 평균 임금
127.3 125.3　141.2　151.1
200
비정규직 월 평균 임금
100
2007　2010　2013　2016(년)
* 주: 매년 3월 기준

1 (가)~(라)가 나타내는 사회 문제를 〈보기〉에서 각각 골라 보자.

> **보기**
> ㄱ. 사막화　　　　ㄴ. 물 오염　　　　ㄷ. 노사 갈등　　　ㄹ. 대기 오염
> ㅁ. 악성 댓글　　ㅂ. 정보 격차　　　ㅅ. 지구 온난화　　ㅇ. 개인 정보 유출
> ㅈ. 저출산·고령화　ㅊ. 비정규직 문제　ㅋ. 실업 문제(청년 실업)

2 (가)~(라)에 나타난 문제들을 사회 문제로 볼 수 있는 이유를 서술해 보자.

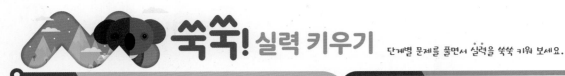

쑥쑥! 실력 키우기

단계별 문제를 풀면서 실력을 쑥쑥 키워 보세요.

•1 STEP 개념을 되짚는 확인 문제

01 다음 빈칸에 들어갈 알맞은 말을 써 보자.

(1) (   )은(는) 발생 원인이 사회에 있고, 인간의 노력으로 해결 가능한 문제를 말한다.

(2) (   )에서는 폭발적인 인구 증가로 인해 기아와 빈곤 문제가 발생하고 있다.

(3) (   )은(는) 지구 온난화, 사막화 현상 등 생태계의 질서를 파괴하여 인류의 생명 자체를 위협할 수도 있는 심각한 사회 문제이다.

(4) 산업화가 진행되면서 노동자의 권익이 침해되는 (   )이(가) 발생하고 있다.

02 다음 설명과 관련 있는 환경 문제를 써 보자.

(1) 국제 사회는 온실가스 배출을 줄이는 방법을 연구하고 있다. (   )

(2) 피부 및 안구 질환 발생, 곡물 수확량 감소, 물고기 수 감소 등과 관련이 깊다. (   )

03 다음 설명이 옳으면 ○, 틀리면 ×에 표시해 보자.

(1) 사회 문제는 시대와 장소에 따라 다르게 나타날 수 있다. (○ | ×)

(2) 사회 문제를 잘 해결하면 사회가 더 발전하는 계기가 될 수 있다. (○ | ×)

(3) 전 지구적 문제를 해결하기 위해서는 개별 국가 단위의 대응이 필요하다. (○ | ×)

04 현대 사회의 주요 사회 문제와 이에 해당하는 구체적인 문제를 바르게 연결해 보자.

(1) 노동 문제 •   • ㉠ 사막화 현상

(2) 인구 문제 •   • ㉡ 사이버 범죄

(3) 환경 문제 •   • ㉢ 저출산 · 고령화

(4) 정보화로 인한 문제 •   • ㉣ 외국인 근로자나 여성 근로자에 대한 임금 차별

:2 STEP 기초를 다지는 기본 문제

01 사회 문제에 대한 설명으로 옳지 않은 것은?

① 발생 원인이 사회 내부에 있다.

② 인간의 노력으로 해결이 불가능하다.

③ 대다수 사회 구성원들이 문제라고 인식하고 있다.

④ 바람직한 방향으로 개선되어야 한다고 생각하는 사회 현상이다.

⑤ 사회 문제를 잘 해결하면 사회가 더 발전하는 계기가 될 수 있다.

02 다음 자료에 나타난 사회 문제를 해결하기 위한 정부 차원의 대책으로 옳은 것을 〈보기〉에서 모두 고른 것은?

〈실업률 추이〉

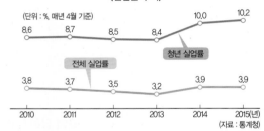

(단위 : %, 매년 4월 기준)

	2010	2011	2012	2013	2014	2015(년)
청년 실업률	8.6	8.7	8.5	8.4	10.0	10.2
전체 실업률	3.8	3.7	3.5	3.2	3.9	3.9

(자료 : 통계청)

보기
ㄱ. 실업 급여 지급
ㄴ. 공공 근로 사업 실시
ㄷ. 직업 훈련 제도 시행
ㄹ. 육아 휴직 제도 확대

① ㄱ, ㄷ   ② ㄴ, ㄹ   ③ ㄷ, ㄹ

④ ㄱ, ㄴ, ㄷ   ⑤ ㄱ, ㄴ, ㄹ

03 사회 문제에 해당하는 것을 〈보기〉에서 모두 고른 것은?

보기
ㄱ. 지진   ㄴ. 태풍
ㄷ. 노사 갈등   ㄹ. 빈부 격차 심화
ㅁ. 개인의 진로 문제

① ㄱ, ㄷ   ② ㄴ, ㅁ   ③ ㄷ, ㄹ

④ ㄱ, ㄴ, ㅁ   ⑤ ㄴ, ㄷ, ㄹ

04 다음 글에서 설명하는 개념으로 옳은 것은?

> 우리나라의 초고속 인터넷, 무선 네트워크 속도는 전 세계 최고 수준이나 여전히 장애인, 저소득층 등 정보 취약 계층의 디지털 정보화 수준은 일반 국민의 58.6% 수준인 것으로 나타났다.

① 정보 격차   ② 사생활 침해   ③ 사이버 범죄
④ 저작권 침해   ⑤ 인간 소외 문제

05 개발 도상국에서 주로 나타나는 사회 문제는?

① 인구 감소   ② 기아 및 빈곤
③ 노인 부양비 증가   ④ 출산율의 급격한 감소
⑤ 고령화로 인한 경제 성장 둔화

06 다음 자료에 나타난 현대 사회의 문제에 대한 설명으로 옳은 것은?

〈선진국과 개발 도상국의 인구 비율〉

	선진국	개발 도상국
		(단위: %)
1950년	33.3	66.7
1985년	24.4	75.6
2000년	20.2	79.8
2025년 (추정치)	15.9	84.1

(통계 요람, 2010)

① 선진국의 인구 증가가 원인이다.
② 인구 문제는 사회 문제에 해당하지 않는다.
③ 개발 도상국에서는 노동력 부족 문제가 나타난다.
④ 개발 도상국의 높은 출산율과 선진국의 평균 수명 증가로 인해 발생한다.
⑤ 인구 문제는 선진국과 개발 도상국에서 서로 동일한 양상으로 나타난다.

07 일상생활에서 환경 문제를 해결하기 위한 방안으로 바람직하지 <u>않은</u> 것은?

① 양치할 때 물은 컵에 받아 쓴다.
② 사용하지 않는 전자 제품의 플러그를 빼놓는다.
③ 식사를 할 때 음식물을 남기지 않도록 노력한다.
④ 가전제품 구입 시 에너지 소비가 많은 것을 고른다.
⑤ 외출 시 버스나 지하철과 등 대중교통을 이용한다.

∶3 STEP 실력을 완성하는 주관식·서술형 문제

08 다음 표어가 공통적으로 의미하는 사회 문제를 쓰고, 이를 해결하기 위한 방안을 제도적 차원과 의식적 차원에서 서술하시오.

> • 더 낳으면 더 나은 대한민국
> • 가가호호 아이둘셋, 하하호호 희망한국
> • 한 자녀보다는 둘, 둘보단 셋이 더 행복합니다.

고난도
09 다음 (가), (나)에 나타난 사회 문제를 쓰고, 그 문제점과 해결 방안을 서술하시오.

(가)   〈임금 근로자 중 비정규직 규모〉

(나)   〈정규직과 비정규직의 평균 임금 차이〉

신유형
10 다음 자료를 통해 알 수 있는 정보화로 인한 사회 문제를 쓰고, 해결 방안을 <u>두 가지만</u> 서술하시오.

뚝딱! 단원 마무리하기

01 밑줄 친 '사회 변동'에 대한 설명으로 옳은 것을 〈보기〉에서 모두 고른 것은?

> 사람이 태어나 시간이 지나면서 성장하고 변화하는 것처럼 사회도 시간이 흐름에 따라 계속 변화한다. 사회를 구성하는 정치, 경제, 사회 제도나 가치관 등이 부분적 또는 전체적으로 변화하는 현상을 <u>사회 변동</u>이라고 한다.

보기
ㄱ. 사회 변동은 사회마다 유사하게 나타난다.
ㄴ. 어느 한 영역에서의 변화가 다른 영역의 변화를 유발할 수는 없다.
ㄷ. 오늘날에는 특히 과학 기술의 발달로 많은 사회 변동이 나타나고 있다.
ㄹ. 오늘날의 사회 변동은 과거와는 달리 다차원적이고 광범위하게 나타나고 있다.

① ㄱ, ㄴ   ② ㄴ, ㄷ   ③ ㄷ, ㄹ
④ ㄱ, ㄴ, ㄹ   ⑤ ㄱ, ㄷ, ㄹ

02 다음 (가)~(다)는 사회 변동으로 인한 인류 사회의 변화를 나타낸 것이다. 이에 대한 설명으로 옳은 것은?

> (가) 정보 통신 기술이 창출한 서비스에 의존하게 되었다.
> (나) 농업 중심의 자급자족적인 경제로, 점차 농업 생산력이 증가하였다.
> (다) 제조업이 중심 산업으로 등장하고, 생산량과 생산 속도가 증대되었다.

① 인류 사회는 (가) → (나) → (다) 순으로 발전해 왔다.
② (가) 사회에서는 토지와 노동이 주요 생산 수단이다.
③ (가) 사회에서는 소비자의 의견이 생산 과정에 반영되기 어렵다.
④ (나) 사회에서는 정보와 지식이 생산되고 거래된다.
⑤ (다) 사회에서는 대량 생산과 대량 소비가 가능해졌다.

03 사회 변동의 요인을 세 가지만 쓰시오.

04 다음 대화에서 정보 사회를 바라보는 을의 입장에 부합하는 진술을 〈보기〉에서 고른 것은?

인터넷이 발달함에 따라 노인들의 사회 참여가 줄어들고 있어요. 고령화가 급속하게 진행되는 측면을 볼 때, 심각한 사회 문제라고 할 수 있죠. 갑

그렇지 않아요. 우리 할아버지는 인터넷 동호회를 통해 새로운 친구도 사귀고, 주민 자치 센터 홈페이지에 자신의 정치적 의견을 올리시기도 해요. 을

보기
ㄱ. 정보 사회에서는 시간과 공간의 제약이 약화될 것이다.
ㄴ. 정보화는 권력에 의한 감시와 통제를 용이하게 할 것이다.
ㄷ. 정보화로 인해 정보를 소유하지 못한 계층은 소외감을 느낄 것이다.
ㄹ. 정보화는 가상 공동체를 매개로 한 새로운 인간관계를 형성시킬 것이다.

① ㄱ, ㄴ   ② ㄱ, ㄹ   ③ ㄴ, ㄷ
④ ㄴ, ㄹ   ⑤ ㄷ, ㄹ

05 우리나라에서 발생하고 있는 다음과 같은 현상에 대한 설명으로 옳은 것은?

OECD 주요 국가별 합계 출산율
미국 2.01 / 영국 1.94 / 호주 1.90 / 일본 1.37 / 독일 1.36 / 한국 1.23

① 여성의 사회 진출과는 무관하다.
② 맞벌이 부부의 감소와 관련이 있다.
③ 국가의 성장 잠재력이 떨어질 수 있다.
④ 강력한 출산 장려 정책의 실시 때문이다.
⑤ 자녀 양육비와 교육비의 부담 감소와 관련이 있다.

정답 및 해설 • 47쪽

06 산업화로 초래되는 사회 문제로 옳은 것을 〈보기〉에서 모두 고른 것은?

> **보기**
>
> ㄱ. 빈부 격차　　　　ㄴ. 사이버 범죄
> ㄷ. 가치관의 혼란　　ㄹ. 도시와 농촌의 격차

① ㄱ, ㄴ　　　② ㄴ, ㄷ　　　③ ㄷ, ㄹ
④ ㄱ, ㄴ, ㄹ　⑤ ㄱ, ㄷ, ㄹ

07 저출산·고령화 현상으로 나타날 수 있는 사회 문제로 옳은 것을 〈보기〉에서 고른 것은?

> **보기**
>
> ㄱ. 국가의 복지 비용 부담이 증가한다.
> ㄴ. 육아로 인해 여성의 사회 참여가 감소한다.
> ㄷ. 청년 노동력 부족으로 경제 성장이 둔화된다.
> ㄹ. 노인 인구의 증가로 기업의 정년이 단축된다.

① ㄱ, ㄴ　　　② ㄱ, ㄷ　　　③ ㄴ, ㄷ
④ ㄴ, ㄹ　　　⑤ ㄷ, ㄹ

08 다음은 시기별 노년 부양비 변화를 예상한 그림이다. 이와 같은 현상이 나타날 때 발생할 수 있는 문제점을 〈보기〉에서 모두 고른 것은?

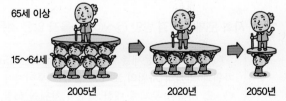

65세 이상 / 15~64세 / 2005년 / 2020년 / 2050년

> **보기**
>
> ㄱ. 생산 가능 인구의 증가로 노동력이 부족해진다.
> ㄴ. 재정 수입 증가로 정부의 재정 부담이 감소한다.
> ㄷ. 산업 인력의 고령화로 노동 생산성이 낮아진다.
> ㄹ. 청·장년층의 부담 증가로 세대 간에 갈등이 나타날 수 있다.

① ㄱ, ㄴ　　　② ㄴ, ㄷ　　　③ ㄷ, ㄹ
④ ㄱ, ㄴ, ㄹ　⑤ ㄴ, ㄷ, ㄹ

09 밑줄 친 ㉠~㉢에 대한 설명으로 옳은 것을 〈보기〉에서 모두 고른 것은?

> 　캐나다도 미국처럼 다민족 사회로서 혼혈 인구가 전체 인구의 26 %에 달한다. 하지만 미국 사회가 미국 백인 문화라는 ㉠ 주류 문화 속에 소수 인종의 문화를 용해하는 용광로에 비유된다면, 캐나다는 각각의 문화를 모두 인정하는 ㉡ 모자이크 문화, 즉 다문화주의를 채택하고 있다는 점이 다르다. 이는 ㉢ 다문화 사회에 대비하여 어떤 정책을 펼칠지 우리에게 시사하는 바가 크다.

> **보기**
>
> ㄱ. ㉠은 동화주의, ㉡은 문화 공존의 사례이다.
> ㄴ. ㉡은 샐러드 볼 이론에서 강조하는 문화이다.
> ㄷ. ㉡을 강조하는 사회에서는 문화의 '다름'보다는 '틀림'을 강조할 것이다.
> ㄹ. ㉢의 사례로 '한민족의 단합 대회'를 들 수 있다.

① ㄱ, ㄴ　　　② ㄴ, ㄷ　　　③ ㄷ, ㄹ
④ ㄱ, ㄴ, ㄹ　⑤ ㄴ, ㄷ, ㄹ

10 다문화 사회의 갈등을 해결하는 방법 중 다음 사례에 나타난 방법과 방향이 다른 것은?

> 　「다문화 가족 지원법」은 다문화 가족 구성원의 안정적인 생활을 위해 제정된 법이다. 국가는 이들이 우리나라에서 생활하는 데 필요한 정보 제공 및 지원을 해야 한다고 규정하고 있다.

① 외국인 근로자에게 직업을 알선한다.
② 이주자를 위한 문화 센터를 개설한다.
③ 다문화주의에 대한 캠페인을 전개한다.
④ 다문화 가정 자녀의 교육비를 지원한다.
⑤ 다문화 가정을 위한 언어 전문 교육원을 설치한다.

11 다문화 사회에 대한 설명으로 옳지 <u>않은</u> 것은?

① 다양한 생활 방식이 공존한다.
② 풍요로운 문화 발전이 가능하다.
③ 세계화로 인하여 더욱 심화된다.
④ 문화 간의 차이로 인한 갈등이 있다.
⑤ 북한 이탈 주민의 유입은 포함되지 않는다.

12 현대 사회 문제의 특징으로 옳지 <u>않은</u> 것은?

① 과거에 비해 진행 속도가 매우 빠르다.
② 가치관의 변화로 과거보다 사회 문제가 더욱 단순화되었다.
③ 사회 문제를 해결하는 과정에서 사회 발전의 계기를 마련할 수도 있다.
④ 저출산이나 비만과 같이 시대나 장소에 따라 다르게 인식되는 사회 문제도 있다.
⑤ 환경 문제는 국경을 초월하여 나타나는 경향이 있으므로 국제적인 노력이 필요하다.

13 인구 피라미드 (가), (나)에 대한 설명으로 옳은 것은? ((가), (나)는 각각 선진국과 개발 도상국 중 하나이다.)

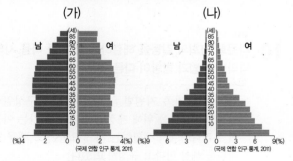

① (가) - 기아와 빈곤 문제가 심각하다.
② (가) - 노인 부양 부담 증가 등의 문제를 겪고 있다.
③ (가) - 최근 높은 출산율과 사망률로 인구가 급증하고 있다.
④ (나) - 고령화로 인해 경제 성장이 둔화되고 있다.
⑤ (나) - 저출산 현상으로 인구가 감소하고 있다.

14 사회 문제에 해당하는 것을 〈보기〉에서 모두 고른 것은?

> **보기**
> ㄱ. 범죄 문제
> ㄴ. 천재지변에 의한 피해
> ㄷ. 여성·장애인 등 사회적 약자에 대한 차별
> ㄹ. 정규직 근로자와 비정규직 근로자 간 임금 격차

① ㄱ, ㄴ ② ㄴ, ㄷ ③ ㄷ, ㄹ
④ ㄱ, ㄷ, ㄹ ⑤ ㄴ, ㄷ, ㄹ

15 다음 사례에서 지적하는 미래 사회의 문제로 적절한 것은?

> 중국 ○○시는 버스와 정류장, 도로와 골목, 학교와 유치원, 대형 백화점 및 마트에 총 8,370개의 감시 카메라를 설치하여 24시간 실시간 감시 체계를 마련했다. 이를 두고 '빅브라더'의 시대가 도래했다는 비판이 일고 있다. '빅브라더'는 조지 오웰의 소설 〈1984년〉에 나오는 인물로, 전체주의 국가 오세아니아를 통치하는 독재자이다.

① 정보 격차 ② 환경 오염
③ 사생활 침해 ④ 빈부 격차 심화
⑤ 지적 재산권 침해

16 사회 문제의 해결 방안 ㉠~㉤ 중 옳지 <u>않은</u> 것은?

> ㉠ 현대 사회 문제를 해결하기 위해서는 제도적 차원과 의식적 차원의 노력이 함께 이루어져야 한다. ㉡ 저출산 문제에 대한 제도적 차원의 해결 방법은 양성평등 의식을 확산하기 위해 캠페인 활동을 벌이는 것이다. ㉢ 실업 문제 해결을 위한 일자리 창출 정책은 제도적 차원의 문제 해결 방법이다. ㉣ 지구 온난화와 같은 환경 문제는 국제적인 차원에서 구체적이고 실질적으로 협력하려는 노력이 필요하다. 이와 함께 ㉤ 현대 사회 문제를 해결하기 위해 공동체 의식을 가져야 한다.

① ㉠ ② ㉡ ③ ㉢ ④ ㉣ ⑤ ㉤

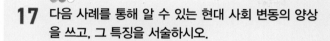
17 다음 사례를 통해 알 수 있는 현대 사회 변동의 양상을 쓰고, 그 특징을 서술하시오.

> 최근 많은 사람들이 사용하는 A 회사의 스마트폰은 미국이 개발·설계하였으며 한국, 일본, 독일 등에서 만든 부품을 사용하여 중국에서 최종 조립한다. 그리고 이렇게 생산된 스마트폰은 여러 국적의 선박에 실려 세계 각국으로 팔려 나간다.

18 지진, 홍수와 같은 자연 재해는 사회 문제라고 하지 않는다. 그 이유를 (가), (나)에 들어갈 기준과 관련하여 두 가지 서술하시오.

> 사회 구성원 다수가 바람직하지 않다고 생각하는가?
> ↓ 예
> (가)
> ↓ 예
> (나)
> ↓ 예
> 사회 문제

19 밑줄 친 내용과 같이 변화하는 사회를 무엇이라 하는지 쓰고, 그 원인을 두 가지만 서술하시오.

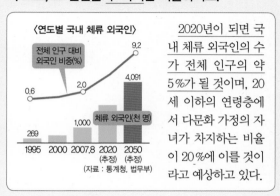

〈연도별 국내 체류 외국인〉
전체 인구 대비 외국인 비중(%)
0.6 / 2.0 / 9.2
체류 외국인(천 명)
269 / 1,000 / 4,091
1995 / 2000 / 2007.8 / 2020(추정) / 2050(추정)
(자료 : 통계청, 법무부)

> 2020년이 되면 국내 체류 외국인의 수가 전체 인구의 약 5 %가 될 것이며, 20세 이하의 연령층에서 다문화 가정의 자녀가 차지하는 비율이 20 %에 이를 것이라고 예상하고 있다.

20 다음 자료에 나타난 사회 문제의 원인을 두 가지만 서술하시오.

> 〈한국 고령화 전망 주요 내용〉
> 2020년 노동 인구 감소 속도 유럽·일본 추월
> 2005년까지 노동 인구 매년 1.2 % 감소
> 2039년 고령자 수가 노동 인구 상회
> 2045년 평균 연령 50세로 세계 최고
> (자료 : SBS)
>
> 통계청 발표에 따르면 한국의 65세 이상 노인 인구의 비중은 1960년에 2.9 %에 불과했지만, 2010년에는 11.0 %에 이르렀고, 2050년에는 38.2 %까지 치솟으며 일본의 37.8 %를 제치고 OECD 국가 중 노인 인구 비중이 가장 높아질 것으로 예상하고 있다.

21 (가), (나)와 같은 노력을 하는 이유를 정보 사회의 문제점과 관련지어 각각 서술하시오.

> (가) 정부는 정보 취약 계층과 취약 지역을 파악하여 정보 인프라를 우선적으로 구축할 수 있도록 다양한 재정적 지원 제도를 마련하고 있다.
> (나) 방송 통신 위원회는 인터넷상의 '비밀 번호 변경', '휴면 계정 정리' 및 '아이핀(i-PIN) 전환'을 주요 내용으로 하는 캠페인을 실시하고 있다.

22 밑줄 친 '이것'은 어떤 사회 문제인지 쓰고, 이를 해결하기 위한 제도적 방안을 두 가지만 서술하시오.

> 이것이 나타나는 요인은 미혼율의 증가와 결혼 연령의 상승을 비롯하여 여러 가지가 있다. 또한 여성의 지위가 상승하는 데 비해, 여성이 직장 생활과 양육을 동시에 수행하기 어려운 환경도 그 원인이 된다. 개인주의적 가치관과 소자녀관, 결혼에 대한 의식의 변화도 이것이 나타나는 데에 영향을 미치고 있다.

이 책의 정답은 QR 코드로 확인할 수 있어요~!

2015 개정 교육과정

금성 평가문제집

ㄱ 평아
ㅁ 놀자!

학교시험대비 평가 시리즈

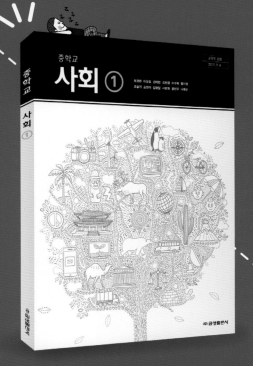

중학 **사회** ①
평가문제집

정답과 해설

금성출판사

새로운 금성 평가문제집 시리즈

금펑아 놀자!

중학 **사회** ① 평가문제집

정답과 해설

금성출판사

1. 내가 사는 세계

01 다양한 지도와 지도 읽기

8~9쪽

▶ **콕콕! 필기 노트**

❶ 일반도 ❷ 지리 정보 ❸ 인문 환경 ❹ 점 ❺ 선 ❻ 색

▶ **콕콕! 핵심 개념**

1 지도 2 일반도 3 주제도

▶ **탄탄! 활동 노트**

활동① **1** ❶ 오스트레일리아 ❷ 히말라야 ❸ 사하라 ❹ 러시아
❺ 나이아가라 ❻ 아마존 **2** ❶ 바, D ❷ 가, C ❸ 다, A ❹ 나, B
❺ 라, E ❻ 마, F

활동② **1** ❶ 선 ❷ 남쪽 **2** 서귀포, 포항, 광주, 강릉, 청주, 서울,
춘천 **3** 지도에서 색상이 진한 지역은 벚꽃의 개화 시기가 빠른 지
역이며, 색상이 연한 지역은 벚꽃의 개화 시기가 늦은 지역임을 추론
할 수 있다.

쑥쑥! 실력 키우기

10~11쪽

• **1 STEP 개념을 되짚는 확인 문제**

01 (1) 기호, 평면 (2) 일반도 (3) 지리 정보 (4) 주제도 02 (1) 지형
도 (2) 세계 전도 03 (1) ○ (2) ○ (3) × 04 (1) ㉢ (2) ㉠ (3) ㉡

• **2 STEP 기초를 다지는 기본 문제**

01 ⑤ 02 ② 03 ③ 04 ⑤ 05 ① 06 ⑤

• **3 STEP 실력을 완성하는 주관식·서술형 문제**

07 해설 참조 08 해설 참조 09 해설 참조

---

01 지도는 지표면의 여러 현상을 일정한 비율로 줄여서 약속된 기
호로 평면에 나타낸 것이다. 이러한 지도는 3차원의 공간을 2
차원의 평면에 나타내기 때문에 왜곡이 나타날 수밖에 없다.
오답 확인 ⑤ 지도는 표현 방식에 따라 형태, 면적, 방향 등이
왜곡되기도 한다.

02 산맥의 위치, 꽃의 개화 시기 등 자연 현상과 관련이 있는 지
리 정보는 자연환경에 해당하고 출산율, 인구, 도시, 경제 등
인간 활동과 관련된 지리 정보는 인문 환경에 해당한다.
오답 확인 ㄱ, ㄹ, ㅁ은 인문 환경과 관련이 있다.

03 지도상의 거리는 지도 아래의 축척, 지도상의 방향은 지도 상
단의 방위 표시로 알 수 있다. 지도상의 강의 흐름은 강과 바
다가 만나는 하구의 위치, 지도상 보물의 위치는 지도 옆에 나
타나 있는 설명을 통해 파악할 수 있다.
오답 확인 ③ 지도상의 산의 높이는 같은 높이의 지점을 연결한
선인 등고선이 지도에 있을 경우에 파악할 수 있다.

04 일반도는 자연환경과 인문 환경을 종합적으로 나타낸 지도이
다.
오답 확인 ㄱ. 지역별 강수량 분포는 일반도가 아닌 주제도를 통
해 파악할 수 있는 지리 정보이다.

05 각 국가의 수도를 표시하는 지도는 주제도가 아닌 일반도이
다. 주제도는 특정한 주제를 바탕으로 필요한 내용을 자세하
게 표현한 지도이다.

06 제시된 지도는 화살표와 범례를 통해 인구의 이동 방향을 알
수 있는 주제도이다. 당시 아프리카인들은 신대륙의 노예로
강제 이주되었다. 아프리카인들은 유럽이 아니라 주로 아메리
카 대륙으로 이동하였다.

07 예시 답안 우리가 사는 3차원의 공간을 일정한 비율로 줄여서
약속된 기호로 평면에 나타낸 것을 지도라고 한다.

채점 기준

상	우리가 사는 공간의 비율 축소, 기호 사용, 평면에 표현 등을 모두 정확히 서술한 경우
중	지도의 주요 조건 중 두 가지만 서술한 경우
하	지도의 주요 조건 중 한 가지만 서술한 경우

08 예시 답안 A 지점은 인도와 중국, 네팔 사이에 위치한 히말라야
산맥이다. 히말라야산맥에는 세계에서 가장 높은 산인 에베레
스트산이 있다.

채점 기준

상	히말라야산맥의 위치와 히말라야산맥의 특징을 각각 정확하게 서술한 경우
중	지리 정보를 위치와 특성으로 나누었지만, 해당 정보가 부정확하거나 위치나 특성 중 한 가지만 서술한 경우
하	지리 정보를 위치와 특성으로 제대로 나누지 못하고 미흡하게 서술한 경우

09 (1) 합계 출산율이란 여성 한 명이 평생 동안 낳을 것으로 예상
되는 자녀의 수를 의미한다.

(2) 아프리카

(3) 예시 답안 아프리카는 합계 출산율이 매우 높은 데 비해 러
시아는 합계 출산율이 매우 낮다. 특히, 남자와 여자가 함
께 아이를 갖는데, 합계 출산율이 2명 미만일 경우에는 인
구가 감소하게 된다. 따라서 아프리카의 인구는 크게 증가
하겠지만, 러시아의 인구는 감소할 것으로 보인다.

채점 기준

상	아프리카와 러시아의 합계 출산율을 비교하고 합계 출산율이 전체 인구에 미치는 효과와 향후 두 지역 간의 인구 증감을 정확하게 추론한 경우
중	아프리카와 러시아의 합계 출산율을 비교하고 향후 두 지역 간의 인구 증감을 추론하였으나 합계 출산율이 전체 인구에 미치는 효과를 제대로 서술하지 못한 경우
하	아프리카와 러시아의 합계 출산율만 비교한 경우

02 위치 표현 방법과 위치에 따른 인간 생활

12~15쪽

꼼꼼! 필기 노트

❶ 위치 ❷ 랜드마크 ❸ 경도와 위도 ❹ 위도 ❺ 경도 ❻ 위도
❼ 23.5° ❽ 1 ❾ 본초 자오선 ❿ 135°

콕콕! 핵심 개념

1 위치 **2** 위도 **3** 경도 **4** 일사량 **5** 본초 자오선 **6** 세계 표준
시 **7** 날짜 변경선

탄탄! 활동 노트

활동❶ 1 영국은 아프리카 대륙의 북쪽, 유럽 대륙의 서쪽에 위치해
있으며, 북쪽으로는 북극해, 서쪽으로는 대서양과 맞닿아 있다. **2** 서
경, 북위 **3** 런던의 시계탑 빅벤은 영국 국회 의사당과 웨스트민스터
다리 사이에 위치해 있다.

활동❷ 1 ㉠ – 본초 자오선, 경도 0°, ㉡ – 적도, 위도 0° **2 ❶** 키토
❷ 뉴델리 ❸ 모스크바 ❹ 싱가포르 **3** (1) 칠레 (2) 서쪽으로 태
평양과 접하고 남쪽으로 바다 건너 남극 대륙과 마주한 지역은 캐나
다, 미국, 멕시코, 페루, 칠레 등 아메리카 대륙 서쪽 해안에 위치한 나
라들이다. 이 중 편지에 언급된 위도 대에 걸쳐 있는 국가는 칠레뿐
이다.

활동❸ 1 A – 겨울, B – 봄, C – 여름, D – 가을 **2** 우리나라, 중국,
일본, 프랑스, 에스파냐 등 북반구 중위도 국가 **3** 적도 부근은 지구
의 공전 위치에 상관 없이 항상 일사량이 많은 지역이기 때문이다.
4 핀란드는 북반구 고위도에 위치한 국가이므로 12월 25일이 겨울이
고, 남반구 중위도에 위치한 오스트레일리아는 계절이 반대이기 때문
에 크리스마스가 무더운 여름이다.

활동❹ 1 러시아 **2** 중국 **3** 아이슬란드, 영국, 아일랜드, 포르투
갈, 영희가 전화를 건 시간이 오후 6시이고, 우리나라가 새벽 3시라면
영희가 거주 중인 국가는 우리나라보다 9시간이 느린 곳이다. 우리나
라보다 9시간이 느린 국가 중 유럽에 해당하는 곳은 영국, 아일랜드,
아이슬란드, 포르투갈이다.

쑥쑥! 실력 키우기

16~17쪽

·1 STEP 개념을 되짚는 확인 문제·

01 (1) 랜드마크 (2) 대륙, 해양 (3) 도로명 **02** (1) 위도 (2) 경도 **03**
(1) × (2) ○ (3) ○ (4) × **04** (1) ㉠ (2) ㉢ (3) ㉡

:2 STEP 기초를 다지는 기본 문제·

01 ② **02** ③ **03** ⑤ **04** ② **05** ⑤ **06** ④

:3 STEP 실력을 완성하는 주관식·서술형 문제·

07 해설 참조 **08** 해설 참조 **09** 해설 참조

---

01 지구상의 위치를 표현하는 정확한 방법으로는 경·위도 좌표
를 사용하는 방법이 있다.
오답 확인 ③ 공간 규모에 따른 위치 표현 방법은 다양하다. ④
랜드마크는 좁은 지역의 위치 표현에서 사용된다. ⑤ 우리나라
는 2014년부터 도로명 주소 체계를 통해 행정 구역상 위치를
표현하고 있다.

02 **오답 확인** ㄹ. 계절의 차이는 위도에 따라 다르게 나타나며, 시
간의 차이는 경도에 따라 다르게 나타난다.

03 ㉤은 서경에 해당한다.

04 지구가 둥글기 때문에 위도에 따라 일사량의 차이가 나타난
다. 따라서 고위도 지역으로 갈수록 태양으로부터 받는 일사
량이 줄어들어 기온이 낮아진다.

05 오스트레일리아는 남반구 중위도에 위치한 국가로 12월 25일
크리스마스에 계절이 여름이다.

06 제시된 그림은 지구 자전에 따른 시간의 변화를 의미하는 것
이다.
오답 확인 ④ 위도별로 기온 차이가 나타나는 것은 위도에 따라
태양 에너지를 받는 양이 다르기 때문이다.

07 **예시 답안** 산들이네 집은 놀이터를 기준으로 서쪽에 위치해 있
으며, 북쪽으로는 빵집이 있고 남쪽으로는 약국이 있다. 또 산
들이네 집 서쪽에는 시장 골목을 지나 상가 건물이 있다.
채점 기준

상	동서남북 네 방향의 각 랜드마크를 활용하여 위치를 정확히 설명한 경우
중	랜드마크를 활용했지만, 산들이네 집의 위치를 정확히 찾을 수 없는 경우
하	랜드마크를 적절하게 활용하지 못하고 대강의 위치를 설명한 경우

08 **예시 답안** 인도는 미국의 각 지역과 10~13시간 가량의 시간 차
이가 난다. 따라서 미국과 인도는 낮과 밤이 거의 반대로 24시
간 동안 일을 연속해서 처리할 수 있다. 또한 인도는 과거 영
국의 식민 통치로 인해 영어를 사용하기 때문에 미국 회사와
의 의사소통이 원활하다.
채점 기준

상	시차로 인해 업무를 연속적으로 처리할 수 있으며 영어 사용으로 의사소통이 원활함을 정확히 서술한 경우
중	시차와 영어 사용을 언급했지만, 그것이 업무에 어떤 식으로 도움이 되는지 구체적으로 설명하지 못한 경우
하	시차와 영어 사용 중 한 가지만 언급하여 서술한 경우

09 **예시 답안** 태평양 일대에는 여러 작은 섬 나라가 있다. 만약, 날
짜 변경선이 이들 섬 나라 위를 지나간다면 같은 섬에서 날짜
가 서로 다른 상황이 발생한다. 이러한 불편을 피하기 위해 날
짜 변경선이 같은 국가 위를 지나지 않도록 구부러진 형태로
나타나게 되었다.

채점 기준

상	날짜 변경선이 구부러져 나타나는 특징을 쓰고 한 국가 위를 날짜 변경선이 지날 경우 발생할 주민 생활의 불편을 이유로 들어 정확히 설명한 경우
중	날짜 변경선이 구부러져 나타나는 특징을 썼으나, 단순히 섬을 피하기 위해서라고만 이유를 서술한 경우
하	날짜 변경선의 특징만 쓴 경우

03 지리 정보 기술

18~19쪽

● **꼭꼭! 필기 노트**
❶ 지리 정보 ❷ 지리 정보 체계 ❸ GPS ❹ 지리 정보 기술

● **콕콕! 핵심 개념**
1 지리 정보 2 공간적 의사 결정 3 GPS

● **탄탄! 활동 노트**
활동❶ 1 존 스노의 지도에 따르면 콜레라 사망자들은 물 펌프를 중심으로 그 주변에 많이 밀집되어 있다. 2 콜레라로 인한 사망자들이 물 펌프를 중심으로 그 주변에 밀집되어 있는 것으로 볼 때 물 펌프장의 물이 콜레라의 원인일 가능성이 크다. 3 콜레라 확산의 주범이 물 펌프장의 오염된 물이라면, 이를 막기 위해 물 펌프장을 폐쇄해야 한다.
활동❷ 1 빅데이터 분석 2 심야 시간에 전화의 발신과 수신이 빈번한 지역은 해당 시간에 사람이 많은 곳이므로 버스 승객이 많을 것이라고 판단한 것이다. 3 공공 서비스

쑥쑥! 실력 키우기

20~21쪽

• **1 STEP 개념을 되짚는 확인 문제**
01 (1) 지리 정보 (2) 내비게이션 (3) 스마트 기기
02 (1) ○ (2) × (3) × 03 (1) ㉡ (2) ㉢ (3) ㉠ 04 (1) 원격 탐사
(2) 커뮤니티 매핑

• **2 STEP 기초를 다지는 기본 문제**
01 ③ 02 ① 03 ⑤ 04 ④ 05 ④ 06 ⑤

• **3 STEP 실력을 완성하는 주관식·서술형 문제**
07 해설 참조 08 해설 참조 09 해설 참조

01 정보 통신 기술의 발달로 지리 정보 수집이 더욱 쉬워졌다.

02 위성 위치 확인 시스템(GPS)을 이용하여 사용자의 현재 위치와 목적지까지의 길을 실시간으로 안내해 자동차 운전을 도와주는 장치나 프로그램은 내비게이션이다.
오답 확인 ② 버스 정보 시스템은 승객이 탑승할 버스가 버스 정류장에 언제 도착하는지 실시간으로 안내해 주는 지리 정보 기술이다. ④ 커뮤니티 매핑은 지리 정보 기술을 이용하여 여

러 사람이 함께 지도를 만드는 것이다.

03 〈보기〉의 내용은 모두 지리 정보 기술의 활용 사례이다.

04 ㉠은 지리 정보 기술, ㉡은 위성 위치 확인 시스템(GPS)이다.

05 지리 정보를 입력·저장하고 다양한 방법으로 처리·분석하는 일련의 과정을 지리 정보 체계(GIS)라고 한다.

06 제시된 자료는 서울시 올빼미 심야 버스 노선도로, 위성 위치 확인 시스템(GPS)과는 거리가 먼 내용이다. GPS는 길 찾기 기술인 내비게이션에 활용되는 기술이다.

07 (1) GPS(위성 위치 확인 시스템)
(2) 예시 답안 사진의 지리 정보 기술은 버스 정보 시스템으로, 승강장에서 승객이 버스가 도착하는 시각이 언제인지를 파악하여 이동과 대기 시간의 효율성을 높여 주는 편의를 제공한다.
채점 기준

상	버스 정보 시스템을 쓰고 제공하는 편의를 정확하게 서술한 경우
중	버스 정보 시스템이라고는 썼지만, 제공하는 편의가 무엇인지 서술하지 못하고 GPS 기술을 서술한 경우
하	버스 정보 시스템이라고만 쓴 경우

08 예시 답안 사용자나 지역 주민이 직접 지도 제작에 참여하는 것을 커뮤니티 매핑이라고 한다. 커뮤니티 매핑의 사례로는 재난 대처 지도 제작, 지역 자산(문화유산) 지도 제작 등이 있다.
채점 기준

상	커뮤니티 매핑을 쓰고 사례를 한 가지 이상 정확히 서술한 경우
중	커뮤니티 매핑만 쓰고 사례를 들지 못한 경우
하	커뮤니티 매핑을 쓰지 못하고 사례만 한 가지 서술한 경우

09 예시 답안 (가)의 지리 정보 기술은 국가나 공공 기관이 제공하는 공공 서비스라는 점에서 (나)의 사례와 차이가 있다.
채점 기준

상	공공 서비스라고 제시하고 그 의미를 정확히 서술한 경우
중	공공 서비스의 의미는 기술하였으나, 공공 서비스라는 용어를 기술하지 못한 경우
하	공공 서비스라고만 쓴 경우

똑딱! 단원 마무리하기

22~25쪽

01 ④ 02 ⑤ 03 ① 04 ① 05 ④ 06 ⑤ 07 ② 08 ④
09 ④ 10 ③ 11 ⑤ 12 ③ 13 ⑤ 14 ⑤ 15 ④ 16 ⑤
17 ④ 18 ③ 서술형 문제 19~24 해설 참조

01 오답 확인 ㄹ. 지형도나 세계 전도는 일반도에 해당한다.

02 오답 확인 ①~④는 모두 자연환경에 해당하는 지리 정보이다.

03 A는 아프리카 대륙, B는 아시아 대륙, C는 태평양이다.

04 지형도는 일반도에 속하는 지도로 모든 지도의 기본이 된다.
<u>오답 확인</u> ②~⑤는 특정한 주제를 나타내기 위해 제작된 지도로 관광 지도, 자원 분포도, 기후 분포도, 인구 이동도 등은 모두 주제도에 속한다.

05 도시별 인구 규모를 표현할 때는 도형 표현도가 적절하다.
<u>오답 확인</u> ① 기후 구분은 색으로 영역을 구분하는 지도가 적절하다. ② 인구 분포는 점 지도로 표현하는 것이 적절하다. ③ 벚꽃의 개화 시기는 선으로 같은 개화 일자를 연결한 지도가 적절하다. 지형도는 일반도로 특정 주제를 나타내기에 적절하지 않다. ⑤ 자원의 이동을 표현할 때는 선으로 이동을 표시하는 지도가 적절하다.

06 남아메리카 태평양 연안의 국가들은 2~3명의 합계 출산율을 보이는 반면, 북아메리카 국가들은 1.5~2명의 합계 출산율을 보이고 있다. 따라서 향후 남아메리카 태평양 연안의 국가들보다 북아메리카 국가들의 인구 감소율이 더 클 것이다.

07 사하라 사막은 세계에서 가장 넓은 사막이다.

08 모든 경선의 기준이 되는 선은 본초 자오선이다. 적도는 모든 위선의 기준이 된다.

09 적도를 기준으로 남쪽의 지구를 남반구, 북쪽의 지구를 북반구라고 한다. 케이프타운과 캔버라는 남반구에 속한다.

10 큰 공간 규모에서는 대륙과 해양 또는 주변국을 이용하여 위치를 표현하며, 작은 공간 규모에서는 랜드마크를 활용하여 위치를 표현하는 것이 적절하다.

11 우리나라의 위치를 나타내는 방법에는 경·위도 좌표를 이용하는 방법, 주변의 국가를 이용하는 방법, 대륙과 해양을 이용하는 방법 등이 있다.
<u>오답 확인</u> ㄱ. 우리나라는 태평양 연안에 위치한다.

12 위도에 따른 일사량의 차이로 인해 적도 부근은 일사량이 많아 기온이 높고, 고위도 지역으로 갈수록 기온이 낮아진다.
<u>오답 확인</u> ㄱ. 고위도 지역의 경우 계절 변화가 뚜렷하지 않을 뿐, 남극과 북극에도 여름과 겨울이 존재한다. ㄴ. 북반구와 남반구의 중위도 지역은 계절이 서로 반대로 나타난다. ㄷ. 저위도 지역은 일 년 내내 덥기 때문에 계절 변화가 뚜렷하지 않다.

13 본초 자오선은 지구상 모든 경선의 중심이 되는 선으로 경도 0°이다. 본초 자오선을 기준으로 동쪽을 동경, 서쪽을 서경이라고 한다.

14 뉴질랜드는 오스트레일리아와 다른 표준시를 사용한다.

15 미국 알래스카의 앵커리지는 우리나라와의 시차가 18시간이다.
<u>오답 확인</u> ① 런던은 9시간, ② 웰링턴은 3시간, ③ 자카르타는 2시간, ⑤ 로스앤젤레스는 17시간의 시차가 나타난다.

16 제시된 지역은 사계절이 뚜렷하므로 중위도 지역이면서 12월 25일 크리스마스를 여름에 맞이하기 때문에 남반구 지역이어

야 한다. 조건에 해당하는 경·위도 좌표는 ⑤가 적절하다.

17 원격 탐사를 인공위성이나 항공기를 통해 멀리 떨어진 곳의 정보를 수집하는 기술이다.
<u>오답 확인</u> ① GPS는 인공위성을 활용한 위치 확인 시스템이다. ② GIS는 지리 정보 기술을 활용하기 위해 수집한 지리 정보를 입력하여 데이터화하고 분석하는 일련의 종합 관리 체계이다. ③ BIS는 정류장에 버스가 언제 도착하는지 실시간으로 알려 주는 지리 정보 기술이다. ⑤ 내비게이션은 GPS 기술을 활용하여 목적지까지 길을 안내해 주는 장치나 프로그램이다.

18 커뮤니티 매핑은 사용자나 지역 주민이 지도 제작에 직접 참여하는 것을 말한다.
<u>오답 확인</u> ㄷ. 심야 시간의 버스 운행 노선 개발은 정부나 공공 기관이 주민의 편의를 위해 제공하는 공공 서비스이다.

19 [예시 답안] 일반도, 일반도를 통해 우리는 대륙과 해양의 분포나 주요 산맥과 하천의 위치, 국가와 도시의 위치 등을 알 수 있다.

채점 기준

상	일반도를 쓰고 일반도를 통해 알 수 있는 정보를 두 가지 이상 정확히 서술한 경우
중	일반도를 쓰고 일반도를 통해 알 수 있는 정보를 한 가지만 서술한 경우, 또는 일반도를 쓰지 못하고 일반도를 통해 알 수 있는 정보만 두 가지 서술한 경우
하	일반도만 쓴 경우

20 [예시 답안] 아프리카 대륙, 아프리카 지도에서 넓은 면적에 걸쳐 분포하는 대표적인 기후는 열대 기후와 건조 기후이다.

채점 기준

상	아프리카 대륙을 쓰고 대표하는 기후 두 가지를 정확히 쓴 경우
중	아프리카 대륙을 쓰고 대표하는 기후를 한 가지만 쓰거나, 아프리카 대륙을 쓰지 못하고 대표하는 기후를 두 가지 쓴 경우
하	아프리카 대륙을 쓰거나 대표하는 기후를 한 가지만 쓴 경우

21 (가)는 여름, (나)는 겨울이다. 이와 같은 현상이 나타나는 근본적인 이유는 지구가 23.5° 기울어진 채로 태양 주변을 공전하기 때문이다.

채점 기준

상	(가)와 (나)의 계절을 모두 쓰고 근본 이유를 정확히 서술한 경우
중	(가)와 (나)의 계절은 모두 썼으나 근본 이유를 서술하지 못한 경우, 또는 (가)와 (나)의 계절 중 하나만 쓰고 근본 이유를 서술한 경우
하	(가), (나) 계절만 쓴 경우

22 [예시 답안] 날짜 변경선, 키리바시의 날짜 변경선이 조정됨에 따라 날짜 변경선은 구불구불한 형태가 되었다.

채점 기준

상	날짜 변경선을 쓰고 날짜 변경선이 구부러진 형태가 된 것을 정확히 서술한 경우
중	날짜 변경선을 쓰지는 못했지만, 날짜 변경선이 구부러진 것을 서술한 경우
하	날짜 변경선이라고만 쓴 경우

23 예시답안 서쪽의 우루무치와 동쪽의 베이징은 멀리 떨어져 있지만, 중국은 베이징을 기준으로 한 하나의 표준시를 전 국토에 걸쳐 사용한다. 이로 인해 우루무치의 실제 시간이 표준시보다 느리기 때문에 우루무치의 밤 9시 풍경은 낮처럼 환하다.

채점 기준

상	베이징을 기준으로 한 표준시 사용 때문에 우루무치의 시간이 표준시보다 느리다고 정확하게 서술한 경우
하	베이징 기준의 표준시를 언급하지 않고 중국 전체가 동일한 표준시를 사용하기 때문이라고만 서술한 경우

24 예시답안 내비게이션, 내비게이션은 인공위성을 이용한 위치 확인 시스템(GPS)을 활용하여 사용자의 현 위치와 목적지의 위치를 분석한 후 길을 안내해 준다.

채점 기준

상	내비게이션을 쓰고 인공위성을 이용한 원리를 정확히 서술한 경우
중	내비게이션을 쓰고 그 원리로 GPS만 서술한 경우
하	내비게이션이라고만 쓴 경우

2. 우리와 다른 기후, 다른 생활

01 세계의 다양한 기후 지역

28~29쪽

꼭꼭! 필기 노트
❶ 기후 ❷ 적도 ❸ 사막 ❹ 사계절 ❺ 막대 ❻ 온대

콕콕! 핵심 개념
1 기후 2 온대 기후 3 한대 기후

탄탄! 활동 노트
활동 ❶ 1 ❶ A ❷ B ❸ D ❹ E ❺ C 2 A-ⓛ, B-㉠, C-ⓒ, D-ⓜ, E-ⓔ
활동 ❷ 1 (가) 열대 기후 (나) 건조 기후 (다) 온대 기후 (라) 냉대 기후 (마) 한대 기후 2 ❶ 연중 높다. ❷ 연중 적다. ❸ 적당하다. ❹ 겨울 기온이 낮고, 기온의 연교차가 크다. ❺ 매우 낮다.

쑥쑥! 실력 키우기

30~31쪽

1 STEP 개념을 되짚는 확인 문제
01 (1) 기후 (2) 열대 밀림 (3) 냉대 기후 (4) 온대 기후 **02** (1) ○
(2) × (3) ○ **03** (1) ⓛ (2) ㉠ (3) ⓒ **04** (1) 타이가 (2) 툰드라 지역

2 STEP 기초를 다지는 기본 문제
01 ① **02** ⑤ **03** ② **04** ① **05** ④ **06** ②

3 STEP 실력을 완성하는 주관식·서술형 문제
07 해설 참조 **08** 해설 참조 **09** 해설 참조

01 기후는 매년 바뀌는 것이 아니라, 일정한 지역에서 매년 되풀이 되는 대기의 종합적이고 평균적인 상태를 말한다.

02 제시된 사진은 열대 기후 지역의 열대 밀림이다. 열대 기후는 연중 높은 기온과 풍부한 강수량이 특징이다.
오답확인 ① 냉대 기후의 특징이다.
② 건조 기후의 특징이다.
③ 열대 기후는 주로 적도 부근의 저위도 지역에 분포한다.
④ 온대 기후의 특징이다.

03 냉대 기후 지역에는 잎이 뾰족한 침엽수가 넓게 펼쳐진 타이가가 분포한다. 활엽수는 잎이 넓은 나무로, 주로 열대 기후 지역이나 온대 기후 지역에서 볼 수 있다.

04 (가)는 사계절이 뚜렷한 온대 기후 지역에서 볼 수 있으며, (나)는 건조 기후 지역의 사막 경관이다.

05 기후 그래프를 통해 월평균 기온과 월별 강수량을 알 수 있다.
오답확인 ㄱ. 기온의 일교차는 알 수 없다.

06 너무 높은 기온은 인간 거주에 불리한 조건이 된다. 적당한 기온과 강수량이 인간 거주에 유리하다.

07 예시답안 냉대 기후 지역, 냉대 기후 지역은 겨울이 길고 추우며, 기온의 연교차가 크다. 또 타이가라고 불리는 침엽수림이 넓게 발달해 있다.

채점 기준

상	냉대 기후 지역을 쓰고 기온과 식생의 특징을 정확히 서술한 경우
중	냉대 기후 지역을 쓰고 기온과 식생의 특징 중 한 가지만 서술한 경우
하	냉대 기후 지역, 기온 특징, 식생 특징 중 한 가지만 서술한 경우

08 예시답안 A는 사막이 발달한 건조 기후 지역에 해당한다. 건조 기후 지역은 강수량보다 증발량이 많아 물이 매우 부족하므로 물을 꼭 준비해야 한다.(또는 같은 이유로 그늘막을 준비해야 한다, 물통을 준비해야 한다 등)

채점 기준

상	물(또는 건조 기후와 연관된 타당한 준비물)을 쓰고 건조 기후의 특징을 정확히 서술한 경우
하	물과 같은 타당한 여행 준비물을 썼지만, 건조 기후의 특징을 서술하지 못한 경우

09 예시답안 쾨펜의 기후에 대한 정의를 바탕으로 서울의 기온 분포를 보면, 가장 추운 달의 평균 기온이 −2.4℃이므로 온대 기후에 해당한다.

채점 기준

상	쾨펜의 온대 기후에 대한 정의를 바탕으로 서울이 온대 기후임을 정확히 서술한 경우
하	서울이 온대 기후임을 서술하였으나, 쾨펜의 온대 기후에 대한 정의를 바탕으로 서술하지 못한 경우

02 열대 우림 기후와 주민 생활 모습

32~33쪽

꼼꼼! 필기 노트

❶ 스콜 ❷ 적도 ❸ 아마존 ❹ 고상 ❺ 열대

똑똑! 핵심 개념

1 열대 우림 기후 2 아마존 3 플랜테이션

탄탄! 활동 노트

활동① 1 열대 우림 기후 2 ❶ 얇고 통풍이 잘 되는 옷 ❷ 음식이 쉽게 상하는 것을 방지하기 위해 ❸ 지붕 ❹ 비 ❺ 습기 ❻ 해충, 뱀

활동② 1 (1) (나) (2) (다) (3) (가) (4) (라) 2 싱가포르, 쿠알라룸푸르 등

쑥쑥! 실력 키우기

34~35쪽

1 STEP 개념을 되짚는 확인 문제

01 (1) 열대 우림 기후 (2) 저위도 (3) 아마존 (4) 고상 02 (1) ㉡ (2) ㉠ 03 (1) 스콜 (2) 향신료 04 (1) × (2) ○ (3) ○

2 STEP 기초를 다지는 기본 문제

01 ① 02 ⑤ 03 ① 04 ① 05 ⑤ 06 ③

3 STEP 실력을 완성하는 주관식·서술형 문제

07 해설 참조 08 해설 참조 09 해설 참조

01 열대 우림 기후는 일 년 내내 기온이 높아 연교차가 매우 작은 것이 특징이다.

02 제시된 내용은 열대 우림 기후 지역의 특징이다.
오답 확인 ㄴ. 몽골 초원은 건조 기후 지역이다.

03 열대 우림 기후 지역은 무덥고 습해 음식이 잘 상하기 때문에 이를 방지하기 위해 기름에 튀기거나 향신료를 많이 사용한 음식이 발달하였다.

04 열대 우림 기후 지역에서는 밀 농사가 어려우며, 천연고무, 커피, 카카오 등의 플랜테이션 작물이나 얌, 카사바와 같은 열대 작물을 주로 재배한다.

05 플랜테이션은 선진국의 자본과 원주민의 노동력을 바탕으로 열대 기후 지역에 적합한 바나나, 카카오 등의 작물을 상업적 목적으로 대량 재배하는 농업 방식이다.

06 열대 우림 기후 지역의 가옥은 창문이 크고 지붕의 경사가 급하며, 바닥에서 높이 띄워서 지은 고상 가옥이 발달하였다.

07 예시 답안 열대 우림 기후, 적도와 그 부근 저위도 지역은 일사량이 많기 때문이다.

채점 기준

상	열대 우림 기후를 쓰고 적도와 그 부근 저위도 지역이 일사량이 많다라고 정확히 서술한 경우
중	열대 우림 기후를 쓰고, 적도와 그 부근 저위도에 분포한다고 서술했지만, 일사량이 많다는 이유를 제시하지 못한 경우
하	열대 우림 기후라고만 쓴 경우

08 예시 답안 싱가포르, ㉠ 스콜, ㉡ 싱가포르에서 중계 무역이 발달한 이유는 이곳의 위치가 해상 교통의 중심지이자 길목이기 때문이다.

채점 기준

상	싱가포르, 스콜, 무역이 발달한 이유를 모두 정확히 서술한 경우
중	싱가포르, 스콜 중 하나만 쓰고 무역이 발달한 이유를 서술한 경우
하	싱가포르, 스콜은 모두 썼지만, 무역이 발달한 이유를 서술하지 못한 경우

09 예시 답안 지붕의 경사가 급하며, 지면으로부터 높게 띄워서 지었다.(또는 창문과 문이 크고 개방적이다.) 지붕의 경사가 급한 이유는 비를 빨리 흘러내리게 하여 지붕이 무너지는 것을 방지하기 위한 것이고, 지면으로부터 높게 띄워 지은 것은 지면의 열기와 습기를 피하고 해충이나 뱀 등의 침입을 막기 위한 것이다.(또는 창문이나 문이 크고 개방적인 이유는 높은 기온 때문에 통풍을 원활하게 하기 위한 것이다.)

채점 기준

상	가옥의 특징 두 가지와 그 이유를 모두 정확히 서술한 경우
중	가옥의 특징을 한 가지만 쓰고 그 이유를 서술한 경우 또는 가옥의 특징을 두 가지 썼지만 그 이유를 서술하지 못한 경우
하	가옥의 특징 한 가지만 쓴 경우

03 온대 기후와 주민 생활 모습

36~37쪽

꼼꼼! 필기 노트

❶ 중위도 ❷ 온화한 ❸ 편서풍 ❹ 계절풍 ❺ 혼합 농업 ❻ 벼농사

똑똑! 핵심 개념

1 서안 해양성 2 지중해성 3 계절풍

탄탄! 활동 노트

활동① 1 A—서안 해양성 기후, B—지중해성 기후, C—온대 계절풍 기후 2 A—(가), B—(나), C—(다) 3 ❶ 여름은 서늘하고 겨울은 온화하다. ❷ 여름은 건조하고 겨울은 습윤하다. ❸ 여름은 강수량이 많고 겨울은 건조하다.

활동② 1 (1) 혼합 농업 (2) 수목 농업 (3) 벼농사 2 ❶ 곡물로 만든 빵이나 육류 등을 즐겨 먹는다. ❷ 토마토와 올리브를 활용한 피자, 파스타 등을 즐겨 먹는다. 포도를 활용한 와인 문화가 발달하였다. ❸ 쌀밥을 위주로 다양한 반찬을 곁들여 먹는다.

정답과 해설
정확한 답과 친절하게 짚어 주는 해설

쑥쑥! 실력 키우기

38~39쪽

1 STEP 개념을 되짚는 확인 문제

01 (1) 온대 기후 (2) 서안 해양성 (3) 지중해성 (4) 온대 계절풍 **02** (1) 편서풍 (2) 난류 **03** (1) ○ (2) × (3) × **04** (1) ⓒ (2) ⓒ (3) ⓒ

2 STEP 기초를 다지는 기본 문제

01 ② **02** ⑤ **03** ④ **04** ④ **05** ① **06** ①

3 STEP 실력을 완성하는 주관식·서술형 문제

07 해설 참조 **08** 해설 참조 **09** 해설 참조

01 오답 확인 ㄷ. 기온의 연교차가 작은 것은 열대 기후 지역이다. ㅁ. 온대 기후는 주로 중위도 지역에 분포한다.

02 제시된 내용은 모두 서안 해양성 기후의 특징이다.

03 지중해성 기후는 여름에 덥고 건조하며 겨울에 온난 습윤하다. 지중해 연안, 아메리카 대륙 서부 해안, 오스트레일리아 서남부 해안, 아프리카 남부 해안 등에서 지중해성 기후가 나타난다.

04 지도는 대륙 동안에 부는 계절풍을 나타낸 것이다. 편서풍과 북대서양 해류의 영향을 받는 것은 서안 해양성 기후이다.

05 지중해성 기후 지역은 여름이 덥고 건조하여 포도, 올리브, 오렌지, 코르크나무 등을 재배하는 수목 농업이 발달하였다.

06 서안 해양성 기후 지역에서는 곡물 재배와 가축 사육을 함께 하는 혼합 농업이 발달하였다.

07 예시 답안 온대 기후, 온대 기후는 기온이 온화하고 강수량이 적당하여 인간 거주에 유리하다.

채점 기준

상	온대 기후를 쓰고 기온과 강수 측면에서 인간 거주에 유리한 이유를 정확하게 서술한 경우
중	온대 기후를 쓰고 기온과 강수 측면 중 한 가지만 서술한 경우
하	온대 기후라고만 쓴 경우

08 예시 답안 알베르토 집에서 먹은 음식의 재료는 올리브, 오렌지, 포도로, 모두 덥고 건조한 기후에서 잘 견디는 수목 농업 작물들이다. 이를 바탕으로 추론해 볼 때 알베르토의 고향은 여름이 덥고 건조한 지중해성 기후 지역이다.

채점 기준

상	지중해성 기후를 쓰고 음식 재료와 수목 농업을 연관시켜 그 근거를 정확히 서술한 경우
중	지중해성 기후를 썼지만, 수목 농업을 언급하지 않고 재료만 바탕으로 그 근거를 서술한 경우
하	지중해성 기후만 쓴 경우

09 예시 답안 김장을 하는 모습, 우리나라는 겨울이 춥고 건조하기 때문에 겨울철에 채소를 재배하기 어렵다. 따라서 가을에 수확한 배추를 추운 겨울 동안 저장해 두었다가 오랫동안 먹기 위해 김장 문화가 발달하였다.

채점 기준

상	김장을 쓰고 우리나라의 추운 겨울 기후를 바탕으로 김장 문화가 발달하였음을 정확히 서술한 경우
중	김장을 썼으나 단지 겨울이 춥고 건조하다고만 서술한 경우
하	김장하는 모습이라고만 쓴 경우

04 기후 환경을 극복하는 사람들의 생활 모습

40~43쪽

꼼꼼! 필기 노트

① 일교차 ② 사하라 ③ 250mm~500mm ④ 오아시스 ⑤ 유목 ⑥ 10℃ ⑦ 고위도 ⑧ 유목 ⑨ 고상 가옥 ⑩ 천연가스

콕콕! 핵심 개념

1 건조 기후 2 사막 3 스텝 4 툰드라 5 순록 6 백야

탄탄! 활동 노트

활동 ① 1 A-스텝 기후, B-사막 기후 2 A-(나), B-(가) 3 ① 연 강수량이 250mm~500mm ② 연 강수량이 250mm 미만

활동 ② 1 (1) (가), (다), (마), (바) (2) (나), (라) 2 ① 유목을 위해 이동식 가옥에서 생활한다. ② 오아시스에서는 지하수를 이용한 농경이 이루어진다. ③ 강수량이 적어 지붕이 평평하며 외부의 열기와 추위를 막기 위해 벽이 두껍고 창이 작다. ④ 뜨거운 햇볕을 피하고 큰 일교차에 대비하기 위해 온몸을 가리는 헐렁한 옷을 입는다.

활동 ③ 1 툰드라 기후 2 ① 2 ② 6, 7, 8, 9 ③ 8 ④ 2

활동 ④ 1 ① 백야 현상 ② 순록 ③ 송유관 ④ 오로라 2 ① (나) ② (라) ③ (가) ④ (다)

쑥쑥! 실력 키우기

44~45쪽

1 STEP 개념을 되짚는 확인 문제

01 (1) 남·북회귀선 (2) 사막, 스텝 (3) 툰드라 기후 (4) 순록 **02** (1) 카나트 (2) 백야 현상 **03** (1) × (2) ○ (3) × (4) ○ **04** (1) ⓒ (2) ⓒ (3) ⓒ

2 STEP 기초를 다지는 기본 문제

01 ① **02** ② **03** ② **04** ① **05** ⑤ **06** ④ **07** ②

3 STEP 실력을 완성하는 주관식·서술형 문제

08 해설 참조 **09** 해설 참조 **10** 해설 참조

01 건조 기후는 남·북회귀선 부근의 위도 20°~30° 사이, 바다로부터 멀리 떨어진 내륙, 한류가 흐르는 해안에서 나타난다.

02 사진은 몽골 초원에서 말과 양을 유목하는 모습이다. 이러한 스텝(초원) 기후 지역의 연 강수량은 250mm~500mm이다.

03 사막 기후 지역의 가옥은 지붕이 평평하며, 한낮의 열기와 야간의 추위를 막기 위해 위해 벽이 두껍고 창이 작다. 또한 주변에 식생이 부족하여 나무나 풀 대신 흙과 돌로 지어졌다.
　오답 확인 ㄱ. 강수량이 적어 지붕이 평평하다. ㄹ. 지면으로부터 높게 띄워 지은 집은 열대 기후 지역이나 툰드라 기후 지역에서 볼 수 있는 고상 가옥이다.

04 오아시스 주변에서 밀, 대추야자 등의 농작물을 재배하는 것은 사막에서 이루어지던 전통적인 삶의 모습으로, 기술 발달에 따라 환경을 변화시켜 불리한 기후를 극복한 사례로 보기는 어렵다.

05 툰드라 기후 지역에서는 짧은 여름 동안 1년생 풀이나 이끼류만 자랄 뿐 나무가 자라지 않는다.

06 제시된 글은 고위도 지역(위도 66.5° 이상)에서 나타나는 백야 현상에 대한 내용이다.

07 (가)는 스텝 기후 지역의 이동식 가옥인 게르 사진이고, (나)는 툰드라 기후 지역의 순록 유목 사진이다.

08 **예시 답안** (가) 사막 기후, (나) 스텝 기후, (가)와 (나) 기후의 구분 기준은 강수량인데, 사막 기후는 연 강수량이 250mm미만이며, 스텝 기후는 연 강수량이 250mm~500mm이다.

채점 기준

상	(가), (나) 기후를 모두 쓰고 두 기후의 구분 기준을 강수량 수치를 이용하여 정확하게 서술한 경우
중	(가), (나) 기후를 모두 쓰고 두 기후의 구분 기준을 서술하였으나, 구체적 수치를 제시하지 못한 경우
하	(가), (나) 두 기후만 각각 쓴 경우

09 **예시 답안** 두 기후 지역의 가옥 구조상 공통점은 지면으로부터 높게 띄워서 지어졌다는 점이다. 이러한 가옥 구조가 나타나게 된 이유는 열대 기후의 경우, 지면의 열기와 습기를 피하고 해충이나 야생 동물의 침입을 막기 위해서이다. 툰드라 기후 지역의 경우는 집에서 나오는 난방열 등에 의해 얼었던 땅이 녹아 가옥이 붕괴되는 것을 막기 위해서이다.

채점 기준

상	두 지역의 가옥이 지면으로부터 띄워져 지어졌다는 점을 쓰고 그 이유를 각각 정확하게 서술한 경우
중	두 지역의 가옥이 지면으로부터 띄워져 지어졌다는 점은 썼지만, 이유를 두 기후 지역 중 한 가지만 서술한 경우
하	두 지역의 가옥이 지면으로부터 띄워져 지어졌다는 점만 쓴 경우

10 **예시 답안** 이누이트들이 거주하는 알래스카는 툰드라 기후 지역이다. 툰드라 기후 지역의 주민들은 농사가 불가능해 채소를 구하기 어렵기 때문에 인간 활동에 필수적인 비타민을 섭취하기 위해 익히지 않은 날고기를 먹는다.

채점 기준

상	툰드라 기후는 농사가 어려움을 언급하고 고기를 날것으로 먹음으로써 비타민을 섭취할 수 있다고 정확히 서술한 경우
하	날고기를 먹음으로써 비타민을 섭취할 수 있다고 서술하였으나, 이를 툰드라 기후의 농사가 어려운 조건과 결부시키지 못한 경우

뚝딱! 단원 마무리하기 46~49쪽

01 ① **02** ① **03** ③ **04** ② **05** ④ **06** ④ **07** ⑤ **08** ④
09 ① **10** ① **11** ② **12** ④ **13** ④ **14** ② **15** ① **16** ⑤
17 ⑤ **18** ⑤ **서술형 문제** **19** ～ **24** 해설 참조

01 위도 60°보다 아래에 위치하면서 연 강수량이 500mm 보다 많고 기온의 연교차가 크지 않은 기후는 열대 기후이다.

02 A는 열대 우림 기후로 연중 기온이 높고 강수량이 풍부하다.
　오답 확인 ②는 건조 기후, ③은 온대 기후, ④는 냉대 기후, ⑤는 한대 기후 그래프이다.

03 연중 기온이 온화하고 강수량이 적당하여 다양한 농업 활동이 가능한 온대 기후 지역은 인간 거주에 유리하다.

04 거대한 침엽수림 지대인 타이가는 냉대 기후 지역에 분포한다.

05 수목 농업은 지중해성 기후, 계절풍은 온대 계절풍 기후, 백야 현상은 고위도 지역과 관련된 특징이다.

06 열대 기후 지역은 적도 부근의 저위도에 위치하고 거의 매일 스콜이 내리며, 열대 밀림이 발달하였다.

07 열대 우림 기후 지역의 가옥은 창문이 크고 개방적이며 지붕의 경사가 급하다. 또 지면으로부터 높게 띄워 지은 것이 특징이다. 흙이나 돌, 모래를 재료로 지은 가옥은 주변에서 나무를 구하기 쉽지 않은 사막 기후에서 많이 나타난다.

08 친구들이 여행한 지역은 모두 열대 기후 지역이다. 반면, 넓은 초원에서 풀을 뜯는 양과 말의 모습은 건조 기후나 온대 기후 지역에서 볼 수 있는 경관이다.

09 열대 기후 지역에서 이루어지는 이동식 화전 농업은 주기적으로 이동하며 숲에 불을 지른 후 카사바, 얌 등의 열대 작물을 재배하는 농업 방식이다.

10 제시된 글은 서안 해양성 기후 지역의 특징이다.
　오답 확인 B, D는 열대 기후, C는 건조 기후, E는 툰드라 기후 지역이다.

11 서안 해양성 기후 지역은 편서풍과 난류(북대서양 해류)의 영향을 받는다.

12 지중해성 기후 지역에서는 포도나 오렌지, 올리브나무 등을 재배하는 수목 농업이 발달하였다.

13 (가) 로마는 여름이 고온 건조하고 겨울이 온난 습윤한 지중해

성 기후 지역이며, (나) 서울은 여름이 고온 다습하고 겨울이 한랭 건조한 온대 계절풍 기후 지역이다.

오답 확인 ① 모두 온대 기후에 속한다. ② 서울의 겨울이 로마의 겨울보다 더 춥다. ③ 두 지역 모두 여름이 덥다. ⑤ 두 지역 모두 계절별 강수량의 차이가 난다.

14 A는 서안 해양성 기후 지역이다.

15 건조 기후는 남·북회귀선 부근에 주로 분포하며, 오아시스 주변에서는 밀, 대추야자 등을 재배하기도 한다.

16 신문 기사는 곡물 대기업들이 세계 곡물 시장을 장악하고 있다는 내용이다. 미국의 콜로라도는 건조 기후 지역이지만, 지하수를 끌어올린 후 스프링클러를 이용한 대규모 기업적 밀 농사가 이루어지고 있다.

17 사진은 백야 현상을 나타낸 것이다. 고위도 지역에서 여름철에 백야 현상이 나타나면 밤 11시가 되어도 해가 지지 않는다.

18 〈보기〉의 내용은 모두 툰드라 지역 주민들의 생활 모습이다.

19 예시 답안 가옥의 구조가 단순하며 개방적이고, 지붕의 경사가 급하며 벽을 얇게 하여 통풍이 잘 되도록 하였다. 또한 바닥으로부터 전달되는 열기와 습기를 차단하고 뱀이나 해충의 피해를 막기 위해 바닥을 지면에서 띄운 고상 가옥을 짓는다.

채점 기준

상	가옥의 구조, 지붕과 벽, 바닥의 높이에 관해 정확히 서술한 경우
중	가옥의 구조 지붕과 벽, 바닥의 높이 중에서 두 가지를 서술한 경우
하	가옥의 구조, 지붕과 벽, 바닥의 높이 중에서 한 가지만 서술한 경우

20 예시 답안 지폐의 그림은 바나나 열매를 트럭에 싣고 있는 모습으로, 열대 기후 지역에서 발달한 플랜테이션과 관련이 있다. 열대 기후 지역에서 이러한 플랜테이션 농업이 발달한 이유는 바나나, 커피, 카카오 등의 상업적 작물이 열대 기후와 적합하며, 이 지역 원주민의 노동력이 저렴하여 대량으로 생산하기에 좋은 조건이기 때문이다.

채점 기준

상	플랜테이션 농업을 쓰고 제시된 용어를 모두 활용하여 이유를 정확하게 서술한 경우
중	플랜테이션 농업을 썼지만, 제시된 용어를 제대로 활용하지 못하여 이유를 정확하게 서술하지 못한 경우
하	플랜테이션 농업이라고만 쓴 경우

21 예시 답안 우리나라에서 쌀밥을 주식으로 하는 이유는 여름철에 덥고 비가 많이 내려 벼농사에 유리하기 때문이다.

채점 기준

| 상 | 여름철에 덥고 비가 많이 내리는 기후 조건과 연관시켜 벼농사에 유리하기 때문이라고 정확히 서술한 경우 |
| 하 | 단순히 벼농사에 유리한 기후라고만 쓴 경우 |

22 예시 답안 (가)는 사막 기후, (나)는 스텝 기후이다. 사막 기후 지역의 가옥은 지붕이 평평하고 벽이 두꺼우며 창문이 작다. 스

텝 기후 지역은 유목을 위해 이동식 가옥이 발달하였다.

채점 기준

상	(가), (나) 기후의 명칭을 쓰고 가옥 구조의 특징을 한 가지씩 정확하게 서술한 경우
중	(가), (나) 기후의 명칭을 쓰고 가옥 구조의 특징을 두 기후 중 한 가지만 서술한 경우
하	(가), (나) 기후의 명칭만 쓴 경우

23 예시 답안 사막 기후, 사막 기후 지역의 주민들은 온몸을 가리는 옷을 입는다. 이는 사막의 강한 햇볕으로부터 피부를 보호하고 큰 일교차에 대비하며, 모래바람을 막기 위해서이다.

채점 기준

상	사막 기후를 쓰고 의복의 특징을 사막 기후와 연관시켜 정확히 서술한 경우
중	사막 기후와 의복 특징을 썼지만, 그 이유를 서술하지 못한 경우
하	사막 기후라고만 쓴 경우

24 예시 답안 사진에 나타난 송유관은 지면으로부터 높게 띄워서 설치되어 있다. 그 이유는 송유관을 흐르는 뜨거운 원유의 열기 때문에 알래스카의 얼어 있던 땅이 녹아 송유관이 휘어지거나 파손되는 것을 막기 위해서이다.

채점 기준

| 상 | 송유관의 설치 특징을 쓰고 그 이유를 정확히 서술한 경우 |
| 하 | 송유관의 설치 특징만 쓴 경우 |

3. 자연으로 떠나는 여행

01 산지 지형과 독특한 생활 양식

52~53쪽

● 꼼꼼! 필기 노트
❶ 습곡 작용 ❷ 융기 ❸ 풍화 ❹ 침식 ❺ 안데스 ❻ 알프스

● 콕콕! 핵심 개념
1 산지 **2** 고원 **3** 풍화 **4** 불리

● 탄탄! 활동 노트
활동① **1** (1) 알프스 (2) 히말라야 (3) 로키 (4) 안데스 **2** ❶ 고원(티베트고원) ❷ 산지(에베레스트산) ❸ 화산의 분출 작용 ❹ 산지의 형성 이후 빙하의 침식 작용

활동② **1** ❶ 연중 기온이 온화하며 강수량이 적당하다. ❷ 연중 기온이 매우 높으며 강수량이 많다. **2** 고산 기후 **3** 적도 부근의 저위도 지역은 기온이 매우 높아 인간 거주에 불리하지만, 키토와 같이 해발 고도가 높은 산지에 위치한 지역은 기후가 연중 온화하여 인간 거주에 유리하다.

· 1 STEP 개념을 되짚는 확인 문제 ·············

01 (1) 산지, 고원 (2) 히말라야 (3) 티베트(시짱), 융기 **02** (1) ○ (2) × (3) ○ **03** (1) 알프스산맥 (2) 셰르파 **04** (1) ⓒ (2) ⓐ (3) ⓑ

· 2 STEP 기초를 다지는 기본 문제 ·············

01 ⑤ **02** ⑤ **03** ① **04** ③ **05** ② **06** ④

· 3 STEP 실력을 완성하는 주관식·서술형 문제 ·········

07 해설 참조 **08** 해설 참조 **09** 해설 참조

01 제시된 모식도는 인도판과 유라시아판이 서로 충돌하여 습곡 작용으로 형성된 히말라야산맥을 나타낸 것이다.

02 제시된 사진은 알프스산맥의 마터호른이다. 호른은 험준한 산지가 빙하의 침식으로 인해 여러 방향으로 깎여 나가면서 산 정상부가 뾰족하게 남은 지형이다.

03 제시된 내용은 고산 기후의 특징에 해당한다.

04 (가)는 습곡 작용으로 형성된 히말라야산맥이며, (나)는 지반의 융기에 의해 형성된 티베트고원이다.

05 히말라야 산지의 셰르파는 등산객들에게 길을 안내하거나 짐을 날라 주며 생활한다. 알프스 산지는 아름다운 자연 경관을 이용한 관광 산업이 발달하였다.

[오답 확인] ㄴ. 적도 부근의 2,000m 이상 고지대에는 온화한 기후가 나타나 사람들이 많이 거주한다. ㄷ. 안데스 산지에서는 선선한 기후를 이용하여 감자나 옥수수를 재배한다. 쌀은 기온이 높고 강수량이 풍부한 평야 지역에서 주로 재배된다.

06 제시된 사진은 로키산맥에 있는 구리 광산의 계단식 채굴장을 나타낸 것이다.

07 [예시 답안] 일본의 후지산, 후지산은 화산이 폭발하며 분출한 분출물들이 분화구 주변에 쌓여서 형성된 산지 지형이다.

채점 기준

상	후지산을 쓰고 화산 활동에 의해 화산 분출물이 쌓여 형성된 것임을 정확하게 서술한 경우
중	후지산을 쓰고 화산 활동에 의해 형성되었음을 서술했지만, 분출물의 퇴적 과정을 서술하지 못한 경우
하	후지산만 쓰거나 화산 활동만 쓴 경우

08 [예시 답안] ㉠ 해발 고도가 높은 곳임에도 도시가 형성된 이유는 연중 온화한 기후가 나타나기 때문이며, ㉡ 이러한 독특한 기후를 고산 기후라고 한다.

채점 기준

상	해발 고도가 높은 곳에 도시가 형성된 이유를 온화한 기후 때문이라고 서술하고 독특한 기후를 고산 기후라고 정확히 쓴 경우
중	해발 고도가 높은 곳에 도시가 형성된 이유를 온화한 기후 때문이라고 서술했지만, 독특한 기후의 명칭을 쓰지 못한 경우
하	고산 기후라고만 쓴 경우

09 [예시 답안] 이목, 알프스 산지에서는 평지가 덥고 산지가 선선한 여름철에는 산지로 올라가 가축을 기르고, 산지가 추워지는 겨울철에는 상대적으로 따뜻한 평지로 내려와 가축을 기른다.

채점 기준

상	이목을 쓰고 계절별로 유리한 기후를 찾아 가축을 이동하며 사육한다는 내용을 정확히 서술한 경우
중	이목을 쓰지 못했지만, 계절별로 유리한 기후를 찾아 가축을 이동하며 사육한다는 내용을 서술한 경우
하	이목이라고만 쓴 경우

02 매력적인 해안 지형과 주민 생활

[쏙쏙] 필기 노트
❶ 만 ❷ 파랑 ❸ 산호초 ❹ 열대 ❺ 간척 ❻ 생태 관광

[콕콕] 핵심 개념
1 조류 **2** 암석 **3** 산호초 **4** 생태 관광

[탄탄] 활동 노트
[활동①] **1** A-(나), B-(다), C-(라) **2** ❶ 산호초 해안 ❷ 갯벌 해안 ❸ 모래 해안 ❹ 암석 해안 ❺ 조류에 의한 퇴적 작용 ❻ 파랑에 의한 퇴적 작용
[활동②] **1** 세 국가 모두 관광 산업에 의지하는 비중이 매우 높으며, 모두 해안을 끼고 있는 섬나라이다. **2** 몰디브는 국내 총생산의 90% 이상, 일자리의 60% 정도가 관광 산업에 집중되어 있다. 만약 관광 산업이 쇠퇴한다면 몰디브의 경제는 매우 어려워지며, 많은 사람이 일자리를 잃게 될 것이다. **3** 생태 관광

· 1 STEP 개념을 되짚는 확인 문제 ·············

01 (1) 만 (2) 침식 (3) 갯벌 (4) 파랑 **02** (1) ⓒ (2) ⓐ (3) ⓑ **03** (1) ○ (2) ○ (3) × **04** (1) 12사도 바위 (2) 몰디브

· 2 STEP 기초를 다지는 기본 문제 ·············

01 ⑤ **02** ③ **03** ⑤ **04** ③ **05** ④ **06** ④

· 3 STEP 실력을 완성하는 주관식·서술형 문제 ·········

07 해설 참조 **08** 해설 참조 **09** 해설 참조

01 산호초 해안은 산호충이 자랄 수 있는 따뜻한 열대 해안에서 발달한다.

02 바람에 의해 너울거리는 파도를 파랑이라고 하며, 밀물과 썰물에 의한 바닷물의 움직임을 조류라고 한다.

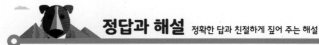

오답 확인 해류는 바람에 의한 파랑이 모여 하나의 일정한 방향을 이루며 움직이는 바닷물의 이동을 의미한다.

03 해안 침식 지형은 파랑의 에너지가 집중되는 곳에서 파랑에 의해 해안의 암석 등이 침식되어 형성된다.

04 아름다운 바덴해의 갯벌을 보기 위해 매년 많은 관광객이 이곳을 방문하고 있다.

05 A는 갯벌, B는 모래 해안(모래사장), C는 해안 동굴, E는 시 스택(돌기둥)이다. D는 해안 절벽(해식애)이다.

06 제시된 사진은 미국 하와이의 호놀룰루 해변이다. 해안 지역이 관광지로 개발되면 생태계가 파괴되어 생물 다양성이 보존되기 힘들다.

07 **예시 답안** A–산호초 해안(그레이트배리어리프), B–모래 해안(골드 코스트), C–해안 절벽, 시 스택(12사도 바위), ㉠ 산호충의 분비물과 유해가 쌓여 거대한 산호초 해안을 형성하였다.

채점 기준

상	A~C의 명칭을 쓰고 A의 형성 원인을 정확히 서술한 경우
중	A~C 중 두 가지만 쓰고 형성 원인을 서술한 경우
하	A~C의 명칭만 쓴 경우

08 **예시 답안** ㉠ 갯벌, 조류의 퇴적 작용으로 형성되는데, 조류는 밀물과 썰물의 움직임에 따른 바닷물의 흐름을 말한다.

채점 기준

상	갯벌을 쓰고 제시된 용어를 활용하여 빈칸을 정확하게 완성한 경우
중	갯벌은 썼지만, 제시된 용어를 활용하여 쓴 설명이 미흡한 경우
하	갯벌이라고만 쓴 경우

09 **예시 답안** 생태 관광, 생태 관광은 환경 파괴를 최소화하면서 자연을 관찰·학습하며 즐기는 지속 가능한 관광을 의미한다.

채점 기준

상	생태 관광을 쓰고 생태 관광의 개념을 정확히 서술한 경우('자연 학습, 지속 가능한' 이 두 어휘가 반드시 들어갈 것)
중	생태 관광을 썼지만, 생태 관광의 개념을 서술하지 못한 경우
하	생태 관광이라고만 쓴 경우

03 아름다운 우리나라의 자연 경관

60~61쪽

쓱쓱 필기 노트
❶ 세계 자연 유산 ❷ 백록담 ❸ 냉각 ❹ 돌산 ❺ 갯벌 ❻ 석회암

콕콕! 핵심 개념
1 제주도 2 조차 3 카르스트

탄탄! 활동 노트
활동 ① 1 ㉠ 마라도, F ㉡ 백록담, D ㉢ 성산 일출봉, C ㉣ 거문 오름, B ㉤ 주상 절리, E ㉥ 만장굴, A 2 화산 활동으로 인한 용암의 분출 3 B, 기생 화산(오름)
활동 ② 1 ❶화산 폭발 후 분화구가 무너진 곳에 물이 고여 형성 ❷석회암 지대의 용식 작용 ❸ 편마암을 기반으로 한 산지의 풍화와 침식 작용 2 (나) 칼데라호 (다) 카르스트 지형 3 종유석, 석순, 석주

쑥쑥! 실력 키우기

62~63쪽

· 1 STEP 개념을 되짚는 확인 문제
01 (1) 제주도 (2) 기생 화산 (3) 용암동굴 **02** (1) 성산 일출봉 (2) 주상 절리 **03** (1) ○ (2) × (3) ○ **04** (1) ㉡ (2) ㉠ (3) ㉢

2 STEP 기초를 다지는 기본 문제
01 ② **02** ② **03** ③ **04** ⑤ **05** ① **06** ① **07** ⑤

3 STEP 실력을 완성하는 주관식·서술형 문제
08 해설 참조 **09** 해설 참조 **10** 해설 참조

01 제주도는 화산 활동으로 만들어진 대표적인 지형이다. 제주도에서 가장 높은 산은 한라산이며, 백록담은 화구호이다.
오답 확인 ㄷ. 유네스코 세계 자연 유산으로 등재되어 있다. ㅁ. 제주도에서 자주 볼 수 있는 암석은 현무암이다.

02 기생 화산을 제주도 말로 오름이라고도 하며, 거문 오름, 산굼부리 등이 대표적인 기생 화산이다.

03 제시된 모식도는 용암동굴의 형성 과정을 보여 주고 있다. 세 번째 그림의 빈 공간이 바로 용암동굴이다.

04 현무암의 구멍은 용암이 빠르게 굳는 과정에서 가스가 빠져나가고 남은 공기 주머니이다. 물과는 관련이 없다.

05 우리나라는 국토의 70% 이상이 산지로, 대체로 북동쪽이 높고 서쪽이 낮은 지형 특색이 나타난다.

06 A는 서해안의 갯벌, B는 흙산(지리산), C는 남해안의 다도해, D는 동해안의 모래 해안, E는 돌산(설악산)이다.

07 G는 제주도의 한라산으로 화산 활동으로 형성되었다. 석회암 지대가 지하수에 녹는 용식 작용으로 형성되는 지형은 카르스트 지형(F)이다.

08 **예시 답안** ㉠ 유네스코 세계 자연 유산, 제주도에서는 한라산, 성산 일출봉, 거문 오름 용암동굴계가 세계 자연 유산으로 등재되어 보호되고 있다.

채점 기준

상	유네스코 세계 자연 유산을 쓰고 사례 지역을 세 가지 모두 쓴 경우
중	유네스코 세계 자연 유산을 쓰고 사례 지역을 두 가지만 쓴 경우
하	유네스코 세계 자연 유산을 쓰고 사례 지역을 한 가지만 쓴 경우

09 **예시 답안** (가)는 바위가 드러나 있는 돌산이며, (나)는 식생이 풍부하고 완만한 흙산이다. (가)는 화강암이 풍화·침식되면서 암석이 산 위로 드러나 기암괴석이 발달하게 되었고, (나)는 편마암이 풍화·침식되면서 토양이 두껍게 쌓였기 때문이다.

채점 기준

상	돌산과 흙산을 구분하고 제시된 용어를 모두 활용하여 차이점을 정확히 서술한 경우
중	돌산과 흙산을 구분하였지만, 차이점을 화강암과 돌산, 편마암과 흙산을 연결시켜 서술하지 못한 경우
하	돌산과 흙산만 구분한 경우

10 **예시 답안** 카르스트 지형. 카르스트 지형이 형성되기 위해서는 지형을 구성하는 기본 물질인 석회암이 있어야 하며, 이 석회암을 용식시키기 위한 물이 반드시 필요하다.(빗물이나 지하수가 필요하다.)

채점 기준

상	카르스트 지형을 쓰고 두 가지 조건을 정확하게 서술한 경우
중	카르스트 지형을 썼지만, 석회암과 물 중 한 가지만 서술한 경우
하	카르스트 지형이라고만 쓴 경우

뚝딱! 단원 마무리하기 64~67쪽

01 ④	02 ②	03 ③	04 ①	05 ②	06 ④	07 ⑤	08 ②
09 ④	10 ③	11 ①	12 ④	13 ⑤	14 ⑤	15 ③	16 ②

17 ④ **서술형 문제** **18~23** 해설 참조

01 히말라야산맥에는 세계 최고봉인 에베레스트산(8,848m)이 있으며, 5,895m로 아프리카에서 가장 높은 산은 탄자니아에 있는 킬리만자로산이다. 몽블랑산은 알프스산맥에서 가장 높은 산이다.

02 데칸고원과 히말라야산맥은 아시아, 로키산맥은 북아메리카, 안데스산맥은 남아메리카에 위치한다.

03 히말라야산맥은 인도판과 유라시아판의 충돌로 습곡 작용이 발생하여 형성된 산지 지형이다. 화산 활동과는 무관하다.

04 D 지형은 주변 지역보다 해발 고도가 높고 경사가 급하며, 화산 활동에 의해 형성된 산지이다. 따라서 D 지형에 해당하는 것은 백두산이다.

05 판과 판이 충돌하여 습곡 작용이 일어나고 이에 따라 산지가 형성된다. 1차적으로 형성된 산지는 풍화와 침식을 받아 해발 고도가 낮아지기도 한다.
오답 확인 ㄱ. 지형은 수십 만 년에서 수억 년 단위의 긴 시간이 흐르는 동안 천천히 완성된다. 가장 빠르고 극적인 지형 형성 과정은 화산 폭발인데, 화산 폭발로도 거대한 산지가 하루 아침에 만들어지지는 않는다. ㄷ. 화산 활동에 의해 흐르던 용암이 굳어서 만들어진 고원도 지형이 융기하여 높아진 상태여야 한다. 한 가지 원인으로만 생성되지는 않는다.

06 감자와 옥수수를 재배하거나 라마, 알파카를 사육하는 지역은 안데스 산지이다. 알래스카 산지는 너무 추워서 사람이 거의 살지 않는 지역이다.

07 ㉠ 지형 형성 작용은 침식과 풍화로, ①~④는 모두 침식을 일으키는 원인이 된다. ⑤ 판과 판의 충돌은 습곡, 융기, 화산 활동 등을 일으키는 지형의 1차적 형성 원인이다.

08 침식 작용에 의한 암석 해안은 파랑의 에너지가 집중되는 곳에서 발달한다. 바다가 육지 쪽으로 들어간 만에서는 파랑의 에너지가 분산되어 퇴적 지형이 발달한다.

09 산호초 해안이 발달한 곳은 산호충의 성장에 유리한 따뜻하고 얕은 바다이다.

10 A 그룹은 관광 산업에 대한 의존도가 높은 섬나라인 몰디브, 세이셸, 바하마이다. B 그룹은 우리나라, 일본, 미국이다. 관광 산업에 대한 의존도가 높은 국가들은 관광객의 방문에 따른 환경 파괴 문제가 발생하고 있으며, 관광 산업 쇠퇴 시 국가 경제가 흔들릴 위험이 있다.
오답 확인 ㄷ. 제시된 그래프만으로는 어느 그룹에 속한 국민들의 소득이 더 높은지 알 수 없다.

11 환경 파괴를 최소화하면서 자연을 관찰하고 학습하며 즐기는 지속 가능한 관광을 생태 관광이라고 한다.

12 제주도 돌하르방은 다공질의 화산암인 현무암으로 만들어진다.

13 제시된 글에서 설명하는 지형은 주상 절리이다.
오답 확인 ①은 한라산의 백록담(화구호), ②는 성산 일출봉, ③은 최남단 섬 마라도, ④는 거문 오름이다.

14 제시된 지도는 제주도의 기생 화산을 볼 수 있는 지형도이다.
오답 확인 ①은 용암동굴, ②는 한라산 정상의 백록담, ③은 성산 일출봉, ④는 주상 절리에 대한 소감이다.

15 **오답 확인** ㄷ. 조차가 커서 갯벌이 발달한 곳은 서·남해안이다. ㅁ. 서해안에서는 조류의 퇴적 작용으로 형성된 갯벌이 발달하였다.

16 우리나라의 산지 지형은 화강암 기반의 돌산과 편마암 기반의 흙산으로 구분할 수 있다. 돌산은 설악산, 북한산 등이며, 흙산은 지리산, 덕유산 등이다.

17 석회동굴 내부를 장식하고 있는 소지형에는 천장에서 내려오는 종유석, 바닥에서 올라오는 석순, 그리고 종유석과 석순이 만나 기둥을 이루는 석주가 있다.

18 **예시 답안** 판과 판이 서로 충돌할 때 생기는 힘이 습곡 작용을 일으켜 산지를 형성한다. 이와 같이 판의 충돌로 형성된 산지에는 히말라야산맥(안데스산맥, 알프스산맥 등)이 있다.

채점 기준

상	판과 판이 충돌하는 원리를 서술하고 사례를 정확히 쓴 경우
중	판과 판이 충돌하는 원리는 서술하였지만, 사례를 쓰지 못한 경우
하	원리는 서술하지 못하고 사례만 쓴 경우

19 **예시 답안** 마터호른, 호른은 피오르라는 협곡 해안처럼 오랜 시간에 걸쳐 빙하가 침식하여 만든 지형으로 뾰족한 산봉우리이다.

채점 기준

상	호른을 쓰고 빙하에 의한 침식 지형임을 정확히 서술한 경우
중	호른은 쓰지 못하고, 빙하에 의한 침식 지형임을 서술한 경우
하	호른이라고만 쓴 경우

20 **예시 답안** 12사도 바위, 시 스택(돌기둥), 이 지형은 파랑에 의한 침식 작용으로 해안의 절벽이 깎이면서 생겨났기 때문에 시간이 지나면 모두 침식되어 사라질 것이다.

채점 기준

상	12사도 바위, 시 스택(돌기둥)을 모두 쓰고 침식 작용으로 지형이 모두 사라질 것이라고 정확히 서술한 경우
중	12사도 바위, 시 스택(돌기둥) 중 한 가지만 쓰고 침식 작용으로 모두 사라질 것이라고 서술한 경우
하	12사도 바위, 시 스택(돌기둥)만 쓴 경우

21 **예시 답안** (가)와 (나)의 공통점은 두 지형 모두 해안 퇴적 지형이라는 점이다. 차이점은 (가)의 경우 조류의 퇴적 작용에 의해 형성되었고, (나)는 파랑의 퇴적 작용에 의해 형성되었다는 점이다.

채점 기준

상	(가)와 (나)의 공통점과 차이점을 용어 설명을 바탕으로 정확히 서술한 경우
하	(가)와 (나)의 공통점과 차이점 중 한 가지만 용어 설명을 바탕으로 서술한 경우

22 **예시 답안** 칼데라호, 백두산 천지, 한라산의 백록담은 분화구 자체에 물이 고인 화구호이지만, 백두산의 천지는 화산 폭발 후 화구 주변의 지형이 붕괴되어 화구가 훨씬 더 크게 만들어진 상태에서 물이 고인 칼데라호이다.

채점 기준

상	칼데라호, 백두산 천지를 모두 쓰고 한라산의 백록담과의 차이점을 정확히 서술한 경우
중	칼데라호, 백두산 중 하나만 쓰고 한라산의 백록담과의 차이점을 서술한 경우
하	칼데라호, 백두산 천지만 쓴 경우

23 **예시 답안** 서해안과 남해안은 해안선이 복잡하며 섬이 많다. 이러한 특징이 나타나는 이유는 빙기 이후 해수면이 상승하면서 과거에 육지의 산과 계곡이었던 곳이 물에 잠겼기 때문이다.

채점 기준

상	서해안과 남해안의 특징을 두 가지 쓰고 이러한 특징이 나타난 이유를 빙기 이후 해수면 상승과 연결시켜 정확히 서술한 경우
중	서해안과 남해안의 특징을 두 가지 모두 썼으나, 이유에 대한 설명이 미흡한 경우
하	서해안과 남해안의 특징 두 가지만 쓴 경우

4. 다양한 세계, 다양한 문화

01 지역마다 다양한 문화

70~71쪽

꼼꼼! 필기 노트
❶ 문화 지역 ❷ 이슬람교 ❸ 힌두교 ❹ 한자 ❺ 벼농사 ❻ 영어 ❼ 에스파냐어 ❽ 자연환경

콕콕! 핵심 개념
1 문화 2 문화 지역 3 유럽 문화 4 자연환경

탄탄! 활동 노트
활동① 1 ❶ 아프리카 문화 지역 ❷ 건조 문화 지역 ❸ 동남아시아 문화 지역 ❹ 북극 문화 지역 2 ❶ 리오그란데강 ❷ 앵글로아메리카 ❸ 라틴 아메리카 ❹ 라틴족

활동② 1 (1) 자연환경 (2) 경제·사회적 환경 2 이슬람교를 주로 믿는 건조 문화 지역에서는 돼지고기를 금기시하며, 힌두교를 주로 믿는 인도 문화 지역에서는 소를 신성시하여 소고기를 먹지 않는다. 또한 앵글로아메리카에서는 주로 개신교를, 라틴 아메리카에서는 주로 가톨릭교를 믿는다.

쑥쑥! 실력 키우기

72~73쪽

· 1 STEP 개념을 되짚는 확인 문제 ·······
01 (1) 문화 (2) 문화 지역 (3) 기준 **02** (1) 건조 문화 지역 (2) 동남아시아 문화 지역 **03** (1) ⓒ (2) ⓔ (3) ⓐ **04** (1) ○ (2) ○ (3) ✕

: 2 STEP 기초를 다지는 기본 문제 ·······
01 ① **02** ④ **03** ④ **04** ① **05** ④ **06** ③

: 3 STEP 실력을 완성하는 주관식·서술형 문제 ·······
07 해설 참조 **08** 해설 참조 **09** 해설 참조

01 동아시아 문화 지역은 우리나라, 중국, 일본이 서로 오랫동안 영향을 주고받은 지역이다. ① 힌두교를 주로 믿는 지역은 인도 문화 지역이다.

02 제시된 글은 아프리카 문화 지역에 대한 내용이다.

03 제시된 내용은 건조 문화 지역의 특징으로, 이 지역 주민들은 온몸을 감싸는 헐렁한 옷을 입는다.

04 아메리카 대륙을 문화 지역으로 구분하면, 앵글로아메리카 문화 지역과 라틴 아메리카 문화 지역으로 나눌 수 있다. A는 앵글로아메리카 문화 지역이다.

오답 확인 ① 라틴 아메리카 문화 지역의 특징이다.

05 B는 라틴 아메리카 문화 지역이다. 이 지역은 라틴족의 영향을 받아 주로 가톨릭교를 믿으며, 다양한 혼혈족이 분포한다.

06 경제·사회적 환경의 요소로는 종교, 언어, 규범, 사회 제도, 기술 수준, 정치 체제 등이 있다.

오답 확인 ③ 기후는 자연환경에 해당하는 요소이다.

07 **예시 답안** A-인도 문화 지역, 주로 힌두교를 믿으며, 갠지스강과 소를 신성시한다.

채점 기준

상	인도 문화 지역을 쓰고, 이 문화 지역의 특징 두 가지를 정확하게 서술한 경우
중	인도 문화 지역을 쓰고, 이 문화 지역의 특징 중 하나만 정확하게 서술한 경우
하	인도 문화 지역이라고만 쓴 경우

08 **예시 답안** ㉠ 쌀, 동남아시아는 기온이 높고 강수량이 많은 지역으로 벼농사에 적합한 기후 조건 때문에 쌀을 많이 재배한다.

채점 기준

상	쌀을 쓰고, 이 지역의 기후 특징을 정확하게 서술한 경우
중	쌀을 쓰고, 이 지역의 기후 특징을 서술하였으나 미흡한 경우
하	쌀이라고만 쓴 경우

09 **예시 답안** ㉠ 기후, 식생, 토양 등 ㉡ 개신교의 영향을 받은 미국에서는 대통령이 성경에 손을 얹고 취임 선서를 한다. 등

채점 기준

상	자연환경의 요인을 모두 쓰고, 경제·사회적 환경의 사례를 정확하게 서술한 경우
중	자연환경의 요인을 모두 썼으나, 경제·사회적 환경의 사례가 다소 미흡한 경우
하	자연환경 요인만 쓴 경우

02 세계화와 문화 변용

꼼꼼! 필기 노트 · · · · · · · · · · · · · · · · · · · 74~75쪽

❶ 문화 전파 ❷ 전파 ❸ 상호 작용 ❹ 세계화 ❺ 다양성

콕콕! 핵심 개념 · · · · · · · · · · · · · · · ·

1 문화 접촉 2 문화 변용 3 세계화

탄탄! 활동 노트

활동① **1** ❶ 문화 접촉 ❷ 전파 ❸ 가톨릭 ❹ 에스파냐

2 (1) 문화 변용 (2) 멕시코 과달루페 성모상의 피부와 머리카락이 멕시코 원주민들과 같은 짙은 갈색이다. 이는 에스파냐에서 전파된 가톨릭교 문화를 변형시킨 대표적인 문화 변용의 사례이다. 등

활동② **1** (1) 문화 전파 (2) 문화 변용 **2** 소수의 문화나 지역의 고유한 전통문화가 해체되고, 특정한 문화로 획일화되는 경향이 나타날 수 있다.

쑥쑥! 실력 키우기 · · · · · · · · · · · · · · · ·
76~77쪽

· 1 STEP 개념을 되짚는 확인 문제 · · · · · · · · · ·

01 (1) 문화 접촉 (2) 문화 전파 (3) 문화 변용 (4) 상호 작용

02 (1) × (2) × (3) ○ **03** (1) 세계화 (2) 획일화 **04** (1) ㉠ (2) ㉡

: 2 STEP 기초를 다지는 기본 문제 · · · · · · · · · ·

01 ④ **02** ② **03** ③ **04** ① **05** ② **06** ④

: 3 STEP 실력을 완성하는 주관식·서술형 문제 · · · · ·

07 해설 참조 **08** 해설 참조 **09** 해설 참조

01 라틴 아메리카의 경우, 유럽에서 넘어온 라틴족의 영향을 받아 지금도 에스파냐어와 포르투갈어를 공용어로 하고 있다. 문화 전파 과정에서 갈등이 발생할 수도 있지만, 전파된 모든 문화가 다 사라지기는 어렵다.

02 전파된 문화가 기존의 문화를 변형시키거나 새로운 문화를 만들어 내는 것을 문화 변용이라고 한다.

03 세계화가 문화에 미치는 부정적인 영향에 대한 글이다. 세계화로 소수의 문화나 한 지역의 정체성이 사라질 우려가 있다.

04 제시된 내용은 다른 지역에서 전파된 문화가 기존의 문화를 변형시키거나 새로운 문화를 만들어 내는 문화 변용에 해당하는 사례들이다. ① 전 세계인의 보편적 복장이 된 청바지는 문화 전파의 사례이며, 문화의 세계화에 따른 문화의 획일화 현상에 해당하기도 한다.

05 세계화의 긍정적 영향으로는 문화의 다양성 및 상호 작용 증가 등이 있다.

06 세계화는 한류 현상처럼 우리의 문화를 더욱 발전시킬 수 있는 긍정적인 영향도 있다.

07 **예시 답안** 문화 변용, 문화 변용이란 한 지역의 문화가 다른 지역으로 전파되면서 기존의 문화를 변형시키거나 새로운 문화를 만들어 내는 것을 의미한다.

채점 기준

상	문화 변용을 쓰고, 문화 변용의 의미를 정확히 서술한 경우
하	문화 변용을 썼으나, 문화 변용에 대한 서술이 미흡한 경우

08 **예시 답안** ㉠ 한류, 한류 현상의 가속화는 우리나라의 국제적 위상을 높이고, 세계 곳곳의 사람들로 하여금 다양한 문화를 경험할 수 있는 기회를 제공한다.

채점 기준

상	한류를 쓰고, 문화 세계화의 긍정적 영향 두 가지를 정확히 서술한 경우
중	한류를 쓰고, 문화 세계화의 긍정적 영향 한 가지를 정확히 서술한 경우
하	한류만 쓴 경우

09 **예시 답안** 전 세계의 문화가 획일화되며, 한 지역의 전통문화가 사라지는 부작용이 나타날 수 있다.

채점 기준

상	문화 획일화 현상의 부정적인 영향 두 가지를 정확하게 서술한 경우
하	문화 획일화 현상의 부정적인 영향 중 한 가지를 정확하게 서술한 경우

03 서로 다른 문화의 공존과 갈등

78~79쪽

꼭꼭! 필기 노트

❶ 개방적 문화 태도 ❷ 싱가포르 ❸ 스위스 ❹ 문화 갈등
❺ 문화 상대주의

콕콕! 핵심 개념

1 공존 2 문화 갈등 3 다문화

탄탄! 활동 노트

활동① **1** ❶ 독일어 ❷ 프랑스어 ❸ 이탈리아어 **2** (1) 문화 공존 (2) 유럽 중부에 위치한 스위스는 내륙 국가로, 그 주변을 다섯 개의 나라가 둘러싸고 있다. 다섯 국가와 지리적으로 인접한 특성상 민족 구성이 독일계, 프랑스계, 이탈리아계 등으로 다양하게 이루어져 있으며, 이로 인해 공공 문서나 스위스 화폐 등에 다양한 공용어가 사용되고 있다.

활동② **1** A-퀘벡, B-이스라엘 **2** ❶ 영어를 주로 쓰는 캐나다에서 퀘벡주는 17세기 초부터 프랑스 사람들이 이주해 와 현재까지도 프랑스어를 사용하고 프랑스 문화를 지키며 살아가고 있다. 이 지역은 언어의 차이로 인한 갈등이 증가하면서 문화 갈등이 발생하고 있다. ❷ 팔레스타인 지역은 유대교를 믿는 이스라엘과 이슬람교를 믿는 팔레스타인 간의 종교 갈등이 증가하면서 두 문화 집단 간의 불신이 커지고, 사회적 차별이 발생하면서 문화 갈등이 심화되고 있다.

쑥쑥! 실력 키우기

80~81쪽

1 STEP 개념을 되짚는 확인 문제

01 (1) 스위스 (2) 싱가포르 (3) 문화 상대주의 **02** (1) ㉠ (2) ㉡
03 (1) × (2) ○ (3) ○ **04** (1) 프랑스 (2) 여러 개의 공용어 (3) 종교

2 STEP 기초를 다지는 기본 문제

01 ④ **02** ⑤ **03** ⑤ **04** ⑤ **05** ② **06** ②

3 STEP 실력을 완성하는 주관식·서술형 문제

07 해설 참조 **08** 해설 참조 **09** 해설 참조

01 스위스 헌법에는 각 주에서 그들의 공식 언어를 지정할 수 있도록 하였으며, 소수 언어를 보호하도록 의무를 부과하였다.

02 싱가포르 정부는 헌법에 인종 간 평등주의를 명시하고, 종교별로 균등하게 법정 공휴일을 지정하였다. 이로 인해 인종과 종교의 공존을 당연하게 여기는 분위기가 조성되었다.

03 서로 다른 종교를 인정하지 않는 문화 집단 간의 불신이 갈등의 원인이 되고 있다.

오답 확인 ② 싱가포르의 다양한 인종과 종교는 문화의 다양성이 공존하는 대표적인 사례이다.

04 캐나다의 퀘벡주는 프랑스인이 정착하여 개발한 지역으로 퀘벡주의 프랑스계 주민들은 퀘벡주의 분리·독립을 주장하고 있다.

05 다양한 종교의 평화로운 공존을 위해서 다른 문화를 배척하는 자세보다는 공존의 방향을 모색하는 자세가 필요하다.

06 다문화는 새로운 문화 요소를 제공하여 다양한 문화 발전의 가능성을 열고, 우수한 문화 자원의 형성에 도움이 될 것이다.

07 **예시 답안** ㉠ 인종, ㉡ 종교, 싱가포르 정부는 인종과 종교의 공존을 위해 헌법에 인종 간 평등주의를 명시하고, 종교별로 균등하게 법정 공휴일을 지정하였다.

채점 기준

상	인종, 종교를 쓰고, 정부의 정책을 정확하게 서술한 경우
중	정부의 정책은 정확하게 서술하였으나, ㉠, ㉡ 중 하나만 쓴 경우
하	인종, 종교만 쓴 경우

08 **예시 답안** 〈세로 열쇠〉 ㉠ 문화 갈등, 문화 갈등은 서로의 문화가 다르다는 것을 인정하기가 쉽지 않기 때문에 발생한다. 언어, 종교 등이 다른 문화 집단 간에 불신이 커지면 두 문화 집단 사이에 심각한 갈등이 나타나기도 한다.

채점 기준

상	문화 갈등을 쓰고, 그 원인을 정확히 서술한 경우
중	문화 갈등을 썼으나, 문화 갈등의 원인에 대한 서술이 미흡한 경우
하	문화 갈등이라고만 쓴 경우

09 예시 답안 (가)는 언어로 인한 갈등이 발생하는 지역이고, (나)는 종교로 인한 갈등이 발생하는 지역이다. 자신의 문화가 무조건 옳다는 생각이나 문화의 우열을 가리려는 태도를 버리고 서로가 다름을 인정하는 자세가 필요하다.

채점 기준

상	(가) 언어 갈등, (나) 종교 갈등을 쓰고, 개방적 문화 태도에 대해 정확하게 서술한 경우
중	개방적 문화 태도에 대해 정확하게 서술하였으나, (가), (나) 중 하나만 쓴 경우
하	(가) 언어 갈등, (나) 종교 갈등 지역이라고만 쓴 경우

똑딱! 단원 마무리하기 ── 82~85쪽

01 ① **02** ③ **03** ② **04** ③ **05** ① **06** ③ **07** ① **08** ④
09 ⑤ **10** ④ **11** ④ **12** ③ **13** ⑤ **14** ④ **15** ③ **16** ①
17 ② **18** ④ 서술형 문제 **19~24** 해설 참조

01 A는 유럽 문화 지역, B는 슬라브 문화 지역, C는 건조 문화 지역, D는 동아시아 문화 지역, E는 앵글로아메리카 문화 지역이다.

02 우리나라, 중국, 일본은 동아시아 문화 지역으로 오랫동안 영향을 주고받았으며 한자, 불교, 벼농사 등의 문화가 공통적으로 나타난다.

03 ㉠은 라틴 아메리카 문화 지역이다. 이 지역은 에스파냐와 포르투갈의 라틴족이 이주하였으며, 주로 가톨릭교를 믿는다.

04 C는 건조 문화 지역으로, 주민들은 모래바람과 강한 햇볕을 막기 위해 온몸을 감싸는 헐렁한 옷을 입는다.

05 문화의 차이가 발생하는 이유는 기후, 지형 등 자연환경과 종교, 언어 등 경제·사회적 환경의 영향이 다르기 때문이다.

06 문화가 지역마다 다르게 나타나는 원인 중 하나는 자연환경의 차이 때문이다.

07 지리적으로 가까운 지역에서는 긴 시간 동안 교류를 주고받으면서 비슷한 문화가 나타나는 경향이 있다.

08 서로 다른 문화들이 같이 공존하면서 발생하는 갈등을 문화 갈등이라고 한다.
오답 확인 ④ 문화 요소가 이동하여 다른 사회의 문화로 정착하는 것은 문화 전파에 해당한다.

09 한 지역의 문화가 다른 지역으로 전파되면서 기존의 문화를 변형시키거나 새로운 문화를 만들어 내는 것을 문화 변용이라고 한다.
오답 확인 ㄱ, ㄴ은 문화 전파에 해당한다.

10 문화 전파는 한 사회의 문화 요소가 다른 지역으로 이동하여 그 사회의 문화로 정착되는 것을 의미한다.

11 원주민의 전통 신앙과 가톨릭교가 만나서 생겨난 새로운 형태의 문화이므로 문화 변용에 해당한다.

12 제시된 사례는 기존의 원시 신앙에 서양의 문화가 접목되어 기존의 문화가 변형된 문화 변용에 해당한다.
오답 확인 ㄷ은 문화 전파에 해당한다.

13 급속한 세계화는 더 많은 문화 간 접촉을 발생시키며 문화 갈등을 증가시키기도 한다.

14 스위스는 여러 언어를 공용어로 사용하며, 서로 다른 언어를 배척하기보다는 인정하는 개방적 문화 태도를 보이고 있다.

15 제시된 지역은 싱가포르와 스위스로, 문화의 다양성이 공존하는 지역이다.

16 여러 언어를 공용어로 하는 스위스는 문화의 다양성이 공존하는 좋은 사례라고 할 수 있다.
오답 확인 ⑤ 문화 전파란 문화 요소가 다른 지역으로 이동하여 그 사회의 문화로 정착하는 것을 말한다.

17 제시된 화폐는 인도 화폐이다.

18 제시문은 우리도 외국인의 문화를 인정하고 이해하기 위해 노력해야 함을 강조하고 있다.
오답 확인 ①, ③, ⑤ 외국인의 입장에서 우리 사회에 적응할 수 있도록 마련한 방안이다.

19 예시 답안 A는 앵글로아메리카 문화 지역이다. 앵글로아메리카 문화 지역은 주로 개신교를 믿으며, 영어를 사용한다. 앵글로·색슨족의 이주로 시작하여 오늘날에는 아프리카, 라틴 아메리카, 아시아 등지에서 많은 이주민이 들어오면서 다양한 인종과 문화가 공존하게 되었다.

채점 기준

상	종교, 언어, 인종에 대해 모두 정확하게 서술한 경우
중	종교, 언어, 인종 중 두 가지에 대해서만 서술한 경우
하	종교, 언어, 인종 중 한 가지에 대해서만 서술한 경우

20 예시 답안 C 건조 문화 지역, 돼지는 인간이 먹는 곡물을 먹여서 키워야 하고 습한 곳을 좋아하는 동물이다. 그러나 건조 문화 지역은 물이 부족하여 농사 짓기에 매우 불리한 곳으로, 사람이 마실 물과 먹을 곡식조차 충분하지 않다. 이러한 자연환경 조건의 영향으로 이슬람교에서는 돼지고기를 금기시하고 있다.

채점 기준

상	C 건조 문화 지역을 쓰고, 돼지고기를 금기시한 이유를 자연환경 측면에서 정확히 서술한 경우
중	돼지고기를 금기시한 이유를 자연환경 측면에서 서술하였으나, 건조 문화 지역의 위치를 알지 못하는 경우
하	C 건조 문화 지역만 쓴 경우

21 예시 답안 ㉠ 세계화, 긍정적 영향으로는 문화의 다양성을 높이

고 상호 작용을 증가시킨다는 점이다. 부정적 영향으로는 전통문화의 해체를 초래하거나 문화의 획일화가 나타난다는 점이다.

채점 기준

상	문화의 세계화를 쓰고 긍정적·부정적 영향을 모두 정확하게 서술한 경우
중	문화의 세계화를 쓰고 긍정적 영향과 부정적 영향 중 한 가지만 서술한 경우
하	문화의 세계화만 쓴 경우

22 **예시 답안** ㉠ 한류, 이와 같은 문화의 세계화로 우리나라의 문화를 더욱 발전시킬 수 있으며, 세계 곳곳의 사람들 또한 새로운 문화를 누릴 수 있는 기회를 제공받게 된다.

채점 기준

상	한류를 쓰고, 문화 세계화의 긍정적 영향을 정확하게 서술한 경우
중	문화 세계화의 긍정적 영향은 정확하게 서술하였으나, 한류를 쓰지 못한 경우
하	한류라고만 쓴 경우

23 **예시 답안** ㉠ 문화 변용, 유목민의 주거 문화였던 이동식 가옥이 오늘날 새로운 기술과 접목되어 여가 등을 위해 사용되는 텐트가 된 것, 서양에서 들어온 케이크와 우리나라의 떡이 결합하여 떡 케이크로 판매되는 것 등이 대표적인 사례이다.

채점 기준

상	문화 변용을 쓰고, 사례 두 가지를 모두 정확히 서술한 경우
중	문화 변용을 쓰고, 그에 해당하는 사례를 한 가지만 서술한 경우
하	문화 변용이라고만 쓴 경우

24 **예시 답안** 문화 갈등, 문화 갈등을 해결하기 위해서는 자기 문화만 무조건 옳다는 생각이나 문화의 우열을 가리려는 태도를 버리고, 서로의 차이를 인정하며 공존의 방향을 모색하려고 하는 개방적 문화 태도가 필요하다.

채점 기준

상	문화 갈등을 쓰고 해결 방안을 정확하게 서술한 경우
중	해결 방안을 썼으나, 문화 갈등을 쓰지 못한 경우
하	문화 갈등이라고만 쓴 경우

5. 지구 곳곳에서 일어나는 자연재해

01 자연재해의 발생 지역

꼭꼭! 필기 노트 · · · · · · · · · · · · · · · · 88~89쪽

❶ 조산대 ❷ 지진 ❸ 화산 ❹ 홍수 ❺ 중위도

목록! 핵심 개념 · · · · · · · · · · · · · · ·
1 조산대 **2** 지진 해일 **3** 열대 저기압

탄탄! 활동 노트 · · · · · · · · · · · · · · · ·
활동❶ **1** ❶ 지진 해일 ❷ 해저 ❸ 파도 **2** 태평양을 둘러싸고 있는 환태평양 조산대는 판(태평양판)과 판(유라시아판)이 자주 충돌하는 곳으로, 지진과 화산 활동이 빈번하여 '불의 고리'라고 불린다. 따라서 일본과 같이 환태평양 조산대에 위치한 나라에서는 해저에서 발생한 지진이나 화산 폭발에 의한 지진 해일이 자주 발생한다.
활동❷ **1** ❶ 허리케인 ❷ 사이클론 **2** 열대, 중위도, 비

쑥쑥! 실력 키우기 · · · · · · · · · · · · · 90~91쪽

1 STEP 개념을 되짚는 확인 문제 · · · · · ·
01 (1) 지각판 (2) 지진 (3) 가뭄 **02** (1) 열대 저기압 (2) 지진 해일
03 (1) ○ (2) × (3) ○ **04** (1) 조산대 (2) 홍수 (3) 태풍

2 STEP 기초를 다지는 기본 문제 · · · · · ·
01 ② **02** ② **03** ② **04** ③ **05** ④ **06** ①

3 STEP 실력을 완성하는 주관식·서술형 문제 · · · ·
07 해설 참조 **08** 해설 참조 **09** 해설 참조

01 자연재해란 갑작스러운 지각 변동이나 기상 현상 등이 일어나 인간에게 피해를 주는 것을 말한다.
오답 확인 ② 태풍은 무조건 피해만 발생시키는 것이 아니라, 무더위와 가뭄 해소, 적조 현상 완화와 같은 긍정적인 역할도 한다.

02 지형과 관련된 자연재해로는 지진, 지진 해일, 화산 활동, 산사태 등이 있다. ② 가뭄은 기후와 관련된 자연재해이다.

03 지구는 여러 개의 판으로 구성되어 있기 때문에 판과 판이 충돌하거나 분리되는 지역에서는 지진, 화산 활동, 지진 해일 등이 자주 발생하고 있다.

04 일본, 인도네시아와 같이 조산대에 위치한 지역의 해안에서 지진 해일이 발생할 확률이 높다.

05 **오답 확인** ㄱ. 부실 공사 등으로 인해 발생한 인명과 재산의 피해는 사람에 의한 재해라고 하여 인재라고 한다.

06 열대 저기압인 태풍은 대기를 정화시키고, 저위도의 열에너지를 고위도 지역 쪽으로 이동시켜 지구의 열적 균형을 유지하며, 바닷물 속에 산소를 공급하여 적조 현상을 완화시킨다는 점에서 긍정적인 영향도 있다.

07 **예시 답안** A는 환태평양 조산대이다. 환태평양 조산대에서는 지진, 지진 해일, 화산 활동 등이 자주 발생한다.

채점 기준

상	조산대의 명칭을 쓰고, 지형 관련 자연재해 세 가지를 모두 서술한 경우
중	조산대의 명칭을 쓰고, 자연재해를 두 가지만 서술한 경우
하	조산대의 명칭만 쓰거나, 자연재해를 한 가지만 서술한 경우

08 예시 답안 ㉠ 홍수, 홍수는 계절풍과 열대 저기압의 영향을 받는 아시아 지역이나 큰 하천 하류의 저지대 등에서 발생한다.

채점 기준

상	홍수를 쓰고, 재해 발생 원인 및 발생 지역을 정확히 서술한 경우
중	홍수를 쓰고, 재해 발생 원인과 발생 지역 중 하나만 서술한 경우
하	홍수라고만 쓴 경우

09 예시 답안 열대 저기압, 열대 저기압은 열대 지역의 따뜻한 바다에서 발생하여 중위도 지역으로 이동하는데, 이때 강한 바람과 많은 비를 동반한다.

채점 기준

상	열대 저기압을 쓰고, 발생과 이동 경로를 정확하게 서술한 경우
중	발생과 이동 경로를 서술하였으나, 열대 저기압을 쓰지 못한 경우
하	열대 저기압이라고만 쓴 경우

02 자연재해와 주민 생활

92~93쪽

꼭꼭! 필기 노트

❶ 지진 ❷ 홍수 ❸ 홍수 ❹ 토양 ❺ 관광 자원

콕콕! 핵심 개념

1 내진 설계 2 홍수 3 지열 발전

탄탄! 활동 노트

활동 ❶ 1 ❶ 내진 설계 ❷ 좌우 진동 2 (가) ㉡ (나) ㉠

활동 ❷ 1 화산 폭발로 인해 인근 공항 마비 2 화산 폭발 시 발생하는 화산재는 땅을 비옥하게 하여 농경에 유리한 환경을 만들어 주기도 하고, 유황과 같은 자원을 제공하기도 한다. 또한 온천과 같은 관광 자원으로의 활용도 가능하다.

쑥쑥! 실력 키우기

94~95쪽

1 STEP 개념을 되짚는 확인 문제

01 (1) 내진 설계 (2) 홍수 (3) 지열 에너지 (4) 온천 **02** (1) × (2) ○

(3) ○ **03** (1) ㉠ (2) ㉡ **04** (1) 홍수 (2) 유황

2 STEP 기초를 다지는 기본 문제

01 ② **02** ③ **03** ③ **04** ① **05** ④ **06** ③

3 STEP 실력을 완성하는 주관식·서술형 문제

07 해설 참조 **08** 해설 참조 **09** 해설 참조

01 제시된 사진은 지진 대피 훈련 모습이다.

02 제시된 그림은 지진 피해를 줄이기 위한 내진 설계와 면진 설계를 나타난 것이다.

03 이탈리아의 에트나 화산 지역에서는 무인 관측소를 설치하여 화산 활동을 감시하고 있다.

04 홍수 피해를 줄이기 위해서는 댐과 제방을 건설하고, 숲을 조성하며 경보 시스템을 구축해야 한다.
오답 확인 ② 아스팔트 도로의 비중이 높을수록 빗물의 하천 유입 속도가 빠르기 때문에 홍수의 발생 가능성이 높다. ③, ⑤ 지진 피해 대비책이다.

05 그림은 지열 발전 시설이다. 화산 활동이 활발한 아이슬란드는 난방열과 전력의 상당 부분을 지열 에너지에서 얻고 있다.

06 (가)는 홍수, (나)는 화산 활동에 대한 설명이다.
오답 확인 ㄴ. 지열 발전은 화산 활동의 긍정적 영향에 해당한다. ㄷ. 화산 활동은 토양을 비옥하게 하여 농사에 도움을 주며, 관광 자원으로 활용되는 등 긍정적 영향도 있다.

07 예시 답안 ㉠ 지진, ㉡ 내진 설계, 학교에서는 지진 발생 시 행동 요령 등을 알려 주고 주기적으로 지진 대피 훈련을 실시한다.

채점 기준

상	지진과 내진 설계를 쓰고, 대책을 정확히 서술한 경우
중	지진과 내진 설계 중 하나만 쓰고, 대책을 서술한 경우
하	지진과 내진 설계만 쓴 경우

08 예시 답안 (가) 용암이 흘러내려 가옥이 파괴되고, 화산재가 상공을 뒤덮어 항공 대란이 발생할 수 있으며, 생태계가 파괴될 수 있다. (나) 화산 분출물이 토양을 비옥하게 하여 농업 활동에 유리한 환경을 조성하고, 관광 산업을 발전시킬 수 있다. (다) 무인 관측소 설치 등을 통해 지열 변화와 땅의 흔들림을 수시로 측정하고 분석하여 화산 활동을 감시·예측하고 있다.

채점 기준

상	(가)~(다)에 해당하는 답을 세 가지 모두 정확히 서술한 경우
중	(가)~(다)에 해당하는 답 중 두 가지만 서술한 경우
하	(가)~(다)에 해당하는 답 중 한 가지만 서술한 경우

09 예시 답안 사진은 홍수에 대비하기 위해 제방을 설치하는 모습이다. 이외에도 홍수의 피해를 줄이기 위한 대비책으로는 댐 건설, 숲 조성(녹색 댐), 경보 시스템 구축 등이 있다.

채점 기준

상	홍수를 쓰고, 추가 대비책 두 가지를 모두 정확하게 서술한 경우
중	홍수를 쓰고, 추가 대비책을 한 가지만 서술한 경우
하	홍수만 쓴 경우

03 자연재해에 대한 대응 방안

96~97쪽

꼼꼼! 필기 노트
① 도시화 ② 사막화 ③ 증가 ④ 지구 온난화 ⑤ 지속 가능한
⑥ 빗물 저장

콕콕! 핵심 개념
1 도시 홍수 **2** 사막화 **3** 삶터

탄탄! 활동 노트
활동① **1** (1) 농경지 (2) 방목 (3) 삼림 (4) 초원 **2** 세계 각국은 사막화 방지 협약을 체결하고, 조림 사업 등을 통해 나무를 심는 등 사막화 문제 해결을 위한 전 지구적 차원의 노력이 필요하다.
활동② **1** 인간 활동에 따른 개발로 자연 상태와는 다른 물의 순환으로 발생하는 도시 홍수에 대비하기 위한 시설이다. 이외에도 빌딩에 옥상 정원을 조성하고, 기존의 아스팔트 포장도로를 투수성 아스팔트로 교체하는 방법 등이 있다. **2** 자연재해로 인한 피해를 줄일 수 있고 지속 가능한 삶터의 조성을 가능하게 하기 때문이다.

쑥쑥! 실력 키우기

98~99쪽

· 1 STEP 개념을 되짚는 확인 문제
01 (1) 홍수 (2) 가뭄 (3) 사막화 방지 협약　　　**02** (1) × (2) × (3) ○
03 (1) 포장 면적 (2) 사막화 (3) 사헬 지대　　　**04** (1) ⓒ (2) ⓛ (3) ㉠

: 2 STEP 기초를 다지는 기본 문제
01 ⑤　**02** ⑤　**03** ④　**04** ③　**05** ⑤　**06** ⑤

: 3 STEP 실력을 완성하는 주관식·서술형 문제
07 해설 참조　**08** 해설 참조　**09** 해설 참조

01 도시화에 따른 아스팔트 포장 면적의 증가 등으로 인해 도시 홍수가 증가하고 있다.

02 사막화의 원인에는 인위적 요인과 자연적 요인이 있는데, 특히 인위적 요인에 의한 사막화가 빠르게 진행되고 있다.
오답 확인 ㄱ. 자연적 요인에 해당한다.

03 최근에는 도시 홍수를 예방하기 위해 옛 물길을 복원하는 사업이 증가하고 있다. 양재천은 직선화된 물길을 다시 원래의 물 흐름이 나타날 수 있도록 복구하였다.

04 **오답 확인** ① 바젤 협약은 유해 폐기물의 국가 간 이동 및 처리에 관한 국제 협약이고, ② 람사르 협약은 물새 서식지로서 중요한 습지 보호에 관한 협약이다. ④ 기후 변화 협약은 지구 온난화를 규제하기 위한 협약이며, ⑤ 생물 다양성 보존 협약은 지구상의 생물 종을 보호하기 위한 협약이다.

05 장기적인 계획을 세워 나무 심기 등의 조림 사업에 참여하고, 전 세계인이 사막화 방지 협약을 함께 지켜나가며 노력해야 한다.

06 제시된 사진은 빗물 저장 공원과 빌딩 옥상의 정원으로 두 시설은 모두 도시 홍수를 예방하기 위한 것이다.

07 **예시 답안** ㉠ 도시 홍수, ⓛ 도시화로 아스팔트 도로와 같은 포장 면적이 늘어나면서 집중 호우가 내릴 경우 빗물이 땅속으로 스며들지 못하고 포장도로와 하수도를 통해 곧장 강으로 흘러가 도시 홍수를 유발하게 됩니다.

채점 기준

상	도시 홍수를 쓰고, 그 원인을 제시된 조건에 따라 정확히 서술한 경우
중	도시 홍수의 원인을 제시된 조건에 따라 정확히 서술하였으나, 도시 홍수를 쓰지 못한 경우
하	도시 홍수만 쓴 경우

08 **예시 답안** ㉠ 사막화, 사막화 현상을 해결하기 위해 세계 각국은 사막화 방지 협약을 체결하고, 조림 사업 등과 같은 사막화 방지 노력에 힘써야 한다.

채점 기준

상	사막화를 쓰고, 해결 방안을 두 가지 모두 정확히 서술한 경우
중	사막화를 쓰고, 해결 방안을 한 가지만 서술한 경우
하	사막화라고만 쓴 경우

09 **예시 답안** 이외에도 빌딩 옥상 정원 조성, 빗물 저장 공원 조성 등이 있다. 이와 같이 자연재해를 줄이고 자연과의 긍정적 상호 작용을 추구하는 궁극적인 목적은 결국 지속 가능한 삶터를 만들기 위해서이다.

채점 기준

상	도시 홍수의 해결 방안 두 가지와 궁극적 목적을 모두 정확히 서술한 경우
중	도시 홍수의 해결 방안 한 가지를 쓰고 궁극적 목적을 서술한 경우
하	해결 방안 한 가지만 쓴 경우

뚝딱! 단원 마무리하기

100~103쪽

01 ③　**02** ⑤　**03** ⑤　**04** ③　**05** ①　**06** ①　**07** ①　**08** ③
09 ⑤　**10** ①　**11** ③　**12** ⑤　**13** ⑤　**14** ①　**15** ①　**16** ②
17 ④　**서술형 문제** **18~23** 해설 참조

01 A는 알프스·히말라야 조산대, B는 환태평양 조산대이다. 지진은 지구 내부의 힘에 의해 땅이 흔들리거나 갈라지는 현상으로 짧은 시간 동안 넓은 지역에 큰 피해를 입힌다.
오답 확인 ③ 홍수 발생 지역에 대한 설명이다.

02 제시된 국가들은 환태평양 조산대에 속하여 지진과 화산 활동이 활발한 지역들이다.

03 제시된 자료는 해저에서 발생한 지진에 의해 거대한 파도가 육지를 덮치는 지진 해일을 소재로 한 영화의 포스터이다.

04 열대 저기압은 강한 바람과 많은 비를 동반하여 피해를 준다.

오답 확인 ② 주로 여름에 해양에서 발생한다. ④ 대서양 연안에서 발생하는 열대 저기압을 허리케인이라고 한다. ⑤ 적도 부근의 열대 해상에서 발생하여 중위도 지역으로 이동한다.

05 열대 저기압은 발생 지역에 따라 태풍, 허리케인, 사이클론 등으로 불린다.

06 A 지역은 가뭄이 발생하기 쉬운 지역이다. 가뭄은 주로 건조 기후가 나타나는 위도 10~15° 지역과 수분 공급이 원활하지 않은 내륙에서 발생한다.

07 일본은 환태평양 조산대에 속하여 지진이 자주 발생하기 때문에 지진에 대비한 훈련을 정기적으로 실시하고 있다.

08 제시된 사진은 그랭이 공법으로 축조된 건축물의 사진인데, 지진에 대비한 우리나라의 전통 건축 기법이다.

09 (가)는 방글라데시에서 볼 수 있는 고상 가옥으로 홍수 피해에 대비하기 위한 시설이다. (나)는 일본에서 개발한 캡슐 모양의 구명정으로, 지진과 지진 해일 등에 견딜 수 있도록 제작되어 인기가 많다.
오답 확인 ㄱ. 홍수에 대비하기 위한 것이다. ㄷ. 사헬 지대는 사막화가 심각한 지역이다.

10 제시된 뉴스는 인도에서 발생한 홍수에 대한 내용이다.
오답 확인 ㄷ은 화산 활동, ㄹ은 지진 해일에 대한 대비책이다.

11 ①, ②, ④, ⑤는 화산 활동을, ③은 홍수를 긍정적으로 활용하는 주민 생활의 모습이다.

12 하천을 직선화하는 공사를 하게 되면, 유속이 빨라져 도시 홍수의 피해가 더 커질 수 있다.

13 인간의 활동으로 도시가 개발되면 포장 면적이 넓어지기 때문에 집중 호우 시 강물이 급격히 불어나 도시 홍수가 발생한다.

14 사막화의 진행 원인은 인위적 요인과 자연적 요인으로 구분할 수 있다.

15 사막화는 전 세계인이 공동으로 관심을 가지고 해결해야 하는 문제 중의 하나이다.

16 자료는 생태계를 복원하고 도시 홍수를 줄이기 위한 사례이다.

17 도시 홍수를 예방하기 위해 다양한 시설을 설치하여 빗물 투수성도 높이고, 도시의 평균 기온도 낮출 수 있다. 이러한 조치들의 궁극적인 목적은 도시와 자연과의 긍정적 상호 작용을 통해 지속 가능한 삶터를 만들기 위한 것이다.

18 **예시 답안** 지진, 화산 활동, A 조산대와 B 조산대에서 지진이나 화산 활동이 잦은 이유는 판과 판끼리 충돌하거나 분리되는 판의 경계부에 있어서 지각이 불안정하기 때문이다.
채점 기준

상	지진, 화산 활동을 쓰고, 그 이유를 정확하게 서술한 경우
중	지진이나 화산 활동 중 하나만 쓰고, 그 이유를 서술한 경우
하	지진, 화산 활동만 쓴 경우

19 **예시 답안** A-사이클론, B-허리케인, 열대 저기압은 많은 비와 강풍을 동반하여 짧은 시간 안에 많은 피해를 입힌다. 그러나 한편으로 적도의 더운 공기를 고위도 지역으로 운반하여 지구의 열적 균형을 유지시키는 등 긍정적 영향도 있다.
채점 기준

상	사이클론, 허리케인을 쓰고, 부정적·긍정적 영향을 모두 정확히 서술한 경우
중	사이클론, 허리케인을 쓰고, 부정적·긍정적 영향 중 하나만 서술한 경우
하	사이클론, 허리케인만 쓴 경우

20 **예시 답안** 내진 설계, 철저한 지진 대피 훈련 등을 실시해야 한다.
채점 기준

상	내진 설계를 쓰고, 지진 대피 훈련을 서술한 경우
중	지진 대피 훈련을 서술하였으나, 내진 설계를 쓰지 못한 경우
하	내진 설계만 쓴 경우

21 **예시 답안** 용암 분출 이후 화산재로 덮인 토양은 비옥하기 때문에 농업 활동에 유리하다. 이외에도 화산 지역은 유황과 같은 자원 채굴이 가능하고, 온천 등을 관광 자원으로 활용할 수도 있다.
채점 기준

상	화산 지대의 유리한 점을 세 가지 모두 정확하게 서술한 경우
중	화산 지대의 유리한 점을 두 가지만 서술한 경우
하	화산 지대의 유리한 점을 한 가지만 서술한 경우

22 **예시 답안** 사막화, 인구 증가로 인한 농경지 확대, 가축 수요 증가에 따른 과다한 방목 등으로 삼림과 초원이 파괴되면서 더욱 빠르게 사막화가 진행되고 있다.
채점 기준

상	사막화를 쓰고, 그 원인을 두 가지 모두 정확하게 서술한 경우
중	사막화를 쓰고, 그 원인을 한 가지만 서술한 경우
하	사막화만 쓴 경우

23 **예시 답안** 도시 홍수가 발생하는 원인은 인간의 개발 행위로 인해 도로의 포장 면적이 증가하였기 때문이다. 이러한 문제를 해결하기 위해서는 빗물 저장 공원, 빌딩 옥상 정원 등을 조성하며, 아스팔트와 콘크리트 포장 면적을 줄이고 녹지 면적을 늘려야 한다.
채점 기준

상	도시 홍수의 발생 원인과 해결 방안 두 가지 모두를 정확히 서술한 경우
중	도시 홍수의 발생 원인과 해결 방안 한 가지를 서술한 경우
하	도시 홍수의 원인만 쓴 경우

6. 자원을 둘러싼 경쟁과 갈등

01 자원의 편재성과 자원 갈등

106~107쪽

▶ **콕콕! 필기 노트**
❶ 기술 수준 ❷ 편재성 ❸ 서남아시아 ❹ 수입 ❺ 국제 하천
❻ 아시아 ❼ 석유

▶ **콕콕! 핵심 개념**
1 편재성 **2** 석유 **3** 국제 하천

▶ **탄탄! 활동 노트**

활동① **1** 석유, 서남아시아의 페르시아만 연안 지역 **2** 편재성, 활발하다, 수입

활동② **1** 건조 기후 지역의 나일강, 요르단강, 유프라테스강 등 국제 하천이 흐르는 지역 **2** (1) 에티오피아 (2) 이집트 (3) 상류 지역의 국가들은 더 많은 물을 확보하기 위해 댐을 지으려 하고, 하류 지역의 국가는 수질 오염과 물 부족 문제 등을 이유로 댐 건설을 반대하면서 갈등이 발생할 수 있다.

쑥쑥! 실력 키우기

108~109쪽

· **1 STEP 개념을 되짚는 확인 문제** ·
01 (1) 자원의 편재성 (2) 석유 (3) 식량 자급률 **02** (1) 국제 하천 (2) 자원 민족주의 (3) 석유 수출국 기구(OPEC) **03** (1) ○ (2) × (3) ○
04 (1) © (2) © (3) ⊙

: **2 STEP 기초를 다지는 기본 문제** ·
01 ③ **02** ⑤ **03** ① **04** ⑤ **05** ③ **06** ①

:: **3 STEP 실력을 완성하는 주관식·서술형 문제** ·
07 해설 참조 **08** 해설 참조 **09** 해설 참조

01 자연환경이나 기술 수준 등의 차이로 생산지와 소비지가 일치하지 않아 자원의 국제 이동이 발생한다.

02 석유 자원은 편재성이 뚜렷하게 나타나는 특징이 있다.
오답 확인 ⑤ 베네수엘라 볼리바르는 석유 매장량이 많은 국가 중 하나이다.

03 식량 자원은 자연 조건과 생산 기술의 영향을 많이 받으며, 식량 자원의 가격이 올라가면 경제적 타격이 크므로 안정적인 식량 자원의 확보가 중요해지고 있다.
오답 확인 ㄷ. 주로 신대륙에서 대규모로 재배되며, ㄹ. 인구 밀집 지역에서 많이 소비되기 때문에 국제 이동이 활발하다.

04 물 자원을 둘러싼 갈등을 나타낸 지도이다.
오답 확인 ①, ② 석유 자원에 대한 설명이다.

③ 석탄 자원에 대한 설명이다.
④ 물 자원은 대체할 수 있는 자원이 없다는 특징이 있다.

05 **오답 확인** ㄴ. 인간 생활에 필요한 자원은 모든 사람이 사용할 수 있을 만큼 충분히 분포하고 있지 않다.
ㄷ. OPEC는 석유 수출국 기구로, 식량 자원이 아닌 석유 자원의 공급량을 통제하고 있다.

06 석유 수출국 기구(OPEC)가 석유의 감산이나 증산을 결정할 경우 세계적으로 미치는 영향력이 크기 때문에 자원을 둘러싼 갈등이 증가할 것이다.

07 **예시 답안** 석유, 석유는 자원의 편재성이 특히 심한 자원으로, 주요 생산지와 소비지가 달라서 국제 이동이 활발하다.
채점 기준

상	석유를 쓰고, 편재성, 생산지와 소비지의 불일치를 언급하여 정확하게 서술한 경우
중	석유를 쓰고, 편재성은 썼으나, 생산지와 소비지의 불일치는 언급하지 못한 경우
하	석유만 쓴 경우

08 **예시 답안** 국제 하천, 국제 하천의 상류 지역에 위치한 국가는 댐을 건설하여 물을 더 많이 확보하려고 할 것이고, 하류에 위치한 국가들은 수질 오염과 물 부족 문제 등을 이유로 댐 건설을 반대한다.
채점 기준

상	국제 하천을 쓰고, 상류 및 하류 지역의 입장을 정확히 서술한 경우
중	국제 하천을 쓰고, 상류 또는 하류 지역의 입장 중 하나만 정확히 서술한 경우
하	국제 하천만 쓴 경우

09 **예시 답안** A는 쌀, B는 밀이다. 쌀은 고온 다습한 아시아 계절풍 기후 지역에서 주로 재배된다. 밀은 서늘하고 건조한 기후 환경에서도 잘 자라기 때문에 전 세계적으로 널리 재배된다.
채점 기준

상	쌀과 밀을 쓰고, 쌀과 밀의 재배 조건을 모두 정확히 서술한 경우
중	쌀과 밀을 쓰고, 쌀과 밀의 재배 조건 중 하나만 정확히 서술한 경우
하	쌀과 밀만 쓴 경우

02 자원 개발과 주민 생활

110~111쪽

▶ **콕콕! 필기 노트**
❶ 풍부한 자원 ❷ 카자흐스탄 ❸ 석유 ❹ 환경 오염 ❺ 내전

▶ **콕콕! 핵심 개념**
1 풍부한 자원 **2** 카자흐스탄 **3** 내전

탄탄! 활동 노트

활동① 1 D 2 (1) 수출의 약 95%를 차지할 정도로 풍부하게 매장된 석유와 천연가스 덕분에 브루나이는 빠른 경제 성장을 할 수 있었다. (2) 초등학교부터 대학교까지 무상 교육을 받을 수 있으며, 900원으로 모든 진료가 가능한 의료 혜택을 받을 수 있다.

활동② 1 ㉠-A, ㉡-B 2 다이아몬드 개발 수익을 전쟁 무기를 사는 데에 쓸 것이 아니라, 브루나이의 사례처럼 자원 개발로 얻은 수익금을 주민에게 배분할 수 있도록 각종 복지 정책을 실시하는 등의 노력이 필요하다.

쑥쑥! 실력 키우기

112~113쪽

· 1 STEP 개념을 되짚는 확인 문제 ·······

01 (1) 자원 (2) 선진국 (3) 중앙아시아 **02** (1) × (2) ○ (3) ○

03 (1) 오스트레일리아 (2) 콩고 민주 공화국 **04** (1) ㉠ (2) ㉡

: 2 STEP 기초를 다지는 기본 문제 ·······

01 ① **02** ④ **03** ③ **04** ① **05** ⑤ **06** ④

: 3 STEP 실력을 완성하는 주관식·서술형 문제 ·······

07 해설 참조 **08** 해설 참조 **09** 해설 참조

01 미국, 캐나다 등은 풍부한 자원과 안정적인 사회 운영 체계를 바탕으로 일찍부터 선진국으로 성장하였다.
오답 확인 ㄷ. 나이지리아는 석유 개발에 따른 환경 오염과 내전 때문에 어려움을 겪고 있다. ㄹ. 콩고 민주 공화국은 콜탄을 서로 차지하기 위해 내전이 발생하여 주민들의 생명과 삶터가 위협받고 있다.

02 라이베리아에서는 다이아몬드 광산을 서로 차지하기 위해 정부군과 반군의 내전이 심각하다. 주민들은 삶터와 생명이 위협받고 있으며 다이아몬드 개발의 혜택을 충분히 받지 못하고 있다.

03 제시된 나라들은 본격적으로 자원을 개발하고 수출하면서 최근 높은 경제 성장률을 보이고 있다.

04 자원이 주민 생활에 미치는 영향을 다양한 시각으로 접근하여 토의한다.

05 풍부한 자원이 바탕이 되어 경제적인 풍요를 누리는 나라에는 사우디아라비아, 브루나이, 보츠와나 등이 있다. 한편, 시에라리온, 나이지리아 등 풍부한 자원에도 불구하고 내전이나 빈곤에 시달리는 지역도 있다.

06 라이베리아에서는 '피의 다이아몬드'라는 오명이 붙을 만큼 다이아몬드를 둘러싼 내전이 심각하다.

07 예시 답안 보츠와나. 보츠와나는 자원 개발의 수익을 국민에게 분배하는 정책을 실시하였고, 정치적 안정 덕분에 외국인 투자가 지속적으로 이루어져 안정적인 경제 성장을 할 수 있었다.

채점 기준

상	보츠와나를 쓰고, 성장 배경을 정확하게 서술한 경우
중	보츠와나를 쓰고, 성장 배경을 서술하였으나 제시된 단어가 일부 누락된 경우
하	보츠와나만 쓴 경우

08 예시 답안 기술 수준이 낮아 싼값에 자원을 수출하고, 자원 개발로 얻은 이익을 외국 기업이나 소수의 특정 계층이 독차지하기도 한다. 또한 무분별한 자원 개발은 환경을 파괴하기도 하고, 자원을 차지하기 위한 경쟁과 갈등이 심화되면서 내전이 발생하기도 한다.

채점 기준

상	풍부한 자원이 주민 생활에 미치는 부정적 영향을 세 가지 모두 정확히 서술한 경우
중	풍부한 자원의 부정적 영향을 두 가지만 서술한 경우
하	풍부한 자원의 부정적 영향을 한 가지만 서술한 경우

09 예시 답안 나이지리아에서는 원유 유출로 인한 생태계의 파괴가 심각한데, 낡은 시추 시설과 송유관에서 새어 나온 원유가 강과 토양, 심지어는 지하수까지 오염시키면서 주민들의 삶터가 큰 피해를 입고 있다.

채점 기준

상	원유 유출로 인한 생태계 파괴를 정확하게 서술한 경우
하	원유 유출로 인한 생태계 파괴에 대한 서술이 미흡한 경우

03 지속 가능한 자원 개발

114~115쪽

꼼꼼! 필기 노트 ·······
❶ 지속 가능한 ❷ 태양광 ❸ 바람 ❹ 화산 ❺ 화석 연료
❻ 효율성

똑똑! 핵심 개념 ·······
1 지속 가능한 2 가채 연수 3 바이오

탄탄! 활동 노트 ·······
활동① 1 ❶ 건조 ❷ 태양 ❸ 풍력 ❹ 해안 2 (1) 지속 가능한 자원 (2) 고갈 우려가 적고, 친환경적이라는 점에서 화석 연료의 한계를 극복할 새로운 에너지로 주목받고 있다.

활동② 1 (1) 열과 빛이 강해서 오히려 농작물 수확량이 줄어들 수 있다. (2) 소음이 심하고 전자파가 많이 발생한다. 2 지속 가능한 자원은 높은 개발 비용에 비해 에너지 효율성이 낮으며, 자연 조건의 영향을 많이 받기 때문에 개발 장소에 제한이 있다. 따라서 개발 과정에서 효과와 부작용을 다각적으로 평가하여 합리적인 선택을 해야 한다.

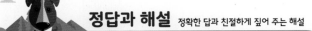

쑥쑥! 실력 키우기

116~117쪽

1 STEP 개념을 되짚는 확인 문제

01 (1) 온실가스 (2) 가채 연수(매장량) (3) 지속 가능한 자원 **02** (1) ⓒ (2) ⓛ (3) ⓙ **03** (1) × (2) × (3) ○ **04** (1) 원자력 발전 (2) 지열 발전 (3) 큰

2 STEP 기초를 다지는 기본 문제

01 ① **02** ⑤ **03** ① **04** ⑤ **05** ④ **06** ②

3 STEP 실력을 완성하는 주관식·서술형 문제

07 해설 참조 **08** 해설 참조 **09** 해설 참조

01 화석 연료인 석탄과 석유는 오늘날 가장 많이 사용되는 에너지 자원이다.

02 제시된 글은 바이오 에너지에 대한 설명이다. 사탕수수나 옥수수에서 추출한 알코올이 자동차 연료로 사용되기도 하고 가축의 분뇨나 음식물 쓰레기 등에서 나오는 메탄가스가 가정용 연료로 사용되기도 한다.
오답 확인 ① 태양광, ② 풍력, ③ 조력, ④ 지열 에너지이다.

03 지속 가능한 자원은 고갈 우려가 적고 환경 문제 발생이 적은 친환경 자원이다.
오답 확인 ㄷ, ㄹ은 지속 가능한 자원의 부정적 영향에 대한 내용이다.

04 바이오 에너지는 식물에서 연료를 추출하기 때문에 식량 자원의 가격을 상승시키는 등의 문제가 발생하기도 한다.

05 제시된 사진은 미국 서부 건조 지역의 태양광 발전 시설이다. 일 년 내내 태양 에너지를 모을 수 있는 곳이 태양광 발전소 설치에 유리하다.

06 제시된 자료는 조력 발전의 부작용에 대한 내용이다.

07 **예시 답안** (가) 태양광 에너지, (나) 풍력 에너지, (가)는 일 년 내내 태양열을 모으기 쉬운 사막과 같은 건조 기후 지역이 입지에 유리하고, (나)는 바람이 강한 산지나 해안 지역이 입지에 유리하다.
채점 기준

상	(가), (나)의 명칭을 모두 쓰고, 입지 조건도 정확하게 서술한 경우
중	입지 조건은 서술하였으나, (가), (나)의 명칭을 쓰지 못한 경우
하	(가), (나)의 명칭만 쓴 경우

08 **예시 답안** A 조력 에너지, 조력 발전소는 조차(조석 간만의 차)가 큰 지역에 건설하는 것이 유리하다.
채점 기준

상	조력 에너지를 쓰고, 유리한 입지 조건을 정확히 서술한 경우
중	유리한 입지 조건은 썼으나, 조력 에너지를 쓰지 못한 경우
하	조력 에너지만 쓴 경우

09 **예시 답안** 바이오 에너지, ⓙ 아직도 세계에는 굶주림에 시달리는 사람이 많은데, 주요 식량 자원이기도 한 콩과 옥수수의 상당량을 에너지 개발에 소모하는 것은 식량 자원의 가격을 상승시키는 문제점이 있다. 또한 바이오 연료인 팜유(야자나무 기름)의 생산을 위해 열대 우림이 파괴되고 있는 지역도 있다.
채점 기준

상	바이오 에너지를 쓰고 식량 자원의 가격 상승, 열대 우림 파괴 등을 정확하게 서술한 경우
중	바이오 에너지를 썼으나, ⓙ에 해당하는 내용의 서술이 미흡한 경우
하	바이오 에너지라고만 쓴 경우

뚝딱! 단원 마무리하기

118~121쪽

01 ③ **02** ① **03** ④ **04** ① **05** ⑤ **06** ⑤ **07** ② **08** ⑤
09 ③ **10** ① **11** ⑤ **12** ① **13** ⑤ **14** ② **15** ⑤ **16** ③
17 ② **18** ③ **서술형 문제 19~24** 해설 참조

01 우리나라, 일본 등은 자원의 소비량은 많지만 생산량이 거의 없어 석유 자원에 대한 해외 의존도가 높다.

02 A는 석유로 주로 서남아시아의 페르시아만에 집중 매장되어 있으며, 수출량 또한 많음을 알 수 있다.

03 **오답 확인** ㄱ. 지역적 편재성에 따라 국제 이동이 많은 편이다. ㄷ. 우리나라는 주로 사우디아라비아 등 서남아시아에서 석유를 수입한다.

04 제시된 지도는 쌀과 밀의 생산 지역과 국제적 이동을 나타낸 것으로 A는 쌀, B는 밀을 나타낸다.

05 쌀은 고온 다습한 아시아 계절풍 기후 지역의 넓은 평야에서 집중적으로 재배되며, 밀에 비해 국제 이동이 적은 편이다.
오답 확인 ㄱ, ㄴ은 밀에 대한 설명이다.

06 제시된 지도는 유럽 국가들이 러시아에서 공급받는 천연가스의 비중을 나타낸 것이다. 러시아가 천연가스의 공급을 통제할 경우 유럽 국가들과 러시아 간의 갈등이 커질 것이다.

07 풍부한 자원이 긍정적인 영향을 준 나라들과 부정적인 영향을 준 나라들로 구분된다.

08 제시된 사례는 콩고 민주 공화국에 대한 내용이다.
오답 확인 A는 알제리, B는 리비아, C는 이집트, D는 나이지리아이다.

09 제시된 글은 최근 본격적인 자원 개발로 높은 경제 성장률을 보이고 있는 카자흐스탄에 대한 내용이다.

10 제시된 나라들은 자원이 풍부함에도 불구하고 자원 개발의 부정적 영향이 나타나고 있는 지역이다.

11 시에라리온과 라이베리아에서는 다이아몬드가 많이 매장되어 있지만, 다이아몬드를 차지하기 위한 경쟁과 갈등이 내전으로 이어지면서 주민들의 생명과 삶터가 위협받고 있다.

12 무분별한 자원 개발이 환경 파괴로 이어지는 것을 보면, 풍부한 자원이 있어도 그것을 제대로 활용하지 못하면 어려움을 겪게 된다는 것을 알 수 있다.

13 원자력 발전은 방사성 물질 누출 시 생태계가 심각하게 파괴될 수 있으며, 원전 사고 등의 안전 문제가 존재하기 때문에 무조건 증가만시키는 것은 효율적인 대처 방안이라고 볼 수 없다.

14 A는 온실 효과를 나타낸다. 이산화 탄소와 같은 온실가스의 사용이 증가하면 온실처럼 지구의 표면 온도가 증가하여 지구 온난화 현상을 일으키게 된다.

15 제시된 글은 바이오 에너지에 대한 내용이다.

16 제시된 사진은 지열 발전의 모습이다. 뉴질랜드는 지진과 화산 활동이 활발한 곳으로 지구 내부의 열 에너지를 이용하여 전력을 생산한다.

17 바이오 에너지는 원료를 구하기 쉬운 농어촌 지역에 입지하는 것이 유리하다.
　오답 확인 ①은 지열 발전, ③은 조력 발전, ④는 풍력 발전, ⑤는 태양광 발전에 유리하다.

18 태양광 발전은 높은 개발 비용에 비해 에너지 효율성이 낮으며, 집열판의 높은 열과 빛으로 인한 2차 피해가 발생할 수 있다는 단점이 있다.
　오답 확인 ① 풍력 발전에 따른 부작용이다. ②, ⑤ 바이오 에너지의 부작용이다. ④ 조력 발전에 따른 부작용이다.

19 **예시 답안** 석탄, 석탄은 석유에 비해 국제 이동이 적은 편이다. 석탄의 경우 주요 생산국에서 소비되는 양이 많아 생산지와 소비지가 거의 일치하기 때문에 국제 이동이 적은 편이다.

채점 기준

상	석탄을 쓰고, 국제 이동의 특징을 정확히 서술한 경우
중	국제 이동의 특징에 대해 서술하였으나, 석탄을 쓰지 못한 경우
하	석탄만 쓴 경우

20 **예시 답안** A는 석유 자원이다. 석유는 가채 연수가 매우 짧은 편으로 현재와 같이 사용하게 되면 고갈될 가능성이 크다. 편재성이 큰 석유는 서남아시아와 아메리카 대륙 등 특정 지역에 주로 매장되어 있으며, 생산지와 소비지가 일치하지 않아 국제 이동이 많은 편이다.

채점 기준

상	석유 자원의 세 가지 특징을 모두 정확하게 서술한 경우
중	석유 자원의 특징을 두 가지만 서술한 경우
하	석유 자원의 특징을 한 가지만 서술한 경우

21 **예시 답안** 석유 수출국 기구(OPEC), 석유 수출국 기구는 석유의 생산량과 공급량을 조절함으로써 석유의 국제 가격을 결정하는 등 세계 경제에 큰 영향력을 행사하고 있다.

채점 기준

상	석유 수출국 기구를 쓰고, 이 기구의 특징을 정확히 서술한 경우
중	이 기구의 특징을 구체적으로 서술하였으나, 석유 수출국 기구를 쓰지 못한 경우
하	석유 수출국 기구만 쓴 경우

22 **예시 답안** A 밀, 밀은 주로 인구가 적은 신대륙에서 인구가 밀집한 구대륙으로 이동하며, 계절이 반대가 되어 수출에 유리한 남반구에서 북반구로 주로 수출된다.

채점 기준

상	밀을 쓰고, 두 가지 이동 방향을 정확하게 서술한 경우
중	밀을 쓰고, 한 가지 이동 방향을 정확하게 서술한 경우
하	밀만 쓴 경우

23 **예시 답안** 나이지리아는 세계적인 석유 매장 국가이지만 자원을 둘러싼 내전과 심각한 환경 오염 문제가 발생하고 있다. 콩고 민주 공화국은 휴대 전화를 제조하는 과정에서 꼭 필요한 원료가 되는 콜탄의 주요 생산국이다. 그러나 콜탄 개발 과정에서 고릴라의 서식지가 파괴되고 자원 개발에 따른 이익을 소수의 지배층이 독점하는 문제가 발생하고 있다. 시에라리온과 라이베리아는 다이아몬드가 풍부한 나라이지만, 자원 확보를 위한 지나친 경쟁과 갈등이 내전으로까지 이어져 주민들의 삶터와 생명을 위협하고 있다.

채점 기준

상	자원이 풍부하지만 부정적 영향이 나타나는 사례 세 가지를 모두 정확하게 서술한 경우
중	자원이 풍부하지만 부정적 영향이 나타나는 사례를 두 가지만 서술한 경우
하	부정적 영향이 나타나는 사례를 한 가지만 서술한 경우

24 **예시 답안** 조력 발전, 조력 발전은 자원 고갈의 우려가 적고 상당량의 탄소 배출량을 줄일 수 있는 지속 가능한 자원에 해당한다. 하지만 발전소를 건설할 때 대규모 토목 공사를 실시해야 하므로 수질이 오염되고, 바닷물의 흐름이 바뀌면서 갯벌이 파괴되는 문제가 발생할 수 있다.

채점 기준

상	조력 발전을 쓰고, 효과와 부작용을 정확하게 서술한 경우
중	효과와 부작용은 서술하였으나, 조력 발전을 쓰지 못한 경우
하	조력 발전만 쓴 경우

7. 개인과 사회생활

01 사회화와 청소년기

124~125쪽

꼭꼭! 필기 노트

❶ 사회적 동물 ❷ 사회 구성원 ❸ 사회화 ❹ 자아 ❺ 사회화 기관 ❻ 사회화 ❼ 가정 ❽ 유년기 ❾ 또래 집단 ❿ 자아 정체성 ⓫ 청소년기 ⓬ 대중 매체 ⓭ 재사회화 ⓮ 또래 집단 ⓯ 자아 정체성

콕콕! 핵심 개념

1 사회화 2 재사회화 3 자아 정체성

탄탄! 활동 노트

활동① 1 사회화 2 사회화를 통해 사회 구성원으로 성장하며, 자신만의 개성과 자아 정체성을 형성한다.

활동② 1 감정 변화가 크고, 부모님과의 갈등이 커지며, 충동적인 행동을 한다. 2 자아 정체성 3 또래 집단, 학교, 대중 매체 등

쑥쑥! 실력 키우기

126~127쪽

1 STEP 개념을 되짚는 확인 문제

01 (1) 사회화 (2) 또래 집단 (3) 재사회화 (4) 자아 정체성

02 (1) 청소년기 (2) 유년기 03 (1) ○ (2) × (3) × (4) ○

2 STEP 기초를 다지는 기본 문제

01 ② 02 ⑤ 03 ② 04 ④ 05 ④ 06 ⑤

3 STEP 실력을 완성하는 주관식·서술형 문제

07 해설 참조 08 해설 참조 09 해설 참조

01 ② 사회화는 태어나는 순간부터 죽을 때까지 평생에 걸쳐 계속되는 과정이다.

02 제시문은 인류학자 마거릿 미드가 뉴기니 섬의 세 부족을 연구한 결과 남성다움과 여성다움이 각각 다르게 나타났음을 보여 준다. 이를 통해 남성다움과 여성다움은 사회화의 결과이며, 각 사회마다 다르게 나타날 수 있다는 사실을 알 수 있다.

03 제시문은 재사회화에 대한 설명이다. 재사회화는 사회 변화에 따라 새롭게 등장하는 지식과 가치를 다시 배우는 과정이다.

04 ④ 사회화를 통해 개인은 자신만의 개성과 자아를 형성할 수 있다. 따라서 한 개인을 그가 속한 사회와 무조건 동일시하게 만들지 않는다.

05 **오답 확인** ①은 직장, ②는 가정, ③은 학교, ⑤는 또래 집단에 대한 설명이다.

06 청소년기는 사회화 과정에서 큰 변화를 경험하는 시기이다. ⑤ 청소년기에는 독립된 자아로서 정체성을 형성해 가며, 부모와의 관계에서 독립적인 위치를 요구하거나 자신의 주장을 내세우기도 한다.

07 **예시 답안** 사회의 지식, 가치, 행동 양식, 규범 등을 배우는 사회화 과정을 거치지 못했기 때문이다.

답안 작성 Hint 인간은 사회화 과정을 거쳐 사회의 구성원으로 성장하게 된다.

채점 기준

상	사회화의 의미를 포함하여 서술한 경우
중	사회화만 언급하여 서술한 경우
하	사회화 언급 없이 제대로 서술하지 못한 경우

08 **예시 답안** 청소년기 사회화의 주된 내용은 자아 정체성을 형성해 가는 것으로, 이때 형성된 자아 정체성에 따라 성인기의 삶이 달라질 수 있으므로 올바른 자아 정체성 확립이 중요하다.

답안 작성 Hint 청소년기는 아동기와 성인기의 중간적 위치로, 독립된 자아로서 정체성을 형성해 가는 중요한 시기이다.

채점 기준

상	자아 정체성을 언급하고, 청소년기의 사회화가 중요한 이유를 정확히 서술한 경우
중	청소년기의 사회화가 중요한 이유를 서술하였으나, 그 내용이 다소 미흡한 경우
하	청소년기의 사회화가 중요한 이유를 제대로 서술하지 못한 경우

09 **예시 답안** 재사회화, 현대 사회는 사회 변동 속도가 빠르게 나타나고 있고, 그에 따라 새롭게 나타나는 지식, 기술, 가치 등을 배워야 하기 때문이다.

채점 기준

상	재사회화를 쓰고, 중요성이 커지고 있는 이유를 정확히 서술한 경우
중	재사회화를 쓰고, 변동 속도에 대한 언급 없이 이유를 서술한 경우
하	재사회화만 쓴 경우

02 사회적 지위와 역할

128~129쪽

꼭꼭! 필기 노트

❶ 사회적 관계 ❷ 귀속 지위 ❸ 성취 지위 ❹ 지위 ❺ 역할 행동 ❻ 역할 ❼ 정서적 불안 ❽ 사회 혼란 ❾ 우선 순위

콕콕! 핵심 개념

1 사회적 지위 2 성취 지위 3 역할 4 역할 갈등

탄탄! 활동 노트

활동① 1 중학생, 연극 동아리 회장, 딸, 언니 2 귀속 지위 – 딸, 언니 / 성취 지위 – 중학생, 연극 동아리 회장

활동 2 **1** 딸로서 어머니의 장례식에 참석해야 할지, 피겨 스케이팅 선수로서 올림픽 경기에 참여해야 할지 갈등을 겪었을 것이다. **2** 로세트는 딸이라는 지위와 피겨 스케이팅 선수라는 지위를 가지고 있는데, 이 지위들에서 서로 다른 역할이 요구되고 이를 동시에 수행해야 했기 때문에 역할 갈등이 발생하였다.

쑥쑥! 실력 키우기

130~131쪽

· 1 STEP 개념을 되짚는 **확인 문제**

01 (1) 귀속 지위 (2) 성취 지위 (3) 역할 행동 (4) 역할 갈등

02 (1) ㄱ, ㄷ (2) ㄴ, ㄹ **03** (1) × (2) × (3) ○ (4) ○

: 2 STEP 기초를 다지는 **기본 문제**

01 ② **02** ③ **03** ⑤ **04** ⑤ **05** ④ **06** ②

: 3 STEP 실력을 완성하는 **주관식·서술형 문제**

07 해설 참조 **08** 해설 참조 **09** 해설 참조

01 사회적 지위는 사회적 관계 속에서 개인이 가지는 일정한 위치를 말한다. ② 교사와 학생은 개인의 능력이나 노력에 따라 후천적으로 얻게 되는 성취 지위에 해당한다.

02 제시문의 밑줄 친 상황은 역할 갈등을 나타내고 있다.

03 ⑤ 역할 갈등이 발생하면 먼저 갈등을 일으키는 지위와 역할이 무엇인지 확인한 후, 우선순위를 정해 자신에게 더 중요한 지위나 역할을 신중히 선택한다. 이때 우선순위에 있는 지위는 귀속 지위일 수도 있고 성취 지위일 수도 있다.

04 성취 지위는 개인의 능력이나 노력으로 얻게 되는 지위이다.
오답 확인 ㄱ, ㄹ. 귀속 지위에 해당한다.

05 ④ (나)에서 나타나는 송이의 지위는 딸로서 '귀속 지위'이고, (다)에 나타나는 송이의 지위는 학생으로서 '성취 지위'이다. 따라서 (나)와 (다)에서 나타나는 송이의 지위는 성격이 다르다.

06 **오답 확인** ① ㉠ 손자는 귀속 지위, ㉡ 학생은 성취 지위이다. ③ 사례에서 민수는 여러 가지 지위에 따른 역할을 수행하고 있지만, 이들이 충돌하는 역할 갈등을 경험하고 있지는 않다. ④ ㉠ 손자는 개인이 태어나면서 자연스럽게 얻게 되는 귀속 지위이다. ⑤ ㉢ 기타 동아리 회원은 개인의 능력이나 노력에 따라 얻게 되는 성취 지위이다.

07 **예시 답안** 역할은 사회적 지위에 따라 기대되는 행동이기 때문에 사회 변화에 따라 달라질 수 있다.
답안 작성 Hint 제시문은 남자와 여자에게 요구되는 역할이 사회 변화에 따라 달라지고 있음을 보여 준다. 역할은 사회적 관계 속에서 개인이 가지는 위치에 따라 요구되는 행동이다. 따라서 사회가 변화하게 되면 역할 또한 달라질 수 있다.

채점 기준

상	역할의 의미와 함께 역할이 사회 변화에 따라 달라질 수 있음을 서술한 경우
중	역할의 의미에 대한 언급 없이 사회 변화에 따른 역할 변화를 서술한 경우
하	사회 변화에 따른 역할 변화를 제대로 서술하지 못한 경우

08 **예시 답안** 역할 갈등, 엄마로서의 역할과 종군 기자로서의 역할이 서로 충돌하고 이를 동시에 수행해야 하기 때문에 역할 갈등이 발생하고 있다.
답안 작성 Hint 역할 갈등은 여러 가지 역할을 수행해야 하는 상황에서 역할들이 서로 충돌하는 경우에 발생한다.

채점 기준

상	역할 갈등을 쓰고, 발생한 이유를 옳게 서술한 경우
중	역할 갈등을 쓰고, 발생한 이유를 미흡하게 서술한 경우
하	역할 갈등을 쓰지 못한 경우

09 **예시 답안** 갈등을 일으키는 역할을 확인하고, 우선순위를 정해 자신에게 더 중요한 역할을 신중하게 선택해야 한다.

채점 기준

상	갈등을 일으키는 역할 확인과 우선순위에 따른 신중한 선택을 서술한 경우
중	갈등을 일으키는 역할 확인에 대한 언급 없이 우선순위에 따라 역할을 선택해야 함을 서술한 경우
하	갈등을 일으키는 역할 확인, 우선순위에 따른 신중한 선택을 모두 언급하지 않고 서술한 경우

03 사회 집단과 차별

132~133쪽

꼼꼼! 필기 노트

❶ 소속감 ❷ 내집단 ❸ 외집단 ❹ 접촉 방식 ❺ 1차 집단
❻ 간접 접촉 ❼ 공동 사회 ❽ 선천적 ❾ 이익 사회 ❿ 준거 집단
⓫ 차별 ⓬ 갈등 ⓭ 관용

콕콕! 핵심 개념

1 사회 집단 **2** 내집단 **3** 차별

탄탄! 활동 노트

활동 1 **1**

구분	1차 집단	2차 집단	공동 사회	이익 사회
가정	○		○	
학교		○		○
또래 집단	○		○	
직장		○		○

2 2명 이상의 구성원, 소속감(비슷한 관심과 목적), 지속적인 상호 작용

활동 2 **1** (가) 성차별 (나) 장애인 차별 **2** (1) 장애인에 대한 고정 관념이나 편견을 버려야 한다. 관용의 자세와 평등 의식을 가져야 한다. (2) 장애인 차별 금지법 등과 같은 법적·제도적 개선이 필요하다.

정답과 해설 정확한 답과 친절하게 짚어 주는 해설

쑥쑥! 실력 키우기

134~135쪽

· 1 STEP 개념을 되짚는 확인 문제 ··········

01 (1) 사회 집단 (2) 내집단 (3) 결합 의지 (4) 준거 집단 (5) 차별

02 (1) ㄴ (2) ㄷ (3) ㄹ **03** (1) ㉡ (2) ㉠ **04** (1) × (2) × (3) ○

: 2 STEP 기초를 다지는 기본 문제 ··········

01 ⑤ **02** ⑤ **03** ⑤ **04** ④ **05** ② **06** ④

: 3 STEP 실력을 완성하는 주관식·서술형 문제 ··········

07 해설 참조 **08** 정답 준거 집단 **09** 해설 참조

01 사회 집단은 비슷한 관심과 목적을 가진 둘 이상의 사람들이 소속감을 가지고 지속적인 상호 작용을 하는 집단이다.
오답 확인 ① 사회 집단은 소속감에 따라 내집단과 외집단으로 구분된다. ② 내집단은 자신이 속한 집단이라는 소속감을 가지고 있는 집단이다. ③ 이익 사회는 구성원의 의지에 의해 선택된 집단이다. ④ 회사, 정당과 같은 2차 집단은 특정한 목적을 달성하기 위해 구성원 간에 간접적인 접촉이 이루어진다.

02 밑줄 친 '이것'은 준거 집단에 해당한다.

03 ⑤ 차별의 문제를 해결하기 위해서는 개인적인 차원뿐만 아니라 사회적인 차원에서의 노력이 함께 이루어져야 한다.

04 사회 집단은 구성원의 결합 의지에 따라 공동 사회와 이익 사회로 구분할 수 있다.

05 사회 집단은 구성원의 접촉 방식에 따라 1차 집단과 2차 집단으로 구분된다. 1차 집단은 구성원 간에 친밀한 대면 접촉이 이루어지는 반면, 2차 집단은 특정한 목적을 달성하기 위해 구성원 간에 간접적인 접촉이 이루어진다. ② ㄱ. 가정, ㅁ. 또래 집단은 1차 집단에 해당하고, ㄴ. 정당, ㄷ. 학교, ㄹ. 회사는 2차 집단에 해당한다.

06 제시문의 레이싱 비행기들은 더스티에게 준거 집단이 된다. 준거 집단은 어떤 판단이나 행동의 기준이 되는 집단이다. ④ 실제로 소속되어 있어 친밀감을 가지는 집단은 내집단이다. 준거 집단과 내집단은 일치할 수도 있고, 일치하지 않을 수도 있는데, 제시문에서 더스티의 내집단과 준거 집단은 일치하지 않고 있다.

07 **예시 답안** (나), (다) 사회 집단이 되기 위해서는 2명 이상의 구성원이 소속감을 가지고 지속적인 상호 작용을 해야 한다.
답안 작성 Hint 사회 집단은 비슷한 관심과 목적을 가진 둘 이상의 사람들이 소속감을 가지고 지속적인 상호 작용을 하는 집단을 말한다.

채점 기준

상	(나), (다)를 쓰고, 사회 집단의 조건 세 가지를 모두 서술한 경우
중	(나), (다)를 쓰고, 사회 집단의 조건을 두 가지만 서술한 경우
하	(나), (다)를 쓰고, 사회 집단의 조건을 한 가지만 서술한 경우

08 **답안 작성 Hint** 준거 집단은 개인이 어떤 판단이나 행동의 기준으로 삼는 집단을 말한다. (가)에서 S기획사, (나)에서 교육대학교는 준거 집단에 해당한다.

09 **예시 답안** 준거 집단이 자신이 속한 집단과 일치하지 않으면 불만을 가지게 되거나 갈등을 겪을 수 있다.
답안 작성 Hint 준거 집단은 내집단과 일치할 수도 있고, 일치하지 않을 수도 있다. 준거 집단과 내집단이 일치할 경우 개인의 만족도는 커지게 된다. 반면, 내집단이 준거 집단과 일치하지 않을 경우 갈등을 겪을 수 있다.

채점 기준

상	개인의 불만, 갈등의 발생을 모두 서술한 경우
중	개인의 불만이나 갈등 발생 중 한 가지만 서술한 경우
하	준거 집단과 소속 집단이 일치하지 않을 때 일어날 상황을 서술하지 못한 경우

똑딱! 단원 마무리하기

136~139쪽

01 ⑤ **02** ③ **03** ③ **04** ④ **05** ⑤ **06** ① **07** ② **08** ⑤
09 ④ **10** ① **11** ② **12** ⑤ **13** ④ **14** ⑤ **15** ⑤ **16** ④
17 ④ **서술형 문제 18~23** 해설 참조

01 제시문의 밑줄 친 부분은 사회화에 대한 설명이다. 사회화의 결과로 나타난 행동은 인간의 본능이나 습관과는 구별된다.
오답 확인 ㄱ, ㄴ은 인간의 본능, 개인의 특이한 습관으로 사회화된 행동이라고 볼 수 없다.

02 (가) 시기는 청소년기이다. ③ 가정에서 기본적인 생활 습관을 학습하는 것은 유년기에 해당한다.

03 제시된 설명에 해당하는 사회화 기관은 학교이다.

04 사회화는 인간이 자신이 속한 사회의 지식, 가치, 행동 양식, 규범 등을 배우는 과정으로 평생에 걸쳐 이루어진다.
오답 확인 ① 청소년기는 자아 정체성이 형성되는 시기이다. ② 사회화의 결과는 각 사회마다 다르게 나타날 수 있다. ③ 기본적인 사회화는 유년기와 청소년기에 집중적으로 이루어진다. ⑤ 사회화가 공동체 의식을 가지게 할 수는 있지만, 모두 동일한 생각을 가지게 하는 것은 아니다.

05 제시문에서 옥사나는 사회화를 경험하지 못해 인간 사회에 적응하지 못하였다. 즉, 개인은 다른 사람들과의 관계 속에서 사회화를 거쳐야만 인간다운 삶을 살 수 있다.

06 **오답 확인** ㄷ, ㄹ은 사회화의 기능 중 사회적인 측면에 해당한다.

07 ② 자아 정체성은 청소년기에 집중적으로 형성된다.

08 사례들은 재사회화와 관련된다. 재사회화는 현대 사회에서 중요성이 더욱 커지고 있다.

09 제시된 설명에 해당하는 개념은 역할 행동이다.

10 사회적 지위는 태어날 때부터 자연적으로 주어지는 귀속 지위와 개인의 능력이나 노력으로 얻게 되는 성취 지위로 구분된다. ① 막내아들은 자연적으로 주어지는 귀속 지위이다.

11 사회적 지위는 개인이 사회적 관계 속에서 차지하고 있는 위치로 귀속 지위와 성취 지위로 구분된다. **오답 확인** ① 교사, 학생, 남편 등은 성취 지위에 해당한다. ③ 현대 사회에서 성취 지위의 영향력이 더욱 커지고 있다. ④ 역할에 따라 기대되는 구체적인 행동 양식을 역할 행동이라고 한다. ⑤ 태어날 때부터 자연적으로 주어지는 지위를 귀속 지위라고 한다.

12 밑줄 친 내용에는 역할 갈등이 나타나 있다. 역할 갈등은 개인이 서로 다른 역할들을 동시에 수행해야 할 때 발생한다. 이를 해결하기 위해서는 역할의 우선순위를 정해서 자신에게 더 중요한 역할을 선택해야 한다.

13 사회 집단은 구성원의 접촉 방식에 따라 친밀한 대면 접촉이 이루어지는 1차 집단과 특정한 목적을 달성하기 위해 간접적인 접촉이 이루어지는 2차 집단으로 나눌 수 있다.

14 사회 집단은 비슷한 관심과 목적을 가진 둘 이상의 사람들이 소속감을 가지고 지속적인 상호 작용을 하는 집단이다. **오답 확인** ㄱ, ㄴ은 사회 집단에 해당하지 않는다.

15 학교, 회사, 정당은 특정한 목적의 달성을 위해 만들어진 집단으로 2차 집단에 해당한다.

16 ④ ㄹ은 성취 지위로 개인의 능력이나 노력에 따라 얻게 된다.

17 A는 역할 갈등을 경험하고 있다. **오답 확인** ㄴ. 현대 사회에서 역할 갈등은 더욱 빈번하게 나타나고 있다.

18 **예시 답안** 청소년기, 청소년기에는 독립된 자아로서 자아 정체성을 형성해 가는데, 이러한 과정에서 사회화가 이루어진다. **답안 작성 Hint** 청소년기는 아동기와 성인기의 중간적 단계로, '나는 누구인가?'에 대한 질문에 답을 찾아가는 과정에서 자아 정체성을 형성해 간다.

채점 기준

상	청소년기를 쓰고, 이 시기 사회화의 내용을 옳게 서술한 경우
중	청소년기를 쓰고, 이 시기 사회화의 내용을 미흡하게 서술한 경우
하	청소년기만 쓴 경우

19 **예시 답안** 회사와 학교는 특정한 목적을 달성하기 위해 구성원 간 간접적인 접촉이 이루어지는 2차 집단이며, 구성원의 결합 의지에 의해 선택된 이익 사회이다. **답안 작성 Hint** 사회 집단은 구성원의 접촉 방식에 따라 1차 집단과 2차 집단, 구성원의 결합 의지에 따라 공동 사회와 이익 사회로 구분할 수 있다.

채점 기준

상	공통점 두 가지를 모두 서술한 경우
중	공통점을 한 가지만 서술한 경우
하	공통점 두 가지를 서술하지 못한 경우

20 **예시 답안** (가)는 사회화, (나)는 재사회화를 나타낸다. (가)는 자신이 속한 사회의 규범, 지식, 생활 양식 등을 배우는 과정이고, (나)는 사회 변화에 따라 새롭게 등장한 지식과 가치를 다시 배우는 것이다. **답안 작성 Hint** 사회화는 인간이 자신이 속한 사회의 지식, 가치 행동 양식, 규범 등을 배우는 과정을 말한다. 재사회화는 성인이 된 이후에도 사회 변화에 따라 새롭게 등장한 지식과 가치를 다시 배우거나 변화하는 환경에 맞추어 그에 맞는 삶의 방식을 다시 익히는 것을 말한다.

채점 기준

상	사회화, 재사회화 개념을 쓰고, 두 가지의 의미를 모두 서술한 경우
중	사회화, 재사회화 개념을 쓰고, 둘 중 하나의 의미만 서술한 경우
하	사회화, 재사회화 개념만 쓴 경우

21 **예시 답안** 귀속 지위는 ⓒ, 성취 지위는 ㉠, ㉡, ㉣, ㉤이다. 귀속 지위는 개인의 노력에 상관없이 태어나면서 자연적으로 얻게 되는 지위이고, 성취 지위는 개인의 능력이나 노력에 따라 후천적으로 얻게 되는 지위이다.

채점 기준

상	㉠~㉤ 지위를 귀속 지위와 성취 지위로 구분하고, 귀속 지위와 성취 지위의 특징을 모두 비교하여 서술한 경우
중	㉠~㉤ 지위를 귀속 지위와 성취 지위로 구분하고, 귀속 지위와 성취 지위 중 한 가지의 특징만 서술한 경우
하	㉠~㉤ 지위를 귀속 지위와 성취 지위로 구분만 한 경우

22 **예시 답안** 제시문에서는 역할 갈등이 나타나 있다. 역할 갈등을 원만하게 해결하지 못했을 경우 개인적으로는 정서적 불안을 겪게 되고, 사회적으로는 혼란이 발생할 수 있다.

채점 기준

상	역할 갈등이 해결되지 못했을 때의 문제를 개인적 측면과 사회적 측면에서 모두 서술한 경우
중	역할 갈등이 해결되지 못했을 때의 문제를 개인적 측면과 사회적 측면 중 한 가지만 서술한 경우
하	역할 갈등 상황이라는 것만 서술한 경우

23 **예시 답안** 개인적인 차원에서는 남성과 여성에 대한 고정 관념이나 편견을 버리고 관용의 자세, 평등 의식을 지녀야 한다. 사회적인 차원에서는 남성과 여성을 동일한 비율로 선발하는 등의 제도적 개선이 마련되어야 한다.

채점 기준

상	해결 방안을 개인적 차원과 사회적 차원 두 가지 모두 서술한 경우
중	해결 방안을 개인적 차원과 사회적 차원 중 한 가지만 서술한 경우
하	해결 방안을 서술하지 못한 경우

8. 문화의 이해

01 문화의 의미와 특징

142~143쪽

꼼꼼! 필기 노트

❶ 예술 ❷ 생활 양식 ❸ 물질문화 ❹ 제도문화 ❺ 보편성
❻ 상대성 ❼ 공유성 ❽ 후천적 ❾ 축적성 ❿ 변동성 ⓫ 전체성

꼭꼭! 핵심 개념

1 문화 **2** 물질문화 **3** 학습성 **4** 전체성

탄탄! 활동 노트

활동① **1** 문화인 것 – (나), (라) / 문화가 아닌 것 – (가), (다) **2** 좁은 의미의 문화 – (라) / 넓은 의미의 문화 – (나)

활동② **1** ㉠ 변동성 ㉡ 축적성 ㉢ 공유성 ㉣ 전체성 **2** 넓은

쑥쑥! 실력 키우기

144~145쪽

·1 STEP 개념을 되짚는 확인 문제

01 (1) 문화 (2) 학습 (3) 변동성 (4) 공유성 **02** (1) ㉡ (2) ㉠ (3) ㉢
03 (1) × (2) ○ (3) × **04** (1) 물질문화 (2) 좁은 의미 (3) 학습성

·2 STEP 기초를 다지는 기본 문제

01 ⑤ **02** ③ **03** ⑤ **04** ④ **05** ② **06** ③ **07** ④

·3 STEP 실력을 완성하는 주관식·서술형 문제

08 해설 참조 **09** 해설 참조 **10** 해설 참조

01 문화는 한 사회의 구성원들이 만들어 낸 공통의 생활 양식을 말한다. 여기에는 의식주와 관련된 기본적인 생활뿐만 아니라 지식, 예술, 규범, 관습, 가치관 등이 모두 포함된다.
오답 확인 ① 문화는 선천적으로 타고나는 것이 아니라 후천적으로 학습된 것이다. ② 문화는 각 사회의 환경과 필요에 따라 나타나므로 다양한 모습으로 나타난다. ③ 문화는 예술이나 교양, 세련된 것뿐만 아니라 지식, 예술, 규범, 관습, 가치관 등이 모두 포함된다. ④ 인간의 타고난 체질이나 본능에 따른 행동, 개인의 독특한 습관 등은 문화라고 할 수 없다.

02 제시문은 문화의 전체성에 대한 설명이다.

03 문화는 한 사회의 구성원들이 만들어 낸 공통의 생활 양식을 말한다. 그러나 인간의 모든 행동이 문화와 관련된 것은 아니다. 인간의 타고난 체질이나 본능에 따른 행동, 개인의 독특한 습관 등은 문화라고 할 수 없다.
오답 확인 ㄱ, ㄹ은 인간의 타고난 체질, 본능에 따른 행동, 개인의 독특한 습관 등으로 문화에 해당하지 않는다.

04 문화의 축적성은 언어와 문자 등을 통해 문화가 다음 세대로 전달되고 그 과정에서 점차 풍요로워짐을 나타낸다.

05 **오답 확인** ㄴ은 문화의 변동성, ㄷ은 문화의 학습성에 해당한다.

06 ③ 문화의 학습성에 해당한다.

07 문화는 예술이나 교양, 그리고 세련된 것이나 발전된 상태를 가리키는 '좁은 의미'와 한 사회의 구성원들이 만들어 낸 공통의 생활 양식이라는 '넓은 의미'를 가지고 있다.
오답 확인 ① 대중문화, ② 음식 문화, ③ 한국 문화, ⑤ 청소년 문화에서 사용된 문화의 의미는 '넓은 의미'에 해당한다.

08 **예시 답안** 문화의 변동성, 문화의 변동성이란 문화가 고정된 것이 아니라 그 사회의 환경과 상황에 따라 끊임없이 변화한다는 것을 의미한다.

채점 기준

상	문화의 변동성을 쓰고, 그 의미를 정확하게 서술한 경우
중	문화의 변동성을 썼으나, 그 의미를 제대로 서술하지 못한 경우
하	문화의 변동성만 쓴 경우

09 **예시 답안** 문화인 것: (가), (라) / 문화가 아닌 것: (나), (다) 문화란 한 사회 구성원이 주어진 환경에 적응하면서 만들어 온 그 사회의 생활 양식이다.

채점 기준

상	문화인 것과 문화가 아닌 것을 구별하고, 문화의 의미를 옳게 서술한 경우
중	문화인 것과 문화가 아닌 것을 구별하고, 문화의 의미를 서술하였으나 다소 미흡한 경우
하	문화인 것과 문화가 아닌 것을 틀리게 구별한 경우

10 **예시 답안** 문화의 공유성, 문화의 공유성은 사회 구성원들이 특정 상황이 발생할 때 상대방이 어떻게 행동하고 생각할지 미리 예측할 수 있게 해 준다.
답안 작성 Hint 문화는 특정 사회나 집단에서 공유하는 생활 양식이기 때문에 공유성을 지닌다. 사회 구성원들 사이에 공통적인 행동 및 사고방식이 나타나므로 특정 상황에서 상대방의 행동과 생각을 미리 예측할 수 있다.

채점 기준

상	문화의 공유성을 쓰고, 기능을 옳게 서술한 경우
중	문화의 공유성을 썼으나, 기능을 제대로 서술하지 못한 경우
하	문화의 공유성만 쓴 경우

02 문화를 바라보는 태도

146~147쪽

꼼꼼! 필기 노트

❶ 문화 상대주의 ❷ 극단적 ❸ 자문화 중심주의 ❹ 중화사상
❺ 자부심 ❻ 문화 사대주의 ❼ 고유성 ❽ 절대적인 기준

꼭꼭! 핵심 개념

1 문화 상대주의 **2** 자문화 중심주의 **3** 문화 사대주의

탄탄! 활동 노트

활동① **1** (가) 자문화 중심주의 (나) 문화 사대주의 **2** 문화의 다양성과 상대성을 부정하고 절대적인 기준으로 문화의 우열을 가리기 때문에 다른 문화를 제대로 이해하는 데 방해가 되고, 자기 문화를 발전시키는 데에도 장애 요소로 작용할 수 있다.

활동② **1** 극단적 문화 상대주의 **2** (가), (나)와 같은 문화는 인류의 보편적 가치를 무시하기 때문에 인간의 존엄성, 생명 존중 사상 등을 해칠 우려가 있다. 따라서 인류의 보편적인 가치를 중시하는 범위 내에서 문화의 다양성을 인정하는 태도를 가져야 한다.

쑥쑥! 실력 키우기

148~149쪽

·1 STEP 개념을 되짚는 확인 문제·

01 (1) 자문화 중심주의 (2) 문화 사대주의 (3) 문화 상대주의

02 (1) 극단적 문화 상대주의 (2) 문화 사대주의

03 (1) ○ (2) ○ (3) × **04** (1) ⓒ (2) ⓐ (3) ⓑ

:2 STEP 기초를 다지는 기본 문제·

01 ⑤ **02** ④ **03** ⑤ **04** ③ **05** ④

∷3 STEP 실력을 완성하는 주관식·서술형 문제·

06 해설 참조 **07** **정답** 극단적 문화 상대주의 **08** 해설 참조

01 자문화 중심주의는 자기 문화를 가장 우수하다고 믿으면서 다른 사회의 문화를 부정적으로 평가하는 태도이다. 자문화 중심주의는 사회의 통합과 단결에 기여하기도 하지만, 자신의 문화만을 고집하다가 국제적 갈등이나 고립을 초래할 수도 있다. **오답확인** ⑤ 문화 사대주의에 대한 설명이다.

02 천하도에는 문화 사대주의가 나타나고 있다. 문화 사대주의는 민족 문화의 고유성과 주체성을 상실하게 할 수 있다. **오답확인** ①, ② 자문화 중심주의에 대한 설명이다. ③ 문화 사대주의는 자기 문화에 대한 자부심을 떨어뜨린다. ⑤ 문화 상대주의에 대한 설명이다.

03 ⑤ 인류의 보편적 가치를 무시하는 행위까지 문화로 인정하는 것은 극단적 문화 상대주의로 바람직하지 않은 태도이다.

04 ③ 한 사회의 문화는 그 사회의 자연환경이나 역사적 상황과 밀접하게 관련되어 나타나므로, 그 사회의 특수한 환경이나 역사적 맥락을 고려하여 이해하는 문화 상대주의 태도가 필요하다.

05 각 사회마다 아름다움의 기준은 다르게 나타날 수 있다. **오답확인** ① 문화를 이해할 때는 그 사회가 처한 특수한 환경이나 역사적 맥락을 고려해야 한다. ② 문화의 상대성을 인정해야 한다. ③ 문화에는 우열이 존재하지 않는다.

06 **예시답안** 문화 사대주의, 문화 사대주의는 자기 문화의 가치를 인정하지 않아서 문화의 고유성과 주체성을 상실하게 될 우려

답안작성 Hint 갑의 주장에는 문화 사대주의가 나타난다. 문화 사대주의는 자기 문화의 가치를 무시하기 때문에 문화의 고유성과 주체성을 상실할 수 있고, 절대적인 기준으로 문화의 우열을 가리기 때문에 다른 문화를 올바로 이해하기 어렵다.

채점 기준

상	문화 사대주의를 쓰고, 문제점을 옳게 서술한 경우
중	문화 사대주의는 썼으나, 문제점에 대한 서술이 미흡한 경우
하	문화 사대주의만 쓴 경우

07 **답안작성 Hint** 제시문의 '명예 살인'은 인간의 존엄성과 자유, 평등과 같은 인류의 보편적인 가치를 무시하는 행위까지 문화로 인정하는 '극단적 문화 상대주의' 태도에 해당한다.

08 **예시답안** (가)는 자문화 중심주의, (나)는 문화 사대주의에 해당한다. (가)와 (나)는 문화의 상대성과 다양성을 부정하고 절대적인 기준에서 문화를 평가하고 이해하는 태도이다.

채점 기준

상	(가), (나)에 해당하는 문화 이해의 태도를 쓰고, 공통점을 옳게 서술한 경우
중	(가), (나)에 해당하는 문화 이해의 태도를 썼으나, 공통점에 대한 서술이 미흡한 경우
하	(가), (나)에 해당하는 문화 이해의 태도만 옳게 쓴 경우

03 대중 매체와 대중문화

150~151쪽

꼼꼼! 필기 노트

❶ 대중 매체 ❷ 다수 ❸ 대중문화 ❹ 일방적 ❺ 수동적 ❻ 생산자 ❼ 시간 ❽ 쌍방향 ❾ 대중문화 ❿ 대중화 ⓫ 보통 선거 ⓬ 민주화 ⓭ 획일화 ⓮ 상업화 ⓯ 비판적

콕콕! 핵심 개념

1 대중 매체 **2** 대중문화

탄탄! 활동 노트

활동① **1** (가) 신문 (나) 텔레비전 (다) 스마트폰 (라) 인터넷

2

구분	전통적 대중 매체	새로운 대중 매체
종류	신문, 텔레비전	스마트폰, 인터넷
특징	정보의 생산자와 소비자가 명확히 구분됨 / 정보의 일방적·획일적 전달 / 대중은 정보를 수동적·무비판적으로 수용	대중이 정보의 소비자이자 생산자 / 시간과 공간의 제약을 받지 않음 / 매체와 이용자 사이에 쌍방향 의사소통이 가능 / 대중은 정보를 비동시적·개별적으로 수용

활동② **1** 인터넷의 발달, 스마트폰, 태블릿, 컴퓨터 등의 새로운 대중 매체의 등장 **2** • 긍정적인 측면: 누구나 쉽게 접할 수 있음, 즐거움과 정서적 만족감 제공 등 • 부정적인 측면: 문화의 획일화, 지나친 상업화로 인해 선정적이고 폭력적인 내용을 담을 수 있음 등

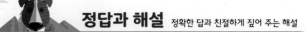

쑥쑥! 실력 키우기

152~153쪽

1 STEP 개념을 되짚는 확인 문제

01 (1) 대중 매체 (2) 대중문화 **02** (1) 대량 (2) 획일화 (3) 쌍방향
03 (1) ○ (2) ○ (3) × (4) ○ **04** ㄷ, ㄹ, ㅁ

2 STEP 기초를 다지는 기본 문제

01 ⑤ **02** ④ **03** ② **04** ⑤ **05** ③ **06** ①

3 STEP 실력을 완성하는 주관식·서술형 문제

07 해설 참조 **08** 해설 참조 **09** 해설 참조

01 대중 매체는 대중에게 대량의 정보를 동시에 전달하는 매체로 신문, 책, 라디오, 텔레비전 등이 있다. ⑤ 인터넷, 스마트폰 등 새로 등장한 대중 매체는 시간과 공간의 제약을 받지 않고 정보의 생산자와 소비자 간 쌍방향 의사소통을 가능하게 한다.

02 제시문은 새로운 대중 매체가 가지는 특징을 나타낸다. 새로운 대중 매체로는 인터넷, 스마트폰 등이 있다.
오답 확인 ㄱ. 신문, ㄷ. 텔레비전은 전통적 대중 매체이다.

03 ② 대중문화는 현대 사회를 살아가는 대다수의 사람들이 일상적으로 누리는 문화로, 과거 소수의 특정 계층만이 누리던 문화를 누구나 누릴 수 있게 함으로써 문화의 민주화에 기여하였다.

04 제시된 사례는 대중문화의 상업성에 관한 내용이다.

05 대중문화는 다수의 사람들에게 새로운 지식과 정보, 정서적인 만족감과 즐거움을 제공한다.
오답 확인 ① 대중문화는 다수를 대상으로 한다. ② 대중문화는 예술성보다는 상업성을 중시한다. ④, ⑤ 대중문화는 사람들의 가치관과 사고방식을 획일화할 수 있다.

06 새롭게 등장한 대중 매체는 시간과 공간의 제약을 받지 않고, 쌍방향 의사소통이 가능하다.
오답 확인 ㄷ, ㄹ은 전통적인 대중 매체에 대한 설명이다.

07 **예시 답안** (가) 정보의 생산자와 소비자가 명확하게 구별되고, 정보가 일방적·획일적으로 전달된다. (나) 대중이 정보의 소비자이자 생산자가 되며, 시간과 공간의 제약을 받지 않고 쌍방향 의사소통이 가능하다.
답안 작성 Hint (가)는 전통적인 대중 매체, (나)는 새로운 대중 매체에 해당한다.

채점 기준

상	(가), (나)의 특징을 두 가지씩 옳게 서술한 경우
중	(가), (나)의 특징을 한 가지씩만 옳게 서술한 경우
하	(가), (나)의 특징을 서술하지 못한 경우

08 **예시 답안** 누구나 쉽게 접할 수 있고, 대중에게 즐거움과 정서적 만족감을 제공한다. 그러나 사람들의 가치관과 생각을 획일화시킬 수 있고, 문화의 상업화로 지나치게 선정적이거나 폭력

적인 내용을 담을 수 있다.
답안 작성 Hint 대중문화는 새로운 지식과 정보 제공, 정서적 만족감 제공, 문화의 민주화에 기여하는 등의 긍정적인 측면과 함께 정보의 왜곡, 문화의 획일화, 상업성으로 인해 지나치게 폭력적이거나 선정적일 수 있다는 부정적인 측면을 가지고 있다.

채점 기준

상	긍정적인 측면과 부정적인 측면을 모두 옳게 서술한 경우
중	긍정적인 측면과 부정적인 측면 중 한 가지만 옳게 서술한 경우
하	긍정적인 측면과 부정적인 측면을 서술하지 못한 경우

09 **예시 답안** (가)에는 문화의 획일화, (나)에는 문화의 상업화가 나타난다. 대중은 대중문화를 비판적으로 수용하는 동시에, 문화의 창조자로서 대중 매체를 활용하여 새로운 문화를 만들어 가는 데 주도적인 역할을 해야 한다.
답안 작성 Hint 대중문화를 바라볼 때는 그 정보가 객관적 사실인지, 균형 있는 시각을 담고 있는지 비판적으로 검토해야 한다. 또한 문화 창조자로서 대중 매체를 활용하여 새로운 문화를 만들어 가는 데 주도적인 역할을 해야 한다.

채점 기준

상	(가), (나)의 특징을 쓰고, 바람직한 태도를 옳게 서술한 경우
중	(가), (나)의 특징을 썼으나, 바람직한 태도를 미흡하게 서술한 경우
하	(가), (나)의 특징만 쓴 경우

뚝딱! 단원 마무리하기

154~157쪽

01 ③ **02** ④ **03** ④ **04** ② **05** ① **06** ⑤ **07** ② **08** ④
09 ③ **10** ⑤ **11** ② **12** ① **13** ④ **14** ⑤ **15** ③ **16** ①
17 ① **18** ⑤ **서술형 문제** **19~23** 해설 참조

01 문화는 예술이나 교양, 세련된 것이나 발전된 상태를 가리키는 '좁은 의미'와 한 사회의 구성원들이 만들어 낸 공통의 생활 양식이라는 '넓은 의미'를 가지고 있다.
오답 확인 ①, ②, ④, ⑤ 좁은 의미의 문화에 해당한다.

02 ④ 인간의 타고난 체질이나 본능, 개인의 독특한 습관 등은 문화에 해당하지 않는다.

03 문화는 후천적으로 학습되는 것으로 인간의 본능이나 타고난 체질, 개인의 독특한 습관과는 구별된다.
오답 확인 ㄴ. 웃어른께 존댓말을 쓰는 것은 문화에 해당한다.

04 (가)는 문화의 변동성, (나)는 문화의 전체성을 나타내고 있다.

05 한 사회의 구성원들이 그 사회의 문화를 함께 공유하는 것을 문화의 공유성이라고 한다. 중요한 시험을 앞두고 찹쌀떡이나 엿을 선물하는 것은 시험을 잘 보라는 의미를 가지며, 그 사회 구성원들은 그 의미를 이해하고 있으므로, 이는 문화의 공유성에 해당한다.

06 문화의 수많은 요소들이 서로 밀접한 관련을 맺으면서 전체를 이루고 있다는 것을 문화의 전체성이라고 한다.

07 (가) 옷, 음식, 주택 등은 물질문화에 해당한다. (나) 학문, 언어, 예술, 종교 사상 등은 비물질문화 중 관념 문화에 해당한다.

08 제시문은 극단적 문화 상대주의의 사례이다. 인류의 보편적 가치를 무시하는 행위에 대해서는 비판하고 경계해야 한다.

09 사례에 나타난 문화 이해의 태도는 자문화 중심주의이다. 자문화 중심주의는 원만한 문화 교류를 저해하여 국가 간 갈등을 초래하거나 국제적인 고립에 빠뜨릴 수 있는 위험이 있다.
　오답확인 ① 자기 문화의 가치를 인정하지 않는 것은 문화 사대주의이다. ② 다른 사회의 문화에 종속될 위험이 있는 것은 문화 사대주의이다. ④ 자기 문화 내 자부심을 높이고 집단 내 결속을 강화하는 것은 자문화 중심주의가 가진 장점이다. ⑤ 인간의 존엄성, 생명 존중 사상, 자유, 평등과 같은 인류 보편적 가치를 해칠 수 있는 것은 극단적 문화 상대주의이다.

10 ⑤ 극단적 문화 상대주의에 대한 설명이며, 극단적 문화 상대의는 경계해야 한다.

11 여배우에게는 다른 나라의 문화를 그 문화가 형성된 환경과 필요에 따라 이해하려고 하는 문화 상대주의 태도가 필요하다.

12 ㄷ은 자문화 중심주의, ㄹ은 극단적 문화 상대주의에 대한 설명이다.

13 ④ 대중문화는 대중 매체를 통해 불특정 다수에게 동시에 전달되기 때문에 보편적인 성격을 가진다.

14 ③ 대중문화는 지나치게 상업성을 추구하여 폭력적이거나 선정적인 내용을 담을 수 있다.

15 (가)는 새로운 대중 매체인 뉴미디어로 정보를 비동시적, 개별적으로 수용할 수 있게 한다.

16 제시문은 대중문화가 많은 사람들에게 문화적으로 평등하고 풍요로운 삶을 제공한다는 문화의 민주화에 관한 내용이다.

17 대중문화는 대량으로 생산되어 많은 사람들에게 같은 내용을 전달하므로 사람들의 가치관과 사고방식을 획일화할 수 있다.

18 대중문화를 바라볼 때에는 비판적으로 수용하는 동시에, 문화의 창조자로서 대중 매체를 활용하여 주도적으로 새로운 문화를 만들어 가야 한다.
　오답확인 ① 대중 매체가 전달하는 정보가 객관적 사실인지, 균형 있는 시각을 담고 있는지 비판적으로 수용해야 한다. ③ 소비자인 동시에 생산자로서 주체적인 역할을 해야 한다.

19 **예시 답안** 문화의 공유성, 한 사회에서는 문화를 서로 공유하고 있기 때문에 비슷하게 생각하고 행동하는 경향이 있다. 즉, 문화의 공유성은 특정 상황이 발생할 때 상대방이 어떻게 행동하고 생각할지를 미리 예측할 수 있게 해 준다.

채점 기준

상	문화의 공유성을 쓰고, 그 기능을 옳게 서술한 경우
중	문화의 공유성을 썼으나, 그 기능에 대한 서술이 미흡한 경우
하	문화의 공유성만 쓴 경우

20 **예시 답안** 극단적 문화 상대주의, 극단적 문화 상대주의는 인간의 존엄성, 생명 존중 등과 같은 인류의 보편적 가치를 무시하고 훼손할 수 있다.
　답안 작성 Hint 극단적 문화 상대주의는 순장, 식인 풍습, 명예 살인 등과 같이 인간의 존엄성을 해치는 문화까지 존재 가치가 있다고 여기는 문화 이해의 태도이다. 그러나 시대와 사회에 따라 문화가 달라져도 인간으로서 가져야 할 기본적인 가치는 중시되고 존중되어야 한다.

채점 기준

상	극단적 문화 상대주의를 쓰고, 문제점을 옳게 서술한 경우
중	극단적 문화 상대주의를 썼으나 문제점에 대한 서술이 미흡한 경우
하	극단적 문화 상대주의만 쓴 경우

21 **예시 답안** 문화 사대주의, 선진 문물을 받아들이는 데 도움이 될 수 있지만, 자기 문화의 고유성과 주체성을 상실할 수 있다.

채점 기준

상	문화 사대주의를 쓰고, 장점과 문제점을 옳게 서술한 경우
중	문화 사대주의를 쓰고, 장점과 문제점 중 한 가지만 서술한 경우
하	문화 사대주의만 쓴 경우

22 **예시 답안** 대중이 정보의 소비자인 동시에 생산자가 된다. 시간과 공간의 제약을 받지 않는다. 매체와 이용자 사이에 쌍방향 의사소통이 가능하다.
　답안 작성 Hint 최근 정보 통신 기술의 발달로 인터넷, 스마트폰, 케이블 텔레비전, 위성 방송 등 새로운 대중 매체가 확산되고 있다. 새로운 대중 매체는 시간과 공간의 제약을 받지 않고 쌍방향 의사소통이 가능하며, 대중이 정보의 소비자인 동시에 생산자가 된다는 장점을 가진다.

채점 기준

상	뉴미디어의 특징을 두 가지 서술한 경우
중	뉴미디어의 특징을 한 가지만 서술한 경우
하	뉴미디어 특징을 서술하지 못한 경우

23 **예시 답안** 전달된 문화에 대한 정보가 객관적인 사실인지, 균형 있는 시각을 담고 있는지 비판적으로 검토해야 한다. 또한, 주체적인 문화 생산자로서 미디어를 올바르게 활용하려는 자세를 가져야 한다.

채점 기준

상	대중문화를 바라보는 바람직한 자세를 두 가지 서술한 경우
중	대중문화를 바라보는 바람직한 자세를 한 가지만 서술한 경우
하	대중문화를 바라보는 바람직한 자세를 서술하지 못한 경우

9. 정치 생활과 민주주의

01 정치와 국가 · 시민의 역할

160~161쪽

꼭꼭! 필기 노트

❶ 정치 ❷ 의사 결정 ❸ 권력 행사 ❹ 질서 ❺ 통합 ❻ 국가
❼ 보통 ❽ 법률 ❾ 정책 ❿ 기회 ⓫ 공청회

콕콕! 핵심 개념

1 정치 2 사회적 희소가치 3 정치권력 4 공청회

탄탄! 활동 노트

활동❶ 1 (가), (나), (마)

활동❷ 1 정치 현안과 정책에 대해 시민이 자유롭게 토론하고 참여할
수 있는 기회를 제공해야 한다. 2 정치 과정에 적극적으로 참여하여
자신의 의견이 정책에 반영될 수 있도록 노력해야 한다.

쑥쑥! 실력 키우기

162~163쪽

·1 STEP 개념을 되짚는 확인 문제·

01 (1) 정치 (2) 권력 (3) 질서, 통합 (4) 보통 02 (1) 사회적 희소가
치 (2) 정치 활동 03 (1) × (2) × (3) ○ 04 (1) ㉠ (2) ㉣ (3) ㉡

·2 STEP 기초를 다지는 기본 문제·

01 ① 02 ③ 03 ⑤ 04 ④ 05 ④ 06 ①

·3 STEP 실력을 완성하는 주관식·서술형 문제·

07 해설 참조 08 해설 참조 09 정답 ㉠ 사회적 희소가치
㉡ 권력

01 제시된 내용은 정치에 관한 다양한 관점들이다.

02 정치는 결정된 사항을 강제하는 권력 행사가 포함되어 있으며
우리의 삶에 큰 영향을 미친다.
오답 확인 ㄱ. 정치는 인식하지 못한다 할지라도 인간의 삶과 밀
접하게 관련되어 큰 영향을 미친다. ㄹ. 정치인들의 국가 관련
활동을 포함하여 일상생활에서 일어나는 다툼이나 분쟁을 조
정하고 협상하는 활동도 정치에 포함된다.

03 제시된 사례는 정치가 타협과 협상을 통해 구성원 간의 이해관
계를 조정하고 갈등을 해소하는 활동이라는 의미를 담고 있다.

04 정치는 사회 구성원의 이해관계를 조정하여 갈등을 해소함으
로써 사회 질서를 유지하고 사회 통합에 기여한다.
오답 확인 ㄹ. 정치는 사회적 희소가치를 배분하는 활동이다.

05 전통 사회에서 백성은 국가 운영에서 배제되어 정치 생활에
참여할 수 없었지만, 보통 선거가 정착된 이후 현대 사회에서
시민은 정치에 적극적으로 참여할 권리가 있다. ④ 직접 선거

가 아니라 보통 선거이다.

06 시민은 정당하지 않은 국가의 결정에 대해 비판하고 저항할
수 있는 권리가 있다.

07 예시 답안 정치, 사회 질서를 유지하고 사회 통합에 기여한다.
답안 작성 Hint 공동체의 갈등과 이해관계를 조정하는 활동은
정치에 해당하며, 정치는 사회적 갈등과 분쟁을 해소하며, 사
회 질서 유지 및 사회 통합에 기여한다.

채점 기준

상	정치를 쓰고, 정치의 기능 두 가지를 모두 정확하게 서술한 경우
중	정치를 쓰고, 정치의 기능을 한 가지만 정확하게 서술한 경우
하	정치만 쓴 경우

08 예시 답안 국가는 시민이 정치 활동에 자유롭게 참여할 기회를
제공해야 한다. 시민은 공청회 등에 참여하여 자신의 의견을
적극적으로 표현하고 자신의 의견이 정책에 반영되도록 노력
해야 한다.
답안 작성 Hint 제시문은 ○○시가 대중교통 요금 제도 개선에
관한 시민의 의견을 듣고자 공청회를 개최하고, 공청회에서
모아진 의견을 정책에 반영할 예정이라는 내용이다. 따라서
국가는 시민에게 정치 참여 기회를 제공하고 시민은 의견을
적극적으로 표현하여 정책에 반영되도록 노력해야 한다.

채점 기준

상	국가와 시민의 역할을 모두 정확하게 서술한 경우
중	국가와 시민의 역할 중 한 가지만 정확하게 서술한 경우
하	국가와 시민의 역할을 모두 서술하지 못한 경우

09 답안 작성 Hint 인간은 살아가면서 공동체와 관한 문제를 해결
하기 위해 의사 결정에 참여하고, 사회적 희소가치들을 배분
하는 정치 활동을 수행한다. 정치에서는 일반적으로 구성원들
간의 이해관계를 조정하기 위한 의사 결정과 개인의 의사에
반하더라도 이를 지키도록 하는 권력 행사가 나타난다. 그래
서 학급이나 주민 회의에서 집단적 결정이 내려지면, 그 결정
이 개인의 의사와 일치하지 않더라도 지키게 된다.

02 민주 정치의 발전과 원리

164~167쪽

꼭꼭! 필기 노트

❶ 다수 ❷ 직접 ❸ 민회 ❹ 제한 ❺ 성인 남자 ❻ 시민 혁명
❼ 법치주의 ❽ 간접 ❾ 제한 ❿ 보통 선거 ⓫ 대중 민주주의
⓬ 인간의 존엄성 ⓭ 자유 ⓮ 평등 ⓯ 국민 주권 ⓰ 국민 자치
⓱ 헌법 ⓲ 권력 분립

콕콕! 핵심 개념

1 민주주의 2 시민 혁명 3 간접 민주 정치 4 인간의 존엄성
5 국민 주권 6 입헌주의

탄탄! 활동 노트

활동 ① **1** ㉠ 민회 ㉡ 직접 ㉢ 성인 남자 ㉣ 제한 ㉤ 시민 혁명 ㉥ 법치주의 ㉦ 재산 **2** ㄱ, ㄴ, ㄷ

활동 ② **1** 모든 시민이 정치에 참여하고, 법 앞에 평등하며, 능력에 따라 공직자를 선출한다. **2** 시민. 고대 아테네에서는 성인 남성만이 시민권을 가지고 정치에 참여했으며 다수의 노예, 여성, 외국인에게는 참정권이 주어지지 않았다.

활동 ③ ㉠ 보통 선거가 확립 ㉣ 대의제를 실시하고

활동 ④ (가) – ㉠, ㉡, ㉢ (나) – ㉣, ㉤ (다) – ㉥, ㉦

활동 ⑤ (가) 국민 주권의 원리 (나) 권력 분립의 원리 (다) 국민 자치의 원리 (라) 입헌주의의 원리

쑥쑥! 실력 키우기

168~169쪽

1 STEP 개념을 되짚는 확인 문제

01 (1) 직접 민주 정치 (2) 시민 혁명 (3) 보통 선거 (4) 간접 민주 정치(대의제) **02** (1) 민주주의 (2) 인간의 존엄성 **03** (1) × (2) ○ **04** (1) ㉡ (2) ㉢ (3) ㉠ (4) ㉣

2 STEP 기초를 다지는 기본 문제

01 ① **02** ④ **03** ③ **04** ④ **05** ③ **06** ④ **07** ④

3 STEP 실력을 완성하는 주관식·서술형 문제

08 해설 참조 **09** 해설 참조 **10** **정답** ㉠ 인간의 존엄성 ㉡ 자유 ㉢ 평등

---

01 고대 아테네에서는 추천제나 윤번제로 공직자를 선출했으며, 성인 남자만 시민으로서 정치에 참여하였다.

02 영국의 명예혁명, 미국 독립 혁명, 프랑스 혁명은 근대 시민 혁명으로, 인간의 존엄성 및 자유와 평등을 추구하면서 국민 주권의 원리를 실현하려고 하였다.

03 근대 민주 국가에서는 시민이 선출한 대표가 국가 정책을 결정하는 대의제가 실시되었다.
오답 확인 ① 시민 혁명으로 등장한 근대 민주 정치는 법치주의를 확립시켰다. ②, ④ 고대 아테네 민주 정치에 대한 설명이다. ⑤ 현대 민주 정치에 대한 설명이다.

04 다양한 계층의 지속적인 참정권 요구로 보통 선거권이 확립되었다.

05 근대 민주 정치와 현대 민주 정치에서는 공통적으로 대의제를 실시했으며 자유와 평등을 바탕으로 인간의 존엄성을 보장하고자 하였다.
오답 확인 ㄱ. 근대 민주 정치에서는 일정 수준 이상의 재산을 가진 사람만 시민으로 인정하였다. ㄹ. 근대 민주 정치와 현대 민주 정치에서는 모두 대의제가 실시되었다.

06 (가)는 국가의 의사를 결정하는 최고의 권력인 주권이 국민에게 있다는 국민 주권의 원리와 관련이 있고, (나)의 지방 자치 제도는 국민 자치의 원리와 관련이 있다.

07 국가의 권력을 입법부, 행정부, 사법부가 분담하고 있는 것은 권력 분립의 원리와 관련이 있다.

08 **예시 답안** 권력 분립의 원리. 권력 분립의 원리는 국가 권력의 남용을 방지함으로써 국민의 기본권을 보장하고자 한다.
답안 작성 Hint 입법권, 사법권, 행정권이 분리되어 이를 각각 다른 국가 기관이 담당하고 있는 것은 권력 분립의 원리에 해당한다. 이는 국가 권력을 분산시켜 권력 남용을 방지함으로써 궁극적으로 국민의 기본권을 보장하기 위함이다.

채점 기준

상	권력 분립의 원리를 쓰고, 국가 권력의 남용 방지를 통한 국민의 기본권 보장이라는 목적을 정확하게 서술한 경우
중	권력 분립의 원리를 쓰고, 국가 권력의 남용 방지만을 서술한 경우
하	권력 분립의 원리만 쓴 경우

09 **예시 답안** 근대 민주 정치에서는 대의제가 실시되었고, 자유와 평등 이념이 확산되었으며, 법치주의가 확립되었다. 그러나 일정 수준 이상의 재산을 가진 사람들만 시민으로서 권리를 행사하여 여전히 시민권이 제한되었다는 한계를 지닌다.
답안 작성 Hint 시민 혁명을 배경으로 등장한 근대 민주 정치는 대의제 실시, 자유와 평등 이념 확산, 법치주의 확립 등을 특징으로 하고 여전히 시민권이 제한되었다는 한계를 지닌다.

채점 기준

상	근대 민주 정치의 특징과 한계를 정확하게 서술한 경우
중	근대 민주 정치의 특징과 한계 중 한 가지만 정확하게 서술한 경우
하	근대 민주 정치의 특징과 한계를 서술하지 못한 경우

10 **답안 작성 Hint** 민주주의가 추구하는 궁극적인 이념인 인간의 존엄성은 자유와 평등을 바탕으로 실현될 수 있다.

03 민주 정치 제도와 정부 형태

170~171쪽

꼼꼼! 필기 노트
❶ 직접 ❷ 시간 ❸ 비용 ❹ 대의제 ❺ 대표 ❻ 직접 ❼ 총리 ❽ 융합 ❾ 불신임 ❿ 해산 ⓫ 책임 ⓬ 다수당의 횡포 ⓭ 독립 ⓮ 거부권

콕콕! 핵심 개념
1 대의제 **2** 의원 내각제 **3** 대통령제

탄탄! 활동 노트
활동 ① **1** (가) 직접 민주 정치 (나) 간접 민주 정치 **2** 국민이 선거 이외에 정치에 참여할 수 있는 통로가 부족하여 국민의 의사가 정책에 제대로 반영되지 않을 수 있다. **3** ㄴ, ㄷ, ㄹ

활동 ② **1** (가) 의원 내각제 (나) 대통령제 **2** (가) – ㄱ, ㄴ (나) – ㄷ, ㄹ

정답과 해설 정확한 답과 친절하게 짚어 주는 해설

쑥쑥! 실력 키우기

172~173쪽

·1 STEP 개념을 되짚는 확인 문제·

01 (1) 직접 (2) 간접 민주 정치(대의제) (3) 책임 (4) 독립

02 (1) 의원 내각제 (2) 대통령 **03** (1) ○ (2) × (3) ○

04 (1) ⓒ (2) ㉠ (3) ㉠ (4) ⓒ

:2 STEP 기초를 다지는 기본 문제·

01 ④ **02** ① **03** ③ **04** ① **05** ② **06** ②

:3 STEP 실력을 완성하는 주관식·서술형 문제·

07 해설 참조 **08** 해설 참조 **09** 정답 ㉠ 융합 ⓒ 독립

---

01 제시된 글은 스위스의 직접 민주 정치에 대해 설명하고 있다.
오답확인 ③ 과두 정치는 소수의 사람이나 집단이 사회의 정치적·경제적 권력을 독점하고 행사하는 정치 체제이다.

02 오답확인 ㄷ. 직접 민주 정치를 시행하면 국민의 의사를 정확하게 반영할 수 있다. ㄹ. 오늘날 대부분의 민주 국가에서는 간접 민주 정치(대의제)를 실시하고 있다.

03 제시된 자료는 의원 내각제가 시행되고 있는 영국에 대한 기사이다.
오답확인 ⑤ 이원 집정부제란 대통령제와 의원 내각제의 요소가 결합된 절충식 정부 형태로, 통치 권력이 대통령과 총리에게 이분화되어 있으며 원칙적으로는 대통령이 국가 원수로서 통치권을 행사하고 총리가 행정권을 행사한다.

04 의원 내각제에서는 의회와 내각이 국민의 요구에 민감하게 반응하기 때문에 책임 정치를 실현할 수 있다.
오답확인 ② 의원 내각제에서는 의회 다수당의 대표가 총리로서 실질적인 권력을 행사하기 때문에 의회와 정부를 모두 다수당이 장악하여 좌지우지할 수 있다는 우려가 있다.

05 오답확인 ㄴ, ㄹ은 의회와 행정부가 융합되어 있는 정부 형태인 의원 내각제이며, 의원 내각제에서 다수당 없이 소수 정당이 여러 개 존재할 경우 정국이 혼란해질 수 있다.

06 ② 우리나라는 대통령제를 기본으로 하지만 국무총리를 두는 등 의원 내각제의 요소를 포함하고 있다.

07 예시답안 대의제를 실시하면 선거를 제외하고 국민이 정치에 참여할 수 있는 통로가 부족하여 국민의 의사가 정책에 제대로 반영되지 않는 문제점이 있다. 이를 보완하기 위해서 직접 민주 정치의 요소를 도입한다.
답안작성Hint 국민 투표, 국민 발안, 국민 소환은 모두 직접 민주 정치의 요소로서 간접 민주 정치의 문제점을 보완하기 위해 도입하고 있다.

채점 기준

상	국민이 정치에 참여할 통로 부족, 국민의 의사가 정책에 제대로 반영되지 않는 문제점을 보완한다는 내용을 정확하게 서술한 경우
중	국민의 의사가 정책에 제대로 반영되지 않는 문제점을 보완한다는 내용만 서술한 경우
하	국민이 정치에 참여할 통로가 부족하다는 내용만 서술한 경우

08 예시답안 대통령제, 대통령제는 대통령이 독단적으로 국정을 운영할 수 있고, 의회와 대통령이 대립할 경우 제도적으로 해결할 방법이 없다는 단점이 있다.
답안작성Hint 대통령이 법률안 거부권을 행사할 수 있는 것은 대통령제의 특징이다.

채점 기준

상	대통령제를 쓰고, 대통령제의 단점 두 가지를 정확하게 서술한 경우
중	대통령제를 쓰고, 대통령제의 단점을 한 가지만 서술한 경우
하	대통령제만 쓴 경우

09 답안작성Hint 의원 내각제는 입법부와 행정부가 밀접하게 연관되어 있는 권력 융합형 정부 형태이고, 대통령제는 입법부와 행정부가 독립된 권력 분립형 정부 형태이다.

똑딱! 단원 마무리하기

174~177쪽

01 ① **02** ㉠ 의사 결정 ⓒ 권력 **03** ② **04** ② **05** ③ **06** ①

07 ④ **08** ② **09** ② **10** ④ **11** ② **12** ④ **13** ④ **14** ⑤

15 ④ **16** ③ **17** ⑤ **18** ① 서술형 문제 **19~24** 해설 참조

---

01 제시문에는 정치를 권력으로 보는 관점이 드러나 있다.

02 정치는 구성원 간의 이해관계와 갈등을 조정하여 의사 결정을 하고 이를 실천하는 과정이다. 정치에서는 일반적으로 구성원 간의 이해관계를 조정하기 위한 의사 결정과 개인의 의사에 반하더라도 이를 지키도록 하는 권력 행사가 나타난다.

03 정치에서는 시민과 국가의 역할이 모두 중요하다.
오답확인 ⑤ 정치에는 권력 현상이 포함되어 있기 때문에 권력을 지닌 강자가 약자에게 강제하는 모습도 볼 수 있다.

04 시민은 공청회나 토론회에 적극적으로 참여하여 자신의 의견을 표현해야 하며, 국가가 결정한 사항을 지켜야 할 의무와 함께 부당한 정책에 대해서는 비판할 권리도 갖는다.

05 고대 아테네에서는 성인 남자만 시민으로서 정치에 참여했으며, 민회에서 국가의 중요한 정책을 직접 결정하는 직접 민주 정치가 이루어졌다.

06 대의제 실시와 제한된 민주 정치가 함께 나타나는 것은 근대 민주 정치이다. 근대 민주 정치는 시민 혁명과 함께 등장하였다.
오답확인 ⑤ 여성은 지속적인 참정권 확대 운동을 통해 현대에 와서야 정치에 참여할 수 있었다.

07 여성과 흑인의 참정권 운동, 영국 노동자 계급의 차티스트 운동의 결과로 보통 선거가 확립되었다.
오답 확인 ㄹ. 인도의 비폭력·불복종 운동은 참정권 확대 운동이 아니라 인도의 민족주의 지도자인 간디를 중심으로 영국 식민 지배에 저항한 운동이다.

08 현대 국가는 대부분 대의제를 시행하고 있으며, 시민의 직접적인 정치 참여도 제도적으로 보장하고 있다.
오답 확인 ④ 현대 민주 정치는 대부분 대의제로 운영되고 있어 시민의 의견이 왜곡되거나 제대로 반영되지 않는 문제점이 있다. 이를 보완하기 위해 시민의 직접적인 정치 참여를 제도적으로 보장하고 있다.

09 (가) 고대 아테네의 민주 정치 → (나) 절대 왕정을 무너뜨리고 근대 민주 정치를 등장하게 한 시민 혁명 → (라) 근대 민주 정치의 한계를 극복하기 위한 참정권 확대 운동 → (다) 현대 민주 정치의 순서로 발전하였다.

10 '국민의'는 국민 주권의 원리, '국민에 의한'은 국민 자치의 원리를 의미한다.

11 국민이 나라의 대표를 선출하여 주권을 간접적으로 행사함으로써 정치에 참여하는 것은 국민 자치의 원리와 관련이 있다.

12 대통령이 행정부, 입법부, 사법부를 모두 장악하여 권력 분립의 원리를 위반하고 있다.

13 ④ 소극적 자유는 개인이 국가의 구속을 받지 않는 상태이고, 개인이 정치에 참여할 수 있는 자유는 적극적 자유이다.

14 ⑤ 대의제는 국민의 의사가 제대로 반영되지 않거나 왜곡될 가능성이 있다는 문제점이 있다.

15 **오답 확인** ㄹ. 선거는 대의제와 관련 있는 제도이다.

16 ③ (가)는 의원 내각제이다. 독재의 우려가 있는 것은 (나) 대통령제이다.

17 (나)는 대통령제이다. 대통령제는 의원 내각제와 달리 대통령의 임기가 보장되어 임기 동안 안정적이고 강력한 정책 수행이 가능하다.
오답 확인 ② 대통령제에서는 대통령에게 막강한 권력이 부여되기 때문에 독단적인 국정 운영이 나타날 우려가 있다.

18 우리나라는 국무총리가 존재하며, 정부도 법률안을 제출할 수 있는데, 이는 의원 내각제적 요소에 해당한다.
오답 확인 ㄷ. 대통령의 임기가 보장된 것과 ㄹ. 대통령의 법률안 거부권 행사는 대통령제의 특징이다.

19 **예시 답안** 정치는 구성원 간의 대립과 갈등을 조정하여 사회 질서를 유지하고, 사회 통합을 통해 공동체를 발전시키는 기능을 한다.
답안 작성 Hint ⊙은 '정치'이다.

채점 기준	
상	정치의 기능 두 가지를 정확하게 서술한 경우
중	정치의 기능을 한 가지만 정확하게 서술한 경우
하	정치의 기능을 서술하지 못한 경우

20 **예시 답안** 고대 아테네에서는 직접 민주 정치와 제한된 민주 정치가 실시되었다.
답안 작성 Hint 모든 시민이 민회에 참여하여 공동체의 중요한 일을 직접 결정하였다는 내용을 통해 직접 민주 정치가 실시되었음을, 성인 남자에게만 시민권을 부여하였다는 내용을 통해 제한된 민주 정치가 이루어졌음을 알 수 있다.

채점 기준	
상	직접 민주 정치, 제한된 민주 정치를 모두 서술한 경우
중	직접 민주 정치, 제한된 민주 정치 중 한 가지만 서술한 경우
하	직접 민주 정치, 제한된 민주 정치를 모두 서술하지 못한 경우

21 **예시 답안** 보통 선거가 확립되어 모든 사회 구성원들이 정치에 참여하는 대중 민주주의가 등장하였다.

채점 기준	
상	보통 선거 확립, 대중 민주주의 등장을 모두 정확하게 서술한 경우
중	보통 선거 확립, 모든 사회 구성원들의 정치 참여만 서술한 경우
하	보통 선거의 확립만 서술한 경우

22 **예시 답안** 인간의 존엄성, 인간의 존엄성을 실현하기 위해서는 자유와 평등이 보장되어야 한다.

채점 기준	
상	인간의 존엄성을 쓰고, 자유와 평등의 보장을 정확하게 서술한 경우
중	인간의 존엄성을 쓰고, 자유와 평등 중 한 가지만 언급한 경우
하	인간의 존엄성만 쓴 경우

23 **예시 답안** 입헌주의 원리, 입헌주의 원리는 국민의 기본권을 헌법으로 보장하고 헌법에 따라 국가를 운영해야 한다는 원리로서, 국민의 자유와 권리 보장을 목적으로 한다.

채점 기준	
상	입헌주의 원리를 쓰고, 의미와 목적을 정확하게 서술한 경우
중	입헌주의 원리를 쓰고, 의미와 목적 중 한 가지만 서술한 경우
하	입헌주의 원리만 쓴 경우

24 **예시 답안** 우리나라의 정부 형태는 대통령제를 기본으로 의원 내각제적 요소를 도입하였다.
답안 작성 Hint 우리나라는 의회와 행정부를 별도의 선거를 통해 구성하고, 대통령의 임기가 보장된 대통령제를 운영하고 있다. 이와 함께 대통령제의 단점을 보완하기 위해 의원 내각제의 요소를 도입하고 있다.

채점 기준	
상	대통령제를 바탕으로 의원 내각제적 요소를 도입하고 있다고 서술한 경우
하	대통령제만 서술한 경우

10. 정치 과정과 시민 참여

01 정치 과정과 정치 주체

180~181쪽

꼼꼼! 필기 노트

❶ 다원화 ❷ 이익 집약 ❸ 국회(입법부) ❹ 정당 ❺ 이익 집단
❻ 공익 ❼ 언론

콕콕! 핵심 개념

1 정치 과정 2 국회 3 정당

탄탄! 활동 노트

활동❶ 1❶ 표출 ❷ 집약 ❸ 정책 ❹ 집행 ❺ 평가 2 사회 통합
활동❷ 1 언론 2 언론은 공정하고 객관적인 태도로 보도해야 한다.

쑥쑥! 실력 키우기

182~183쪽

· 1 STEP 개념을 되짚는 확인 문제

01 (1) 여론 (2) 정책 (3) 시민 단체 (4) 국회(입법부), 정부(행정부),
법원(사법부) 02 (1) 이익 집단 (2) 언론 03 (1) × (2) ○ (3) ○
04 (1) ㉢ (2) ㉠ (3) ㉡ (4) ㉣

: 2 STEP 기초를 다지는 기본 문제

01 ③ 02 ① 03 ⑤ 04 ① 05 ④ 06 ④ 07 ⑤

:: 3 STEP 실력을 완성하는 주관식·서술형 문제

08 **정답** (라) – (가) – (다) – (나) – (마) 09 해설 참조 10 해설 참조

---

01 ③ 민주주의가 발전하면서 시민들의 권리 의식은 높아졌다.

02 정치 과정은 '이익 표출 → 이익 집약 → 정책 결정 → 정책 집
행(정부) → 정책 평가(국민)'의 과정을 거친다.

03 ⑤ 국회, 정부, 법원은 모두 헌법에 따라 공식적으로 정책 결
정에 참여하는 공식적 정치 주체이다.

04 개인이나 단체 등 여러 주체들의 요구와 지지 등이 다양한 방
법으로 표현되고 있으므로 이익 표출 단계에 해당한다.

05 **오답 확인** ㄱ. 정부는 정책을 수립하고 집행한다. 정책에 대해
비판하는 정치 주체는 언론 등이다. ㄷ. 특정 집단의 이익을
실현하기 위해 노력하는 정치 주체는 이익 집단이다.

06 ④ 언론에 대한 설명이다.

07 ⑤ 시민 단체는 현대 사회에서 그 영향력이 증대되고 있다.

08 **답안 작성 Hint** 정치 과정은 '다원적 이익 표출 → 이익 집약 →
정책 결정 → 정책 집행 → 정책 평가 및 환류의 단계'를 거
친다.

09 **예시 답안** (가)는 정당, (나)는 언론, (다)는 시민 단체이다. 이들
은 정책 결정 과정에 영향력을 행사하기 위해 여론을 형성한다.

채점 기준

상	정당, 언론, 시민 단체를 쓰고 공통점을 옳게 서술한 경우
중	정당, 언론, 시민 단체를 썼으나, 공통점에 대한 서술이 미흡한 경우
하	정당, 언론, 시민 단체만 쓴 경우

10 **예시 답안** 이익 집단, 이익 집단은 다양한 이익을 대변하여 정
당의 기능을 보완하는 순기능을 가지고 있다. 그러나 자기 집
단만의 이익을 지나치게 추구할 경우 공익과 충돌하는 역기능
도 가지고 있다.

답안 작성 Hint 그림은 약사회의 시위 모습을 나타낸다. 이는 약
사 집단의 특수 이익 추구를 목적으로 하므로 이익 집단에 해
당한다.

채점 기준

상	이익 집단을 쓰고, 순기능과 역기능을 모두 옳게 서술한 경우
중	이익 집단을 쓰고, 순기능과 역기능 중 한 가지만 옳게 서술한 경우
하	이익 집단만 쓴 경우

02 선거의 의미와 제도

184~185쪽

꼼꼼! 필기 노트

❶ 대표자 선출 ❷ 정당성 ❸ 보통 ❹ 직접 ❺ 선거구 법정주의
❻ 게리맨더링 ❼ 선거 공영제 ❽ 선거 관리 위원회

콕콕! 핵심 개념

1 선거 2 보통 선거 3 선거구 법정주의

탄탄! 활동 노트

활동❶ 1❶ 평등 선거 ❷ 직접 선거 ❸ 평등 선거 2 공정하고 평
등한 선거를 위해서이다.
활동❷ 1❶ 법률 ❷ 선거 관리 위원회 2 선거 공영제

쑥쑥! 실력 키우기

186~187쪽

· 1 STEP 개념을 되짚는 확인 문제

01 (1) 선거 (2) 평등 선거 (3) 게리맨더링 (4) 선거 공영제
02 (1) 법률 (2) 선거 관리 위원회 03 (1) ○ (2) × (3) ○ (4) ○
04 (1) ㉡ (2) ㉣ (3) ㉠ (4) ㉢

: 2 STEP 기초를 다지는 기본 문제

01 ④ 02 ① 03 ④ 04 ③ 05 ⑤ 06 ① 07 ⑤

:: 3 STEP 실력을 완성하는 주관식·서술형 문제

08 해설 참조 09 해설 참조 10 해설 참조

01 선거는 국민이 정치에 참여할 수 있는 가장 기본적인 수단으로, 국민의 뜻에 따라 국가의 정치를 담당할 대표자를 선출하고 대표자에게 정치권력의 정당성을 부여하는 기능을 한다. **오답 확인** ① 선거 운동의 과열을 방지하기 위해 선거 공영제를 실시하고 있다. ② 선거는 국민이 정치에 참여하는 기본적인 방법으로 유일한 방법은 아니다. ③ 선거를 통해 국민이 대표자를 통제한다. ⑤ 선거 관리 위원회는 선거의 공정한 관리 등을 위해 설치된 상설 국가 기관이다.

02 제시문에서 여전히 많은 노동자와 여성이 선거권을 얻지 못하였다는 사실을 통해 제한 선거가 이루어졌음을 알 수 있다. 이는 일정 연령 이상의 모든 국민에게 선거권을 부여하는 보통 선거의 원칙에 위배된다.

03 국무총리는 국민이 선거를 통해 뽑는 것이 아니라 대통령이 국회의 동의를 얻어 임명한다.

04 ③ 선거는 자질이 부족한 대표자에게 책임을 물어 다음 선거에서 대표자를 교체하거나 재신임함으로써 대표자를 통제하는 기능을 수행한다.

05 ⑤ 선거구는 반드시 국민의 대표 기관인 국회에서 제정하는 법률로 정한다.

06 우리나라는 게리맨더링을 방지하고 공정한 선거를 위하여 국회에서 제정하는 법률에 의해 선거구를 정하도록 한다. **오답 확인** ② 선거구를 어떻게 획정하느냐에 따라 선거 결과는 달라진다. ③ 선거구를 정할 때 지리적 여건, 행정 구역, 인구 수 등을 고려한다. ④ 게리맨더링을 방지하기 위한 것이 선거구 법정주의이다. ⑤ 특정 정당이나 후보자에게 유리하도록 선거구를 조정하는 것은 게리맨더링이다.

07 ㄷ. 선거구별 유권자의 수가 심하게 차이나지 않도록 선거구를 법률에 의해 획정한다. ㄹ. 선거에 관한 사무를 처리하기 위해 독립된 헌법 기관으로 선거 관리 위원회를 두고 있다. **오답 확인** ㄱ. 자유방임적인 선거 운동의 문제점을 방지하기 위해 선거 과정을 국가 기관이 관리한다. ㄴ. 선거 비용의 일부를 국가나 지방 자치 단체가 부담한다.

08 **예시 답안** 선거는 국민이 정치에 참여하는 가장 기본적인 방법이고, 국가의 주인으로서 권리를 행사하는 손쉬운 방법이다. 선거는 민주주의의 성패를 결정할 만큼 중요하기 때문에 선거를 '민주주의의 꽃'이라고 표현한다.

채점 기준

상	기본적인 정치 참여와 민주주의 등을 언급하며 옳게 서술한 경우
중	기본적인 정치 참여나 민주주의 중 한 가지만 포함하여 서술한 경우
하	이유를 제대로 서술하지 못한 경우

09 (1) **정답** ㉠ 5 ㉡ 4 ㉢ 4
(2) **예시 답안** 선거는 대표자 선출, 정치권력에 정당성 부여, 여론을 드러내어 정치 과정에 반영하는 기회 제공, 정치권력을 통제하는 기능 등을 한다.

채점 기준

상	선거의 기능 두 가지를 옳게 서술한 경우
중	선거의 기능을 한 가지만 옳게 서술한 경우
하	선거의 기능을 한 가지만 서술하였으나 미흡한 경우

10 **예시 답안** ㉠에는 선거 공영제가 들어가며, ㉡을 시행하는 이유는 경제력에 상관없이 유능한 후보자에게 선거에 입후보할 기회를 보장하기 위해서이다.

답안 작성 Hint 선거 공영제는 경제력에 상관없이 유능한 후보자에게 선거에 입후보할 기회를 보장하고, 선거 운동의 과열을 방지하여 공정한 선거가 이루어지도록 한다.

채점 기준

상	선거 공영제를 쓰고, ㉡의 시행 이유를 정확히 서술한 경우
중	선거 공영제를 쓰고, ㉡의 시행 이유를 서술하였으나 그 내용이 미흡한 경우
하	선거 공영제만 쓴 경우

03 지방 자치 제도와 주민 참여

콕콕! 필기 노트 ·········· 188~189쪽

❶ 풀뿌리 민주주의 ❷ 권력 분립 ❸ 기초 ❹ 조례 ❺ 규칙 ❻ 주민 투표 ❼ 주민 소환

콕콕! 핵심 개념

1 지방 자치 제도 2 규칙 3 주민 투표

탄탄! 활동 노트

활동 ① 1 ❶ 주민 소환 ❷ 주민 투표 2 ㉠ 책임감 ㉡ 책임 의식 ㉢ 혼란
활동 ② 1 ❶ 광역 ❷ 기초 ❸ 의결 ❹ 집행 ❺ 조례 ❻ 규칙
2 복리

쑥쑥! 실력 키우기

190~191쪽

· 1 STEP 개념을 되짚는 확인 문제 ··············
01 (1) 지방 의회, 지방 자치 단체장 (2) 조례 (3) 청원
02 (1) 광역 자치 단체 (2) 기초 자치 단체 **03** (1) ○ (2) × (3) ○
04 (1) ㉡ (2) ㉢ (3) ㉠

: 2 STEP 기초를 다지는 기본 문제 ··············
01 ③ **02** ⑤ **03** ② **04** ① **05** ④ **06** ④ **07** ②

:: 3 STEP 실력을 완성하는 주관식·서술형 문제 ··············
08 해설 참조 **09** 해설 참조 **10** 해설 참조

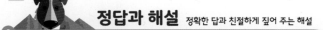

01 ③ 지방 자치 제도를 통해 지방 정부가 중앙 정부와 권력을 나누어 맡음으로써 국가 권력 남용을 억제하고 권력 분립의 원리를 실현할 수 있다. 따라서 지방 자치 제도를 통해 국가의 중앙 집권화를 약화시킬 수 있다.

02 지역 주민이 직접 선거를 통해 지방 의회 의원과 지방 자치 단체장을 선출하는 일은 지역 주민이 지방 자치에 참여하는 가장 기본적인 방법이다.
오답 확인 ① 청원이란 국민이 국가 기관에 대하여 일정한 사항을 문서로써 진정하는 것을 말한다. ② 주민 투표는 지역 사회의 주요 문제를 주민의 직접 투표로 결정하는 제도이다. ③ 주민 발의는 일정 수 이상의 지역 주민이 주요 현안에 대해 조례안을 제안할 수 있는 제도이다. ④ 주민 소환은 지역 공직자가 임기 중에 잘못된 직무 수행을 했을 경우 공직자를 소환하여 주민 투표로 해임을 결정하는 제도이다.

03 우리나라의 지방 자치 단체는 광역 자치 단체(특별시, 광역시, 특별자치시, 도, 특별자치도)와 기초 자치 단체(시, 군, 구)로 구분된다.

04 ① 지방 의회에 대한 설명이다.

05 **오답 확인** ㄴ, ㄹ. 지방 의회에 대한 설명이다.

06 **오답 확인** 주민 투표는 지역 사회의 주요한 문제를 주민이 직접 투표로 결정하는 것이다.

07 ② 지방 의회의 의결 사항을 집행하며 각종 주민 복리에 관한 업무를 처리하는 집행 기관은 지방 자치 단체장이다.

08 **예시 답안** ㉠은 지방 자치 제도이다. 지방 자치 제도의 궁극적인 목적은 지역 특성에 맞게 업무를 처리하여 주민의 복리를 증진시키는 것이다.

채점 기준

상	지방 자치 제도를 쓰고, 궁극적인 목적을 옳게 서술한 경우
중	지방 자치 제도를 쓰고, 주민의 복리 증진에 대한 언급 없이 목적을 서술한 경우
하	지방 자치 제도만 쓴 경우

09 **예시 답안** ㉠은 지방 선거이며, 지방 선거는 주민이 지역 정치에 참여하는 가장 기본적인 방법이라는 정치적 의의를 가진다.

채점 기준

상	지방 선거를 쓰고, 지방 선거의 정치적 의의를 옳게 서술한 경우
중	지방 선거를 썼으나, 지방 선거의 정치적 의의를 미흡하게 서술한 경우
하	지방 선거만 쓴 경우

10 **예시 답안** 지방 의회는 지역의 조례를 제정 및 개정하고, 지역의 각종 정책을 결정하며, 지역의 예산 심의 및 의결 기능을 담당한다.
답안 작성 Hint 견학 계획서에 나타난 곳은 '제주특별자치도의회'이며 이는 지방 의회를 의미한다.

채점 기준

상	지방 의회의 역할 두 가지를 옳게 서술한 경우
중	지방 의회의 역할을 한 가지만 옳게 서술한 경우
하	지방 의회의 역할을 제대로 서술하지 못한 경우

뚝딱! 단원 마무리하기   192~195쪽

01 ④ **02** ① **03** 정당, 언론 **04** ② **05** ④ **06** ③ **07** ⑤ **08** ② **09** ① **10** ① **11** ② **12** ① **13** ⑤ **14** (가) 지방 의회 (나) 지방 자치 단체장 **15** ⑤ **16** ④ **17** ④ **18** ③
서술형 문제 19~24 해설 참조

01 제시된 그림은 시민들이 각종 사안에 대해 다양한 의견을 표출하고 있는 모습이다. 이는 현대 사회가 다원화되면서 사람들마다 추구하는 가치와 이익이 다양해졌기 때문이다.

02 ① (가) – 이익 표출 단계에서는 개인, 이익 집단, 시민 단체 등 여러 정치 참여자에 의해 다양한 이익과 주장이 표출된다.

03 이익 집약 단계에는 정당이나 언론 등이 영향력을 행사한다.

04 국회는 국민의 대표 기관으로, 국민의 다양한 의사와 요구를 집약하여 법률을 제정 및 개정한다.
오답 확인 ㄴ은 정부, ㄹ은 법원의 역할이다.

05 제시된 집단은 이익 집단으로 이해관계를 같이하는 사람들이 자신의 특수한 이익을 실현하기 위해 만든 집단이다.
오답 확인 ①, ② 선거에 후보자를 추천하고 정권 획득을 목적으로 하는 주체는 정당이다. ③ 이익 집단은 정책 결정 과정에 참여하는 비공식적 주체이다. ⑤ 이익 집단은 자신의 활동 결과에 대해 정치적 책임을 지지 않는다.

06 ③ 신문, 라디오, 인터넷, 텔레비전은 언론에 해당하며, 최근 언론의 영향력은 점차 늘어나고 있다.

07 선거는 국민의 뜻에 따라 국가의 정치를 담당할 대표자를 선출하는 과정이다. 선거는 정치권력을 통제하는 기능을 한다. 만약 현재의 대표자가 국정 운영을 잘하지 못한다면 다음 선거에서 책임을 물어 교체할 수 있다.
오답 확인 ①, ② 국민들이 국가의 중요한 일을 직접 결정하는 것은 아니다. 국민은 선거를 통해 자신들을 대표할 사람을 뽑는다. ③ 대통령 선거는 5년, 국회 의원 선거는 4년마다 실시한다. ④ 국민이 직접 헌법 개정안이나 법률을 제출할 수 있는 제도는 선거가 아니라 국민 발의 제도이다.

08 (가)는 일정한 연령 이상의 국민이면 누구나 선거권을 가지는 것으로 보통 선거 원칙과 관련된다. (나)는 유권자가 누구에게 투표했는지를 다른 사람이 알지 못하도록 비밀을 보장하는 것으로 비밀 선거 원칙과 관련된다.

09 제시문에서 설명하고 있는 개념은 선거구 법정주의이다. 선거구 법정주의는 특정 정당이나 후보자에게 유리하도록 선거구를 정하는 '게리맨더링'을 방지하기 위해서 선거구를 법률로 정해야 한다는 제도를 의미한다.

오답 확인 ②, ⑤ 선거구 법정주의는 선거구를 공정하게 획정하여 선거구별 유권자의 수가 지나치게 차이 나지 않도록 하는 제도이다. ③ 선거 공영제에 대한 설명이다.

10 선거 공영제는 경제력에 상관없이 유능한 후보자에게 선거에 입후보할 기회를 보장한다.

오답 확인 ㄷ은 선거구 법정주의에 대한 설명이다. ㄹ은 선거 공영제는 선거 운동의 기회 균등을 보장하여 경제 사정이 어렵지만 능력이 뛰어난 후보자에게 당선의 기회를 제공한다.

11 선거 관리 위원회는 헌법상의 독립 기관이며 선거의 공정한 관리와 정당에 관한 사무를 처리하기 위하여 설치된 중립적인 국가 기관이다.

12 ① 직접 선거의 원칙에 의해서 유권자 자신을 대신하여 남이 투표하는 대리 선거는 인정하지 않는다.

13 밑줄 친 '이것'은 지방 자치 제도이다. 지방 자치 제도를 실시하면 지역 실정에 맞는 정책을 추진할 수 있고, 국가 권력이 중앙 정부에 집중되어 나타나는 문제를 방지할 수 있다.

14 (가)는 지방 의회, (나)는 지방 자치 단체장이다.

15 **오답 확인** ㄱ, ㄹ. 지방 의회 의원과 지방 자치 단체장은 주민의 직접 선거로 선출된다.

16 광역 자치 단체와 기초 자치 단체를 합하여 지방 자치 단체라고 한다. 특별시, 광역시, 특별자치시, 도, 특별자치도를 광역 자치 단체로, 시, 군, 구를 기초 자치 단체로 지정하고 있다.

17 **오답 확인** ㄴ. 자치 단체의 예산안을 심의 및 의결하는 것은 의결 기관인 지방 의회의 역할이다.

18 ③ 주민 소환은 선출된 공직자가 직무를 잘 수행하지 못하였을 때 임기 중에 주민 투표로 해임을 결정하는 제도이다.

19 **예시 답안** A는 정당이다. 정당이 추구하는 궁극적인 목적은 정치권력의 획득이다.
답안 작성 Hint 국회 의원 선거에 후보자를 배출하고, 법률 개정에 참여하며, 예산안 심의에 참여하는 것은 정당의 역할이다.

채점 기준

상	정당을 쓰고, 정당의 목적으로 정치권력의 획득을 서술한 경우
중	정당을 쓰고, 정당의 목적으로 정당의 역할이나 특징 등을 서술한 경우
하	정당만 쓴 경우

20 **예시 답안** 선거가 공정하게 치러지도록 하기 위해서이다.
답안 작성 Hint 헌법 제41조 ①항은 민주 선거의 원칙, 헌법 제41조 ③항은 선거구 법정주의, 헌법 제114조는 선거 관리 위

원회에 관한 조항이다.

채점 기준

상	민주 선거의 원칙, 선거구 법정주의, 선거 관리 위원회의 궁극적인 목적을 바르게 서술한 경우
하	궁극적인 목적을 미흡하게 서술한 경우

21 **예시 답안** 갑국에서는 보통 선거, 을국에서는 평등 선거, 병국에서는 보통 선거를 위반한다.
답안 작성 Hint 특정 종교를 믿는 사람에게만 선거권을 부여하거나 선거 후보를 결정하는 예비 선거 시 각종 제한 요건을 부과하는 것은 제한 선거이다. 3년 미만 거주한 유권자에게는 1표, 3년 이상 거주한 유권자에게는 2표를 부여하는 것은 차등 선거이다.

채점 기준

상	위반하고 있는 민주 선거 원칙을 모두 옳게 서술한 경우
중	위반하고 있는 민주 선거 원칙 중 두 가지만 옳게 서술한 경우
하	위반하고 민주 선거 원칙 중 한 가지만 옳게 서술한 경우

22 **예시 답안** A에는 '집단의 특수한 이익을 추구한다.'가 들어갈 수 있다. C에는 '공익 실현을 위한 자발적 집단이다.'가 들어갈 수 있다. B에는 '정치 과정의 비공식적 주체로 영향력을 행사한다, 여론 형성에 주도적인 역할을 한다, 정치적 책임성이 없다.' 등이 들어갈 수 있다.

채점 기준

상	A~C에 들어갈 특징을 옳게 구분하여 서술한 경우
중	A~C 중 두 가지만 옳게 서술한 경우
하	A~C 중 한 가지만 옳게 서술한 경우

23 **예시 답안** 지방 의회, 지방 의회는 조례를 제정·개정하고, 지역 사회의 주요 정책을 결정한다. 또한, 지방 자치 단체의 예산을 확정하고 자치 단체의 행정 사무를 감사한다.
답안 작성 Hint 서울시의회는 '지방 의회'에 해당하며, 지방 의회는 지방 자치 단체의 의결 기관이다.

채점 기준

상	지방 의회를 쓰고, 지방 의회의 기능 두 가지를 옳게 서술한 경우
중	지방 의회를 쓰고, 지방 의회의 기능을 한 가지만 서술한 경우
하	지방 의회만 쓴 경우

24 **예시 답안** 지역 사회의 문제 해결을 위해 적극적으로 노력한다. 다양한 정치 방법을 이용하여 정치 과정에 참여하며, 지방 자치 단체가 주민의 의사를 바르게 반영하고 있는지 비판적으로 감시한다.

채점 기준

상	지방 자치의 성공적 실현을 위한 시민의 자세 두 가지를 옳게 서술한 경우
하	지방 자치의 성공적 실현을 위한 시민의 자세를 한 가지만 옳게 서술한 경우

11. 일상생활과 법

01 법의 의미와 목적

198~199쪽

꼼꼼! 필기 노트
❶ 사회 규범 ❷ 법 ❸ 강제성 ❹ 분쟁 ❺ 권리 ❻ 정의
❼ 다수

콕콕! 핵심 개념
1 사회 규범 2 강제성 3 정의

탄탄! 활동 노트
활동① 1 (가)-ⓒ (나)-㉠ (다)-ⓛ (라)-㉢ 2 강제성
활동② 1 ㉠ 공정성 ⓛ 강제성 ⓒ 법의 권위 2 법은 정의의 실현
을 목적으로 한다.

쑥쑥! 실력 키우기

200~201쪽

1 STEP 개념을 되짚는 확인 문제
01 (1) 사회 규범 (2) 법 (3) 강제성 (4) 권리 **02** (1) 도덕 (2) 정의
03 (1) ○ (2) × (3) ○ **04** (1) ㉠ (2) ⓛ (3) ⓒ

2 STEP 기초를 다지는 기본 문제
01 ④ **02** ⑤ **03** ④ **04** ② **05** ① **06** ⑤

3 STEP 실력을 완성하는 주관식·서술형 문제
07 해설 참조 **08** 해설 참조 **09 정답** ㉠ 정의 ⓛ 공공복리

01 사회 규범은 사회 구성원들이 따라야 할 행동 기준으로 사회 질서 유지를 위해 만들어졌으며, 시대와 사회에 따라 사회 규범의 내용은 달라진다.

02 (가)는 도덕, (나)는 종교 규범에 해당한다. 도덕은 대다수 사람이 양심에 따라 지켜야 할 행동의 기준이며, 종교 규범은 특정 종교 사회에서 지켜야 할 행동의 기준을 말한다.

03 제시문은 관습에 해당한다.
오답 확인 ②, ⑤는 법, ③은 종교 규범에 대한 설명이다.

04 **오답 확인** ㄴ. 내적인 동기를 규제하는 것은 도덕이다. ㄹ. 법은 모든 사회 구성원을 규제 대상으로 한다.

05 법은 강제성이 있어서 위반 시 처벌을 받는다.

06 법은 객관적이고 공정한 기준과 절차를 제시하여 분쟁을 합리적으로 해결한다.
오답 확인 ④ 법은 정의 실현을 목적으로 하며 위반 시 처벌, 벌금 등과 같은 제재를 가한다.

07 **예시 답안** 법은 정의 실현을 목적으로 하지만 도덕은 선의 실현을 목적으로 한다. 법은 공식적 합의를 거쳐 만들어지고 도덕은 관행이나 상식에 근거하여 형성된다. 법은 외적인 행동과

결과만을 규율하지만 도덕은 내적인 동기나 양심을 규율한다. 법은 강제성이 있어서 위반 시 국가 권력으로부터 제재를 받지만 도덕은 자율성에 근거하고 있어 위반 시 양심의 가책을 느끼거나 사회적 비난을 받는다.

채점 기준

상	법과 도덕을 비교하여 차이점을 두 가지 모두 옳게 서술한 경우
중	법과 도덕의 차이점을 한 가지만 서술한 경우
하	법과 도덕의 차이점을 서술하지 못한 경우

08 **예시 답안** (가) 법은 개인의 권리를 보호하는 기능을 한다. (나) 법은 객관적인 기준을 제시하여 분쟁을 원만하게 해결해 준다.

채점 기준

상	(가) 개인의 권리 보호, (나) 분쟁 해결 두 가지를 서술한 경우
중	(가) 개인의 권리 보호, (나) 분쟁 해결 중 한 가지만 서술한 경우
하	(가), (나) 모두 옳지 않게 서술한 경우

09 **답안 작성 Hint** ㉠은 모든 사람에게 각자의 정당한 몫을 주는 정의이고, ⓛ은 다수의 행복과 이익을 의미하는 공공복리이다.

02 법의 유형과 특징

202~203쪽

꼼꼼! 필기 노트
❶ 공법 ❷ 헌법 ❸ 사법 ❹ 민법 ❺ 사회적 약자 ❻ 인간
❼ 중간 ❽ 복지 ❾ 사회 보장법

콕콕! 핵심 개념
1 공법 2 사법 3 사회법

탄탄! 활동 노트
활동① 1 (가) 공법 (나) 사법 2 (가) - ⓛ, ㉢ (나) - ㉠, ⓒ
활동② 1 사회법 2 ⓒ 공법과 사법의 중간적 성격을 띤다. ㉢ 현대 복지 국가에서 그 중요성이 증가하고 있다.

쑥쑥! 실력 키우기

204~205쪽

1 STEP 개념을 되짚는 확인 문제
01 (1) 공법 (2) 사법 (3) 사회법 (4) 중간적 **02** (1) 헌법 (2) 사회 보장법 **03** (1) ○ (2) × (3) ○ **04** ㄷ, ㅁ

2 STEP 기초를 다지는 기본 문제
01 ③ **02** ③ **03** ③ **04** ① **05** ⑤ **06** ①

3 STEP 실력을 완성하는 주관식·서술형 문제
07 해설 참조 **08** 해설 참조 **09 정답** 사회법

01 사회법은 사법 영역에 국가가 개입하는 것으로 사법과 공법의 중간적 성격을 띤다.

02 (가)는 공법, (나)는 사법에 대한 설명이다. 헌법과 형법은 공

법에, 민법은 사법에, 노동법은 사회법에 속한다.

03 (가) 혼인은 사적 관계에 해당하므로 사법, (나) 선거권은 개인과 국가 간의 관계에 해당하기 때문에 공법, (다) 노사 관계라는 사적 관계에 국가가 개입하여 규제하므로 사회법에 해당한다.

04 개인 간의 재산 관계를 규율하는 법은 민법이다.

05 사회·경제적 약자를 보호하기 위해 등장한 법은 사회법이다. 사회법은 실질적 평등과 복지 증진을 추구하며, 현대 복지 사회에서 더욱 강조되고 있다.
오답 확인 ③ 형식적 평등은 선천적·후천적 차이를 고려하지 않는 평등이고 실질적 평등은 개인의 업적이나 능력에 따른 차이를 인정하는 평등이다.

06 ① 국방의 의무는 개인과 국가 기관 간의 공적인 생활 관계를 규율하므로 공법에 해당한다.

07 **예시 답안** (가)는 공법, (나)는 사법이다. 공법에는 헌법, 형법, 행정법 등이 있고, 사법에는 민법, 상법 등이 있다.

채점 기준

상	(가) 공법, (나) 사법을 쓰고, 각각에 해당하는 법의 종류를 올바르게 서술한 경우
하	(가) 공법, (나) 사법이라고만 쓴 경우

08 **예시 답안** 사회적 약자를 보호하고 인간다운 삶을 보장하는 것을 목적으로 한다.
답안 작성 Hint 개인의 자유를 무제한 보장한 근대 산업 사회에서 문제점이 발생하자 개인 간의 사적 관계에 국가가 개입하여 사회적 약자를 보호하기 위한 사회법이 등장하였다.

채점 기준

상	사회적 약자 보호, 인간다운 삶 보장을 모두 서술한 경우
중	사회적 약자 보호, 인간다운 삶 보장 중 한 가지만 서술한 경우
하	사회적 약자 보호, 인간다운 삶 보장을 모두 서술하지 못한 경우

09 **답안 작성 Hint** 근로 환경에서 발생하는 각종 문제를 해결하고 노동자의 권리를 보호하는 법은 노동법으로, 사회법에 해당한다.

03 재판의 이해

꼼꼼! 필기 노트
❶ 재판 ❷ 민사 ❸ 형사 ❹ 사법권 ❺ 헌법 ❻ 법률
❼ 증거 ❽ 공개 ❾ 심급 ❿ 삼심제

콕콕! 핵심 개념
1 민사 재판 2 형사 재판 3 심급 제도

탄탄! 활동 노트
활동① 1 (가) 형사 재판 (나) 민사 재판 2 (가) - ㄱ, ㄷ (나) - ㄴ, ㄹ
활동② 1 ㉠ 대법원 ㉡ 상고 ㉢ 항소 ㉣ 상소 2 공정한 재판을 통해 국민의 자유와 권리를 보장하기 위해서이다.

---

1 STEP 개념을 되짚는 확인 문제
01 (1) 재판 (2) 민사 (3) 형사 (4) 삼심제 **02** (1) 공개 재판주의
(2) 심급 제도 **03** (1) ○ (2) × (3) × **04** (1) ㉡ (2) ㉢ (3) ㉠

2 STEP 기초를 다지는 기본 문제
01 ④ **02** ③ **03** ⑤ **04** ④ **05** ④ **06** ②

3 STEP 실력을 완성하는 주관식·서술형 문제
07 해설 참조 **08** 해설 참조 **09** **정답** 삼심제

01 ④ 분쟁은 당사자들이 자율적으로 합의하여 해결하는 것이 가장 바람직하다.

02 제시문은 개인 간의 분쟁이므로, 민사 재판으로 분쟁을 해결할 수 있다. 이때 동네 주민이 원고, 식당 주인이 피고가 된다.
오답 확인 ① 검사의 공소 제기로 시작하는 재판은 형사 재판이다. ⑤ 국민 참여 재판은 형사 재판일 때 신청할 수 있다.

03 **오답 확인** ④ 특허 재판은 특허권이나 상표권 등 지적 재산권에 대한 다툼을 해결하기 위한 재판이다.

04 (가)는 행정 기관이 개인의 재산권을 침해한 경우에 해당하므로 행정 재판이 열리게 된다. (나)는 개인 간의 분쟁을 해결하기 위한 경우에 해당하므로 민사 재판이 열리게 된다.

05 법관이 헌법과 법률에 근거하여 양심에 따라 판단하도록 신분을 보장해 주는 법관의 독립은 사법권의 독립과 관련이 있다.
오답 확인 ② 공개 재판주의란 재판 과정과 판결을 국민에게 공개해야 한다는 것이다. ⑤ 무죄 추정의 원칙은 형이 확정되기 전까지 형사 피의자를 무죄로 추정하는 원칙이다.

06 공정한 재판을 위한 제도로는 심급 제도, 공개 재판주의, 증거 재판주의, 사법권의 독립 등이 있다.

07 **예시 답안** 형사 재판이 열리게 되며, 형사 재판의 당사자는 재판 청구인인 검사와 재판을 받게 된 피고인 A이다.
답안 작성 Hint A는 도난, 폭행과 같은 범죄를 저질렀으므로 죄의 유무와 형벌의 양을 결정하는 형사 재판을 받게 된다.

채점 기준

상	재판의 종류를 옳게 쓰고, 재판 당사자를 모두 서술한 경우
하	재판의 종류만 옳게 쓴 경우

08 **예시 답안** 공정한 재판을 통해 국민의 자유와 권리를 보장하는 것을 목적으로 한다.

채점 기준

상	공정한 재판을 통한 국민의 자유와 권리 보장을 모두 서술한 경우
중	공정한 재판만을 서술한 경우
하	공정한 재판, 국민의 자유와 권리 보장을 모두 서술하지 못한 경우

정답과 해설 • **43**

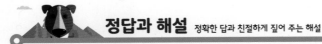

09 답안 작성 Hint 우리나라는 법원의 오판 가능성을 최소화한 공정한 재판을 통해 국민의 자유와 권리를 보장하기 위하여 삼심제를 채택하고 있다.

똑딱! 단원 마무리하기

210~213쪽

01 ① **02** 강제성 **03** ⑤ **04** ③ **05** ④ **06** ② **07** ②
08 ① **09** ⑤ **10** ① **11** ③ **12** ⑤ **13** ③ **14** ② **15** ②
16 사법권의 독립 **17** ④ 서술형 문제 **18~23** 해설 참조

---

01 오답 확인 ㄷ. 인간의 양심에 따라 지켜야 할 도리는 도덕이다.
ㄹ. 위반 시에 처벌을 받는 사회 규범은 법이다.

02 법은 다른 규범과 달리 지키지 않으면 국가 권력에 의해 벌금, 처벌 등과 같은 제재를 받는 강제성을 갖는다.

03 (가)는 법이 아닌 도덕의 영역인 C에 해당하고, (나)는 도덕과는 무관한 법의 영역인 A에 해당한다.

04 ③ 법은 외적 행동과 결과만을 규율하며, 도덕은 내적인 동기와 양심을 규율한다.

05 ④ 우리나라는 기업보다 상대적으로 약자인 소비자 보호를 위해 「소비자 기본법」에 소비자의 8대 권리를 규정하고 있다.

06 ② 청소년의 유해 업소 출입을 금지하는 법은 「청소년 보호법」에 해당한다.

07 ② 민법과 상법은 사법에 속하지만, 소송법은 공법에 속한다.

08 (가)는 개인의 재산 관계를 다룬 민법, (나)는 상인과 기업의 경제생활 관계를 규정한 상법과 관련이 있다.

09 오답 확인 ㄱ, ㄴ은 개인과 국가 간의 관계를 규율하는 공법에 해당한다.

10 행정의 조직과 작용 및 구제에 관한 법인 행정법, 범죄의 종류와 형벌의 강도를 다루는 법인 형법, 국민의 권리와 의무 및 국가의 통치 구조를 다루는 법인 헌법은 모두 공법에 속한다.

11 오답 확인 ㉣ 소비자가 구입한 물건의 환불을 요구할 수 있는 것은 「소비자 보호법」에 따른 것으로, 사회법에 해당한다.

12 제시문은 사회법 중 사회 보장법에 대한 설명이다.

13 (가)는 형사 재판, (나)는 민사 재판의 모습이다. ㄴ, ㄷ은 범죄 여부를 따지는 형사 재판과 관련이 있으며 ㄱ, ㄹ은 개인 간의 분쟁을 해결하는 민사 재판과 관련이 있다.

14 오답 확인 ① B는 피고가 된다. ③ 민사 재판은 원고의 소장 제출로 시작된다. ④ 1심 판결에 불복할 경우 지방 법원 합의부 또는 고등 법원에 2심을 청구할 수 있다.

15 제시된 자료는 형사 재판의 절차를 나타낸다.

16 법원의 독립과 법관의 독립은 사법권의 독립에 속한다.

17 ④ 1심 판결에 불복하여 상급 법원에 2심 재판을 청구하는 것은 항소이다.

18 예시 답안 ㉠은 관습, ㉡은 도덕, ㉢은 법이다. 법은 사회 구성원의 공식적인 합의를 통해 만들어졌으며, 이를 지키지 않을 경우 국가 권력에 의해 제재를 받는다는 강제성을 지닌다.

채점 기준

상	㉠~㉢을 모두 쓰고, 법의 특성을 옳게 서술한 경우
중	㉠~㉢을 모두 썼으나, 법의 특성을 옳게 서술하지 못한 경우
하	㉠~㉢을 쓰지 못한 경우

19 예시 답안 법은 정의를 실현하고 공공복리를 증진시키는 것을 목적으로 한다.

채점 기준

상	정의 실현, 공공복리 증진을 모두 서술한 경우
하	정의 실현, 공공복리 증진 중 한 가지만 서술한 경우

20 예시 답안 (가)는 개인과 국가 간의 공적인 생활 관계를 규율하기 때문에 공법에 해당하고, (나)는 개인 간의 사적인 생활 관계를 규율하기 때문에 사법에 해당한다.

채점 기준

상	(가), (나)의 사례가 해당하는 법 영역을 이유와 함께 서술한 경우
중	(가), (나)의 사례가 해당하는 법 영역만 바르게 서술한 경우
하	(가), (나)의 사례가 해당하는 법 영역과 그 이유를 모두 서술하지 못한 경우

21 예시 답안 사회법은 공법과 사법의 중간적 성격을 가지며, 현대 복지 국가에서 중요성이 더욱 커지고 있다.

채점 기준

상	사회법의 특징 두 가지를 모두 서술한 경우
중	사회법의 특징을 한 가지만 서술한 경우
하	사회법의 특징을 서술하지 못한 경우

22 예시 답안 형사 재판이 열리게 되고, B는 재판 전에는 피의자였다가 재판이 시작되면 피고인이 된다.

답안 작성 Hint B의 행동은 모욕죄에 해당하므로 형사 재판이 열린다. 재판이 열리기 전에 B는 피의자로서 조사를 받고, 재판이 시작되면 피고인으로서 재판 당사자가 된다.

채점 기준

상	재판의 종류의 B의 지위 변화를 모두 정확하게 서술한 경우
하	재판의 종류 또는 B의 지위 변화 중 하나만 서술한 경우

23 예시 답안 법관의 오판 가능성을 최소화하고, 공정한 재판을 실시하여 국민의 자유와 권리를 보장하기 위해 필요하다.

채점 기준

상	법관의 오판 가능성 최소화, 공정한 재판을 통한 국민의 자유와 권리 보장을 모두 정확하게 서술한 경우
하	공정한 재판을 통한 국민의 자유와 권리 보장만 서술한 경우

12. 사회 변동과 사회 문제

01 현대 사회의 변동 특징

216~217쪽

꼼꼼! 필기 노트

❶ 사회 변동 ❷ 과학 기술 ❸ 산업화 ❹ 대량 생산 ❺ 정보화
❻ 정보 격차 ❼ 세계화 ❽ 정보 통신 기술

콕콕! 핵심 개념

1 사회 변동 2 산업화 3 세계화

탄탄! 활동 노트

활동① ❶ 농경 ❷ 자본 ❸ 지식과 정보
활동② 1 세계화 2 ❶ 격차 ❷ 문화 획일화

쑥쑥! 실력 키우기

218~219쪽

·1 STEP 개념을 되짚는 확인 문제·

01 (1) 사회 변동 (2) 정보 사회 (3) 세계화 (4) 산업화 02 (1) 정보 격차 (2) 지식과 정보 03 (1) ○ (2) × (3) × 04 (1) ㉢ (2) ㉠ (3) ㉡

:2 STEP 기초를 다지는 기본 문제

01 ② 02 ⑤ 03 ⑤ 04 ⑤ 05 ① 06 ⑤

:3 STEP 실력을 완성하는 주관식·서술형 문제

07 [정답] 세계화 08 해설 참조 09 해설 참조 10 해설 참조

---

01 제시문은 사회 변동에 대한 내용이다. 현대 사회에서는 전통적인 가치보다는 현대적인 가치와 보편적 이념이 확산되었다.

02 ⑤ 정보 사회에서는 지식과 정보가 중심적인 역할을 한다.

03 [오답 확인] ㄱ. 세계화로 인해 국가 간 경계는 약화되고 있다.

04 ⑤ 세계화의 부정적인 측면으로 볼 수 있다.

05 [오답 확인] ㄷ, ㄹ은 정보 사회에 대한 설명이다.

06 ⑤ 정보 사회의 순기능에 해당한다.

07 세계화란 국가 간 경계가 약화되고, 세계 여러 나라가 다양한 분야에서 긴밀한 관계를 맺고 있는 현상이다.

08 [예시 답안] 현대 사회 변동은 그 속도가 빠르고 광범위하며, 동시다발적이다. 또한 빠른 변동 속도로 인해 전통성과 근대성이 혼재되어 가치관의 혼란이 일어나기도 한다.

채점 기준

상	현대 사회 변동의 특징 세 가지를 옳게 서술한 경우
중	현대 사회 변동의 특징을 두 가지만 옳게 서술한 경우
하	현대 사회 변동의 특징을 한 가지만 옳게 서술한 경우

09 [예시 답안] (가)는 정보 사회이다. 정보 사회에서는 지식 및 정보,

서비스업 등의 3차 산업이 중심이 되며 다품종 소량 생산 방식이 나타난다. 또한 지식과 정보가 중요한 생산 자원이 된다.

채점 기준

상	정보 사회를 쓰고, 정보 사회의 특징 두 가지를 옳게 서술한 경우
중	정보 사회를 쓰고, 정보 사회의 특징을 한 가지만 서술한 경우
하	정보 사회만 쓴 경우

10 [예시 답안] 정보 격차, 정보 격차를 해결하기 위해서는 저소득층이 정보에 쉽게 접근할 수 있도록 인터넷 통신비나 컴퓨터 등의 경제적 지원을 확대해야 한다.

채점 기준

상	정보 격차를 쓰고, 해결 방안을 옳게 서술한 경우
중	정보 격차를 쓰고, 해결 방안을 서술하였으나 내용이 미흡한 경우
하	정보 격차만 쓴 경우

02 한국 사회 변동의 최근 경향

220~221쪽

꼼꼼! 필기 노트

❶ 고령화 ❷ 저출산 ❸ 평균 수명 ❹ 출산 장려 ❺ 다문화 사회
❻ 외국인 근로자 ❼ 개방적인 태도

콕콕! 핵심 개념

1 저출산 2 고령화 3 다문화 사회

탄탄! 활동 노트

활동① 1 ❶ 고령화 사회 ❷ 고령 사회 ❸ 초고령 사회 2 ❹ 생산 가능 인구 ❺ 생산성 ❻ 복지 비용
활동② 1 ❶ 용광로 ❷ 샐러드 볼 2 개방적

쑥쑥! 실력 키우기

222~223쪽

·1 STEP 개념을 되짚는 확인 문제

01 (1) 합계 출산율 (2) 평균 수명, 고령화 (3) 다문화 사회 (4) 개방적
02 (1) 고령 사회 (2) 초고령 사회 03 (1) ○ (2) × 04 (1) ㉠ (2) ㉢ (3) ㉡

:2 STEP 기초를 다지는 기본 문제

01 ③ 02 ② 03 ② 04 ② 05 ② 06 ② 07 ④

:3 STEP 실력을 완성하는 주관식·서술형 문제

08 해설 참조 09 [정답] 저출산·고령화 현상 10 해설 참조 11 해설 참조

---

01 최근 우리나라는 출산율이 빠르게 감소하는 저출산 현상이 나타나고 있다.

02 오답 확인 ① 고령화로 인해 노인을 부양하기 위한 비용이 증가하고 있다. ③ 의료 기술의 발달로 평균 수명이 늘어나면서 의료비 지출이 증가하고 있다. ④ 낮은 출산율 때문에 고령화 현상이 가속화되고 있다. ⑤ 고령화에 대처하기 위해 개인적 차원과 국가적 차원에서 모두 대비책을 마련해야 한다.

03 고령화에 대한 대비책으로 다양한 노인 복지 제도를 마련하고, 노인 일자리를 확대하는 등 국가와 사회의 노력이 필요하다.

04 제시된 사례는 저출산·고령화를 해결하기 위한 대책이다.

05 ② 해외로 유학 가는 국내 학생이 늘어나는 것을 한국 사회가 다문화 사회로 변화하는 것으로 보기는 어렵다.

06 다문화 사회에서는 다양한 문화 요소가 공존하므로 문화의 양적·질적 수준이 향상된다.

07 오답 확인 ㄴ. 지역 간 갈등은 다문화 사회로 인한 갈등이 아니다.

08 예시 답안 실버산업을 확충하고, 노인의 취업 기회를 확대한다. 또한 고령자들을 위한 재교육을 실시하며, 복지 정책을 확충해야 한다. 출산 장려 정책을 시행하여 출산율도 높여야 한다.

채점 기준

상	고령화의 대처 방안 세 가지를 옳게 서술한 경우
중	고령화의 대처 방안을 두 가지만 옳게 서술한 경우
하	고령화의 대처 방안을 한 가지만 옳게 서술한 경우

09 답안 작성 Hint 육아 휴직 제도 확대, 영유아 보육비 지원 등을 통해 출산율을 높일 수 있다.

10 예시 답안 다문화 사회의 갈등을 해결하기 위해서는 사회적으로 이주민을 지원하는 법과 제도적 장치가 갖추어져야 하며, 개인적으로는 다양한 문화를 편견 없이 이해하고 수용하려는 개방적인 태도(다문화주의)를 지니기 위해 노력해야 한다.

채점 기준

상	다문화 사회 문제의 해결 방안을 사회적·개인적 측면에서 모두 서술한 경우
중	사회적 또는 개인적 측면 중 한 가지만 옳게 서술한 경우
하	사회적 또는 개인적 측면 중 한 가지만 서술하였으나 미흡한 경우

11 예시 답안 (가) 교향악단이 훌륭한 음악을 제공할 수 있는 것은 서로 다른 악기에서 나오는 다양한 음이 조화를 이루면서 하나의 멋진 음악을 만들어 내기 때문이다. (나) 샐러드가 맛있는 것도 다양한 재료들이 조화를 이루어내기 때문이다. 이처럼 다문화 사회에서 서로 다른 문화의 다양성을 존중하며 다양한 문화를 편견 없이 이해하고 수용하려는 개방적인 태도와 자세를 가질 때 사회도 발전할 수 있다.

채점 기준

상	문화의 다양성 및 개방적인 태도를 언급하며 옳게 서술한 경우
중	문화의 다양성 및 개방적인 태도 중 한 가지만 서술한 경우
하	문화의 다양성을 언급하였으나 내용이 미흡한 경우

03 현대 사회의 사회 문제

224~225쪽

▶ 꼼꼼! **필기 노트**
❶ 사회 문제 ❷ 인간의 노력 ❸ 선진국 ❹ 개발 도상국
❺ 실업 ❻ 제도적 ❼ 의식적 ❽ 저출산

▶ 콕콕! **핵심 개념**
1 사회 문제 **2** 실업 문제 **3** 환경 문제

▶ 탄탄! **활동 노트**
활동① **1** ❶ 개발 도상국 ❷ 선진국 **2** (가) ㄱ, ㄴ, ㄹ, ㅇ
(나) ㄷ, ㅁ, ㅂ, ㅅ
활동② **1** (가) ㅂ (나) ㅅ (다) ㅈ (라) ㅊ **2** 문제의 발생 원인이 사회 내부에 있고, 인간의 노력으로 해결할 수 있기 때문이다.

쑥쑥! 실력 키우기

226~227쪽

·1 STEP 개념을 되짚는 확인 문제

01 (1) 사회 문제 (2) 개발 도상국 (3) 환경 문제 (4) 노동 문제
02 (1) 지구 온난화 (2) 오존층 파괴 **03** (1) ○ (2) ○ (3) ×
04 (1) ㉣ (2) ㉢ (3) ㉠ (4) ㉡

·2 STEP 기초를 다지는 기본 문제

01 ② **02** ④ **03** ③ **04** ① **05** ② **06** ④ **07** ④

·3 STEP 실력을 완성하는 주관식·서술형 문제

08 해설 참조 **09** 해설 참조 **10** 해설 참조

01 사회 문제는 발생 원인이 사회 내부에 있고 인간의 노력으로 해결 가능하다.

02 오답 확인 ㄹ은 저출산·고령화 문제를 해결하기 위한 대책이다.

03 오답 확인 ㄱ과 ㄴ은 자연 재해, ㅁ은 개인 문제이다.

04 정보 격차는 경제적·사회적 격차로 이어질 수 있다.

05 오답 확인 ①, ④ 개발 도상국에는 인구 증가의 문제가 발생하고 있다. ③, ⑤ 선진국에서 나타나는 사회 문제이다.

06 출산율이 높은 개발 도상국에서는 폭발적인 인구 증가가, 선진국에서는 인구 감소와 노동력 부족 문제가 나타난다.

07 ④ 에너지를 적게 소비하는 가전제품을 이용해야 한다.

08 예시 답안 저출산 문제, 제도적 차원에서는 출산 장려금 지급이나 육아 휴직 제도 등을 실시하고, 의식적 차원에서는 양성평등 의식을 확산하기 위해 공익 광고나 캠페인 활동을 벌일 수 있다.

채점 기준

상	제도적·의식적 차원의 저출산 해결 방안을 옳게 서술한 경우
중	제도적·의식적 차원의 저출산 해결 방안 중 한 가지만 서술한 경우
하	저출산 문제만 쓴 경우

09 예시답안 노동문제, 비정규직 근로자의 비중이 늘어나면 근로자들은 자신들의 고용 상태에 불안을 느끼게 되며, 이는 노사 갈등을 불러일으키기도 한다. 따라서 비정규직 근로자가 일정 요건을 갖추면 정규직으로 전환할 수 있는 기회를 제공하는 등 사회적 형평성을 고려한 대책을 마련해야 한다.

답안 작성 Hint (가)는 우리나라 비정규직의 비율이 높은 것을 나타내고, (나)는 정규직과 비정규직 근로자 간의 임금 차별 문제를 나타내고 있다.

채점 기준

상	비정규직 근로자의 저임금, 고용 불안과 해결 방안을 서술한 경우
중	비정규직 근로자의 저임금, 고용 불안 문제만 언급한 경우
하	비정규직 근로자만 언급한 경우

10 예시답안 저작권 침해 문제이다. 이를 해결하기 위해서는 저작권에 대한 법적·제도적 보호를 강화하고, 지적 재산권 보호에 대한 교육을 통하여 시민의 윤리 의식을 강화시켜야 한다.

채점 기준

상	저작권 문제를 쓰고, 해결 방안 두 가지를 옳게 서술한 경우
중	저작권 문제를 쓰고, 해결 방안을 한 가지만 옳게 서술한 경우
하	저작권 문제만 쓴 경우

뚝딱! 단원 마무리하기

228~231쪽

01 ③ **02** ⑤ **03** 과학 기술의 발전, 가치관이나 신념의 변화, 전쟁과 같은 역사적 사건, 정부의 정책이나 자연환경의 변화 등 **04** ②
05 ③ **06** ⑤ **07** ② **08** ③ **09** ① **10** ③ **11** ⑤ **12** ②
13 ② **14** ④ **15** ③ **16** ② 서술형 문제 **17~22** 해설 참조

01 오답 확인 ㄱ. 사회에 따라 변동 방향, 속도, 형태 등이 다르다. ㄴ. 어느 한 영역의 변화가 다른 영역의 변화를 유발한다.

02 (가)는 정보 사회, (나)는 농경 사회, (다)는 산업 사회에 해당한다.

03 사회 변동은 과학 기술의 발전, 가치관이나 신념의 변화, 역사적 사건 등 다양한 요소의 영향을 받아 일어난다.

04 갑은 부정적 입장, 을은 긍정적 입장에 해당한다.

05 출산율 저하는 노동력 부족으로 이어지고 이는 국가 경쟁력을 약화시켜 국가의 경제 성장에 부정적인 영향을 미칠 수 있다.

06 오답 확인 ㄴ. 사이버 범죄는 정보화로 인해 나타난다.

07 오답 확인 ㄴ. 저출산 문제는 여성의 사회 진출(참여) 증가가 원인이다. ㄹ. 노인 인구의 증가로 기업의 정년이 연장되고 있다.

08 오답 확인 15~64세 인구의 감소는 생산 가능 인구의 감소를 의미하며, 이는 재정 수입의 감소를 초래한다.

09 오답 확인 ㄷ. 모자이크 문화나 다문화주의는 '틀림'보다는 '다름'을 강조한다. ㄹ. '한민족 단합 대회'는 단일 민족주의를 지향하므로 다문화 사회를 대비하는 정책으로 보기는 어렵다.

10 ③ 제시문은 제도적인 측면의 해결책에 대한 내용인데, 다문화

주의에 대한 캠페인의 실시는 의식적인 측면의 해결 방안이다.

11 ⑤ 다문화 사회로의 변화는 북한 이탈 주민의 유입도 포함된다.

12 현대 사회에서는 급격한 사회 변동과 가치관의 변화로 과거보다 더욱 다양한 사회 문제가 발생하고 있다.

13 (가)는 선진국, (나)는 개발 도상국의 인구 피라미드이다.

14 오답 확인 ㄴ. 천재지변은 사회 문제가 아니다.

15 제시문은 감시 체제를 통한 사생활의 침해를 지적하고 있다.

16 ② 의식적 차원의 문제 해결 방법에 해당한다.

17 예시답안 세계화, 국가 간의 상호 의존성이 커지고 있다.

채점 기준

상	세계화를 쓰고, 그 특징을 옳게 서술한 경우
하	세계화만 쓴 경우

18 예시답안 자연 재해는 발생 원인이 사회에 있지 않고, 인간의 노력으로 해결 가능한 것이 아니므로 사회 문제로 볼 수 없다.

채점 기준

상	사회 문제의 의미(기준) 두 가지와 연결지어 옳게 서술한 경우
중	사회 문제의 의미 중 한 가지와 연결지어 서술한 경우
하	사회 문제의 의미 중 한 가지와 연결지었으나 내용이 미흡한 경우

19 예시답안 다문화 사회, 다문화 사회로 변화하게 된 원인으로 국제결혼의 증가와 외국인 근로자의 급증 등을 들 수 있다.

채점 기준

상	다문화 사회를 쓰고, 그 원인 두 가지를 옳게 서술한 경우
중	다문화 사회를 쓰고, 원인 중 한 가지만 옳게 서술한 경우
하	다문화 사회만 쓴 경우

20 예시답안 고령화가 빠르게 진행되는 이유는 생활 수준의 향상과 의료 기술의 발달로 평균 수명이 연장되었고, 여성들의 사회 진출 증가와 양육비 상승으로 인한 저출산 현상 때문이다.

채점 기준

상	평균 수명 연장과 저출산을 언급하며 원인을 바르게 서술한 경우
중	평균 수명 연장과 저출산 중 한 가지만 언급하여 서술한 경우
하	평균 수명 연장과 저출산을 모두 서술하지 못한 경우

21 예시답안 (가)는 정보 격차를 해소하기 위해서이고, (나)는 개인 정보 유출을 막기 위해서이다.

채점 기준

상	(가), (나)를 실시하는 이유를 정보 사회의 문제점과 관련지어 각각 옳게 서술한 경우
하	(가), (나)의 이유 중 한 가지만 옳게 서술한 경우

22 예시답안 저출산 문제, 이를 해결하기 위한 제도적 방안으로는 출산 장려금 지급이나 육아 휴직 제도 확대 등이 있다.

채점 기준

상	저출산 문제를 쓰고, 제도적 해결 방안 두 가지를 서술한 경우
중	저출산 문제를 쓰고, 제도적 해결 방안을 한 가지만 서술한 경우
하	저출산 문제만 쓴 경우

2015 개정 교육과정

학교시험대비 평가 시리즈

금펑아 놀자!

중학 **사회①** **평가문제집**

정답과 **해설**